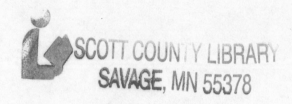

SHAKESPEARE
TEATRO

Mr. WILLIAM
SHAKESPEARES

COMEDIES,
HISTORIES, &
TRAGEDIES.

Publifhed according to the True Originall Copies.

Martin Droeshout sculpsit London.

LONDON

Printed by Ifaac Iaggard, and Ed. Blount. 1623.

WILLIAM SHAKESPEARE

Hamlet - Penas por amor perdidas
Los dos hidalgos de Verona
Sueño de una noche de verano
Romeo y Julieta

*Con notas preliminares
y dos cronologías*

VIGESIMOSEGUNDA EDICION

EDITORIAL PORRÚA
AV. REPÚBLICA ARGENTINA, 15
MÉXICO, 2005

Primera edición: Londres, 1623. (Edición completa de las obras de Shakespeare (no incluye *Pericles)*, conocida bajo el nombre de *Folio.)*
Primera edición en la Colección "Sepan Cuantos...", 1968

ISBN 970-07-5542-8 (Rústica)
ISBN 970-07-5462-6 (Tela)

IMPRESO EN MÉXICO
PRINTED IN MEXICO

NOTA PRELIMINAR

A pesar de que la vida de Shakespeare, como dramaturgo, poeta, actor y empresario teatral, se nos ofrezca en nuestros días sorprendentemente bien documentada, y aun su misma intimidad pueda seguirse en muchos de sus aspectos con pasos bastantes seguros, priva todavía cierto gusto en mantener a la figura del genio inglés envuelta en el misterio. Existen, sin duda, importantes e inexplicables lagunas. Vacíos que han dado motivo a una serie de especulaciones, y a elaborar una biografía apócrifa, aceptada a fuerza de repetirse. La falta de datos, por ejemplo, acerca de la educación de Shakespeare. Con tal de recrearse en el "mito", corre la leyenda y se da por seguro su repugnancia al estudio; que sus maestros le eran antipáticos y prefería vagabundear en plan de "cazador furtivo"; que, aprendiz de carnicero, destazaba una res con "gran estilo", precedida la operación por un discurso académico, y que huyó del hogar cuando la permanencia en Stratford se le hizo insoportable. Con semejantes fantasías, se llegó a la conclusión de que era un personaje estrafalario y caprichoso, de pocos alcances, y de vida oscura. Una curiosidad provocada por esas sombras, por un misterio perturbador quizá por su misma sencillez, hizo lanzarse a algunos al análisis de su teatro, y en especial de sus sonetos. Los resultados señalaban, según ellos, la presencia de una marcada excentricidad y una evidente tendencia a dejarse dominar por las pasiones. Otros fueron más lejos negándole la paternidad de sus obras.

Por fortuna, la devoción de eminentes investigadores, ingleses y norteamericanos, y sus descubrimientos, no interrumpidos todavía, han hecho posible la presentación a la generación presente de una imagen de Shakespeare más equilibrada, desprovista de figuraciones sin sentido. Surge, pues, un hombre normal; no un campesino astuto de natural inspiración, ni un monstruo de sapiencia, y sí, por el contrario, un perspicaz hombre de negocios, buen administrador, y con la mira siempre atenta al porvenir de su familia; espíritu independiente, tanto en las relaciones con sus colegas, como en las meramente sociales, y dominándolo todo, un escritor, un poeta muy a tono con la época para saber encontrar en el Drama el medio ideal para poner a contribución su habilidad creadora, y alcanzar los máximos triunfos.

Shakespeare pone al teatro isabelino al mismo nivel del de Atenas del siglo V, y del de la España en el Siglo de Oro, que se inspiraron en gustos y costumbres en la mentalidad popular, aun cuando el público se componía de toda la escala de las clases sociales. Estas obras de teatro, nacidas de tan diversos ambientes, quizá no hayan alcanzado, en conjunto, un entero acento refinado, pero en cambio reflejaban una visión más universal de la vida. Con tan encontrados temas y elementos, lo que en verdad resulta admirable en el genio de Shakespeare es aquella atinada y segura elección de los argumentos empleados para el logro de una acabada realización artística y dramática en sus obras, usando de continuo los elementos familiares que le rodeaban, ofreciendo con sus elecciones y recreaciones, sugerencias teatrales más ricas y fecundas que cuantas le había precedido. Dramas con un inconfundible sello personal, y que, sin embargo, poseían las cualidades precisas para ser gustados por los auditorios más disímbolos, y aplaudidos tanto en los tablados públicos como en el teatro de la Corte.

En las Cronologías que siguen, podrá el benévolo lector conocer, o recordar, los hechos de mayor significación de la vida de Shakespeare, y en donde quedan también registradas las efemérides que informaron el mundo en el cual le tocó vivir.

Los Editores.

México, 15 de febrero de 1968.

CRONOLOGIA DE LA VIDA DE WILLIAM SHAKESPEARE

1564 No se conoce con exactitud la fecha del día de su nacimiento, pero en la parroquia de Stratford-upon-Avon, del condado de Warwick, se registra su bautizo el día 26 de abril de 1564 en la iglesia de la Santísima Trinidad: "Gulielmus filius Johannes Shakespeare". Fue el tercer hijo de María Arden y de Juan Shakespeare.

1582 Contrae matrimonio con Ana Hathaway. De este matrimonio nacen tres hijos de los cuales, el único varón, muere a los doce años de su edad en 1596.

1585-86(?) Deja a Stratford y a su familia, para trasladarse a Londres donde comienza a encauzar su vida de escritor y autor teatral.

1590-1592 Primeras representaciones de las tres partes de *Enrique VI.*

1592 Su nombre se da a conocer como destacado actor y poeta, y se relaciona en íntima amistad con Heminge y Condell, quienes más tarde, después de su muerte, habían de publicar en 1623 el primer "Folio" con 36 de sus obras teatrales. También por esa fecha hace amistad con Tomás Nash, Jorge Peele, Marlow y otros poetas y autores dramáticos. Es entonces cuando comienza a tratarse con los aristócratas isabelinos; el conde Essex, y el de Southampton.

1593 Publicación del poema *Venus y Adonis.*

1594 Publicación del poema *La violación de Lucrecia.* Se forma la compañía de Lord Chamberlain, con la participación de Shakespeare.

1595 Primeras representaciones de *Ricardo II,* del *Sueño de una noche de verano,* y comienza a escribir sus primeros sonetos.

1598 Su compañía construye el primer teatro, que llevó el nombre de "El Globo" (The Globe). En ese mismo año actúa en la obra de Ben Jonson, *Cada quien según su humor.*

1599 Se convierte en uno de los dueños del teatro "El Globo".

1600 23 de agosto. Aparece por primera vez el nombre de Shakespeare en el Registro de Libreros, con la inscripción de *Muche a Doo about nothinge (Mucho ruido y pocas nueces).*

1600-1601   Primeras representaciones de *Hamlet* y *Las Alegres Casadas de Windsor.*

1601   Shakespeare representa en la obra de Ben Jonson, *Sejanus.*

1603   Asciende al trono Jaime I, y toma bajo su patronato la compañía del Lord Chamberlan, circunstancia favorable a las actividades literarias y teatrales de Shakespeare.

1605-1606   Primeras representaciones del *Rey Lear* y de *Macbeth.*

1606-1607   Primeras representaciones de *Antonio y Cleopatra.*

1608   Es empresario del teatro privado de los hermanos Burbage en los Blackfriars.

1609   Publicación de los *Sonetos.*

1610   Regreso de Shakespeare a Stratford.

1612-1613   Primeras representaciones de *Enrique VIII.*

1613   El teatro "El Globo" es destruído por un incendio. En ese mismo año Shakespeare compra el teatro "Gatehouse" en Blackfriars, y nombra a su colega actor, Heminge, como administrador. En esta época asciende al servicio personal del rey.

1616   El 25 de marzo firma su testamento. Muere en su casa de "New-Place" en Stratford-upon-Avon, el 23 de abril de ese mismo año. (En la misma fecha del mes de abril de 1616, muere Miguel de Cervantes Saavedra.) Shakespeare es enterrado en el presbiterio de la iglesia de la Santísima Trinidad donde había sido bautizado cincuenta y dos años antes.

CRONOLOGIA DE SUCESOS POLITICOS Y CULTURALES

1564   Bula *Benedictus Deus* ratificando las actas del Concilio de Trento. Muerte de Calvino. Santa Teresa escribe: *El camino de Perfección*.

1566   Catecismo del Concilio de Trento. Santa Teresa: *Pensamiento sobre el amor divino*. Muere Fray Bartolomé de las Casas en Madrid en el convento de Ntra. Sra. de Atocha.

1567   Termina el proceso de la Conjuración del Marqués del Valle en la ciudad de México.

1568   Fundación por Fray Juan de la Cruz del primer convento de Carmelitas Descalzos.

1570   Sublevación de los moriscos en Andalucía y su represión por Don Juan de Austria.

1571   Se establece formalmente en México el Tribunal de la Inquisición. Fr. Alonso de Molina publica en la misma ciudad *Vocabulario en Lengua Castellana y Mexicana*. Batalla naval de Lepanto.

1572   Noche de San Bartolomé. Drake captura el convoy español de las Indias. Drake en Panamá. Camoens: *Os Luisiadas*. Publicación en Amberes de la *Biblia Políglota* de Arias Montano.

1575   Muere en México Francisco de Cervantes de Salazar, cronista de la ciudad.

1576   Formación de la Liga. Pacificación de Gante. J. Bodin: *La República*. Nace San Vicente de Paúl.

1577   Se imprime en México la obra *P. Ovidis Nasonis Tam de Tristibus Quam de Ponto*.

1578   Se publican en México *Summa Recopilación de Cirugía*, de Alonso López, y la *Introductio in Dialecticam Aristoteles*, del P. Francisco Toledo, S. J.

1580   Montaigne: Primera edición de sus *Ensayos*. El Tasso: *Jerusalén Libertada*. Nace Francisco de Quevedo y Villegas, y en la Nueva España Juan Ruiz de Alarcón. Muere Camoens.

1585   Cervantes: *La Galatea*.

1587   Drake saquea Cádiz. Raleigh instala una colonia en Virginia.

1588   Desastre de la "Invencible Armada". Montaigne: *Ensayos* (libro III).

1591   Se imprimen en la ciudad de México los *Problemas y Secretos maravillosos de las Indias*, de Juan de Cárdenas.

1592   Edición definitiva de la *Vulgata* Sixtina.

1596   Los holandeses se instalan en Nueva Zelanda y en Spitzberg. Kepler: *Mysterium Cosmographicum*. Nacimiento de Descartes. Se funda en México la ciudad de Monterrey. Se representa *La Numancia*, de Cervantes.

1598   Edicto de Nantes. Tratado de Vervins. Boris Gudonov, elegido Zar. Lope de Vega: *Arcadia* y *La Dragontea*. Muere Felipe II.

1599   Mateo Alemán publica la primera parte del *Guzmán de Alfarache*.

1600   Creación de la Compañía inglesa de las Indias Orientales. Reforma de la Universidad de París.

1601   Nace Baltasar Gracián.

1602   Fundación de la Compañía holandesa de las Indias Orientales. Lope de Vega: *Hermosura de Angélica*.

1603   Primer viaje de Champlain al Canadá. Muere la Reina Isabel; sube al trono Jaime I.

1604   Lope de Vega: *Peregrino en su patria*. Se publica en México *La Grandeza Mexicana*, de Bernardo de Balbuena. Marlowe publica el *Doctor Fausto*.

1605   Aparece la Primera parte de *Don Quijote*, de Cervantes.

1606   Enrico Martínez publica en México *Repertorio de los tiempos y Historia natural desta Nueva España*. Nace el dramaturgo francés Corneille.

1607   Encuentro de San Francisco de Sales y de Madame de Chantal. Publicación en México de *Discursos de la antigüedad de la Lengua Cántabra Vascongada*, de Baltasar de Echave.

1608   Champlain funda Quebec. San Francisco de Sales: *Introducción a la vida devota*. Juan Ruiz de Alarcón regresa a México.

1609   Tregua de doce años entre España y las Provincias Unidas. Kepler: *Astrologia nova*. Lope de Vega: *Jerusalén conquistada*. Los moriscos son expulsados de Valencia, Andalucía y Murcia. Antonio de Morga publica en México *Sucesos de las Islas Filipinas;* y en la misma ciudad aparece *Ortografía Castellana* de Mateo Alemán.

1610   Asesinato de Enrique IV por Ravaillac. Galileo perfecciona el telescopio. Nace Antonio de Solís, autor de la *Historia de la Conquista de México*. *Coloquios espiritua-*

les y sacramentales y canciones divinas, de Fernán González de Eslava, impresos en México, por López Dávalos.

Lope de Vega: *Pastores de Belén.* En México es sofocada una rebelión de los negros.

Advenimiento de los Romanov en Rusia. Cervantes: *Novelas Ejemplares. Polifemo y Galatea. Soledades (circa),* de Luis de Góngora.

1614   Estados Generales en Francia. Fundación de la Compañía holandesa del Norte. El Greco: *Asunción de la Virgen.* Cervantes: *Viaje del Parnaso.* Fernández de Avellaneda: *El Quijote apócrifo.*

1615   Embajada inglesa en la India. W. Harvey descubre la circulación de la sangre. Cervantes: Segunda Parte de *Don Quijote* y *Entremeses.* En México: *Cuatro Libros de la naturaleza y virtudes de las plantas, y animales que están recebidos en el uso de Medicina en la Nueva España, y el método y corrección y preparación que para administrarlos se requiere... Muy útil para todo género de gente que vive en estancias y pueblos donde no hay médicos ni botica.* (Traducido y con aumentos de lo que escribió en latín el doctor Francisco Hernández, por Fr. Francisco Ximénez, dominico.)

1616   San Francisco de Sales: *Tratado del amor de Dios.* Muere Miguel de Cervantes Saavedra el 23 de abril.

TRADUCCION DE LAS PALABRAS Y FRASES LATINAS EMPLEADAS EN EL TEXTO DE LOS DRAMAS DE ESTE TOMO

Anne intelligis, domine?	¿Por ventura me entendéis, señor?
Bis coctus!	¡Dos veces cocido!
caelum o *coelum*	El cielo.
caret (3ª pers. sing. de careo)	Carece; se echa de menos.
Circum circa	Alrededor, cerca de.
Dictynna	Uno de los nombres de Diana.
facere	Hacer
"Fauste, precor, gelida quantlo pecus omne sub umbra ruminat..."	"Fausto, ruégote encarecidamente, cuando todo el rebaño rumie, protegido por la fresca sombra..." (Verso 1º de la Egloga I de Juan Bautista de Mantua (?-1510).
Haud credo	No lo creo.
Hic et ubique?	¿Aquí y en todas partes?
Laus Deo, bone intelligo	Gracias a Dios, entiendo bien.
Lege, domine	Leed, señor.
Mehercle!	¡Por Hércules!
Novi hominem tamquam te	Conozco al hombre tanto como tú.
Omne bene	Todo está bien.
Pauca verba	pocas palabras; ni una palabra más.
pueritia	infancia.
quondam	una vez; un día; a veces.
sanguis	en sangre.
Satis quod sufficit	Lo que basta es suficiente.
terra	La tierra.
videlicet	Es claro, evidente; es decir.
Video, et gaudeo	Lo veo, y me alegro.
Videsme quis venit?	¿Veis quién viene?
Vir sapit qui pauca loquitur	Varón sabio es el que habla poco.

HAMLET 1598 - 1601

Esta tragedia, por el refinamiento y perfección de su estilo, y por lo completo de su contorno dramático, nos hace sentir que fue escrita en la plena madurez del autor. Existe una referencia manuscrita de Gabriel Harvey en un ejemplar de la obra de Speght sobre Chaucer, impresa en 1598, apostilla escrita a fines del mismo año, que puede corroborar esa fecha para la composición del drama: "El público joven gusta mucho del poema VENUS Y ADONIS *de Shakespeare; pero su* LUCRECIA, *y la tragedia de* HAMLET, PRÍNCIPE DE DINAMARCA, *tienen todo para complacer a los inteligentes."*

La leyenda de Hamlet fue conocida en la época isabelina por medio de las HISTOIRES TRAGIQUES *de François de Belleforest (1559), y que encontró su expresión más sublime en la obra de Shakespeare. Belleforest hizo una adaptación de la antigua leyenda de Amleth que figura en la* HISTORIA DANICA, *escrita en latín en el siglo XII por el historiador y eclesiástico danés Saxo Grammaticus. Este relato fue muy conocido entre los dramaturgos contemporáneos, y Thomas Nash en la* EPÍSTOLA *con que prologa el Menaphone de Green (1589), y después Lodge en su* WIT'S MISERIE AND THE WORLD MADNESSE *(1596), se refieren a una obra teatral,* HAMLET *(que nunca ha sido localizada), generalmente atribuida a Thomas Kyd. La similitud del estilo y estructura hacen que sea posible admitir lo aducido tantas veces, de que el mismo Kyd contribuyó con su famosa obra* SPANISH TRAGEDY *para inspirar el* HAMLET *de su insigne sucesor.*

HAMLET *ha dado pie a un sinnúmero de interpretaciones que representan la infinitud de facetas de la mente humana en la lucha entre el bien y el mal. El ilustre helelista Gilbert Murray nos muestra una afinidad esencial entre los mitos de* ORESTES *y* HAMLET; *y aquellos que se ocu-*

→

PERSONAJES

CLAUDIO. rey de Dinamarca.
GERTRUDIS, reina de Dinamarca.
HAMLET, príncipe.
FORTIMBRAS, príncipe de Noruega.
La sombra del rey Hamlet.
POLONIO, sumiller de corps.
LAERTES, hijo de Polonio.
OFELIA, hija de Polonio.
HORACIO, amigo de Hamlet.
VOLTIMAN.
CORNELIO.
RICARDO. } cortesanos.
GUILLERMO.
ENRIQUE.
MARCELO.
BERNARDO. } soldados.
FRANCISCO.
REINALDO, criado de Polonio.
Dos embajadores de Inglaterra.
Un cura.
Un caballero.
Un capitán.
Un guardia.
Un criado.
Dos marineros.
Dos sepultureros.
Cuatro cómicos.
Acompañamiento de grandes, caballe-
ros, damas, soldados, curas, cómicos,
criados, etc.

La escena se representa en el palacio y ciudad de Elsingor, en
sus cercanías y en las fronteras de Dinamarca.

---

*pan de las ciencias psicoanalíticas, en particular el Dr. Er-
nest Jones, explican el misterio de* HAMLET *en relación con
el complejo de Edipo. En esta obra, el arte dramático de
Shakespeare fluye en forma maestra, se puebla de imágenes creadas por el genio, sustentado en el perfecto dominio
del oficio teatral. Todo moldeado por la mesura, acen-
tuada en los soliloquios de* HAMLET, *de los de* OFELIA *y*
CLAUDIO, *cuyas sentencias han enriquecido el patrimonio
de la cultura universal.*

ACTO PRIMERO

ESCENA PRIMERA

Explanada delante del palacio real de Elsingor.
Noche oscura

FRANCISCO, BERNARDO

Francisco estará paseándose haciendo centinela. Bernardo se va acercando
hacia él. Estos personajes y los de la escena siguiente
estarán armados con espada y lanza.

BERNARDO.—¿Quién está ahí?
FRANCISCO.—No: respóndame él a
mí. Deténgase, y diga quién es...
BERNARDO.—Viva el rey.
FRANCISCO.—¿Es Bernardo?
BERNARDO.—El mismo.
FRANCISCO.—Tú eres el más puntual
en venir a la hora.
BERNARDO.—Las doce han dado ya;
bien puedes ir a recogerte.
FRANCISCO.—Te doy mil gracias por
la mudanza. Hace un frío que pe-
netra, y yo estoy delicado del pe-
cho.
BERNARDO.—¿Has hecho tu guardia
tranquilamente?
FRANCISCO.—Ni un ratón se ha mo-
vido.
BERNARDO.—Muy bien. Buenas no-
ches. Si encuentras a Horacio y
Marcelo, mis compañeros de guar-
dia, diles que vengan presto.
FRANCISCO.—Me parece que los
oigo... Alto ahí. ¡Eh! ¿Quién va?

ESCENA II

HORACIO, MARCELO y dichos

HORACIO.—Amigos de este país.
MARCELO.—Y fieles vasallos del rey
de Dinamarca.
FRANCISCO.—Buenas noches.
MARCELO.—¡Oh honrado soldado!
Pásalo bien. ¿Quién te relevó de
la centinela?
FRANCISCO.—Bernardo, que queda en
mi lugar. Buenas noches.
(Vase Francisco: Marcelo y Horacio
se acercan adonde está Bernardo
haciendo centinela.)
MARCELO.—¡Hola, Bernardo!
BERNARDO.—¿Quién está ahí? ¿Es
Horacio?
HORACIO.—Un pedazo de él.
BERNARDO.—Bien venido, Horacio;
Marcelo, bien venido.
MARCELO.—Y que, ¿se ha vuelto a
aparecer aquella cosa esta noche?
BERNARDO.—Yo nada visto.
MARCELO.—Horacio dice que es
aprensión nuestra, y nada quiere
creer de cuanto le he dicho acerca

3

de esa espantosa fantasma que hemos visto ya en dos ocasiones. Por eso le he rogado que se venga a la guardia con nosotros, para que si esta noche vuelve el aparecido, pueda dar crédito a nuestros ojos, y le hable si quiere.

HORACIO.—¡Qué! No, no vendrá.

BERNARDO.—Sentémonos un rato, y deja que asaltemos de nuevo tus oídos con el suceso que tanto repugnan oír, y que en dos noches seguidas hemos ya presenciado nosotros.

HORACIO.—Muy bien: sentémonos, y oigamos lo que Bernardo nos cuente. *(Siéntanse los tres.)*

BERNARDO.—La noche pasada, cuando esa misma estrella que está al occidente del polo había hecho ya su carrera para iluminar aquel espacio del cielo donde ahora resplandece, Marcelo y yo, a tiempo que el reloj daba la una...

MARCELO.—Chit. Calla; mírale por donde viene otra vez.

(Se aparece a un extremo del teatro la sombra del rey Hamlet armado de todas armas, con un manto real, yelmo en la cabeza, y la visera alzada. Los soldados y Horacio se levantan despavoridos.)

BERNARDO.—Con la misma figura que tenía el difunto rey.

MARCELO.—Horacio, tú que eres hombre de estudios, háblale.

BERNARDO.—¿No se parece todo al rey? Mírale, Horacio.

HORACIO.—Muy parecido es... Su vista me conturba con miedo y asombro.

BERNARDO.—Querrá que le hablen.

MARCELO.—Háblale, Horacio.

HORACIO *(se encamina hacia donde está la sombra).*— ¿Quién eres tú, que así usurpas este tiempo a la noche, y esa presencia noble y guerrera que tuvo un día la majestad del soberano dinamarqués que yace en el sepulcro? Habla: por el cielo te lo pido.

(Vase la sombra a paso lento.)

MARCELO.—Parece que está irritado.

BERNARDO.—¿Ves? Se va como despreciándonos.

HORACIO.—Detente, habla. Yo te lo mando, habla.

MARCELO.—Ya se fue. No quiere respondernos.

BERNARDO.—¿Qué tal, Horacio? Tú tiemblas, y has perdido el color. ¿No es esto algo más que aprensión? ¿Qué te parece?

HORACIO.—Por Dios, que nunca lo hubiera creído sin la sensible y cierta demostración de mis propios ojos.

MARCELO.—¿No es enteramente parecido al rey?

HORACIO.—Cómo tú a ti mismo. Y tal era el arnés de que iba ceñido cuando peleó con el ambicioso rey de Noruega; y así le vi arrugar ceñudo la frente cuando en una alteración colérica hizo caer al de Polonia sobre el hielo, de un solo golpe... ¡Extraña aparición es ésta!

MARCELO.—Pues de esa manera, y a esta misma hora de la noche, se ha paseado dos veces con ademán guerrero delante de nuestra guardia.

HORACIO.—Yo no comprendo el fin particular con que esto sucede; pero en mi ruda manera de pensar, pronostica alguna extraordinaria mudanza a nuestra nación.

MARCELO.—Ahora bien, sentémonos *(siéntanse);* y decidme, cualquiera de vosotros que lo sepa, ¿por qué fatigan todas las noches a los vasallos con estas guardias tan penosas y vigilantes? ¿Para qué es esta fundición de cañones de bronce, y este acopio extranjero de máquinas de guerra? ¿A qué fin esa multitud de carpinteros de marina, precisados a un afán molesto, que no distingue el domingo de lo restante de la semana? ¿Qué causas puede haber para que sudando el trabajador apresurado junte las noches a los días? ¿Quién de vosotros podrá decírmelo?

HORACIO.—Yo te lo diré, o a lo menos los rumores que sobre esto corren. Nuestro último rey (cuya imagen acaba de aparecérsenos) fue provocado a combate, como ya sabéis, por Fortimbrás de Noruega, estimulado éste de la más orgullosa emulación. En aquel desafío, nuestro valeroso Hamlet (que tal renombre alcanzó en la parte del mundo que nos es conocida) mató a Fortimbrás, el cual por un contrato sellado y ratificado según el fuero de las armas, cedía al vencedor (dado caso que muriese en la pelea) todos aquellos países que estaban bajo su dominio. Nuestro rey se obligó también a cederle una porción equivalente, que hubiera pasado a manos de Fortimbrás, como herencia suya, si hubiese vencido; así como, en virtud de aquel convenio y de los artículos estipulados, recayó todo en Hamlet. Ahora el joven Fortimbrás, de un carácter fogoso, falto de experiencia y lleno de presunción, ha ido recogiendo de aquí y de allí por las fronteras de Noruega una turba de gente resuelta y perdida, a quien la necesidad de comer determina a intentar empresas que piden valor; y según claramente vemos, su fin no es otro que el de recobrar con violencia y a fuerza de armas los mencionados países que perdió su padre. Este es, en mi dictamen, el motivo principal de nuestras prevenciones, el de esta guardia que hacemos, y la verdadera causa de la agitación y movimiento en que toda la nación está.

BERNARDO.—Si no es ésa, yo no alcanzo cuál puede ser... Y en parte lo confirma la visión espantosa que se ha presentado armada en nuestro puesto con la figura misma del rey que fue y es todavía el autor de estas guerras.

HORACIO.—Es por cierto una mota que turba los ojos del entendimiento. En la época más gloriosa y feliz de Roma, poco antes que el poderoso César cayese, quedaron vacíos los sepulcros, y los amortajados cadáveres vagaron por las calles de la ciudad, gimiendo en voz confusa; las estrellas resplandecieron con encendidas colas, cayó lluvia de sangre, se ocultó el sol entre celajes funestos, y el húmedo planeta, cuya influencia gobierna el imperio de Neptuno, padeció eclipse, como si el fin del mundo hubiese llegado. Hemos visto ya iguales anuncios de sucesos terribles, precursores que avisan los futuros destinos: el cielo y la tierra juntos los han manifestado a nuestro país y a nuestra gente... Pero... silencio... ¿Veis?... Allí... Otra vez vuelve... (*Vuelve a salir la sombra por otro lado. Se levantan los tres, y echan mano a las lanzas. Horacio se encamina hacia la sombra, y los otros dos siguen detrás.*) Aunque el terror me hiela, yo le quiero salir al encuentro... Detente, fantasma. Si puedes articular sonidos, si tienes voz, háblame. Si allá donde estás puedes recibir algún beneficio para tu descanso y mi perdón, háblame. Si sabes los hados que amenazan a tu país, los cuales felizmente previstos puedan evitarse, ¡ay! habla... O si acaso durante tu vida acumulaste en las entrañas de la tierra mal habidos tesoros, por lo que se dice que vosotros, infelices espíritus, después de la muerte vagáis inquietos, decláralo... detente y habla.. Marcelo, detenle...

(*Canta un gallo a lo lejos, y empieza a retirarse la sombra: los soldados quieren detenerla haciendo uso de las lanzas: pero la sombra los evita, y desaparece con prontitud.*)

MARCELO.—¿Le daré con mi lanza?

HORACIO.—Sí, hiérele, si no quiere detenerse.

BERNARDO.—Aquí está.

HORACIO.—Aquí.

MARCELO.—Se ha ido. Nosotros le ofendemos, siendo él un soberano, en hacer demostraciones de violencia. Bien que, según parece, es invulnerable como el aire, y nues-

tros esfuerzos vanos y cosa de
burla.

BERNARDO.—Él iba ya a hablar cuando el gallo cantó.

HORACIO.—Es verdad, y al punto se estremeció como el delincuente apremiado con terrible precepto. Yo he oído decir que el gallo, trompeta de la mañana, hace despertar al dios del día con la alta y aguda voz de su garganta sonora, y que a este anuncio todo extraño espíritu errante por la tierra o el mar, el fuego o el aire, huye a su centro; y la fantasma que hemos visto acaba de confirmar la certeza de esta opinión.

(Empieza a iluminarse lentamente el teatro.)

MARCELO.—En efecto, desapareció al cantar el gallo. Algunos dicen que cuando se acerca el tiempo en que se celebra el nacimiento de nuestro Redentor, este pájaro matutino canta toda la noche, y que entonces ningún espíritu se atreve a salir de su morada; las noches son saludables, ningún planeta influye siniestramente, ningún maleficio produce efecto, ni las hechiceras tienen poder para sus encantos: ¡tan sagrados son y tan felices aquellos días!

HORACIO.—Yo también lo tengo entendido así, y en parte lo creo. Pero ved cómo ya la mañana, cubierta con la rosada túnica, viene pisando el rocío de aquel alto monte oriental. Demos fin a la guardia, y soy de opinión que digamos al joven Hamlet lo que hemos visto esta noche; porque yo os prometo que este espíritu hablará con él, aunque ha sido para nosotros mudo. ¿No os parece que le demos esta noticia, indispensable en nuestro celo y tan propia de nuestra obligación?

MARCELO.—Sí, sí, hagámoslo. Yo se en dónde le hallaremos esta mañana con más seguridad.

ESCENA III

Salón de palacio

CLAUDIO, GERTRUDIS, HAMLET, POLONIO, LAERTES, VOLTIMAN, CORNELIO, caballeros, damas y acompañamiento.

CLAUDIO.—Aunque la muerte de mi querido hermano Hamlet está todavía tan reciente en nuestra memoria, que obliga a mantener en tristeza los corazones, y a que en todo el reino sólo se observe la imagen del dolor, con todo eso, tanto ha combatido en mí la razón a la naturaleza, que he conservado un prudente sentimiento de su pérdida, junto con la memoria de lo que a nosotros nos debemos. A este fin he recibido por esposa a la que un tiempo fue mi hermana y hoy reina conmigo, compañera en el trono de esta belicosa nación; si bien estas alegrías son imperfectas, pues en ellas se han unido a la felicidad las lágrimas, las fiestas a la pompa fúnebre, los cánticos de muerte a los epitalamios de himeneo, pesados en igual balanza el placer y la aflicción. Ni hemos dejado de seguir los dictámenes de vuestra prudencia, que en esta ocasión ha procedido con absoluta libertad, de lo cual os quedo muy agradecido. Ahora falta deciros que el joven Fortimbrás, estimándome en poco, o presumiendo que la reciente muerte de mi querido hermano habrá producido en el reino trastorno y desunión, fiado en esta soñada superioridad, no ha cesado de importunarme con mensajes, pidiéndome le restituya aquellas tierras que perdió su padre, y adquirió mi valeroso hermano con todas las formalidades de la ley. Basta ya lo que de él he dicho. Por lo que a mí toca, y en cuanto al objeto que hoy nos reúne, veisle aquí: Escribo al rey de Noruega, tío del joven Fortimbrás, que doliente y postrado en el lecho apenas tiene noticia de los proyectos de su sobrino, a fin de que le impida llevarlos adelante; pues tengo ya exactos informes de la gente que levanta contra mí, su calidad, su número y fuerzas. Prudente Cornelio, y tú, Voltiman, nosotros saludaréis en mi nombre al anciano rey; aunque no os doy facultad personal para celebrar con él tratado alguno que exceda los límites expresados en estos artículos. (*Les da unas cartas.*) Id con Dios, y espero que manifestaréis en vuestra diligencia el celo de servirme.

VOLTIMAN.—En esta y cualquiera otra comisión os daremos pruebas de nuestro respeto.

CLAUDIO.—No lo dudaré. El cielo os guarde.

ESCENA IV

CLAUDIO, GERTRUDIS, HAMLET, POLONIO, LAERTES, damas, caballeros, y acompañamiento.

CLAUDIO.—Y tú, Laertes, ¿qué solicitas? Me has hablado de una pretensión: ¿no me dirás cuál sea? En cualquiera cosa justa que pidas al rey de Dinamarca, no será vano el ruego. ¿Ni qué podrás pedirme, que no sea más ofrecimiento mío que demanda tuya? No es más adicto a la cabeza el corazón, ni más pronta la mano en servir a la boca, que lo es el trono de Dinamarca para con tu padre. En fin, ¿qué pretendes?

LAERTES.—Respetable soberano, solicito la gracia de vuestro permiso para volver a Francia. De allí he venido voluntariamente a Dinamarca a manifestaros mi leal afecto, con motivo de vuestra coronación; pero ya cumplida esta deuda, fuerza es confesaros que mis ideas y mi inclinación me llaman de nuevo a aquel país, y espero de vuestra mucha bondad esta licencia.

CLAUDIO.—¿Has obtenido ya la de tu padre? ¿Qué dices, Polonio?

POLONIO.—A fuerza de importunaciones ha logrado arrancar mi tardío consentimiento. Al verle tan inclinado, firmé últimamente la licencia de que se vaya, aunque a pesar mío, y os ruego, señor, que se la concedáis.

CLAUDIO.—Elige el tiempo que te parezca más oportuno para salir, y haz cuanto gustes y sea más conducente a tu felicidad. ¡Y tú, Hamlet, mi deudo, mi hijo!

HAMLET.—Algo más que deudo y menos que amigo.

CLAUDIO.—¿Qué sombras de tristeza te cubren siempre?

HAMLET.—Al contrario, señor: estoy demasiado a la luz.

GERTRUDIS.—Mi buen Hamlet, no así tu semblante manifieste aflicción; véase en él que eres amigo de Dinamarca: ni siempre con abatidos párpados busques entre el polvo a tu generoso padre. Tú lo sabes, común es a todos; el que vive debe morir, pasando de la naturaleza a la eternidad.

HAMLET.—Sí, señora, a todos es común.

GERTRUDIS.—Pues si lo es, ¿por qué aparentas tan particular sentimiento?

HAMLET.—¿Aparentar? No, señora, yo no sé aparentar. Ni el color negro de este manto, ni el traje acostumbrado en solemnes lutos, ni los interrumpidos sollozos, ni en los ojos un abundante río, ni la dolorida expresión del semblante, junto con las fórmulas, los ademanes, las exterioridades de sentimiento, bastarán por sí solos, mi querida madre, a manifestar el verdadero afecto que me ocupa el ánimo. Estos signos aparentan, es verdad, pero son acciones que un hombre puede fingir... Aquí (tocándose el pecho), aquí dentro tengo lo que es más que apariencia: lo restante no es otra cosa que atavíos y adornos del dolor.

CLAUDIO.—Bueno y laudable es que tu corazón pague a un padre esa lúgubre deuda, Hamlet; pero no debes ignorarlo; tu padre perdió un padre también, y aquél perdió el suyo. El que sobrevive limita la filial obligación de su obsequiosa tristeza a un cierto término; pero continuar en interminable desconsuelo es una conducta de obstinación impía. Ni es natural en el hombre tan permanente afecto, que anuncia una voluntad rebelde a los decretos de la Providencia, un corazón débil, un alma indócil, un talento limitado y falto de luces. ¿Será bien que el corazón padezca, queriendo neciamente resistir a lo que es y debe ser inevitable? ¿a lo que es tan común como cualquiera de las cosas que más a menudo hieren nuestros sentidos? Este es un delito contra el cielo, contra la muerte, contra la naturaleza misma; es hacer una injuria absurda a la razón, que nos da en la muerte de nuestros padres la más frecuente de sus lecciones, y que nos está diciendo desde el primero de los hombres hasta el último que hoy expira: "mortales, ved aquí vuestra irrevocable suerte." Modera, pues, yo te lo ruego, esa inútil tristeza; considera que tienes un padre en mí, puesto que debe ser notorio al mundo que tú eres la persona más inmediata a mi trono, y que te amo con el afecto más puro que puede tener a su hijo un padre. Tu resolución de volver a los estudios de Witemberg es la más opuesta a nuestro deseo, y antes bien te pedimos que desistas de ella, permaneciendo aquí estimado y querido a vista nuestra, como el primero de mis cortesanos, mi pariente y mi hijo.

GERTRUDIS.—Yo te ruego, Hamlet, que no vayas a Witemberg: quédate con notros. No sean vanas las súplicas de tu madre.

HAMLET.—Obedeceros en todo será siempre mi primer conato.

CLAUDIO.—Por esa afectuosa y plausible respuesta quiero que seas otro yo en el imperio danés. Venid, señora. La sincera y fiel condescendencia de Hamlet ha llenado de alegría mi corazón. En aplauso de este acontecimiento, no celebrará hoy Dinamarca festivos brindis, sin que lo anuncie a las nubes el cañón robusto, y el cielo retumbe muchas veces a las aclamaciones del rey, repitiendo el trueno de la tierra. Venid.

ESCENA V

HAMLET

Oh, si esta demasiado sólida masa de carne pudiera ablandarse y liquidarse disuelta en lluvia de lágrimas, o el Todopoderoso no asestara el cañón contra el homicida de sí mismo! ¡Oh Dios! ¡oh Dios mío! ¡Cuán fatigado ya de todo, juzgo molestos, insípidos y vanos los placeres del mundo! Nada, nada quiero de él: es un campo inculto y rudo, que sólo abunda en frutos groseros y amargos. ¡Que esto haya llegado a suceder a los dos meses que él ha muerto!... No, ni tanto; aún no ha dos meses. Aquel excelente rey que fue, comparado con éste, como con un sátiro, Hiperión; tan amante de mi madre, que ni a los aires celestes permitía llegar atrevidos a su rostro. ¡Oh cielo y tierra!... ¿para qué conservo la memoria? Ella, que se le mostraba tan amorosa como si en la posesión hubieran crecido sus deseos. Y no obstante, en un mes... ¡ah! no quisiera pensar en esto. ¡Fragilidad, tú tienes nombre de mujer! En el corto espacio de un mes, y aun antes de romper los zapatos con que, semejante a Niobe, bañada en lágrimas, acompañó el cuerpo de mi triste padre... sí, ella, ella misma... ¡Cielos! una fiera, incapaz de razón y discurso, hubiera mostrado aflicción más durable. Se ha casado, en fin, con mi tío, hermano de mi padre; pero no más parecido a él, que yo lo soy a Hércules. En un mes... enrojecidos aún los ojos con el pérfido llanto, se casó. ¡Ah delincuente precipitación, ir a ocupar con tal diligencia un lecho incestuoso! Ni esto es bueno, ni puede producir bien. Pero hazte pedazos, corazón mío, que mi lengua debe reprimirse.

ESCENA VI

HAMLET, HORACIO, BERNARDO, MARCELO.

HORACIO.—Buenos días, señor.

HAMLET.—Me alegro de verte bueno... ¿Es Horacio, o me he olvidado de mí propio?

HORACIO.—El mismo soy, y siempre vuestro humilde criado.

HAMLET.—Mi buen amigo, yo quiero trocar contigo ese título que te das. ¿A qué has venido de Witemberg?... ¡Ah, Marcelo!

MARCELO.—Señor.

HAMLET.—Mucho me alegro de verte con salud también. Pero, la verdad, ¿a qué has venido de Witemberg?

HORACIO.—Señor... deseos de holgarme.

HAMLET.—No quiero oír de boca de tu enemigo otro tanto; ni podrás forzar mis oídos a que admitan una disculpa que te ofende. Yo sé que no eres desaplicado. Pero díme, ¿qué asuntos tienes en Elsingor? Aquí te enseñaremos a ser gran bebedor antes que te vuelvas.

HORACIO.—He venido a ver los funerales de vuestro padre.

HAMLET.—No se burle de mí, por Dios, señor condiscípulo. Yo creo que habrás venido a las bodas de mi madre.

HORACIO.—Es verdad: ¡como se han celebrado inmediatamente!

HAMLET.—Economía, Horacio, economía. Aún no se habían enfriado los manjares cocidos para el convite del duelo, cuando se sirvieron en las mesas de la boda... ¡Oh! yo quisiera haberme hallado en el cielo con mi mayor enemigo, antes que haber visto aquel día. ¡Mi padre!... me parece que veo a mi padre.

HORACIO.—¿En dónde, señor?

HAMLET.—Con los ojos del alma, Horacio.

HORACIO.—Alguna vez le vi. Era un buen rey.

HAMLET.—Era un hombre tan cabal en todo, que no espero hallar otro semejante.

HORACIO.—Señor, yo creo que le vi anoche.

HAMLET.—¿Le viste? ¿A quién?

HORACIO.—Al rey vuestro padre.

HAMLET.—¿Al rey mi padre?

HORACIO.—Prestadme oído atento, suspendiendo un rato vuestra admiración, mientras os refiero este caso maravilloso, apoyado con el testimonio de estos caballeros.

HAMLET.—Sí, por Dios, dímelo.

HORACIO.—Estos dos señores, Marcelo y Bernardo, le habían visto dos veces hallándose de guardia como a la mitad de la profunda noche. Una figura semejante a vuestro padre, armado según él solía de pies cabeza, se les puso delante, caminando grave, tardo y majestuoso por donde ellos estaban. Tres veces pasó de esta manera ante sus ojos, que oprimía el pavor, acercándose hasta donde ellos podían alcanzar con sus lanzas: pero débiles y casi helados con el miedo, permanecieron mudos sin osar hablarle. Diéronme parte de este secreto horrible; voyme a la guardia con ellos la tercera noche, y allí encontré ser cierto cuanto me habían dicho, así en la hora como en la forma y circunstancias de aquella aparición. La sombra volvió en efecto. Yo conocí a vuestro padre, y es tan parecido a él, como lo son entre sí estas dos manos mías.

HAMLET.—¿Y en dónde fue eso?

MARCELO.—En la muralla de palacio, donde estábamos de centinela.

HAMLET.—¿Y no le hablasteis?

HORACIO.—Sí, señor, yo le hablé; pero no me dio respuesta alguna. No obstante, una vez me parece que alzó la cabeza, haciendo con ella un movimiento, como si fuese a hablarme; pero al mismo tiempo se oyó la aguda voz del gallo matutino, y al sonido huyó con presta fuga, desapareciendo de nuestra vista.

HAMLET.—¡Es cosa bien admirable!

HORACIO.—Y tan cierta como mi propia existencia. Nosotros hemos creído que era obligación nuestra avisaros de ello, mi venerado príncipe.

HAMLET.—Sí, amigos, sí... pero esto me llena de turbación. ¿Estáis de centinela esta noche?

TODOS.—Sí, señor.

HAMLET.—¿Decís que iba armado?

TODOS.—Sí, señor, armado.

HAMLET.—¿De la frente al pie?

TODOS.—Sí, señor, de pies a cabeza.

HAMLET.—Luego no le visteis el rostro.

HORACIO.—Le vimos, porque traía la visera alzada.

HAMLET.—Y qué, ¿parecía que estaba irritado?

HORACIO.—Más anunciaba su semblante el dolor, que la ira.

HAMLET.—¿Pálido, o encendido?

HORACIO.—No, muy pálido.

HAMLET.—¿Y fijaba la vista en vosotros?

HORACIO.—Constantemente.

HAMLET.—Yo hubiera querido hallarme allí.

HORACIO.—Mucho pavor os hubiera causado.

HAMLET.—Sí, es verdad, sí... ¿Y permaneció mucho tiempo?

HORACIO.—El que puede emplearse en contar desde uno hasta ciento con moderada diligencia.

MARCELO.—Más, más estuvo.

HORACIO.—Cuando yo le vi, no.

HAMLET.—La barba blanca, ¿eh?

HORACIO.—Sí, señor, como yo se la había visto, cuando vivía, de un color ceniciento.

HAMLET.—Quiero ir esta noche con vosotros al puesto, por si acaso vuelve.

HORACIO.—¡Oh! sí volverá, yo os lo aseguro.

HAMLET.—Si él se me presenta en la figura de mi noble padre, yo le hablaré, aunque el infierno mismo abriendo sus entrañas me impusiera silencio. Yo os pido a todos, que así como hasta ahora habéis callado a los demás lo que visteis, de hoy en adelante lo ocultéis con el mayor sigilo; y sea cual fuere el suceso de esta noche, fiadlo al pensamiento, pero no a la lengua; yo sabré remunerar vuestro celo. Dios os guarde, amigos. Entre once y doce iré a buscaros a la muralla.

TODOS.—Nuestra obligación es serviros.

HAMLET.—Sí, conservadme vuestro amor, y estad seguros del mío.

Adiós. (*Vanse los tres.*) El espíritu de mi padre... con armas... no es esto bueno. Recelo alguna maldad. ¡Oh, si la noche hubiese ya llegado! Esperémosla tranquilamente, alma mía. Las malas acciones, aunque toda la tierra las oculte, se descubren al fin a la vista de los hombres.

ESCENA VII

Sala de casa de Polonio

LAERTES, OFELIA

LAERTES.—Ya tengo todo mi equipaje a bordo. Adiós, hermana, y cuando los vientos sean favorables y seguro el paso del mar, no te descuides en darme nuevas de ti.

OFELIA.—¿Puedes dudarlo?

LAERTES.—Por lo que hace al frívolo obsequio de Hamlet, debes considerarle como una mera cortesía, un hervor de la sangre, una violeta que en la primavera juvenil de la naturaleza se adelanta a vivir, y no permanece; hermosa, no durable; perfume de un momento, y nada más.

OFELIA.—¿Nada más?

LAERTES.—Pienso que no; porque no sólo en nuestra juventud se aumentan las fuerzas y tamaño del cuerpo, sino que las facultades interiores del talento y del alma crecen también con el templo en que ella reside. Puede ser que él te ame ahora con sinceridad, sin que manche borrón alguno la pureza de su intención; pero debes temer al considerar su grandeza, que no tiene voluntad propia, y que vive sujeto a obrar según a su nacimiento corresponde. Él no puede, como una persona vulgar, elegir por sí mismo, puesto que de su elección depende la salud y prosperidad de todo un reino; y ve aquí por qué esta elección debe arreglarse a la condescendencia unánime de aquel cuerpo de quien es cabeza. Así pues, cuando él diga que te ama, será prudencia en ti no darle crédito, reflexionando que en el alto lugar que ocupa, nada puede cumplir de lo que promete, sino aquello que obtenga el consentimiento de la parte más principal de Dinamarca. Considera cuál pérdida padecería tu honor, si con demasiada credulidad dieras oídos a su voz lisonjera, perdiendo la libertad del corazón, o facilitando a sus instancias impetuosas el tesoro de tu honestidad. Teme, Ofelia; teme, querida hermana; no sigas inconsiderada tu inclinación; huye el peligro, colocándote fuera del tiro de los amorosos deseos. La doncella más honesta es libre en exceso, si descubre su belleza al rayo de la luna. La virtud misma no puede librarse de los golpes de la calumnia. Muchas veces el insecto roe las flores hijas del verano, aun antes que su botón se rompa; y al tiempo que la aurora matutina de la juventud esparce su blando rocío, los vientos mortíferos son más frecuentes. Conviene pues no omitir precaución alguna, pues la mayor seguridad estriba en el temor prudente. La juventud, aun cuando nadie la combata, halla en sí misma su propio enemigo.

OFELIA.—Yo conservaré para defensa de mi corazón tus saludables máximas. Pero, mi buen hermano, mira no hagas tú lo que algunos rígidos pastores hacen, mostrando áspero y espinoso el camino del cielo, mientras como impíos y abandonados disolutos pisan ellos la senda florida de los placeres, sin cuidarse de practicar su propia doctrina.

LAERTES.—¡Oh! no lo receles. Yo me detengo demasiado; pero allí viene mi padre: pues la ocasión es favorable, me despediré de él otra vez. Su bendición repetida será un nuevo consuelo para mí.

ESCENA VIII

POLONIO, LAERTES, OFELIA

POLONIO.—Aún estás aquí? ¡Qué mala vergüenza! A bordo, a bordo; el viento impele ya por la popa tus velas, y a ti solo aguardan. Recibe mi bendición, y procura imprimir en la memoria estos pocos preceptos. No publiques con facilidad lo que pienses, ni ejecutes cosa no bien premeditada priro. Debes ser afable; pero no vulgar en el trato. Une a tu alma con vínculos de acero aquellos amigos que adoptaste después de examinada su conducta; pero no acaricies con mano pródiga a los que acaban de salir del cascarón y aún están sin plumas. Huye siempre de mezclarte en disputas, pero una vez metido en ellas, obra de manera que tu contrario huya de ti. Presta el oído a todos, y a pocos la voz. Oye las censuras de los demás; pero reserva tu propia opinión. Sea tu vestido tan costoso cuanto tus facultades lo permitan, pero no afectado en su hechura; rico, no extravagante; porque el traje dice por lo común quién es el sujeto, y los caballeros y principales señores franceses tienen el gusto muy delicado en esta materia. Procura no dar ni pedir prestado a nadie; porque el que presta suele perder a un tiempo el dinero y el amigo, y el que se acostumbra a pedir prestado falta al espíritu de economía y buen orden que nos es tan útil. Pero sobre todo, usa de ingenuidad contigo mismo, y no podrás ser falso con los demás: consecuencia tan necesaria como que la noche suceda al día. Adiós, y él permita que mi bendición haga fructificar en ti estos consejos.

LAERTES.—Humildemente os pido vuestra licencia. *(Se arrodilla y besa la mano a Polonio)*

POLONIO.—Sí, el tiempo te está convidando, y tus criados esperan; véte.

LAERTES.—Adiós, Ofelia *(abrazándose Ofelia y Laertes)* y acuérdate bien de lo que te he dicho.

OFELIA.—En mi memoria queda guardado, y tú mismo tendrás la llave.

LAERTES.—Adiós.

ESCENA IX

POLONIO, OFELIA

POLONIO.—¿Y qué es lo que te ha dicho, Ofelia?

OFELIA.—Si gustáis de saberlo, cosas eran relativas al príncipe Hamlet.

POLONIO.—Bien pensado, en verdad. Me han dicho que de poco tiempo a esta parte te ha visitado varias veces privadamente, y que tú le has admitido con mucha complacencia y libertad. Si esto es así (como me lo han asegurado, a fin de que prevenga el riesgo), debo advertirte que no te has portado con aquella delicadeza que corresponde a una hija mía y a tu propio honor. ¿Qué es lo que ha pasado entre los dos? Dime la verdad.

OFELIA.—Últimamente me ha declarado con mucha ternura su amor.

POLONIO.—¡Amor! ¡ah! Tú hablas como una muchacha loquilla y sin experiencia de circunstancias tan peligrosas. ¡Ternura la llamas! ¿Y tú das crédito a esa ternura?

OFELIA.— Yo, señor, ignoro lo que debo creer.

POLONIO.—En efecto es así, y yo quiero enseñártelo. Piensa bien que eres una niña, que has recibido por verdadera paga esas ternuras que no son moneda corriente. Estímate en más a ti propia; pues si te aprecias en menos de lo que vales (por seguir la comenzada alusión), harás que pierda el entendimiento.

OFELIA.—Él me ha requerido de amores, es verdad; pero siempre con una apariencia honesta, que...

POLONIO.—Sí por cierto, apariencia puedes llamarla. ¿Y bien? Prosigue.

OFELIA.—Y autorizó cuanto me decía con los más sagrados juramentos.

POLONIO.—Sí, ésas son redes para coger codornices. Yo sé muy bien, cuando la sangre hierve, con cuánta prodigalidad presta el alma juramentos a la lengua; pero son relámpagos, hija mía, que dan más luz que calor; éstos y aquéllos se apagan pronto, y no debes tomarlos por fuego verdadero, ni aun en el instante mismo en que parece que sus promesas van a efectuarse. De hoy en adelante cuida de ser más avara de tu presencia virginal; pon tu conversación a precio más alto, y no a la primera insinuación admitas coloquios. Por lo que toca al príncipe, debes creer de él solamente que es un joven, y que si una vez afloja las riendas, pasará más allá de lo que tú le puedes permitir. En suma, Ofelia, no creas sus palabras, que son fementidas, ni es verdadero el color que aparenta; son intercesoras de profanos deseos; y si parecen sagrados y piadosos votos, es sólo para engañar mejor. Por último, te digo claramente, que de hoy más no quiero que pierdas los momentos ociosos en hablar ni mantener conversación al príncipe. Cuidado con hacerlo así; yo te lo mando. Vete a tu aposento.

ESCENA X

Explanada delante del palacio. Noche oscura

HAMLET, HORACIO, MARCELO

HAMLET.—El aire es frío y sutil en demasía.

HORACIO.—En efecto, es agudo y penetrante.

HAMLET.—¿Qué hora es ya?

HORACIO.—Me parece que aún no son las doce.

MARCELO.—No, ya han dado.

HORACIO.—No las he oído. Pues en tal caso ya está cerca el tiempo en que el muerto suele pasearse. Pero ¿qué significa este ruido, señor?

(Suena a lo lejos música de clarines y timbales.)

HAMLET.—Esta noche se huelga el rey, pasándola desvelado en un banquete con gran vocería y traspieses de embriaguez; y a cada copa del Rhin que bebe, los timbales y trompetas anuncian con estrépito sus victoriosos brindis.

HORACIO.—¿Se acostumbra eso aquí?

HAMLET.—Sí se acostumbra; pero aunque he nacido en este país y estoy hecho a sus estilos, me parece que sería más decoroso quebrantar esta costumbre que seguirla. Un exceso tal, que embrutece el entendimiento, nos infama a los ojos de las otras naciones desde oriente a occidente. Nos llaman ebrios; manchan nuestro nombre con este dictado afrentoso, y en verdad que él solo, por más que poseamos en alto grado otras buenas cualidades, basta a empañar el lustre de nuestra reputación. Así acontece frecuentemente a los hombres. Cualquiera defecto natural en ellos, sea de su nacimiento, del cual no son culpables (puesto que nadie puede escoger su origen), sea cualquiera desorden ocurrido en su temperamento, que muchas veces rompe los límites y reparos de la razón, o sea cualquier hábito que se aparta demasiado de las costumbres recibidas, llevando estos hombres consigo el signo de un solo defecto que imprimió en ellos la naturaleza o el acaso, aunque sus virtudes fuesen tantas cuantas es concedido a un mortal, y tan puras como la bondad celeste, serán no obstante amancilladas en el concepto público por aquel único vicio que las acompaña: un solo adarme de mezcla quita el valor al más precioso metal, y le envilece.

HORACIO.—¿Veis, señor? ya viene.

(Aparécese la sombra del rey Hamlet hacia el fondo del teatro. Hamlet al verla se retira de horror, y después se encamina hacia ella.)

HAMLET.—¡Ángeles y ministros de piedad, defendednos! Ya seas alma dichosa o condenada visión, traigas contigo aura celestial o ardores del infierno, sea malvada o benéfica intención la tuya, en tal forma te me presentas, que es necesario que yo te hable. Sí, te he de hablar... Hamlet, mi rey, mi padre, soberano de Dinamarca... ¡Oh! respóndeme, no me atormentes con la duda. Dime, ¿por qué tus venerables huesos, ya sepultados, han roto su vestidura fúnebre? ¿Por qué el sepulcro, donde te dimos urna pacífica, te ha echado de sí, abriendo sus senos que cerraban pesados mármoles? ¿Cuál puede ser la causa de que tu difunto cuerpo, del todo armado, vuelva otra vez a ver los rayos pálidos de la luna, añadiendo a la noche horror? ¿y que nosotros, ignorantes y débiles por naturaleza, padezcamos agitación espantosa con ideas que exceden a los alcances de nuestra razón? Di. ¿por qué es esto? ¿por qué? o ¿qué debemos hacer nosotros?

HORACIO.—Os hace señas de que le sigáis, como si deseara comunicaros algo a solas.

MARCELO.—Ved con qué expresivo ademán os indica que le acompañéis a lugar más remoto; pero no hay que ir con él.

HORACIO.—No, por ningún motivo.

HAMLET.—Si no quiere hablar, habré de seguirle.

HORACIO.—No hagáis tal, señor.

HAMLET.—¿Y por qué no? ¿Qué temores debo tener? Yo no estimo la vida en nada, y a mi alma ¿qué puede él hacerla, siendo como él mismo cosa inmortal?... Otra vez me llama... Voyle a seguir.

HORACIO.—Pero, señor, si os arrebata al mar o a la espantosa cima de ese monte, levantado sobre los peñascos que baten las ondas, y allí tomase alguna otra forma horrible, capaz de impedirnos el uso de la razón, y enajenarla con frenesí... ¡Ay! ved lo que hacéis. El lugar solo inspira ideas melancólicas a cualquiera que mire la enorme distancia desde aquella cumbre al mar, y sienta en la profundidad su bramido ronco.

HAMLET.—Todavía me llama... Camina. Ya te sigo. (*La sombra hará los movimientos que indica el diálogo. Horacio y Marcelo quieren detener a Hamlet, y él los aparta con violencia, y la sigue.*)
MARCELO.—No, señor, no iréis.
HAMLET.—Dejadme.
HORACIO.—Creedme, no le sigáis.

HAMLET.—Mis hados me conducen y prestan a la menor fibra de mi cuerpo la nerviosa robustez del león de Nemea. Aún me llama... Señores, apartad esas manos... por Dios... o quedará muerto a las mías el que me detenga... Otra vez te digo que andes, que voy a seguirte.

ESCENA XI

HORACIO, MARCELO

HORACIO.—Su exaltada imaginación le arrebata.
MARCELO.—Sigámosle, que en esto no debemos obedecerle.
HORACIO.—Sí, vamos detrás de él... ¿Cuál será el fin de este suceso?

MARCELO.—Algún grave mal se oculta en Dinamarca.
HORACIO.—Los cielos dirigirán el éxito.
MARCELO.—Vamos, sigámosle.

ESCENA XII

Parte remota cercana al mar, vista a lo lejos del palacio del Elsingor

HAMLET, la sombra del rey HAMLET

HAMLET.—¿A dónde me quieres llevar? Habla, yo no paso de aquí.
LA SOMBRA.—Mírame.
HAMLET.—Ya te miro.
LA SOMBRA.—Casi es ya llegada la hora en que debo restituirme a las sulfúreas y atormentadoras llamas.
HAMLET.—¡Oh, alma infeliz!
LA SOMBRA.—No me compadezcas: presta sólo atentos oídos a lo que voy a revelarte.
HAMLET.—Habla, yo te prometo atención.
LA SOMBRA.—Luego que me oigas, prometerás venganza.
HAMLET.—¿Por qué?
LA SOMBRA.—Yo soy el alma de tu padre, destinada por cierto tiempo a vagar de noche, y aprisionada en fuego durante el día, hasta que sus llamas purifiquen las culpas que cometí en el mundo. ¡Oh! si

no me fuera vedado manifestar los secretos de la prisión que habito, pudiera decirte cosas que la menor de ellas bastaría a despedazar tu corazón; helar tu sangre juvenil; tus ojos, inflamados como estrellas, saltar de sus órbitas; tus anudados cabellos separarse, erizándose como las púas del colérico espín. Pero estos eternos misterios no son para los oídos humanos. Atiende, atiende, ¡ya! atiende. Si tuviste amor a tu tierno padre...
HAMLET.—¡Oh Dios!
LA SOMBRA.—Venga su muerte; venga su homicidio cruel y atroz.
HAMLET.—¿Homicidio?
LA SOMBRA.—Sí, homicidio cruel, como todos lo son; pero el más cruel y el más injusto y el más aleve.

HAMLET.—Refiéremelo presto, para que con alas veloces como la fantasía, o con la prontitud de los pensamientos amorosos, me precipite a la venganza.

LA SOMBRA.—Ya veo cuán dispuesto te hallas, y aunque tan insensible fueras como las malezas que se pudren incultas en las orillas del Leteo, no dejaría de conmoverte lo que voy a decir. Escúchame ahora, Hamlet. Esparcióse la voz de que estando en mi jardín dormido me mordió una serpiente. Todos los oídos de Dinamarca fueron groseramente engañados con esta fabulosa invención; pero tú debes saber, mancebo generoso, que la serpiente que mordió a tu padre hoy ciñe su corona.

HAMLET.—¡O! Présago me lo decía el corazón. ¡Mi tío!...

LA SOMBRA.—Sí; aquel incestuoso, aquel monstruo adúltero, valiéndose de su talento diabólico, valiéndose de traidores dádivas... (¡Oh, talento y dádivas malditas, que tal poder tenéis para seducir!) supo inclinar a su deshonesto apetito la voluntad de la reina mi esposa, que yo creía tan llena de virtud. ¡Oh, Hamlet, cuán grande fue su caída! Yo, cuyo amor para con ella fue puro... yo, siempre tan fiel a los solemnes juramentos que en nuestro desposorio la hice, yo fui aborrecido, y se rindió a aquel miserable, cuyas prendas eran en verdad harto inferiores a las mías. Pero así como la virtud será incorruptible aunque la disolución procure excitarla bajo divina forma, así la incontinencia, aunque viviese unida a un ángel radiante, profanará con oprobio su tálamo celeste... Pero ya me parece que percibo el ambiente de la mañana.

Debo ser breve. Dormía yo una tarde en mi jardín según lo acostumbraba siempre. Tu tío me sorprende en aquella hora de quietud, y trayendo consigo una ampolla de licor venenoso, derrama en mi oído su ponzoñosa destilación, la cual de tal manera es contraria a la sangre del hombre, que semejante en la sutileza al mercurio, se dilata por todas las entradas y conductos del cuerpo, y con súbita fuerza le ocupa, cuajando la más pura y robusta sangre como la leche con las gotas ácidas. Este efecto produjo inmediatamente en mí, y el cutis hinchado, comenzó a despegarse a trechos con una especie de lepra en ásperas y asquerosas costras. Así fue, que estando durmiendo perdí a manos de mi hermano mismo mi corona, mi esposa y mi vida a un tiempo. Perdí la vida cuando mi pecado estaba en todo su vigor, sin hallarme dispuesto para aquel trance, sin haber recibido el pan eucarístico, sin haber sonado el clamor de agonía, sin lugar al reconocimiento de tanta culpa, presentado al tribunal eterno con todas mis imperfecciones sobre mi cabeza. ¡Oh, maldad horrible, horrible!... Si oyes la voz de la naturaleza, no sufras, no, que el tálamo real de Dinamarca sea el lecho de la lujuria y abominable incesto. Pero de cualquier modo que dirijas la acción, no manches con delito el alma, previniendo ofensas a tu madre. Abandona este cuidado al cielo; deja que aquellas agudas puntas, que tiene fijas en su pecho, la hieran y atormenten. Adiós. Ya la luciérnaga, amortiguando su aparente fuego, nos anuncia la proximidad del día. Adiós, adiós. Acuérdate de mí.

ESCENA XIII

HAMLET, y después HORACIO y MARCELO

HAMLET.—¡Oh vosotros, ejércitos celestiales! ¡oh tierra!... ¿y quién más? ¿invocaré al infierno también?... ¡Eh! no... Detente, corazón mío, detente; y vos, mis nervios, no así os debilitéis en un momento, sostenedme robustos... ¡Acordarme de ti! Sí, alma infeliz, mientras haya memoria en este agitado mundo. ¡Acordarme de ti! Sí, yo me acordaré y yo borraré de mi fantasía todos los recuerdos frívolos, las sentencias de los libros, las ideas e impresiones de lo pasado que la juventud y la observación estamparon en ella. Tu precepto solo, sin mezcla de otra cosa menos digna, vivirá escrito en el volumen de mi entendimiento. Sí, por los cielos te lo juro... ¡Oh, mujer la más delincuente! ¡Oh, malvado, malvado! ¡Halagüeño y execrable malvado! Conviene que yo apunte en este libro... *(Saca un libro de memorias, y escribe en él.)* Sí... que un hombre puede halagar y sonreírse, y ser un malvado: a lo menos estoy seguro de que en Dinamarca hay un hombre así, y éste es mi tío... Sí, tú eres... ¡Ah! pero la expresión que debo conservar es ésta: "Adiós, adiós, acuérdate de mí." Yo he jurado acordarme.

HORACIO *(gritando desde adentro).*—¡Señor! ¡señor!

MARCELO *(gritando desde adentro).* ¡Hamlet!

HORACIO.—Los cielos le asistan.

HAMLET.—¡Oh! háganlo así.

MARCELO.—¡Hola! ¡eh! señor.

HAMLET.—¡Hola! amigos, ¡eh! venid, venid acá.

(Salen Horacio y Marcelo.)

MARCELO.—¿Qué ha sucedido?

HORACIO.—¿Qué noticias nos dais?

HAMLET.—¡Oh! maravillosas.

HORACIO.—Mi amado señor, decidlas.

HAMLET.—No, que lo revelaréis.

HORACIO.—No, yo os prometo que no haré tal.

MARCELO.—Ni yo tampoco.

HAMLET.—¿Creéis vosotros que pudiese haber cabido en el corazón humano... Pero ¿guardaréis secreto?

LOS DOS.—Sí, señor, yo os lo juro.

HAMLET.—No existe en toda Dinamarca un infame... que no sea un gran malvado.

HORACIO.—Pero no era necesario, señor, que un muerto saliera del sepulcro a persuadirnos esa verdad.

HAMLET.—Sí, cierto, tenéis razón: y por eso mismo, sin tratar más del asunto, será bien despedirnos y separarnos; vosotros adonde vuestros negocios o vuestra inclinación os lleven... que todos tienen sus inclinaciones y negocios, sean los que sean: y yo, ya lo sabéis, a mi triste ejercicio, a rezar.

HORACIO.—Todas esas palabras, señor, carecen de sentido y orden.

HAMLET.—Mucho me pesa de haberos ofendido con ellas: sí por cierto, me pesa en el alma.

HORACIO.—¡Oh! señor, no hay ofensa ninguna.

HAMLET.—Sí, por san Patricio que sí la hay, y muy grande, Horacio... En cuanto a la aparición... es un difunto venerable... sí, yo os lo aseguro... Pero reprimid cuanto os fuese posible el deseo de saber lo que ha pasado entre él y yo. ¡Ah, mis buenos amigos! yo os pido, pues sois mis amigos y mis compañeros en el estudio y en las armas, que me concedáis una corta merced.

2

HORACIO.—Con mucho gusto, señor: decid cuál sea.

HAMLET.—Que nunca revelaréis a nadie lo que habéis visto esta noche.

LOS DOS.—A nadie lo diremos.

HAMLET.—Pero es menester que lo juréis.

HORACIO.—Os doy mi palabra de no decirlo.

MARCELO.—Yo os prometo lo mismo.

HAMLET.—Sobre mi espada.

MARCELO.—Ved que ya lo hemos prometido.

HAMLET.—Sí, sí, sobre mi espada.

LA SOMBRA.—Juradlo.

(Se oirá la voz de la sombra, que suena a varias distancias debajo de la tierra. Hamlet y los demás, horrorizados, mudan de situación, según lo indica el diálogo.)

HAMLET.—¡Ah! ¿eso dices?... ¿Estás ahí, hombre de bien?... Vamos, ya le oís hablar en lo profundo. ¿Queréis jurar?

HORACIO.—Proponed la fórmula.

HAMLET.—Que nunca diréis lo que habéis visto. Juradlo por mi espada.

LA SOMBRA.—Juradlo.

HAMLET.—*Hic et ubique?* * Mudaremos de lugar. Señores, acercaos aquí; poned otra vez las manos en mi espada, y jurad por ella que nunca diréis nada de esto que habéis oído y visto.

LA SOMBRA.—Juradlo por su espada.

HAMLET.—Bien has dicho, topo viejo, bien has dicho... Pero ¿cómo puedes taladrar con tal prontitud los senos de la tierra, diestro minador? Mudemos otra vez de puesto, amigos.

HORACIO.—¡Oh! Dios de la luz y de las tinieblas, ¡qué extraño prodigio es éste!

HAMLET.—Por eso como a un extraño debéis hospedarle y tenerle oculto. Ello es, Horacio, que en el cielo y en la tierra hay más de lo que puede soñar tu filosofía. Pero venid acá, y, como antes dije, prometedme (así el cielo os haga felices) que por más singular y extraordinaria que sea de hoy más mi conducta (puesto que acaso juzgaré a propósito afectar un proceder del todo extravagante), nunca vosotros al verme así daréis nada a entender, cruzando los brazos de esta manera, o haciendo con la cabeza este movimiento, o con frases equívocas como: sí, sí, nosotros sabemos; nosotros pudiéramos si quisiéramos... si gustáramos de hablar; hay tanto que decir en eso; pudiera ser que... o en fin, cualquiera otra expresión ambigua, semejante a éstas, por donde se infiera que vosotros sabéis algo de mí. Juradlo: así en vuestras necesidades os asista el favor de Dios. Juradlo.

LA SOMBRA.—Jurad.

HAMLET.—Descansa, descansa, agitado espíritu. Señores, yo me recomiendo a vosotros con la mayor instancia, y creed que por más infeliz que Hamlet se halle, Dios querrá que no le falten medios para manifestaros la estimación y amistad que os profesa. Vámonos. Poned el dedo en la boca, yo os lo ruego... La naturaleza está en desorden... ¡Iniquidad execrable! ¡Oh! ¡nunca yo hubiera nacido para castigarla! Venid, vámonos juntos.

---

* El lector puede ver la traducción de las palabras o frases latinas al final de la cronología de Shakespeare.

ACTO II

ESCENA PRIMERA

Sala en casa de Polonio

POLONIO, REINALDO

POLONIO.—Reinaldo, entrégale este dinero y estas cartas. *(Le da un bolsillo y unas cartas.)*

REINALDO.—Así lo haré, señor.

POLONIO.—Sería un admirable golpe de prudencia, que antes de verle te informaras de su conducta.

REINALDO.—En eso mismo estaba yo.

POLONIO.—Sí, es muy buena idea, muy buena. Mira, lo primero has de averiguar qué dinamarqueses hay en París, y cómo, en qué términos, con quién y en dónde están, a quién tratan, qué gastos tienen; y sabiendo por estos rodeos y preguntas indirectas que conocen a mi hijo, entonces ve derecho a tu objeto, encaminando a él en particular tus indagaciones. Haz como si le conocieras de lejos, diciendo: sí, conozco a su padre, y a algunos amigos suyos, y aun a él un poco... ¿Lo has entendido?

REINALDO.—Sí, señor, muy bien.

POLONIO.—Sí, le conozco un poco; pero... (has de añadir entonces) pero no le he tratado. Si es el que yo creo, a fe que es bien calavera; inclinado a tal o tal vicio... y luego dirás de él cuanto quieras fingir; digo, pero que no sean cosas tan fuertes que puedan deshonrarle. Cuidado con eso. Habla sólo de aquellas travesuras, aquellas locuras y extravíos comunes a todos, que ya se reconocen por compañeros inseparables de la juventud y la libertad.

REINALDO.—Como el jugar, ¿eh?

POLONIO.—Sí, el jugar, beber, esgrimir, jurar, disputar, putear... Hasta esto bien puedes alargarte.

REINALDO.—No por cierto; además, que todo depende del modo que le acuses. No debes achacarle delitos escandalosos, ni pintarle como un joven abandonado enteramente a la disolución; no, no es esa mi idea. Has de insinuar sus defectos con tal arte, que parezcan nulidades producidas de falta de sujeción, y no otra cosa, extravíos de una imaginación ardiente, ímpetus de la efervescencia general de la sangre.

REINALDO.—Pero, señor...

POLONIO.—¡Ah! tú querrás saber con qué fin debes hacer esto, ¿eh?

REINALDO.—Gustaría de saberlo.

POLONIO.—Pues, señor, mi fin es éste, y creo que es proceder con mucha cordura. Cargando estas pequeñas faltas sobre mi hijo (como ligeras manchas de una obra preciosa), ganarás por medio de la conversación la confianza de aquel a quien pretendas examinar. Si él está persuadido de que el muchacho tiene los mencionados vicios que tú le imputas, no dudes que él convenga con tu opinión, diciendo: señor mío, o amigo, o ca-

ballero, en fin, según el título o
dictado de la persona o del país...
REINALDO.—Sí, ya estoy.
POLONIO.—Pues entonces él dice...
dice... ¿Qué iba yo a decir ahora?...
Algo iba yo a decir. ¿En qué estábamos?
REINALDO.—En que él concluirá diciendo al amigo o al caballero...
POLONIO.—Sí, concluirá diciendo... es
verdad... así te dirá precisamente:
Es verdad, yo conozco a ese mozo,
ayer le vi, o cualquier otro día, o
en tal y tal ocasión, con éste o con
aquel sujeto; y allí, como habéis
dicho, le vi que jugaba, allá le
encontré en una comilona, acullá
en una quimera sobre el juego de
pelota, y... (puede ser que añada)
le he visto entrar en una casa pública, videlicet, en un burdel, o

cosa tal. ¿Lo entiendes ahora? Con
el anzuelo de la mentira pescarás
la verdad, que así es como nosotros los que tenemos talento y
prudencia solemos conseguir por
indirectas el fin directo, usando de
artificios y disimulación. Así lo
harás con mi hijo, según la instrucción y advertencias que acabo
de darte. ¿Me has entendido?
REINALDO.—Sí, señor, quedo enterado.
POLONIO.—Pues adiós, buen viaje.
REINALDO.—Señor...
POLONIO.—Examina por ti mismo sus
inclinaciones.
REINALDO.—Así lo haré.
POLONIO.—Dejándole que obre libremente.
REINALDO.—Está bien, señor.
POLONIO.—Adiós.

ESCENA II

POLONIO, OFELIA

POLONIO.—Y bien, Ofelia, ¿qué hay
de nuevo?
OFELIA.—¡Ay, señor, que he tenido
un susto muy grande!
POLONIO.—¿Con qué motivo? Por
Dios que me lo digas.
OFELIA.—Yo estaba haciendo labor
en mi cuarto, cuando el príncipe
Hamlet, la ropa desceñida, sin
sombrero en la cabeza, sucias las
medias, sin atar, caídas hasta los
pies, pálido como su camisa, las
piernas trémulas, el semblante triste como si hubiera salido del infierno para anunciar horror... se
presenta delante de mí.
POLONIO.—Loco, sin duda por tus
amores, ¿eh?
OFELIA.—Yo, señor, no lo sé; pero
en verdad lo temo.
POLONIO.—¿Y qué te dijo?
OFELIA.—Me asió una mano y me la
apretó fuertemente. Apartóse después a la distancia de su brazo, y
poniendo así la otra mano sobre

su frente, fijó la vista en mi rostro
recorriéndole con atención, como
si hubiese de retratarle. De este
modo permaneció largo rato, hasta
que por último, sacudiéndome ligeramente el brazo, y moviendo
tres veces la cabeza abajo y arriba, exhaló un suspiro tan profundo y triste, que pareció deshacér-
sele en pedazos el cuerpo y dar
fin a su vida. Hecho esto, me dejó,
y levantada la cabeza comenzó a
andar, sin valerse de los ojos para
hallar el camino; salió de la puerta
sin verla, y al pasar por ella fijó
la vista en mí.
POLONIO.—Ven, conmigo; quiero ver
al rey. Ese es un verdadero éxtasis
de amor, que siempre fatal a sí
mismo en su exceso violento, inclina la voluntad a empresas teme-
rarias, más que ninguna otra pasión de cuantas debajo del cielo
combaten nuestra naturaleza. Mucho siento este accidente. Pero

dime, ¿le has tratado con dureza en estos últimos días?

OFELIA.—No, señor: sólo en cumplimiento de lo que mandasteis, le he devuelto sus cartas, y me he negado a sus visitas.

POLONIO.—Y eso basta para haberle trastornado así. Me pesa no haber juzgado con más acierto de su pasión. Yo temí que era sólo un artificio suyo para perderte... ¡Sospe-cha indigna! ¡Eh! Tan propio parece de la edad anciana pasar más allá de lo justo en sus conjeturas, como lo es en la juventud la falta de previsión. Vamos, vamos a ver al rey. Conviene que lo sepa. Si le callo este amor, sería más grande el sentimiento que pudiera causarle teniéndole oculto, que el disgusto que recibirá al saberlo. Vamos.

ESCENA III

Salón de palacio

CLAUDIO, GERTRUDIS, POLONIO, acompañamiento

CLAUDIO.—Bien venido, Guillermo; y tú también, querido Ricardo. Además de lo mucho que se me dilata el veros, la necesidad que tengo de vosotros me ha determinado a solicitar vuestra venida. Algo habéis oído ya de la transformación de Hamlet. Así puedo llamarla, puesto que ni en lo interior ni en lo exterior se parece nada al que antes era; ni llego a imaginar qué otra causa haya podido privarle así de la razón, si ya no es la muerte de su padre. Yo os ruego a entrambos, pues desde la primera infancia os habéis criado con él, y existe entre vosotros aquella intimidad nacida de la igualdad en los años y el genio, que tengáis a bien deteneros en mi corte algunos días. Acaso el trato vuestro restablecerá su alegría; y aprovechando las ocasiones que se presenten, ved cuál sea la ignorada aflicción que así le consume, para que descubriéndola procuremos su alivio.

GERTRUDIS.—Él ha hablado mucho de vosotros, mis buenos señores, y estoy segura de que no se hallarán otros dos sujetos a quienes él profese mayor cariño. Si tanta fuese vuestra bondad, que gustéis de pasar con nosotros algún tiempo para contribuir al logro de mi esperanza, vuestra asistencia será remunerada como corresponde al agradecimiento de un rey.

RICARDO.—VV. MM. tienen soberana autoridad en nosotros, y en vez de rogar deben mandarnos.

GUILLERMO.—Uno y otro obedeceremos, y postramos a vuestros pies, con el más puro afecto, el celo de serviros que nos anima.

CLAUDIO.—Muchas gracias, cortés Guillermo. Gracias, Ricardo.

GERTRUDIS.—Os quedo muy agradecida, señores, y os pido que veáis cuanto antes a mi doliente hijo. (A los criados.) Conduzca alguno de vosotros a estos caballeros a donde Hamlet se halle.

GUILLERMO.—Haga el cielo que nuestra compañía y nuestros conatos puedan serle agradables y útiles.

GERTRUDIS.—Sí. Amén.

ESCENA IV

CLAUDIO, GERTRUDIS, RICARDO, GUILLERMO, acompañamiento

POLONIO.—Señor, los embajadores enviados a Noruega han vuelto ya en extremo contentos.

CLAUDIO.—Siempre has sido tú padre de buenas nuevas.

POLONIO.—¡Oh! sí, ¿no es verdad? Y os puedo asegurar, venerado señor, que mis acciones y mi corazón no tienen otro objeto que el servicio de Dios y el de mi rey; y si este talento mío no ha perdido enteramente aquel seguro olfato con que supo siempre rastrear asuntos políticos, pienso haber descubierto ya la verdadera causa de la locura del príncipe.

CLAUDIO.—Pues dínosla, que estoy impaciente de saberla.

POLONIO.—Sera bien que déis primero audiencia a los embajadores: mi informe servirá de postres a este gran festín.

CLAUDIO.—Tú mismo puedes ir a cumplimentarlos e introducirlos. (Vase Polonio.) Dice que ha descubierto, amada Gertrudis, la causa verdadera de la indisposición de tu hijo.

GERTRUDIS.—¡Ah! yo dudo que él tenga otra mayor que la muerte de su padre y nuestro acelerado casamiento.

CLAUDIO.—Yo sabré examinarle.

ESCENA V

CLAUDIO, GERTRUDIS, POLONIO, VOLTIMAN, CORNELIO,

acompañamiento

CLAUDIO.—Bien venidos, amigos. Di, Voltiman, ¿qué respondió nuestro hermano el rey de Noruega?

VOLTIMAN.—Corresponde con la más sincera amistad a vuestras atenciones y a vuestro ruego. Así que llegamos mandó suspender los armamentos que hacía su sobrino, fingiendo ser preparativos contra el polaco; pero mejor informado después, halló ser cierto que se dirigían en ofensa vuestra. Indignado de que abusaran así de la impotencia a que le han reducido su edad y sus males, envió estrechas órdenes a Fortimbrás, que sometiéndose prontamente a las represiones del tío, le ha jurado por último que nunca más tomará las armas contra V.M. Satisfecho

de este procedimiento el anciano rey, le señala sesenta mil escudos anuales, y le permite emplear contra Polonia las tropas que había levantado. A este fin os ruega concedáis paso libre por vuestros estados al ejército prevenido para tal empresa, bajo las condiciones de recíproca seguridad, expresadas aquí.

(Saca unos papeles, y se los da a Claudio.)

CLAUDIO.—Está bien: leeré en tiempo más oportuno sus proposiciones, y reflexionaré lo que debo en este caso responderle. Entre tanto os doy gracias por el feliz desempeño de vuestro encargo. Descansad. A la noche seréis conmigo en el festín. Tendré gusto de veros.

ESCENA VI

CLAUDIO, GERTRUDIS, POLONIO

POLONIO.—Este asunto se ha concluído muy bien. (*Claudio hace una seña, y se retira el acompañamiento.*) Mi soberano, y vos, señora: explicar lo que es la dignidad de un monarca, las obligaciones del vasallo, porque el día es día, noche la noche, y tiempo el tiempo, sería gastar inútilmente el día, la noche y el tiempo. Así pues, como quiera que la brevedad es el alma del talento, y que nada hay más enfadoso que los rodeos y perífrasis... seré muy breve. Vuestro noble hijo está loco; y le llamo loco, porque, si en rigor se examina, ¿qué otra cosa es la locura sino estar uno enteramente loco? Pero dejando esto aparte...

GERTRUDIS.—Al caso, Polonio, al caso, y menos artificios.

POLONIO.—Yo os prometo, señora, que no me valgo de artificio alguno; ¡es cierto que él está loco! es cierto que es lástima, y es lástima que sea cierto; pero dejemos a un lado esta pueril antítesis, que no quiero usar de artificios. Convengamos pues en que está loco, y ahora falta descubrir la causa de este efecto, o por decir, la causa de este defecto; porque este efecto defectuoso nace de una causa, y así resta considerar lo restante. Yo tengo una hija... la tengo mientras es mía: que en prueba de su respeto y sumisión... notad lo que os digo... me ha entregado esta carta. (*Saca una carta y lee en ella los pedazos que indica el diálogo.*) Ahora resumid los hechos y sacaréis la consecuencia. *Al ídolo celestial de mi alma, a la sin par Ofelia...* Esta es una alta frase... una falta de frase sin par... Es una falta de frase, pero oíd lo demás. *Estas letras destinadas a que tu blanco y hermoso pecho las guarde: estas...*

GERTRUDIS.—¿Y esa carta se la ha enviado Hamlet?

POLONIO.—¡Bueno por cierto! Esperad un poco, seré muy fiel.

Duda que son de fuego las estrellas,
duda si al sol el movimiento falta,
duda lo cierto, admite lo dudoso;
pero no dudes de mi amor las ansias.

Estos versos aumentan mi dolor, querida Ofelia; ni sé tampoco expresar mis penas con arte; pero cree que te amo en extremo, con el mayor extremo posible. Adiós. Tuyo siempre, mi adorada niña, mientras esta máquina exista.— HAMLET.
Mi hija, en fuerza de su obediencia, me ha hecho ver esta carta, y además me ha contado las solicitudes del príncipe, según han ocurrido, con todas las circunstancias del tiempo, el lugar y el modo.

CLAUDIO.—Y ella ¿cómo ha recibido su amor?

POLONIO.—¿En qué opinión me tenéis?

CLAUDIO.—En la de un hombre honrado y veraz.

POLONIO.—Y me complazco en probaros que lo soy. Pero ¿qué hubierais pensado de mí, si cuando he visto que tomaba vuelo este ardiente amor... porque os puedo asegurar que aun antes que mi hija me hablase, ya lo había yo advertido... qué hubiera pensado de mí V. M. y la reina que está presente, si hubiera tolerado este galanteo? ¿Si haciéndome violencia a mí propio hubiera permanecido silencioso y mudo, mirándolo con indiferencia? ¿Qué hubiérais pensado de mí? No, señor, yo he ido en derecho al asunto, y le dije a la niña, ni más ni menos: hija, el señor Hamlet es un príncipe muy superior a tu esfera... Esto no debe pasar adelante. Y después la mandé que se encerrase en su estancia, sin admitir recados ni recibir presentes. Ella ha sabido aprovecharse de mis preceptos, y el príncipe... (para abreviar la historia) al verse desdeñado, comenzó a padecer melancolías, después inapetencia, después vigilias, después debilidad, después aturdimiento, y después (por una graduación natural) la locura que le saca fuera de sí, y que todos nosotros lloramos.

CLAUDIO.—¿Creéis, señora, que esto haya pasado así?

GERTRUDIS.—Me parece bastante probable.

POLONIO.-¿Ha sucedido alguna vez... (tendría gusto de saberlo) que yo haya dicho positivamente, esto hay y que haya resultado lo contrario?

CLAUDIO.—No se me acuerda.

POLONIO.—Pues separadme ésta de éste (*señalando la cabeza y el cuello*) si otra cosa hubiere en el asunto... ¡Ah! por poco que las circunstancias me ayuden, yo descubriré la verdad donde quiera que se oculte, aunque el centro de la tierra la sepultara.

CLAUDIO.—¿Y cómo te parece que pudiéramos hacer nuevas indagaciones?

POLONIO.—Bien sabéis que el príncipe suele pásearse algunas veces por esa galería cuatro horas enteras.

GERTRUDIS.—Es verdad, así suele hacerlo.

POLONIO.—Pues cuando él venga, yo haré que mi hija le salga al paso. Vos y yo nos ocultaremos detrás de los tapices, para observar lo que hace al verla. Si él no la ama y no es esta la causa de haber perdido el juicio, despedidme de vuestro lado y de vuestra corte, y enviadme a una alquería a guiar un arado.

CLAUDIO.—Sí, y lo quiero averiguar.

GERTRUDIS.—Pero, ¿veis? ¡Qué lástima! Leyendo viene el infeliz.

POLONIO.—Retiraos, yo os lo suplico: retiraos entrambos, que le quiero hablar si me dais licencia.

ESCENA VII

POLONIO, HAMLET

POLONIO.—¿Cómo os va, mi buen señor?

(*Hamlet sale leyendo un libro.*)

HAMLET.—Bien, a Dios gracias.

POLONIO.—¿Me conocéis?

HAMLET.—Perfectamente. Tú vendes peces.

POLONIO.—¿Yo? No, señor.

HAMLET.—Así fueras honrado.

POLONIO.—¿Honrado decís?

HAMLET.—Sí, señor, que lo digo. El ser honrado, según va el mundo, es lo mismo que ser escogido uno entre diez mil.

POLONIO.—Todo eso es verdad.

HAMLET.—Si el sol engendra gusanos en un perro muerto, y aunque es un dios, alumbra benigno con sus rayos a un cadáver corrupto... ¿No tienes una hija?

POLONIO.—Sí, señor, una tengo.

HAMLET.—Pues no la dejes pasear al sol. La concepción es una bendición del cielo, pero no del modo en que tu hija podrá concebir. Cuida mucho de esto, amigo.

POLONIO.—Pero ¿qué queréis decir con eso? Siempre está pensando en mi hija. No obstante, al principio no me conoció... Dice que vendo peces... ¡Está rematado, rematado!... Y en verdad que yo también, siendo mozo, me vi muy trastornado por el amor... casi tanto como él. Quiero hablarle otra vez. ¿Qué estáis leyendo?

HAMLET.—Palabras, palabras, todo palabras.

POLONIO.—¿Y de qué se trata?

HAMLET.—¿Entre quién?

POLONIO.—Digo que de qué trata el libro que leéis.

HAMLET.—De calumnias. Aquí dice el malvado satírico, que los viejos tienen la barba blanca, las caras con arrrugas, que vierten de sus ojos ámbar abundante y goma de ciruela, que padecen gran debilidad de piernas y mucha falta de entendimiento. Todo lo cual, señor mío, aunque yo plena y eficazmente lo creo, con todo eso, no me parece bien hallarlo afirmado en tales términos; porque al fin vos seríais sin duda tan joven como yo, si os fuera posible andar hacia atrás como el cangrejo.

POLONIO.—Aunque todo es locura, no deja de observar método en lo que dice. ¿Queréis venir, señor, adonde no os dé el aire?

HAMLET.—¿Adónde? ¿A la sepultura?

POLONIO.—Cierto que allí no da el aire. ¡Con qué agudeza responde siempre! Estos golpes felices son frecuentes en la locura, cuando en el estado de razón y salud tal vez no se logran. Voyle a dejar, y disponer al instante el careo entre él y mi hija. Señor, si me dais licencia de que me vaya...

HAMLET.—No me puedes pedir cosa que con más gusto te conceda, exceptuando la vida, eso sí, exceptuando la vida.

POLONIO.—Adiós, señor.

HAMLET.—¡Fastidiosos y extravagantes viejos!

POLONIO (a Guillermo y Ricardo, que salen por donde él se va.).—Si buscáis al príncipe, vedle ahí.

ESCENA VIII

HAMLET, RICARDO, GUILLERMO

RICARDO.—Buenos días, señor.

GUILLERMO.—Dios guarde a V. A.

RICARDO.—Mi venerado príncipe.

HAMLET.—¡Oh, buenos amigos! ¿Cómo va? ¡Guillermo, Ricardo, guapos mozos! ¿Cómo va? ¿Qué se hace de bueno?

RICARDO.—Nada, señor: pasamos una vida muy indiferente.

GUILLERMO.—Nos creemos felices en no ser demasiado felices. No, no servimos de airón al tocado de la fortuna.

HAMLET.—¿Ni de suelas a su calzado?

RICARDO.—Ni uno ni otro.

HAMLET.—En tal caso estaréis colocados hacia su cintura: allí es el centro de los favores.

GUILLERMO.—Cierto, como privados suyos.

HAMLET.—Pues allí en lo más oculto... ¡Ah! dices bien, ella es una prostituta... ¿Qué hay de nuevo?

RICARDO.—Nada, sino que ya los hombres van siendo buenos.

HAMLET.—Señal que el día del juicio va a venir pronto. Pero vuestras noticias no son ciertas... Permitid que os pregunte más particularmente: ¿por qué delitos os ha traído aquí vuestra mala suerte a vivir en prisión?

GUILLERMO.—¿En prisión decís?

HAMLET.—Sí: Dinamarca es una cárcel.

RICARDO.—También el mundo lo será.

HAMLET.—Y muy grande, con muchas guardas, encierros y calabozos; y Dinamarca es uno de los peores.

RICARDO.—Nosotros no éramos de esa opinión.

HAMLET.—Para vosotros podrá no serlo, porque nada hay bueno ni malo sino en fuerza de nuestra fantasía. Para mí es una verdadera cárcel.

RICARDO.—Será vuestra ambición la que os le figura tal: la grandeza de vuestro ánimo le hallará estrecho.

HAMLET.—¡Oh, Dios mío! Yo pudiera estar encerrado en la cáscara de una nuez, y creerme soberano de un estado inmenso... Pero estos sueños terribles me hacen infeliz.

RICARDO.—Todos esos sueños son ambición, y todo cuanto al ambicioso le agita no es más que la sombra de un sueño.

HAMLET.—El sueño en sí no es más que una sombra.

RICARDO.—Ciertamente, y yo considero la ambición por tan ligera y vana, que me parece la sombra de una sombra.

HAMLET.—De donde resulta que los mendigos son cuerpos, y los monarcas y héroes agigantados, sombras de los mendigos... Iremos un rato a la corte, señores, porque a la verdad no tengo la cabeza para discurrir.

LOS DOS.—Os iremos sirviendo.

HAMLET.—¡Oh! no se trate de eso. No os quiero confundir con mis criados, que, a fe de hombre de bien, me sirven indignamente. Pero decidme, por nuestra amistad antigua: ¿qué hacéis en Elsingor?

RICARDO.—Señor, hemos venido únicamente a veros.

HAMLET.—Tan pobre soy, que aun de gracias estoy escaso: no obstante, agradezco vuestra fineza... Bien que os puedo asegurar que mis gracias, aunque se paguen a ochavo, se pagan mucho. ¿Y quién os ha hecho venir? ¿Es libre esta visita? ¿Me la hacéis por vuestro gusto propio? Vaya, habladme con franqueza; vaya, decídmelo.

GUILLERMO.—¿Y qué os hemos de decir, señor?

HAMLET.—Todo lo que haya acerca de esto. A vosotros os envían sin duda, y en vuestros ojos hallo una especie de confesión, que toda vuestra reserva no puede desmentir. Yo sé que el bueno del rey y también la reina os han mandado que vengáis.

RICARDO.—Pero ¿a qué fin?

HAMLET.—Eso es lo que debéis decirme. Pero os pido por los derechos de nuestra amistad, por la conformidad de nuestros años juveniles, por las obligaciones de nuestro no interrumpido afecto, por todo aquello, en fin, que sea para vosotros más grato y respetable, que me digáis con sencillez la verdad. ¿Os han mandado venir, o no?

RICARDO (mirando a Guillermo).— ¿Qué dices tú?

HAMLET.—Ya os he dicho que lo estoy viendo en vuestros ojos: si me estimáis de veras, no hay que desmentirlos.

GUILLERMO.—Pues, señor, es cierto: nos han hecho venir.

HAMLET.—Y yo os voy a decir el motivo: así me anticiparé a vuestra propia confesión, sin que la fidelidad que debéis al rey y la reina quede por vosotros ofendida. Yo he perdido de poco tiempo a esta parte, sin saber la causa, toda mi alegría, olvidando mis ordinarias ocupaciones; y este accidente ha sido tan funesto a mi salud, que la tierra, esa divina máquina, me parece un promontorio estéril, ese dosel magnífico de los cielos, ese hermoso firmamento que veis sobre nosotros, esa techumbre majestuosa sembrada de doradas luces, no otra cosa me parece que una desagradable y pestífera multitud de vapores. ¡Qué admirable fábrica es la del hombre! ¡Qué noble su razón! ¡Qué infinitas sus facultades! ¡Qué expresivo y maravilloso en su forma y sus movimientos! ¡Qué semejante a un ángel en sus acciones! Y en su espíritu ¡qué semejante a Dios! Él es sin duda lo más hermoso de la tierra, el más perfecto de todos los animales. Pues no obstante, ¿qué juzgáis que es en mi estimación ese purificado polvo? El hombre no me deleita... ni menos la mujer... bien que ya veo en vuestra sonrisa que aprobáis mi opinión.

RICARDO.—En verdad, señor, que no habéis acertado mis ideas.

HAMLET.—Pues ¿por qué te reías cuando dije que no me deleita el hombre?

RICARDO.—Me reí al considerar, puesto que los hombres no os deleitan, qué comidas de cuaresma daréis a los cómicos que hemos hallado en el camino, y están ahí deseando emplearse en servicio vuestro.

HAMLET.—El que hace de rey sea muy bien venido; S. M. recibirá mis obsequios como es de razón: el arrojado caballeros sacará a lucir su espada y su broquel, el enamorado no suspirará de balde, el que hace de loco acabará su papel en paz, el patán dará aquellas risotadas con que sacude los pulmones áridos, y la dama expresará libremente su pasión, o las interrupciones del verso hablarán por ella. ¿Y qué cómicos son?

RICARDO.—Los que más os agradan regularmente. La compañía trágica de nuestra ciudad.

HAMLET.—¿Y por qué andan vagando así? ¿No les sería mejor su reputación y sus intereses establecerse en alguna parte?

RICARDO.—Creo que los últimos reglamentos se lo prohíben.

HAMLET.—¿Soy hoy tan bien recibidos como cuando yo estuve en la ciudad? ¿Acude siempre el mismo concurso?

RICARDO.—No, señor, no por cierto.

HAMLET.—¿Y en qué consiste? ¿Se han echado a perder?

RICARDO.—No, señor. Ellos han procurado seguir siempre su acostumbrado método; pero hay aquí una cría de chiquillos, vencejos chillones, que gritando en la declamación fuera de propósito, son por esto mismo palmoteados hasta el exceso. Esta es la diversión del día; y tanto han denigrado los espectáculos ordinarios (como ellos los llaman), que muchos caballeros de espada en cinta, atemorizados de las plumas de ganso de este teatro, rara vez se atreven a poner el pie en los otros.

HAMLET.—¡Oiga! ¿Con que son muchachos? ¿Y quién los sostiene? ¿Qué sueldo les dan? ¿Abandonarán el ejercicio cuando pierdan la voz para cantar? Y cuando tengan que hacerse cómicos ordinarios, como parece verosímil que suceda, si carecen de otros medios, ¿no dirán entonces que sus compositores los han perjudicado, haciéndoles declamar contra la profesión misma que han tenido que abrazar después?

RICARDO.—Lo cierto es que han ocurrido ya muchos disgustos por ambas partes, y la nación ve sin escrúpulo continuarse la discordia entre ellos. Ha habido tiempo en que el dinero de las piezas no se cobraba hasta que el poeta y el cómico reñían y se hartaban de bofetones.

HAMLET.—¿Es posible?

GUILLERMO.—¡Oh si lo es! Como que ha habido ya muchas cabezas rotas.

HAMLET.—Y qué, ¿los chicos han vencido en esas peleas?

RICARDO.—Cierto que sí, y se hubieran burlado del mismo Hércules con maza y todo.

HAMLET.—No es extraño. Ya veis mi tío, rey de Dinamarca. Los que se mofaban de él mientras vivió mi padre, ahora dan veinte, cuarenta y aun cien ducados por su retrato de miniatura. En esto hay algo que es más que natural, si la filosofía pudiera descubrirlo.

GUILLERMO.—Ya están ahí los cómicos.

HAMLET.—Pues, caballeros, muy bien venidos a Elsingor; acercaos aquí, dadme las manos. Las señales de una buena acogida consisten por lo común en ceremonias y cumplimientos; pero permitid que os trate así, porque os hago saber que yo debo recibir muy bien a' los cómicos en lo exterior, y no quisiera que las distinciones qué a ellos les haga pareciesen mayores que las que os hago a vosótros. Bien venidos... Pero mi tío padre, y mi madre tía, a fe a fe, que se equivocan mucho.

GUILLERMO.—¿En qué, señor?

HAMLET.—Yo no estoy loco, sino cuando sopla el nornordeste; pero cuando corre el sur, distingo muy bien un huevo de una castaña.

ESCENA IX

POLONIO y dichos

POLONIO.—Dios os guarde, señores.

HAMLET.—Oye aquí, Guillermo, y tú también... un oyente a cada lado. ¿Véis aquel vejestorio que acaba de entrar? Pues aún no ha salido de mantillas.

RICARDO.—O acaso habrá vuelto a ellas, porque según se dice, la vejez es segunda infancia.

HAMLET.—Apostaré que me viene a hablar de los cómicos, tened cuidado... Pues, señor, tú tienes razón; eso fue el lunes por la mañana, no hay duda.

POLONIO.—Señor, tengo que daros una noticia.

HAMLET.—Señor, tengo que daros una noticia. (Imitando la voz de Polonio.) Cuando Roscio era actor en Roma...

POLONIO.—Señor, los cómicos han venido.

HAMLET.—¡Tuh! ¡tuh! ¡tuh!

POLONIO.—Como soy hombre de bien que sí.

HAMLET.—Cada actor viene caballero en burro.

(Hamlet declama este verso en tono trágico y los que dice poco después.)

POLONIO.—Estos son los más excelentes actores del mundo, así en la tragedia como en la comedia, historia o pastoral, en lo cómico-pastoral, histórico-pastoral, trágico-histórico, tragi-cómico-histórico-pastoral, escena indivisible, poema ilimitado... ¡Qué! Para ellos ni Séneca es demasiado grave, ni Plauto demasiado ligero, y en cuanto a las reglas de composición y a la franqueza cómica, éstos son los únicos.

HAMLET.—¡Oh Jepté, juez de Is-
                                 [rael!...
¡Qué tesoro poseíste!

POLONIO.—¿Y qué tesoro era el suyo, señor?

HAMLET.—¿Qué tesoro?

No más que una hermosa hija
a quien amaba en extremo.

POLONIO.—Siempre pensando en mi hija.

HAMLET.—¿No tengo razón, anciano Jepté?

POLONIO.—Señor, si me llamáis Jepté, cierto es que tengo una hija a quien amo en extremo.

HAMLET.—¡Oh! no es eso lo que sigue.

POLONIO.—Pues ¿qué sigue, señor?

HAMLET.—Esto:

No hay más suerte que Dios, ni más destino.

Y luego, ya sabes:

Que cuanto nos sucede él lo previno. Lee la primera línea de aquella devota canción, y ella sola te manifestará lo demás. Pero ¿veis? Ahí vienen otros a hablar por mí.

ESCENA X

HAMLET, RICARDO, GUILLERMO, POLONIO, y cuatro cómicos

HAMLET.—Bien venidos, señores; me alegro de veros a todos tan buenos. Bien venidos... ¡Oh! ¡oh camarada antiguo! mucho se te ha arrugado la cara desde la última vez que te ví. ¿Vienes a Dinamarca a hacerme parecer viejo a mí también? ¡Y tú, mi niña, oiga! ya eres una señorita; por la Virgen, que ya está vuesarced una cuarta más cerca del cielo desde que no la he visto. Dios quiera que tu voz, semejante a una pieza de oro falso, no se descubra al echarla en el crisol. Señores, muy bien venidos todos. Pero, amigos, yo voy en derechura al caso, y corro detrás del primer objeto que se me presenta, como halconero francés. Yo quiero al instante una relación. Sí, veamos alguna prueba de vuestra habilidad. Vaya un pasaje afectuoso.

CÓMICO 1º—¿Y cuál queréis, señor?

HAMLET.—Me acuerdo de haberte oído en otro tiempo una relación que nunca se ha representado al público, o una sola vez cuando más... Sí, y me acuerdo también que no agradaba a la multitud; no era ciertamente manjar para el vulgo. Pero a mí me pareció entonces, y aun a otros cuyo dictamen vale más que el mío, una excelente pieza, bien dispuesta la fábula, y escrita con elegancia y decoro. No faltó, sin embargo, quien dijo que no había en los versos toda la sal necesaria para sazonar el asunto, y que lo insignificante del estilo anunciaba poca

sensibilidad en el autor; bien que no dejaban de tenerla por obra escrita con método, instructiva y elegante, y más brillante que delicada. Particularmente me gustó mucho en ella una relación que Eneas hace a Dido, y sobre todo cuando habla de la muerte de Príamo. Si la tienes en la memoria... empieza por aquel verso... deja, deja, veré si me acuerdo.

Pirro feroz como la hircana tigre...

(Todos los versos de esta escena los dicen con declamación trágica)

No es éste; pero empieza con Pirro... ¡ah!...

Pirro feroz, con pavonadas armas, negras como su intento, reclinado dentro en los senos del caballo enor-
[me,
a la lóbrega noche parecía.
Ya su terrible, ennegrecido aspecto mayor espanto da. Todo le tiñe de la cabeza al pie caliente sangre de ancianos y matronas, de robustos mancebos y de vírgenes, que abrasa el fuego de inflamados edificios en confuso montón: a cuya horrenda luz que despiden, el caudillo insano muerte y estrago esparce. Ardiendo
[en ira,
cubierto de cuajada sangre, vuelve los ojos, al carbunclo semejantes y busca, instado de infernal venganza.
al viejo abuelo Príamo...

Prosigue tú.

POLONIO.—¡Muy bien declamado, a fe mía! con buen acento y bella expresión.

CÓMICO 1º—   Al momento
le ve lidiando, ¡resistencia breve!
contra los griegos: su temida espada
rebelde al brazo ya, le pesa inútil.
Pirro, de furias lleno, le provoca
a liza desigual: herirle intenta,
y el aire solo del funesto acero
postra al débil anciano. Y cual si fuese
a tanto golpe el Ilïon sensible,
al suelo desplomó sus techos altos,
ardiendo en llamas, y al rumor suspenso.
Pirro... ¿Le veis? la espada que venía
a herir del teucro la nevada frente
se detiene en los aires, y él inmoble,
absorto y mudo y sin acción su enojo
la imagen de un tirano representa
que figuró el pincel. Mas como suele
tal vez el cielo en tempestad oscura
parar su movimiento, de los aires
el ímpetu cesar, y en silenciosa
quietud de muerte reposar el orbe,
hasta que el trueno, con horror zumbando,
rompe la alta región; así un instante
suspensa fue la cólera de Pirro,
y así, dispuesto a la venganza, el duro
combate renovó. No más tremendo
golpe en las armas de Mavorte eternas
dieron jamás los cíclopes tostados,
que sobre el triste anciano la cuchilla
sangrienta dio del sucesor de Aquiles
¡Oh fortuna falaz!... Vos, poderosos
dioses, quitadla su dominio injusto;
romped los rayos de su rueda y calces,
y el eje circular desde el Olimpo
caiga en pedazos del abismo al centro.

POLONIO.—Es demasiado largo.

HAMLET.—Lo mismo dirá de tus barbas el barbero. Prosigue. Éste sólo gusta de ver bailar o de oír cuentos de alcahuetas, o si no se duerme. Prosigue con aquello de Hécuba.

CÓMICO 1º—Pero quién viese ¡oh vista dolorosa! la mal ceñida reina...

HAMLET.—¡La mal ceñida Reina!

POLONIO.—Eso es bueno, mal ceñida reina, ¡bueno!

CÓMICO 1º—Pero quién viese, ¡oh vista dolorosa!
la mal ceñida reina, el pie desnudo,
girar de un lado al otro, amenazando
extinguir con sus lágrimas el fuego...
En vez de vestidura rozagante
cubierto el seno, harto fecundo un día,
con las ropas del lecho arrebatadas
(ni a más la dio lugar el susto horrible),
rasgado un velo en su cabeza, donde
antes resplandeció corona augusta...
¡Ay! quién la viese, a los supremos hados
con lengua venenosa execraría.
Los dioses mismos, si a piedad les mueve
el linaje mortal, dolor sintieran
de verla, cuando al implacable Pirro
halló esparciendo en trozos con su espada
del muerto esposo los helados miembros.
Lo ve, y exclama con gemido triste,
bastante a conturbar allá en su altura
las deidades de olimpo, y los brillantes
ojos del cielo humedecer en lloro.

POLONIO.—Ved cómo muda de color, y se le han saltado las lágrimas. No, no prosigáis.

HAMLET.—Basta ya, presto me dirás lo que falta. Señor mío, es menester hacer que estos cómicos se establezcan, ¿lo entiendes? y agasajarlos bien. Ellos son sin duda el epítome histórico de los siglos, y más te valdrá tener después de muerto un mal epitafio, que una mala reputación entre ellos mientras vivas.

POLONIO.—Yo, señor, los trataré conforme a sus méritos.

HAMLET.—¡Qué cabeza ésta! No, señor, mucho mejor. Si a los hombres se les hubiese de tratar según merecen, ¿quién escaparía de ser azotado? Trátalos como corresponde a tu nobleza y a tu honor; cuanto menor sea su mérito, mayor sea tu bondad. Acompáñalos.

POLONIO.—Venid, señores.

HAMLET.—Amigos, id con él. Mañana habrá comedia. Oye aquí tú, amigo, dime, ¿no pudiérais representar *La Muerte de Gonzago?*

CÓMICO 1º—Sí, señor.

HAMLET.—Pues mañana a la noche quiero que se haga. ¿Y no podrías, si fuese menester, aprender de memoria unos doce o diez y seis versos que quiero escribir e insertar en la pieza? ¿Podrás?

CÓMICO 1º—Sí señor,

HAMLET.—Muy bien; pues vete con aquel caballero, y cuenta no hagáis burla de él. Amigos, hasta la noche. Pasadlo bien.

RICARDO.—Señor.

HAMLET.—Id con Dios.

ESCENA XI

HAMLET

Ya estoy solo. ¡Qué abatido, que insensible soy! ¿No es admirable que este actor, en una fábula, en una ficción, pueda dirigir tan a su placer el ánimo, que así agite y desfigure el rostro en la declamación, vertiendo de sus ojos lágrimas, débil la voz, y todas sus acciones tan acomodadas a lo que quiere expresar? Y esto por nadie: por Hécuba. ¿Y quién es Hécuba para él o él para ella, que así llora sus infortunios? Pues ¡qué no haría si él tuviese los tristes motivos de dolor que yo tengo! Inundaría el teatro con llanto, su terrible acento conturbaría a cuantos le oyesen, llenaría de desesperación al culpado, de temor al inocente, al ignorante de confusión, y sorprendería con asombro la facultad de los ojos y los oídos. ¡Pero yo, miserable, sin vigor y estúpido, sueño adormecido, permanezco mudo, y miro con tal indiferencia mis agravios! Qué, ¿nada merece un rey con quien se cometió el más atroz delito para despojarle del cetro y la vida? ¿Soy cobarde yo? ¿Quién se atreve a llamarse villano, o a insultarme en mi presencia, arrancarme la barba, soplármela al rostro, asirme de la nariz, o hacerme tragar lejía que me llegue al pulmón? ¿Quién se atreve a tanto? ¿Sería yo capaz de sufrirlo? Sí, que no es posible sino que yo sea como la paloma, que carece de hiel, incapaz de acciones crueles; a no ser esto, ya se hubieran cebado los milanos del aire en los despojos de aquel indigno, deshonesto, homicida, pérfido seductor, feroz malvado, que vive sin remordimientos de su culpa. Pero ¿por qué ha de ser tan necio? ¿Será generoso proceder el mío, que yo, hijo de un querido padre (de cuya muerte alevosa el cielo y el infierno mismo me piden venganza), afeminado y débil desahogue con palabras el corazón, prorrumpa en execreaciones vanas como una prostituta vil o un pillo de cocina? ¡Ah! no, ni aun sólo imaginarlo. ¡Eh!... Yo he oído que tal vez asistiendo a una representación hombres muy culpados, han sido heridos en el alma con tal violencia por la ilusión del teatro, que a vista de todos han publicado sus delitos; que la culpa, aunque sin lengua, siempre se manifestará por medios maravillosos. Yo haré que estos actores representen delante de mi tío algún pasaje que tenga semejanza con la muerte de mi padre. Yo le heriré en lo más vivo del corazón, observaré sus miradas; si muda de color, si se estremece, ya sé lo que me toca hacer. La aparición que vi pudiera ser un espíritu del infierno. Al demonio no le es difícil presentarse bajo la más agradable forma; sí, y acaso como él es tan poderoso sobre una imaginación perturbada, valiéndose de mi propia debilidad y melancolía, me engaña para perderme. Yo voy a adquirir pruebas más sólidas, y esta representación ha de ser el lazo en que se enrede la conciencia del rey.

ACTO III

ESCENA PRIMERA
Galería de palacio

CLAUDIO, GERTRUDIS, POLONIO, OFELIA, RICARDO, GUILLERMO

CLAUDIO.—¿Y no os fue posible indagar en la conversación que con él tuvisteis, de qué nace aquel desorden de espíritu que tan cruelmente altera su quietud con turbulenta y peligrosa demencia?

RICARDO.—Él mismo reconoce los extravíos de su razón, pero no ha querido manifestarnos el origen de ellos.

GUILLERMO.—Ni le hallamos en disposición de ser examinado, porque siempre huye de la cuestión con un rasgo de locura, cuando ve que le conducimos al punto de descubrir la verdad.

GERTRUDIS.—¿Fuísteis bien recibidos de él?

RICARDO.—Con mucha cortesía.

GUILLERMO.—Pero se le conocía una cierta sujeción.

RICARDO.—Preguntó poco, pero respondía a todo con prontitud.

GERTRUDIS.—¿Le habéis convidado para alguna diversión?

RICARDO.—Sí, señora, porque casualmente habíamos encontrado una compañía de cómicos en el camino: se lo dijimos, y mostró complacencia al oirlo. Están ya en la corte, y creo que tienen orden de representarle esta noche una pieza.

POLONIO.—Así es la verdad, y me ha encargado de suplicar a VV. MM. que asistan a verla y oírla.

CLAUDIO.—Con mucho gusto: me complace en extremo saber que tiene tal inclinación. Vosotros, señores, excitadle a ella, y aplaudid su propensión a este género de placeres.

RICARDO.—Así lo haremos.

ESCENA II

CLAUDIO, GERTRUDIS, POLONIO, OFELIA

CLAUDIO.—Tú, mi amada Getrudis, deberás también retirarte, porque hemos dispuesto que Hamlet al venir aquí, como si fuera casualidad, encuentre a Ofelia. Su padre y yo, testigos los más aptos para el fin, nos colocaremos donde veamos sin ser vistos: así podremos juzgar de lo que entre ambos pase, y en las acciones y palabras del príncipe conoceremos si es pasión de amor el mal de que adolece.

GERTRUDIS.—Voy a obedeceros; y por mi parte, Ofelia, ¡oh, cuánto desearía que tu rara hermosura fuese el dichoso origen de la demencia de Hamlet! Entonces yo debería esperar que tus prendas amables pudieran para vuestra mutua felicidad restituirle su salud perdida.

OFELIA.—Yo, señora, también quisiera que fuese así.

ESCENA III

CLAUDIO, POLONIO, OFELIA

POLONIO.—Paséate por aquí, Ofelia. Si V. M. gusta, podemos ya ocultarnos. Haz que lees en este libro *(dándole un libro):* esta ocupación disculpará la soledad del sitio... ¡Materia es por cierto en que tenemos mucho de qué acusarnos! ¡Cuántas veces con el semblante de la devoción y la apariencia de acciones piadosas engañamos al diablo mismo!

CLAUDIO—Demasiado cierto es.. *(Ap.* ¡Qué cruelmente ha herido esa reflexión mi conciencia! El rostro de la meretriz, hermoseada con el arte, no es más feo despojado de los afeites, que lo es mi delito disimulado en palabras traidoras. ¡Oh, qué pesada carga me oprime!)

POLONIO.—Ya le siento llegar, señor; conviene retirarnos.

ESCENA IV

HAMLET, OFELIA

(Hamlet dirá este monólogo, creyéndose solo. Ofelia, a un extremo del teatro, lee.)

HAMLET.—Existir o ɪo existir, esta es la cuestión. ¿Cuál más digna acción del ánimo: sufrir los tiros penetrantes de la fortuna injusta, u oponer los brazos a este torrente de calamidades, y darlas fin con atrevida resistencia? Morir es dormir. ¿No más? ¿Y por un sueño, diremos, las aflicciones se acabaron y los dolores sin número, patrimonio de nuestra débil naturaleza?... Este es un término que deberíamos solicitar con ansia. Morir es dormir... y tal vez soñar. Sí, y ved aquí el grande obstáculo; porque el considerar qué sueños podrán ocurrir en el silencio del sepulcro, cuando hayamos abandonado este despojo mortal, es razón harto poderosa para detenernos. Esta es la consideración que hace nuestra infelicidad tan larga. ¿Quién, si esto no fuese, aguantaría la lentitud de los tribunales, la insolencia de los empleados, las tropelías que recibe pacífico el mérito, de los hombres más indignos, las angustias de un mal pagado amor, las injurias y quebrantos de la edad, la violencia de los tiranos, el desprecio de los soberbios, cuando el que esto sufre pudiera procurar su quietud con sólo un puñal? ¿Quién podría tolerar tanta opresión, sudando, gimiendo bajo el peso de una vida molesta, si no fuese que el temor de que existe alguna cosa más allá de la muerte (aquel país desconocido, de cuyos límites ningún caminante torna) nos embaraza en dudas y nos hace sufrir los males que nos cercan, antes que ir a buscar otros de que no tenemos seguro conocimiento? Esta previsión nos hace a todos cobardes: así la natural tintura del valor se debilita con los barnices pálidos de la prudencia; las empresas de mayor importancia por esta sola consideración mudan camino, no se ejecutan, y se reducen a designios vanos. Pero... ¡la hermosa Ofelia! Graciosa niña, espero que mis defectos no serán olvidados en tus oraciones.

OFELIA.—¿Cómo os habéis sentido, señor, en todos estos días?

HAMLET.—Muchas gracias. Bien.

OFELIA.—Conservo en mi poder algunas expresiones vuestras que deseo restituiros muchos tiempo ha, y os pido que ahora las toméis.

HAMLET.—No, yo nunca te di nada.

OFELIA.—Bien sabéis, señor, que os digo verdad... Y con ellas me disteis palabras de tan suave aliento compuestas, que aumentaron con extremo su valor; pero ya disipado aquel perfume, recibidlas, que un alma generosa considera como viles los más opulentos dones, si llega a entibiarse el afecto de quien los dio. Vedlos aquí.

(Presentándole algunas joyas. Hamlet rehúsa tomarlas.)

HAMLET.—¡Oh! ¡oh! ¿Eres honesta?

OFELIA.—Señor...

HAMLET.—¿Eres hermosa?

OFELIA.—¿Qué pretendéis decir con eso?

HAMLET.—Que si eres honesta y hermosa, no debes consentir que tu honestidad trate con tu belleza.

OFELIA.—¿Puede acaso tener la hermosura mejor compañero que la honestidad?

HAMLET.—Sin duda ninguna. El poder de la hermosura convertirá a la honestidad en una alcahueta, antes que la honestidad logre dar a la hermosura su semejanza. En otro tiempo se tenía esto por una paradoja; pero en la edad presente es cosa probada... Yo te quería antes, Ofelia.

OFELIA.—Así me lo dabais a entender.

HAMLET.—Y tú no debieras haberme creído, porque nunca puede la virtud ingerirse tan perfectamente en nuestro endurecido tronco, que nos quite aquel resquemo original... Yo no te he querido nunca.

OFELIA.—Muy engañada estuve.

HAMLET.—Mira, vete a un convento: ¿para qué te has de exponer a ser madre de hijos pecadores? Yo soy medianamente bueno; pero al considerar algunas cosas de que puedo acusarme, sería mejor que mi madre no me hubiese parido. Yo soy muy soberbio, vengativo, ambicioso, con más pecados sobre mi cabeza que pensamientos para explicarlos, fantasía para darles forma, ni tiempo para llevarlos a ejecución. ¿A qué fin los miserables como yo han de existir arrastrados entre el cielo y la tierra? Todos somos insignes malvados: no creas a ninguno de nosotros; vete a un convento... ¿En dónde está tu padre?

OFELIA.—En casa está, señor.

HAMLET.—¿Sí? pues que cierren bien todas las puertas, para que si quiere hacer locuras las haga dentro de su casa. Adiós.

(Hace que se va, y vuelve.)

OFELIA.—¡Oh, mi buen Dios, favorecedle!

HAMLET.—Si te casas, quiero darte esta maldición en dote. Aunque seas un hielo en la castidad, aunque seas tan pura como la nieve, no podrás librarte de la calumnia. Vete a un convento. Adiós, Pero... escucha: si tienes necesidad de casarte, cásate con un tonto; porque los hombres avisados saben muy bien que vosotras los convertís en fieras... Al convento, y pronto. Adiós.

(Hace que se va, y vuelve.)

OFELIA.—¡El cielo con su poder le alivie!

HAMLET.—He oído hablar mucho de vuestros afeites y embelecos. La naturaleza os dio una cara, y vosotras os hacéis otra distinta. Con esos brinquillos, ese pasito corto, ese hablar aniñado, pasáis por inocentes y convertís en gracia vuestros defectos mismos. Pero no hablemos mas de esta materia, que me ha hecho perder la razón... Digo solo que de hoy en adelante no habrá más casamientos; los que ya están casados (exceptuando uno) permanecerán así; los otros se quedarán solteros... Vete al convento, vete.

ESCENA V

OFELIA

¡Oh!, qué trastorno ha padecido esa alma generosa! La penetración del cortesano, la lengua del sabio, la espada del gurrero, la esperanza y delicias del estado, el espejo de la cultura, el modelo de la gentileza que estudiaban los más advertidos, todo, todo se ha aniquilado. Y yo, la más desconsolada e infeliz de las mujeres, que gusté algún día la miel de sus promesas suaves, veo ahora aquel noble y sublime entendimiento desacordado, como la campana sonora que se hiende; aquella incomparable presencia, aquel semblante de florida juventud, alterado con el frenesí. ¡Oh, cuánta, cuánta es mi desdicha de haber visto lo que vi, para ver ahora lo que veo!

ESCENA VI

CLAUDIO, POLONIO, OFELIA

CLAUDIO.—¡Amor! ¡Qué! No van por ese camino sus afectos: ni en lo que ha dicho, aunque algo falto de orden, hay nada que parezca locura. Alguna idea tiene en el ánimo que cubre y fomenta su melancolía, y recelo que ha de ser un mal el fruto que produzca. A fin de prevenirlo, he resuelto que salga prontamente para Inglaterra a pedir en mi nombre los atrasados tributos. Acaso el mar y los países diferentes podrán con la variedad de objetos alejar esta pasión que le ocupa, sea la que fuere, sobre la cual su imaginación sin cesar golpea. ¿Qué te parece?

POLONIO.—Que así es lo mejor. Pero yo creo, no obstante, que el origen y principio de su aflicción provengan de un amor mal correspondido. Tú, Ofelia, no hay para qué nos cuentes lo que te ha dicho el príncipe, que todo lo hemos oído.

ESCENA VII

CLAUDIO, POLONIO

POLONIO.—Haced lo que os parezca, señor; pero si lo juzgáis a propósito, sería bien que la reina, retirada a solas con él, luego que se acabe el espectáculo, le inste a que la manifieste sus penas, hablándole con entera libertad. Yo, si lo permitís, me pondré en paraje de donde pueda oír toda la conversación. Si no logra su madre descubrir este arcano, enviadle a Inglaterra, o desterradle adonde vuestra prudencia os dicte.

CLAUDIO.—Así se hará. La locura de los poderosos debe ser examinada con escrupulosa atención.

ESCENA VIII

Salón de palacio

(El salón estará iluminado: habrá asientos que formen semicírculo para el concurso que ha de asistir al espectáculo. Ha de haber en el foro una gran puerta con pabellones y cortina, por donde saldrán a su tiempo los actores que deben representar.)

HAMLET y dos cómicos

HAMLET.—Dirás este pasaje en la forma que te le he declamado yo: con soltura de lengua, no con voz desentonada, como lo hacen muchos de nuestros cómicos: más valdría entonces dar mis versos al pregonero para que los dijese. Ni manotees así acuchillando el aire; moderación en todo, puesto que aun en el torrente, la tempestad, y por mejor decir, el huracán de las pasiones, se debe conservar aquella templanza que hace suave y elegante la expresión. A mí me desazona en extremo ver a un hombre muy cubierta la cabeza con su cabellera, que a fuerza de gritos estropea los afectos que quiere expresar, y rompe y desgarra los oídos del vulgo rudo, que sólo gusta de gesticulaciones insignificantes y de estrépito. Yo mandaría azotar a un energúmeno de tal especie; Herodes de farsa, más furioso que el mismo Herodes. Evita, evita este vicio.

CÓMICO 1º—Así os lo prometo.

HAMLET.—Ni seas tampoco demasiado frío; tu misma prudencia debe guiarte. La acción debe corresponder a la palabra, y ésta a la acción, cuidando siempre de no atropellar la simplicidad de la naturaleza. No hay defecto que más se oponga al fin de la representación, que desde el principio hasta ahora ha sido y es ofrecer a la naturaleza un espejo en que vea la virtud su propia forma, el vicio su imagen, cada nación y cada siglo sus principales caracteres. Si esta pintura se exagera o se debilita, excitará la risa de los ignorantes; pero no puede menos de disgustar a los hombres de buena razón, cuya censura debe ser para vosotros de más peso que la de toda la multitud que llena el teatro. Yo he visto representar a algunos cómicos, que otros aplaudían con entusiasmo, por no decir con escándalo, los cuales no tenían acento ni figura de cristianos, ni de gentiles, ni de hombres; que al verlos hincharse y bramar no los juzgué de la especie humana, sino unos simulacros rudos de hombres, hechos por algún mal aprendiz. Tan inicuamente imitaban la naturaleza.

CÓMICO 1º—Yo creo que en nuestra compañía se ha corregido bastante ese defecto.

HAMLET.—Corregidle del todo, y cuidad también que los que hacen de payos no añadan nada a lo que está escrito en su papel; porque algunos de ellos, para hacer reír a los oyentes más adustos, empiezan a dar risotadas, cuando el interés del drama debería ocupar toda la atención. Esto es indigno, y manifiesta demasiado en los necios que lo practican el ridículo empeño de lucirlo. Id a prepararos.

ESCENA IX

HAMLET, POLONIO, RICARDO, GUILLERMO

HAMLET.—Y bien, Polonio, ¿gustará el rey de oír esta pieza?
POLONIO.—Sí, señor, al instante, y la reina también.

HAMLET.—Ve a decir a los cómicos que se despachen. ¿Queréis ir vosotros a darles prisa?
RICARDO.—Con mucho gusto.

ESCENA X

HAMLET, HORACIO

HAMLET.—¿Quién es?... ¡Ah! Horacio.
HORACIO.—Veisme aquí, señor, a vuestras órdenes.
HAMLET.—Tú, Horacio, eres un hombre cuyo trato me ha agradado siempre.
HORACIO.—¡Oh! señor...
HAMLET.—No creas que pretendo adularte; ¿ni qué utilidades puedo yo esperar de ti, que exceptuando tus buenas prendas, no tienes otras rentas para alimentarte y vestirte? ¿Habrá quien adule al pobre? No... Los que tienen almibarada la lengua, váyanse a lamer con ella la grandeza estúpida, y doblen los goznes de sus rodillas donde la lisonja encuentre galardón. ¿Me has entendido? Desde que mi alma se halló capaz de conocer a los hombres y pudo elegirlos, tú fuiste el escogido y marcado para ella; porque siempre, o desgraciado o feliz, has recibido con igual semblante los premios y los reveses de la fortuna. Dichosos aquellos cuyo temperamento y juicio se combinan con tal acuerdo, que no son entre los dedos de la fortuna una flauta dispuesta a sonar según ella guste. Dame un hombre que no sea esclavo de sus pasiones, y yo le colocaré en el centro de mi corazón: sí, en el corazón de mi corazón, como lo hago contigo. Pero yo me dilato demasiado en esto. Esta noche se representa un drama delante del rey; una de sus escenas contiene circunstancias muy parecidas a las de la muerte de mi padre, de que ya te hablé. Te encargo que cuando este paso se represente observes a mi tío con la más viva atención del alma; si al ver uno de aquellos lances su oculto delito no se descubre por sí solo, sin duda el que hemos visto es un espíritu infernal, y son todas mis ideas más negras que los yunques de Vulcano. Examínale cuidadosamente; yo también fijaré mi vista en su rostro, y después uniremos nuestras observaciones para juzgar lo que su exterior nos anuncie.
HORACIO.—Está bien, señor; y si durante el espectáculo logra hurtar a nuestra idagación el menor arcano, yo pago el hurto.
HAMLET.—Ya vienen a la función; vuélvome a hacer el loco, y tú busca asiento.

ESCENA XI

CLAUDIO, GERTRUDIS, HAMLET, HORACIO, POLONIO, OFELIA, RICARDO, GUI-
LLERMO y acompañamiento de damas, caballeros, pajes y guardias

(Suena marcha dánica.)

CLAUDIO.—¿Cómo estás, mi querido Hamlet?

HAMLET.—Muy bueno, señor; me mantengo del aire como el camaleón, engordo con esperanzas. No podréis vos cebar así a vuestros capones.

CLAUDIO.—No comprendo esa respuesta, Hamlet, ni tales razones son para mí.

HAMLET.—Ni para mí tampoco. ¿No dices tú que una vez representaste en la universidad? ¿eh?

POLONIO.—Sí, señor, así es: y fui reputado por muy buen actor.

HAMLET.—¿Y qué hiciste?

POLONIO.—El papel de Julio César, Bruto me asesinaba en el Capitolio.

HAMLET.—Muy bruto fue el que cometió en el Capitolio tan capital delito. ¿Están ya prevenidos los cómicos?

RICARDO.—Sí, señor, y esperan sólo vuestras órdenes.

GERTRUDIS.—Ven aquí, mi querido Hamlet, ponte a mi lado.

(Gertrudis y Claudio se sientan junto a la puerta por donde han de salir los actores. Siguen por su orden las damas y caballeros. Hamlet se sienta en el suelo a los pies de Ofelia.)

HAMLET.—No, señora; aquí hay un imán de más atracción para mí.

POLONIO.—¡Ah! ¡ah! ¿habéis notado eso?

HAMLET.—¿Permitiréis que me ponga sobre vuestra rodilla?

OFELIA.—No, señor.

HAMLET.—Quiero decir, apoyar mi cabeza en vuestra rodilla?

OFELIA.—Sí, señor.

HAMLET.—¿Pensáis que yo quisiera cometer alguna indecencia?

OFELIA.—No, no pienso nada de eso.

HAMLET.—¡Qué dulce cosa es...!

OFELIA.—¿Qué decís, señor?

HAMLET.—Nada.

OFELIA.—Se conoce que estáis de fiesta.

HAMLET.—¿Quién, yo?

OFELIA.—Sí, señor.

HAMLET.—Lo hago sólo por divertiros. Y bien mirado, ¿qué debe hacer un hombre sino vivir alegre? Ved mi madre qué contenta está, y mi padre murió ayer.

OFELIA.—¡Eh! no, señor, que ya hace dos meses.

HAMLET.—¿Tanto ha? ¡Oh! pues quiero vestirme todo de arminios, y llévese el diablo el luto. ¡Dios mío! ¿dos meses ha que murió, y todavía se acuerdan de él? De esa manera ya puede esperarse que la memoria de un grande hombre le sobreviva quizás medio año; bien que es menester que haya sido fundador de iglesias, que si no, por la Virgen santa no habrá nadie que de él se acuerde, como del caballo de palo de quien dice aquel epitafio:

Ya murió el caballito de palo,
y ya le olvidaron así que murió.

(Suenan trompetas y se da principio a la escena muda. Salen el duque y la duquesa (que lo harán los cómicos primero y segundo); al encontrarse, se saludan y abrazan afectuosamente; ella se arrodilla mostrando el mayor respeto; él la levanta y reclina la cabeza sobre el pecho de su esposa. Acuéstase el duque en un lecho de flores, y ella se retira al verle dormido. Sale el cómico tercero (que hace el

papel de Luciano, sobrino del du-
que), se acerca, le quita al duque
la corona, la besa, le derrama en
el oído una porción de licor que
lleva en un frasco, y hecho esto se
va. Vuelve la duquesa, y hallando
muerto a su marido, manifiesta
gran sentimiento. Sale Luciano con
dos o tres que le acompañan, y
hace ademanes de dolor; manda
retirar el cadáver, y quedando a

solas con la duquesa, la solicita y
la ofrece dádivas; ella resiste un
poco y le desdeña, pero al fin ad-
mite su amor. Vanse.)

OFELIA.—¿Qué significa esto, señor?
HAMLET.—Eso es un asesinato oculto, y anuncia grandes maldades.
OFELIA.—Según parece, la escena
muda contiene el argumento del
drama.

ESCENA XII

CÓMICO CUARTO y dichos

HAMLET.—Ahora lo sabremos por lo
que nos diga ese actor; los cómicos no pueden callar un secreto,
todo lo cuentan.
OFELIA.—¿Nos dirá éste lo que significa la escena que hemos visto?
HAMLET.—Sí por cierto, y cualquiera otra escena que le hagáis ver.
Como no os avergoncéis de repre-
sentársela, él no se avergonzará de
deciros lo que significa.
OFELIA.—¡Qué malo, qué malo sois!

Pero dejadme atender a la pieza.
CÓMICO. 4º—Humildemente os pedimos
que escuchéis esta tragedia,
disimulando las faltas
que haya en nosotros y en ella.

HAMLET.—¿Es esto prólogo, o mote
de sortija?
OFELIA.—¡Qué corto ha sido!
HAMLET.—Como cariño de mujer.

ESCENA XIII

CÓMICO PRIMERO, CÓMICO SEGUNDO y dichos

CÓMICO 1º—Ya treinta vueltas dio
de Febo el carro
a las ondas saladas de Nereo
y al globo de la tierra, y treinta veces
con luz prestada han alumbrado el
suelo
doce lunas, en giros repetidos,
después que el dios de amor y el
himeneo
nos enlazaron, para dicha nuestra,
en nudo santo el corazón y el cuello.

CÓMICO 2º—Y ¡oh! quiera el cielo
que otros tantos giros
a la luna y al sol, señor, contemos
antes que el fuego de este amor se
apague.

Pero es mi pena inconsolable al veros
doliente, triste y tan diverso ahora
de aquel que fuísteis... Tímida recelo...
Mas toda mi aflicción nada os con-
turbe;
que en pecho femenil llega al exceso
el temor y el amor. Allí residen
en igual proporción ambos afectos,
o no existe ninguno, o se combinan
éste y aquél con el mayor extremo.
Cuán grande es el amor que a vos
me inclina,
las pruebas lo dirán que dadas tengo;
pues tal es mi temor. Si un fino
amante,
sin motivo tal vez vive temiendo,

la que al veros así toda es temores,
muy puro amor abrigará en el pecho.

CÓMICO 1º—Sí, yo debo dejarte,
amada mía;
inevitable es ya; cederán presto
a la muerte mis fuerzas fatigadas;
tú vivirás, gozando del obsequio
y el amor de la tierra. Acaso entonces
un digno esposo...

CÓMICO 2º—No, dad al silencio
esos anuncios. ¿Yo? ¿Pues no serían
traición culpable en mí tales afectos?
¿Yo un nuevo esposo? No; la que se
entrega
al segundo señor, mató al primero.

HAMLET.—Esto es zumo de ajenjos.
CÓMICO 2º—Motivos de interés tal
vez inducen
a renovar los nudos de himeneo,
no motivos de amor; yo causaría
segunda muerte a mi difunto dueño,
cuando del nuevo esposo recibiera
en tálamo nupcial amantes besos.

CÓMICO 1º—No dudaré que el corazón te dicta
lo que aseguras hoy; fácil creemos
cumplir lo prometido, y facilmente
se quebranta y se olvida. Los deseos
del hombre a la memoria están su-
misos,
que nace activa y desfallece presto.
Así pende del ramo acerbo el fruto,
y así madura, sin impulso ajeno,
se desprende después. Difícilmente
nos acordamos de llevar a efecto.
promesas hechas a nosotros mismos,
que al cesar la pasión cesa el empeño.
Cuando de la aflicción y la alegría
se moderan los ímpetus violentos,
con ellos se disipan las ideas
a que dieron lugar, y el más ligero
acaso los placeres en afanes
muda tal vez, y en risa los lamentos.
Amor, como la suerte, es inconstante:
que en este mundo al fin nada hay
eterno,
y aun se ignora si él manda a la fortuna

o si ésta del amor cede al imperio.
Si el poderoso del lugar sublime
se precipita, le abandonan luego
cuantos gozaron su favor; si el pobre
sube a prosperidad, los que le fueron
más enemigos su amistad procuran,
(y el amor sigue a la fortuna en
esto)
que nunca al venturoso amigos faltan,
ni al pobre desengaños y desprecios.
Por diferente senda se encaminan
los destinos del hombre y sus afectos,
y sólo en él la voluntad es libre,
mas no la ejecución; y así el suceso
nuestros designios todos desvanece.
Tú me prometes no rendir a nuevo
yugo tu libertad... Esas ideas
¡ay! morirán cuando me vieres
muerto.

CÓMICO 2º—Luces me niegue el sol,
frutos la tierra
sin descanso y placer viva muriendo,
desesperada y en prisión oscura,
su mesa envidie al eremita austero;
cuantas penas el ánimo entristecen,
todas turben el fin de mis deseos
y los destruyan, ni quietud encuentre
en parte alguna con afán eterno;
si ya difunto mi primer esposo,
segundas bodas pérfida celebro.

HAMLET.—Si ella no cumpliese lo
que promete...

CÓMICO 1º—Mucho juraste... Aquí
gozar quisiera
solitaria quietud; rendido siento
al cansancio mi espíritu. Permite
que alguna parte le conceda al sueño
de las molestas horas.
(Se acuesta en un lecho de flores.)

CÓMICO 2º—Él te halague
con tranquilo descanso, y nunca el
cielo
en unión tan feliz pesares mezcle.
(Vase)

HAMLET.—Y bien, señora, ¿qué tal
os va pareciendo la pieza?
GERTRUDIS.—Me parece que esa mujer promete demasiado.

HAMLET.—Sí, pero lo cumplirá.

CLAUDIO.—¿Te has enterado bien del asunto? ¿Tiene algo que sea de mal ejemplo?

HAMLET.—No, señor, no. Si todo ello es mera ficción; un veneno... fingido; pero mal ejemplo, ¡qué! ,no, señor.

CLAUDIO.—¿Cómo se intitula este drama?

HAMLET.—*La Ratonera.* Cierto que sí... es un título metafórico. En esta pieza se trata de un homicidio cometido en Viena... el duque se llama Gonzago, y su mujer Baptista... Ya, ya veréis presto... ¡Oh! ¡es un enredo maldito! ¿Y qué importa? A vuestra majestad y a mí, que no tenemos culpado el ánimo, no nos puede incomodar; al rocín que esté lleno de mataduras le hará dar coces; pero a bien que nosotros no tenemos desollado el lomo.

ESCENA XIV

CÓMICO TERCERO y dichos

HAMLET.—Este que sale ahora se llama Luciano, sobrino del duque.

OFELIA.—Vos suplís perfectamente la falta del coro.

HAMLET.—Y aun pudiera servir de intérprete entre vos y vuestro amante, si viese puestos en acción entrambos títeres.

OFELIA.—¡Vaya, que tenéis una lengua que corta!

HAMLET.—Con un buen suspiro que déis, se la quita el filo.

OFELIA.—Eso es; siempre de mal en peor.

HAMLET.—Así hacéis vosotras en la elección de maridos: de mal en peor... Empieza, asesino... Déjate de poner ese gesto de condenado, y empieza. Vamos... el cuervo graznador está ya gritando venganza.

CÓMICO 3º—Negros designios, brazo
ya dispuesto
a ejecutarlos, tósigo oportuno,
sitio remoto, favorable el tiempo,
y nadie que lo observe. Tú, extraído
de la profunda noche en el silencio,
atroz veneno, de mortales yerbas
(invocada Prosérpina) compuesto:
infectadas tres veces, y otras tantas exprimidas después, sirve a mi intento:
pues a tu actividad mágica, horrible,
la robustez vital cede tan presto.

(Acércase adonde está durmiendo el cómico primero: destapa un frasquillo, y le echa una porción de licor en el oído)

HAMLET.—¿Veis? Ahora le envenena en el jardín para usurparle el cetro. El duque se llama Gonzago... Es historia cierta, y corre escrita en muy buen italiano. Presto veréis cómo la mujer de Gonzago se enamora del matador.

(Levántase Claudio lleno de indignación. Gertrudis, los caballeros, damas y acompañamiento hacen lo mismo, y se van según lo indica el diálogo.)

OFELIA.—El rey se levanta.

HAMLET.—Qué, ¿le atemoriza un fuego aparente?

POLONIO.—No paséis adelante, dejadlo.

CLAUDIO.—Traed luces. Vamos de aquí.

TODOS.—Luces, luces.

ESCENA XV

HAMLET, HORACIO, CÓMICO PRIMERO, CÓMICO TERCERO

(Hamlet canta estos versos en voz baja, y representa los que siguen después. Los cómicos primero y tercero estarán retirados a un extremo del teatro, esperando sus órdenes.)

HAMLET.—El ciervo herido, llora,
y el corzo no tocado
de flecha voladora,
se huelga por el prado;
duerme aquel, y a deshora
veis este desvelado;
que tanto el mundo va desordenado.

Y dígame, señor mío: si en adelante la fortuna me tratase mal, con esta gracia que tengo para la música, y un bosque de plumas en la cabeza, y un par de lazos provenzales en mis zapatos rayados, ¿no podría hacerme lugar entre un coro de comediantes?

HORACIO.—Mediano papel.

HAMLET.—¿Mediano? excelente. Tú sabes, Damón querido, que esta nación ha perdido al mismo Jove, y violento tirano le ha sucedido en el trono mal habido, un... ¿quién diré yo? un... un sapo.

HORACIO.—Bien pudierais haber conservado el consonante.

HAMLET.—¡Oh! mi buen Horacio; cuanto aquel espíritu dijo es demasiado cierto. ¿Lo has visto ahora?

HORACIO.—Sí, señor, bien lo he visto.

HAMLET.—¿Cuando se trató del veneno?

HORACIO.—Bien, bien le observé entonces.

HAMLET.—¡Ah! quisiera algo de música *(A los cómicos):* traedme unas flautas... Si el rey no gusta de la comedia, será sin duda porque... porque no le gusta. Vaya un poco de música.

ESCENA XVI

HAMLET, HORACIO, RICARDO, GUILLERMO

GUILLERMO.—Señor, ¿permitiréis que os diga una palabra?

HAMLET.—Y una historia entera.

GUILLERMO.—El rey...

HAMLET.—Muy bien: ¿qué le sucede?

GUILLERMO.—Se ha retirado a su cuarto con mucha destemplanza.

HAMLET.—¿De vino, eh?

GUILLERMO.—No, señor, de cólera.

HAMLET.—Pero ¿no sería más acertado írselo a contar al médico? ¿No veis que si yo me meto en hacerle purgar ese humor bilioso, puede ser que se le aumente?

GUILLERMO.—¡Oh! señor, dad algún sentido a lo que habláis, sin desenteneros con tales extravagancias de lo que os vengo a decir.

HAMLET.—Estamos de acuerdo. Prosigue pues.

GUILLERMO.—La reina vuestra madre, llena de la mayor aflicción, me envía a buscaros.

HAMLET.—Seais muy bien venido.

GUILLERMO.—Esos cumplimientos no tienen nada de sinceridad. Si queréis darme una respuesta sensata, desempeñaré el encargo de la reina; si no, con pediros perdón y retirarme se acabó todo.

HAMLET.—Pues, señor, no puedo.

GUILLERMO.—¿Cómo?

HAMLET.—Me pides una respuesta, y mi razón está un poco achacosa: no obstante, responderé del modo que pueda a cuanto me mandes, o por mejor decir, a lo que mi madre me manda. Con que nada hay que añadir en esto. Vamos al caso. Tú has dicho que mi madre...

RICARDO.—Señor, lo que dice es que vuestra conducta la ha llenado de sorpresa y admiración.

HAMLET.—¡Oh maravilloso hijo, que así ha podido aturdir a su madre! Pero dime, ¿esa admiración no ha traído otra consecuencia? ¿No hay algo más?

RICARDO.—Sólo que desea hablaros en su gabinete, antes que os vayáis a recoger.

HAMLET.—La obedeceré, si diez veces fuera mi madre. ¿Tienes algún otro negocio que tratar conmigo?

RICARDO.—Señor, yo me acuerdo de que en otro tiempo me estimabais mucho.

HAMLET.—Y ahora también. Te lo juro por estas manos rateras.

RICARDO.—Pero ¿cuál puede ser el motivo de vuestra indisposición? Eso, por cierto, es cerrar vos mismo las puertas a vuestra libertad, no queriendo comunicar con vuestros amigos los pesares que sentís.

HAMLET.—Estoy muy atrasado.

RICARDO.—¿Cómo es posible, cuando tenéis el voto del rey mismo para sucederle en el trono de Dinamarca?

HAMLET.—Sí, pero mientras nace la yerba... Ya es un poco antiguo el tal refrán. ¡Ah! ya están aquí las flautas.

ESCENA XVII

CÓMICO TERCERO y dichos

HAMLET.—Dejadme ver una... ¿A qué tengo de ir ahí *(Guillermo y Ricardo se acercan a Hamlet con ademán obsequioso, siguiéndole adonde quiera que se vuelve, hasta que viendo su enfado se apartan.)* Parece que me quieres hacer caer en alguna trampa, según me cercas por todos lados.

GUILLERMO.—Ya veo, señor, que si el deseo de cumplir con mi obligación me da la osadía, acaso el amor que os tengo me hace grosero también e importuno.

HAMLET.—No entiendo bien eso. ¿Quieres tocar esta flauta?

GUILLETMO.—Yo no puedo, señor.

HAMLET.—Vamos.

GUILLERMO.—De veras que no puedo.

HAMLET.—Yo te lo suplico.

GUILLERMO.—Pero si no sé palabra de eso...

HAMLET.—Más fácil es que tenderse a la larga. Mira, pon el lugar y los demás dedos según convenga sobre estos agujeros, sopla con la boca, y verás qué lindo sonido resulta. ¿Ves? Estos son los puntos.

GUILLERMO.—Bien, pero si no sé hacer uso de ellos para que produzcan armonía. Como ignoro el arte...

HAMLET.—Pues mira tú en qué opinión tan baja me tienes. Tú me quieres tocar, presumes conocer mis registros, pretendes extraer lo más íntimo de mis secretos, quieres hacer que suene desde el más grave al más agudo de mis tonos; y se aquí este pequeño órgano, capaz de excelentes voces y de armonía, que tú no puedes hacer sonar. ¿Y juzgas que se me tañe a mí con más facilidad que a una flauta? No, dame el nombre del instrumento que quieras, por más que le manejes y te fatigues, jamás conseguirás hacerle producir el menor sonido.

ESCENA XVIII

POLONIO y otros

HAMLET.—¡Oh! Dios te bendiga.

POLONIO.—Señor, la reina quisiera hablaros al instante.

HAMLET.—¿No ves allí aquella nube que parece un camello?

POLONIO.—Cierto, así en el tamaño parece un camello.

HAMLET.—Pues ahora me parece una comadreja.

POLONIO.—No hay duda, tiene figura de comadreja.

HAMLET.—O como una ballena.

POLONIO.—Es verdad, sí, como una ballena.

HAMLET.—Pues al instante iré a ver a mi madre. Tanto harán éstos, que me volverán loco de veras. Iré, iré al instante.

POLONIO.—Así se lo diré.

HAMLET.—Fácilmente se dice: al instante viene... Dejadme solo, amigos.

ESCENA XIX

HAMLET

Este es el espacio de la noche apto a los maleficios. Esta es la hora en que los cementerios se abren, y el infierno respira contagios al mundo. Ahora podría yo beber caliente sangre; ahora podría ejecutar tales acciones, que el día se estremeciese al verlas. Pero vamos a ver a mi madre. ¡Oh corazón! no desconozcas la naturaleza, ni permitas que en este firme pecho se albergue la fiereza de Nerón. Déjadme ser cruel, pero no parricida. El puñal que ha de herirla esté en mis palabras, no en mi mano; disimulen el corazón y la lengua; sean las que fueren las execraciones que contra ella pronuncie, nunca, nunca mi alma solicitará que se cumplan.

ESCENA XX

Gabinete

CLAUDIO, RICARDO, GUILLERMO

CLAUDIO.—No, no le quiero aquí, ni conviene a nuestra seguridad dejar libre el campo a su locura. Preveníos pues, y haré que inmediatamente se os despache para que él os acompañe a Inglaterra. El interés de mi corona no permite ya exponerme a un riesgo tan inmediato, que crece por instantes en los accesos de su demencia.

GUILLERMO.—Al momento dispondremos nuestra marcha. El más santo y religioso temor es aquel que procura la existencia de tantos individuos, cuya vida pende de Vuestra Majestad.

RICARDO.—Si es obligación en un particular defender su vida de toda ofensa, por medio de la fuerza y el arte, ¿cuánto más lo será conservar aquella en quien estriba la felicidad pública? Cuando llega a faltar el monarca, no muere él solo, sino que a manera de un torrente precipitado arrebata consigo cuanto le rodea, como una gran rueda colocada en la cima del más alto monte, a cuyos enormes rayos están asidas innumerables piezas menores, que si llega a caer, no hay ninguna de ellas, por más pequeña que sea, que no padezca igualmente en el total destrozo. Nunca el soberano exhala un suspiro, sin excitar en su nación general lamento.

CLAUDIO.—Yo os ruego que os prevengáis sin dilación para el viaje. Quiero encadenar este temor, que ahora camina demasiado libre.

LOS DOS.—Vamos a obedeceros con la mayor prontitud.

ESCENA XXI

CLAUDIO, POLONIO

POLONIO.—Señor, ya se ha encaminado al cuarto de su madre. Voy a ocultarme detrás de los tapices para ver el suceso. Es seguro que ella le reprenderá fuertemente; y como vos mismo habéis observado muy bien, conviene que asista a oír la conversación alguien más que su madre, que naturalmente le ha de ser parcial, como a todas sucede. Quedáos adiós; yo volveré a veros antes que os recojáis, para deciros lo que haya pasado.

CLAUDIO.—Gracias, querido Polonio.

ESCENA XXII

CLAUDIO

¡Oh, mi culpa es atroz! Su hedor sube al cielo, llevando consigo la maldición más terrible, la muerte de un hermano. No puedo recogerme a orar, por más que eficazmente lo procuro; que es más fuerte que mi voluntad el delito que la destruye. Como el hombre a quien dos obligaciones llaman me detengo a considerar por cuál empezaré primero, y no cumplo ninguna... Pero si este brazo execrable estuviese aún más teñido en la sangre fraterna, ¿faltará en los cielos piadosos suficiente lluvia para volverle cándido como la nieve misma? ¿de qué sirve la misericordia, si se niega a ver el rostro del pecado? ¿Qué hay en la oración sino aquella duplicada fuerza, capaz de sostenernos al ir a caer, o de adquirirnos el perdón habiendo caído? Sí, alzaré mis ojos al cielo, y quedará borrada mi culpa... Pero ¿qué género de oración habré de usar? Olvida, Señor, olvida el horrible homicidio que cometí... ¡Ah! que será imposible, mientras vivo poseyendo los objetos que me determinaron a la maldad: mi ambición, mi corona, mi esposa... ¿Podrá merecerse el perdón cuando la ofensa existe? En este mundo estragado sucede con frecuencia que la mano delincuente, derramando el oro, aleja la justicia y corrompe con dádivas la integridad de las leyes: no así en el cielo, que allí no hay engaños, allí comparecen las acciones humanas como ellas son, y nos vemos compelidos a manifestar nuestras faltas todas sin excusa, sin rebozo alguno... En fin, en fin, ¿qué debo hacer?... Probemos lo que puede el arrepentimiento... ¿y qué no podrá?... Pero ¿qué ha de poder con quien no puede arrepentirse? ¡Oh situación infeliz! ¡Oh conciencia, ennegrecida con sombras de muerte! ¡Oh alma mía aprisionada! que cuanto más te esfuerzas para ser libre, más quedas oprimida. ¡Angeles, asistidme! Probad en mí vuestro poder. Dóblense mis rodillas tenaces; y tú, corazón mío de aceradas fibras, hazte blando como los nervios del niño que acaba de nacer. Todo, todo puede enmendarse. *(Se arrodilla y apoya los brazos y la cabeza en un sillón.)*

ESCENA XXIII

CLAUDIO, HAMLET

HAMLET.—Esta es la ocasión propicia. Ahora está rezando, ahora le mato... *(Saca la espada, da algunos pasos en ademán de herirle; se detiene y se retira otra vez hacia la puerta.)* Y así se irá al cielo... ¿Y es ésta mi venganza? No, reflexionemos. Un malvado asesina a mi padre, y yo, su hijo único, aseguro al malhechor la gloria; ¿no es esto, en vez de castigo, premio y recompensa? Él sorprendió a mi padre acabados los desórdenes del banquete, cubierto de más culpas que mayo tiene flores... ¿Quién sabe, sino Dios, la estrecha cuenta que hubo de dar? Pero, según nuestra razón concibe, terrible ha sido su sentencia. ¿Y quedaré vengado dándole a éste la muerte, precisamente cuando purifica su alma, cuando se dispone para la partida? No, espada mía, vuelve a tu lugar, y espera ocasión de ejecutar más tremendo golpe. Cuando esté ocupado en el juego, cuando blasfeme colérico, o duerma con la embriaguez, o se abandone a los placeres incestuosos del lecho, o cometa acciones contrarias a su salvación, hiérele entonces; caiga precipitado al profundo, y su alma quede negra y maldita, como el infierno que ha de recibirle. *(Envaina la espada.)* Mi madre me espera. Malvado, esta medicina, que te dilata la dolencia, no evitará tu muerte.

ESCENA XXIV

CLAUDIO

Mis palabras suben al cielo, mis afectos quedan en la tierra. *(Se levanta con agitación.)* Palabras sin afectos nunca llegan a los oídos de Dios.

ESCENA XXV

Cuarto de la reina

GERTRUDIS, POLONIO, HAMLET

POLONIO.—Va a venir al momento. Mostradle entereza; decidle que sus locuras han sido demasiado atrevidas e intolerables: que vuestra bondad le ha protegido, mediando entre él y la justa indignación que excitó. Yo entre tanto, retirado aquí, guardaré silencio.

Habladle con libertad, yo os lo suplico.
HAMLET (*gritando desde adentro*).— ¡Madre! ¡madre!
GERTRUDIS.—Así te lo prometo; nada temo. Ya le siento llegar. Retírate. (*Polonio se oculta detrás de unos tapices.*)

ESCENA XXVI

GERTRUDIS, HAMLET, POLONIO

HAMLET.—¿Qué me mandáis, señora?
GERTRUDIS.—Hamlet, muy ofendido tienes a tu padre.
HAMLET.—Madre, muy ofendido tenéis al mío.
GERTRUDIS.—Ven, ven aquí; tú me respondes con lengua demasiado libre.
HAMLET.—Voy, voy allá... y vos me preguntáis con lengua bien perversa.
GERTRUDIS.—¿Qué es esto, Hamlet?
HAMLET.—¿Y qué es eso, madre?
GERTRUDIS.—¿Te olvidas de quién soy?
HAMLET.—No, por la cruz bendita que no me olvido. Sois la reina, casada con el hermano de vuestro primer esposo, y... ¡ojalá no fuera así!... ¡Eh! sois mi madre.
GERTRUDIS.—Bien está. Yo te pondré delante de quien te haga hablar con más acuerdo.
HAMLET.—Venid (*Hamlet, asiendo de un brazo a Gertrudis, la hace sentar*), sentaos, y no saldréis de aquí, no os moveréis, sin que os ponga un espejo delante, en que

veáis lo más oculto de vuestra conciencia.
GERTRUDIS.—¿Qué intentas hacer? ¿Quieres matarme?... ¿Quién me socorre? ¡Cielos!
(*Al ver Gertrudis la extraordinaria agitación que Hamlet manifiesta en su semblante y acciones, teme que va a matarla, y grita despavorida pidiendo socorro. Polonio quiere salir de donde está oculto, y después se detiene. Hamlet advierte que los tapices se mueven, sospecha que Claudio está escondido detrás de ellos, saca la espada, da dos o tres estocadas sobre el bulto que halla, y prosigue hablando con su madre.*)
POLONIO.—Socorro pide... ¡oh!...
HAMLET.—¿Qué es esto?... Un ratón... Murió... Un ducado a que ya está muerto.
POLONIO.—¡Ay de mí!
GERTRUDIS.—¿Qué has hecho?
HAMLET.—Nada... ¿Qué sé yo?... ¿Si sería el rey?
GERTRUDIS.—¡Qué acción tan precipitada y sangrienta!

HAMLET.—Es verdad, madre mía, acción sangrienta, y casi tan horrible como la de matar a un rey, y casarse después con su hermano.

GERTRUDIS.—¿Matar a un rey?

HAMLET.—Sí, señora, eso he dicho. (*Alza el tapiz, y aparece Polonio muerto en el suelo.*) Y tú, miserable, temerario, entremetido, loco... Adiós. Yo te tomé por otra persona de más consideración. Mira el premio que has adquirido; ve ahí el riesgo que tiene la demasiada curiosidad... (*Volviendo a hablar con Gertrudis, a quien hace sentar de nuevo.*) No, no os torzáis las manos... Sentaos aquí, y dejad que yo os tuerza el corazón. Así he de hacerlo, si no le tenéis formado de impenetrable pasta, si las costumbres malditas no le han convertido en un muro de bronce opuesto a toda sensibilidad.

GERTRUDIS.—¿Qué hice yo, Hamlet, para que con tal aspereza me insultes?

HAMLET.—Una acción que mancha la tez purpúrea de la modestia, y da nombre de hipocresía a la virtud; arrebata las flores de la frente hermosa de un inocente amor, colocando un vejigatorio en ella; que hace más pérfidos los votos conyugales que las promesas del tahúr; una acción que destruye la buena fe, alma de los contratos, y convierte la inefable religión en una compilación frívola de palabras; una acción, en fin, capaz de inflamar en ira la faz del cielo, y trastornar con desorden horrible esta sólida y artificiosa máquina del mundo, como si se aproximara su fin temido.

GERTRUDIS.—¡Ay de mí! ¿Y qué acción es ésa, que así exclamas al anunciarla con espantosa voz de trueno?

HAMLET.—Veis aquí presentes en esta y esta pintura (*señalando a dos retratos que habrá en la pared, uno del rey Hamlet, y otro de Claudio*) los retratos de dos hermanos. ¡Ved cuánta gracia residía en aquel semblante! Los cabellos del sol, la frente como la del mismo Júpiter, su vista imperiosa y amenazadora como la de Marte, su gentileza semejante a la del mensajero Mercurio cuando aparece sobre una montaña cuya cima llega a los cielos. ¡Hermosa combinación de formas, donde cada uno de los dioses imprimió su carácter, para que el mundo admirase tantas perfecciones en un hombre solo. Este fue vuestro esposo. Ved ahora el que sigue. Este es vuestro esposo, que como la espiga con tizón destruye la sanidad de su hermano. ¿Lo veis bien? ¿Pudisteis abandonar las delicias de aquella colina hermosa por el cieno de ese pantano inmudo? ¡Ah! ¿lo veis bien?... Ni podéis llamarlo amor, porque en vuestra edad los hervores de la sangre están ya tibios y obedientes a la prudencia; ¿y qué prudencia descendería desde aquel a éste? Sentidos tenéis, que a no ser así, no tuvierais afectos; pero esos sentidos deben de padecer letargo profundo. La demencia misma no podría incurrir en tanto error; ni el frenesí tiraniza con tal exceso las sensaciones, que no quede suficiente juicio para saber elegir entre dos objetos cuya diferencia es tan visible... ¿Qué espíritu infernal os pudo engañar y cegar así? ¿Los ojos sin el tacto, el tacto sin la vista, los oídos, el olfato solo, una débil porción de cualquier sentido hubiera bastado a impedir tal estupidez... ¡Oh modestia! ¿y no te sonrojas? ¡rebelde infierno! si así pudiste inflamar las médulas de una matrona, permite, permite que la virtud en la edad juvenil sea dócil como la cera, y se liquide en sus propios fuegos; ni se invoque al pudor para resistir su violencia, puesto que el hielo mismo con tal actividad se enciende; y es ya el entendimiento el que prostituye al corazón.

GERTRUDIS.—¡Oh Hamlet! no digas más... Tus razones me hacen dirigir la vista a mi conciencia, y advierto allí las más negras y groseras manchas, que acaso nunca podrán borrarse.

HAMLET.—¡Y permanecer así entre el pestilente sudor de un lecho incestuoso, envilecida en corrupción, prodigando caricias de amor en aquella sentina impura!

GERTRUDIS.—No más, no más, que esas palabras como agudos puñales hieren mis oídos... No más, querido Hamlet.

HAMLET.—Un asesino... un malvado... vil... inferior mil veces a vuestro difunto esposo... escarnio de los reyes, ratero del imperio y el mando, que robó la preciosa corona, y se la guardó en el bolsillo.

GERTRUDIS.—No más...

ESCENA XXVII

GERTRUDIS, HAMLET, la sombra del rey Hamlet

HAMLET.—Un rey de botarga... ¡Oh espíritus celestes! defendedme, cubridme con vuestras alas... ¿Qué quieres, venerada sombra?

GERTRUDIS.—¡Ay! que está fuera de sí.

HAMLET.—¿Vienes acaso a culpar la negligencia de tu hijo, que debilitado por la compasión y la tardanza, olvida la importante ejecución de tu precepto terrible?... Habla.

LA SOMBRA.—No lo olvides. Vengo a inflamar de nuevo tu ardor casi extinguido. Pero ¿ves? Mira cómo has llenado de asombro a tu madre. Ponte entre ella y su alma agitada, y hallarás que la imaginación obra con mayor violencia en los cuerpos más débiles. Háblale, Hamlet.

HAMLET.—¿En qué pensáis, señora?

GERTRUDIS.—¡Ay! ¿y en qué piensas tú, que así diriges la vista donde no hay nada, razonando con el aire incorpóreo?... Toda su alma se ha pasado a tus ojos, que se mueven horribles; y tus cabellos, que pendían, adquiriendo vida y movimiento, se erizan y levantan como los soldados a quienes improviso rebato despierta. ¡Hijo de mi alma! ¡Oh! derrama sobre el ardiente fuego de tu agitación la paciencia fría... ¿A quién estás mirando?

HAMLET.—A él, a él... ¿Le veis qué pálida luz despide? Su aspecto y su dolor bastarían a conmover las piedras... ¡Ay! no me mires así; no sea que ese lastimoso semblante destruya mis designios crueles, no sea que al ejecutarlos equivoque los medios, y en vez de sangre se derramen lágrimas.

GERTRUDIS.—¿A quién dices eso?

HAMLET.—¿No veis nada allí?

GERTRUDIS.—Nada, y veo todo lo que hay.

HAMLET.—¿Ni oísteis nada tampoco?

GERTRUDIS.—Nada más que lo que nosotros hablamos.

HAMLET.—Mirad allí... ¿Le veis?... Ahora se va... Mi padre... con el traje mismo que se vestía... ¿Véis por dónde va?... Ahora llega al pórtico.

ESCENA XXVIII

GERTRUDIS, HAMLET

GERTRUDIS.—Todo es efecto de la fantasía. El desorden que padece tu espíritu produce esas ilusiones vanas.

HAMLET.—¿Desorden? Mi pulso, como el vuestro, late con regular intervalo, y anuncia igual salud en sus compases... Nada de lo que he dicho es locura. Haced la prueba, y veréis si os repito cuantas ideas y palabras acabo de proferir, y un loco no puede hacerlo. ¡Ah, madre mía! en merced os pido que no apliquéis al alma esa unción halagüeña, creyendo que es mi locura la que habla, y no vuestro delito. Con tal medicina lograréis sólo irritar la parte ulcerada, aumentando la ponzoña pestífera que interiormente la corrompe... Confesad al cielo vuestra culpa, llorad lo pasado, precaved lo futuro, y no extendáis el beneficio sobre las malas yerbas para que prosperen lozanas. Perdonad este desahogo a mi virtud, ya que en esta delincuente edad la virtud misma tiene que pedir perdón al vicio, y aun para hacerle bien le halaga y le ruega.

GERTRUDIS.—¡Ay, Hamlet,! tú despedazas mi corazón.

HAMLET.—¿Sí? Pues apartad de vos aquella porción más dañada, y vivid con la que resta más inocente. Buenas noches... Pero no volváis al lecho de mi tío. Si carecéis de virtud, aparentadla al menos. La costumbre, aquel monstruo que destruye las inclinaciones y afectos del alma, si en lo demás es un demonio, tal vez es un ángel cuando sabe dar a las buenas acciones una cierta facilidad con que insensiblemente las hace parecer innatas. Conteneos por esta noche; este esfuerzo os hará más fácil la abstinencia próxima, y la que siga después la hallaréis más fácil todavía. La costumbre es capaz de borrar la impresión misma de la naturaleza, reprimir las malas inclinaciones y alejarlas de nosotros con maravilloso poder. Buenas noches; y cuando aspiréis de veras a la bendición del cielo, entonces yo os pediré vuestra bendición... La desgracia de este hombre (*hace además de cargar con el cuerpo de Polonio; pero dejándole en el suelo otra vez vuelve a hablar a Gertrudis*) me aflige en extremo; pero Dios lo ha querido así: a él le ha castigado por mi mano, y a mí también precisándome a ser el instrumento de su enojo. Yo le conduciré adonde convenga, y sabré justificar la muerte que le di. Basta. Buenas noches. Porque soy piadoso, debo ser cruel; ve aquí el primer daño cometido; pero aún es mayor el que después ha de ejecutarse... ¡Ah! escuchad otra cosa.

GERTRUDIS.—¿Cuál es? ¿Qué debo hacer?

HAMLET.—No hacer nada de cuanto os he dicho, nada. Permitid que el rey hinchado con el vino, os conduzca otra vez al lecho, y allí os acaricie, apretando lascivo vuestras mejillas, y os tiente el pecho con sus malditas manos, y os bese con negra boca. Agradecida, entonces, declaradle cuanto hay en el caso: decidle que mi locura no es verdadera, que todo es artificio... Sí, decídselo; porque ¿cómo es posible que una reina hermosa, modesta, prudente, oculte secretos de tal importancia a aquel gato viejo, murciélago, sapo torpísimo? ¿Cómo sería posible callárselo? Id, y a pesar de la razón y el sigilo, abrid la jaula sobre el techo de la casa y haced que los pájaros se vuelen; y semejante al mono (tan amigo de hacer experiencias), meted la cabeza en la trampa, a riesgo de perecer en ella misma.

GERTRUDIS.—No, no lo temas; que si las palabras se forman del aliento, y éste anuncia vida, no hay vida ni aliento en mí para repetir lo que me has dicho.

HAMLET.—¿Sabéis que debo ir a Inglaterra?

GERTRUDIS.—¡Ah! ya lo había olvidado. Sí, es cosa resuelta.

HAMLET.—Sé que debo llevar estas cartas selladas, y que mis dos condiscípulos (de quienes yo me fiaré como de una víbora ponzoñosa) van encargados de llevar el mensaje, facilitarme la marcha y conducirme al precipicio. Pero yo los dejaré hacer: que es mucho gusto ver volar al minador con su propio hornillo, y mal irán las cosas o yo excavaré una vara no más debajo de sus minas, y les haré saltar hasta la luna. ¡Oh, es mucho gusto cuando un pícaro tropieza con quien se las entiende!... Este hombre me hace ahora su ganapán... (*Quiere llevar a cuestas el cadáver, y no pudiendo hacerlo cómodamente, le ase de un pie, y se le lleva arrastrando*) le llevaré arrastrando a la pieza inmediata. Madre, buenas noches... Por cierto que el señor consejero (que fue en vida un hablador impertinente) es ahora bien reposado, bien serio y taciturno. Vamos, amigo, que es menester sacaros de aquí y acabar con ello. Buenas noches, madre.

ACTO IV

ESCENA PRIMERA

Salón de palacio

CLAUDIO, GERTRUDIS, RICARDO, GUILLERMO

CLAUDIO.—Esos suspiros, esos profundos sollozos alguna causa tienen; dime cuál es, conviene que la sepa yo... ¿En dónde está tu hijo?

GERTRUDIS.—Dejadnos solos un instante. (*Vanse Ricardo y Guillermo.*) ¡Ah, señor, lo que he visto esta noche!

CLAUDIO.—¿Qué ha sido, Gertrudis? ¿Qué hace Hamlet?

GERTRUDIS.—Furioso está como el mar y el viento cuando disputan entre sí cuál es más fuerte. Turbado con la demencia que le agita, oyó algún ruido detrás del tapiz; saca la espada, grita: un ratón, un ratón; y en su ilusión frenética mató al buen anciano que se hallaba oculto.

CLAUDIO.—¡Funesto accidente! Lo mismo hubiera hecho conmigo si hubiera estado allí. Ese desenfreno insolente amenaza a todos: a mí, a ti misma, a todos en fin. ¡Oh!... ¿y cómo disculparemos una acción tan sangrienta? Nos la imputarán sin duda a nosotros, porque nuestra autoridad debería haber reprimido a ese joven loco, poniéndole en paraje donde a nadie pudiera ofender. Pero el excesivo amor que le tenemos nos ha impedido hacer lo que mas convenia; bien así como el que padece una enfermedad vergonzosa, que por no declararla, consiente primero que le devore la sustancia vital. ¿Y dónde ha ido?

GERTRUDIS.—A retirar de allí el difunto cuerpo, y en medio de su locura llora el error que ha cometido. Así el oro manifiesta su pureza, aunque mezclado tal vez con metales viles.

CLAUDIO.—Vamos, Gertrudis, y apenas toque el sol la cima de los montes haré que se embarque y se vaya, en tanto será necesario emplear toda nuestra autoridad y nuestra prudencia para ocultar o disculpar un hecho tan indigno.

ESCENA II

FORTIMBRÁS, un CAPITÁN, soldados.

CLAUDIO.—¡Oh Guillermo, amigos! Id entrambos con alguna gente que os ayude... Hamlet, ciego de frenesí, ha muerto a Polonio, y le ha sacado arrastrando del cuarto de su madre. Id a buscarle; habladle con dulzura; y haced llevar el cadáver a la capilla. No os detengáis. *(Vanse Ricardo y Guillermo.)* Vamos, que pienso llamar a nuestros más prudentes amigos para darles cuenta de esta imprevista desgracia, y de lo que resuelvo hacer. Acaso por este medio la calumnia (cuyo rumor ocupa là extensión del orbe, y dirige sus empozoñados tiros con la certeza que el cañón a su blanco) errando esa vez el golpe, dejará nuestro nombre ileso y herirá sólo al viento insensible. ¡Oh!... Vamos de aquí... mi alma está llena de agitación y de terror.

ESCENA III

Cuarto de Hamlet

HAMLET, RICARDO, GUILLERMO

HAMLET.—Colocado ya en lugar seguro... Pero...

RICARDO *(desde adentro).*—¡Hamlet! ¡señor!

HAMLET. — ¿Qué ruido es éste? ¿Quién llama a Hamlet?... ¡Oh! ya están aquí. *(Salen Ricardo y Guillermo.)*

RICARDO.—Señor, ¿qué habéis hecho del cadáver?

HAMLET.—Ya está entre el polvo, del cual es pariente cercano.

RICARDO.—Decidnos en dónde está, para que le hagamos llevar a la capilla.

HAMLET.—¡Ah!... no lo creáis, no.

RICARDO.—¿Qué es lo que no debemos creer?

HAMLET.—Que yo pueda guardar vuestro secreto, y os revele el mío... Y además, ¿qué ha de responder el hijo de un rey a las instancias de un entremetido palaciego?

RICARDO.—¿Entremetido me llamáis?

HAMLET.—Sí, señor, entremetido; que como una esponja chupa del favor del rey las riquezas y la autoridad. Pero estas gentes a lo último de su carrera es cuando sirven mejor al príncipe; porque éste, semejante al mono, se los mete en un rincón de la boca; allí los conserva, y el primero que entró es el último que se traga. Cuando el rey necesite lo que tú (que eres su esponja) le hayas chupado, te coge, te exprime, y quedas enjunto otra vez.

RICARDO.—No comprendo lo que decís.

HAMLET.—Me place en extremo. Las razones agudas son ronquidos para los oídos tontos.

RICARDO.—Señor, lo que importa es que nos digáis en dónde está el cuerpo, y os vengáis con nosotros a ver al rey.

HAMLET.—El cuerpo está con el rey; pero el rey no está con el cuerpo. El rey viene a ser una cosa, como...

GUILLERMO.—¿Qué cosa, señor?

HAMLET.—Una cosa que no vale nada... Pero guarda, Pablo... Vamos a verle.

ESCENA IV

Salón de palacio

CLAUDIO

Le he enviado a llamar, y he mandado buscar el cadáver. ¡Qué peligroso es dejar en libertad a este mancebo! Pero no es posible tampoco ejercer sobre él la severidad de las leyes. Está muy querido de la fanática multitud, cuyos afectos se determinan por los ojos, no por la razón, y que en tales casos considera el castigo del delincuente, y no el delito. Conviene, para mantener la tranquilidad, que esa repentina ausencia de Hamlet aparezca como cosa muy de antemano meditada y resuelta. Los males desesperados, o son incurables, o se alivian con desesperados remedios.

ESCENA V

CLAUDIO, RICARDO

CLAUDIO.—¿Qué hay, que ha sucedido?

RICARDO.—No hemos podido lograr que nos diga adónde ha llevado el cadáver.

CLAUDIO.—Pero él ¿en dónde está?

RICARDO.—Afuera quedó con gente que le guarda, esperando vuestras órdenes..

CLAUDIO.—Traedle a mi presencia.

RICARDO.—Guillermo, que venga el príncipe.

ESCENA VI

CLAUDIO, RICARDO, HAMLET, GUILLERMO, criados

CLAUDIO.—Y bien, Hamlet, ¿en dónde está Polonio?

HAMLET.—Ha ido a cenar.

CLAUDIO.—¿A cenar? ¿Adónde?

HAMLET.—No adonde coma, sino adonde es comido, entre una numerosa congregación de gusanos. El gusano es el monarca supremo de todos los comedores. Nosotros engordamos a los demás animales para engordarnos, y engordamos para el gusanillo que nos come después. El rey gordo y el mendigo flaco son dos platos diferentes, pero se sirven a una misma mesa. En esto para todo.

CLAUDIO.—¡Ah!

HAMLET.—Tal vez un hombre puede pescar con el gusano que ha comido a un rey, y comerse después el pez que se alimentó de aquel gusano.

CLAUDIO.—¿Y qué quieres decir con eso?

HAMLET.—Nada más que manifestar cómo un rey puede pasar progresivamente a las tripas de un mendigo.

CLAUDIO.—¿En dónde está Polonio?

HAMLET.—En el cielo. Enviad a alguno que lo vea, y si vuestro comisionado no le encuentra allí, entonces podéis vos mismo irle a buscar a otra parte. Bien que, si no le halláis en todo este mes, le oleréis sin duda al subir los escalones de la galería.

CLAUDIO.—Id a buscarle. (*Vanse los criados.*)

HAMLET.—No, él no se moverá de allí hasta que vayan por él.

CLAUDIO.—Este suceso, Hamlet, exige que atiendas a tu propia seguridad, la cual me interesa tanto como lo demuestra el sentimiento que me causa la acción que has hecho. Conviene que salgas de aquí con acelerada diligencia. Prepárate pues. La nave está ya prevenida, el viento es favorable, los compañeros aguardan, y todo está pronto para tu viaje a Inglaterra.

HAMLET.—¿A Inglaterra?

CLAUDIO.—Sí, Hamlet.

HAMLET.—Muy bien.

CLAUDIO.—Sí, muy bien debe parecerte, si has comprendido el fin a que se encaminan mis deseos.

HAMLET.—Yo veo un ángel que los ve... Pero vamos a Inglaterra. ¡Adiós, mi querida madre!

CLAUDIO.—¿Y tu padre que te ama, Hamlet?

HAMLET.—Mi madre... Padre y madre son marido y mujer; marido y mujer son una carne misma, con que... mi madre... ¡Eh! Vamos a Inglatèrra.

ESCENA VII

CLAUDIO, RICARDO, GUILLERMO

CLAUDIO.—Seguidle inmediatamente; instad con viveza su embarco, no se dilate un punto. Quiero verle fuera de aquí esta noche. Partid. Cuanto es necesario a esta comisión, está sellado y pronto. Id, no os detengáis. (*Vanse Ricardo y Guillermo.*) Y tú, Inglaterra, si en algo estimas mi amistad (de cuya importancia mi gran poder te avisa), pues aún miras sangrientas las heridas que recibiste del acero dinamarqués, y en dócil temor me pagas tributos, no dilates tibia la ejecución de mi suprema voluntad, que por cartas escritas a este fin te pide con la mayor instancia la pronta muerte de Hamlet. Su vida es para mí una fiebre ardiente, y tú sola puedes aliviarme. Hazlo así, Inglaterra, y hasta que sepa que descargaste el golpe, por más feliz que mi suerte sea, no se restablecerán en mi corazón la tranquilidad ni la alegría.

ESCENA VIII

Campo solitario en las fronteras de Dinamarca

FORTIMBRÁS, un CAPITÁN, soldados

FORTIMBRÁS.—Id, capitán, saludad en mi nombre al monarca danés; decidle que en virtud de su licencia, Fortimbrás pide el paso libre por su reino, según se le ha prometido. Ya sabéis el sitio de nuestra reunión. Si algo quiere Su Majestad comunicarme, hacedle saber que estoy pronto a ir en persona a darle pruebas de mi respeto.

CAPITÁN.—Así lo haré, señor.

FORTIMBRÁS.—Y vosotros caminad con paso vagaroso.

ESCENA IX

Un capitán, HAMLET, RICARDO, GUILLERMO, soldados.

HAMLET.—Caballero, ¿de dónde son estas tropas?

CAPITÁN.—De Noruega, señor.

HAMLET.—Y decidme, ¿adónde se encaminan?

CAPITÁN.—Contra una parte de Polonia.

HAMLET.—¿Quién las acaudilla?

CAPITÁN.—Fortimbrás, sobrino del anciano rey de Noruega.

HAMLET.—¿Se dirigen contra toda Polonia, o sólo a alguna parte de sus fronteras?

CAPITÁN.—Para deciros sin rodeos la verdad, vamos a adquirir una porción de tierra, de la cual (exceptuando el honor) ninguna otra utilidad puede esperarse. Si me la diesen arrendada en cinco ducados, no la tomaría, ni pienso que produzca mayor interés al de Noruega ni al polaco, aunque a pública subasta la vendan.

HAMLET.—¿Sin duda el polaco no tratará de resistir?

CAPITÁN.—Antes bien ha puesto ya en ella tropas que la guarden.

HAMLET.—De ese modo el sacrificio de mil hombres y veinte mil ducados no decidirán la posesión de un objeto tan frívolo. Esa es una apostema del cuerpo político, nacida de la paz y excesiva abundancia que revienta en lo interior, sin que exteriormente se vea la razón porque el hombre perece. Os doy muchas gracias de vuestra cortesía.

CAPITÁN.—Dios os guarde.

(Vanse el capitán y los soldados.)

RICARDO.—¿Queréis proseguir el camino?

HAMLET.—Presto os alcanzaré. Id adelante un poco.

ESCENA X

HAMLET

Cuantos accidentes ocurren, todos me excusan, excitando a la venganza mi adormecido aliento. ¿Qué es el hombre que funda su mayor felicidad, y emplea todo su tiempo sólo en dormir y alimentarse? Es un bruto y no más. No: aquel que nos formó de tan extenso conocimiento, que con él podemos ver lo pasado y futuro, no nos dio ciertamente esta facultad, esta razón divina, para que estuviera en nosotros sin uso y torpe. Sea pues brutal negligencia, sea tímido escrúpulo que no se atreve a penetrar los casos venideros (proceder en que hay más parte de cobardía que de prudencia), yo no sé para qué existo, diciendo siempre: tal cosa debo hacer, puesto que hay en mí suficiente razón, voluntad, fuerza y medios para ejecutarla. Por todas parte hallo ejemplos grandes que me estimulan. Prueba es bastante ese fuerte y numeroso ejército conducido por un príncipe joven y delicado, cuyo espíritu impelido de ambición generosa desprecia la incertidumbre de los sucesos, y expone su existencia frágil y mortal a los golpes de la fortuna, a la muerte, a los peligros más terribles, y todo por un objeto de tan leve interés. El ser grande no consiste, por cierto, en obrar sólo cuando ocurre un gran motivo, sino en saber hallar una razón plausible de contienda, aunque sea pequeña la causa, cuando se trata de adquirir honor. ¿Cómo pues permanezco yo en ocio indigno, muerto mi padre alevosamente, mi madre envilecida... estímulos capaces de excitar mi razón y mi ardimiento, que yacen dormidos? Mientras para vergüenza mía veo la destrucción inmediata de veinte mil hombres, que por un capricho, por una estéril gloria van al sepulcro como a sus lechos, combatiendo por una causa que la multitud es incapaz de comprender, por un terreno que aún no es suficiente sepultura a tantos cadáveres... ¡Oh! de hoy más, o no existirá en mi fantasía idea ninguna, o cuantas forme serán sangrientas.

ESCENA XI

Galería de palacio

GERTRUDIS, HORACIO

GERTRUDIS.—No, no quiero hablarla.

HORACIO.—Ella insta por veros. Está loca, es verdad; pero eso mismo debe excitar vuestra compasión.

GERTRUDIS.—¿Y qué pretende? ¿Qué dice?

HORACIO.—Habla mucho de su padre: dice que continuamente oye que el mundo está lleno de maldad; solloza, se lastima el pecho, y airada trastorna con el pie cuanto al pasar encuentra. Profiere razones aquívocas en que apenas se halla sentido; pero la misma extravagancia de ellas mueve a los que las oyen a retenerlas, examinando el fin con que las dice, y dando a sus palabras una combinación arbitraria, según la idea de cada uno. Al observar sus miradas, sus movimientos de cabeza, su gesticulación expresiva, llegan a creer que puede haber en ella algún asomo de razón; pero nada hay de cierto, sino que se halla en el estado más infeliz.

GERTRUDIS.—Será bien hablarla, antes que mi repulsa esparza conjeturas fatales en aquellos ánimos que todo lo interpretan siniestramente. Hazla venir. (Vase Horacio.) El más frívolo acaso parece a mi dañada conciencia presagio de algún grave desastre. Propia es de la culpa esta desconfianza. Tan lleno está siempre de recelos el delincuente, que el temor de ser descubierto hace tal vez que él mismo se descubra.

ESCENA XII

GERTRUDIS, OFELIA, HORACIO

OFELIA.—¿En dónde está la hermosa reina de Dinamarca?

GERTRUDIS.—¿Cómo va, Ofelia?

OFELIA.—(Estos versos, y todos los que siguen en el presente acto, los canta Ofelia.)

¿Cómo al amante
que fiel te sirva,
de otro cualquiera
distinguirías?
Por las veneras
de su esclavina,

bordón, sombrero
con plumas rizas,
y su calzado
que adornan cintas.

GERTRUDIS.—¡Oh querida mía! ¿y a
qué propósito viene esa canción?

OFELIA.—¿Eso decís?... Atended a
esta:

Muerto es ya, señora,

muerto, y no está aquí.
Una tosca piedra
a sus plantas vi,
y al césped del grado
su frente cubrir.

¡Ah! ¡ah! ¡ah! (Dando risotadas.)
GERTRUDIS.—Sí; pero, Ofelia...
OFELIA.—Oíd, oíd.

Blancos paños le vestían...

ESCENA XIII

CLAUDIO, GERTRUDIS, OFELIA, HORACIO

GERTRUDIS.—¡Desgraciada! ¿Veis esto, señor?

OFELIA.—Blancos paños le vestían
como la nieve del monte,
y al sepulcro le conducen
cubierto de bellas flores,
que en tierno llanto de amor
se humedecieron entonces.

CLAUDIO.—¿Cómo estás, graciosa niña?

OFELIA.—Buena: Dios os lo pague... Dicen que la lechuza fue
antes una doncella, hija de un pa-
nadero... ¡Ah!... Sabemos lo
que somos ahora, pero no lo que
podemos ser... Dios vendrá a visitaros.

CLAUDIO.—Alusión a su padre.

OFELIA.—Pero no, no hablemos más
en esto; y si os preguntan lo que
significa, decid:

De san Valentino
la fiesta es mañana:
yo, niña amorosa,
al toque del alba
iré a que me veas
desde tu ventana,
para que la suerte
dichosa me caiga.
Despierta al mancebo,
se viste de gala.

Y él responde entonces:

Por el sol te juro
que no lo olvidara,
si tú no te hubieras
venido a mi cama.

CLAUDIO.—¡Graciosa Ofelia!

OFELIA.—Sí, voy a acabar: sin jurar-
lo, os prometo que la voy a concluir.

¡Ay, mísera! ¡Cielos!
¡Torpeza villana!
¿Qué galán desprecia
ventura tan alta?
Pues todos son falsos,
le dice indignada:
antes que en tus brazos
me mirase incauta,
de hacerme tu esposa
me diste palabra.
Y abriendo las puertas
entró la muchacha,
que viniendo virgen
volvió desflorada.

CLAUDIO.—¿Cuánto ha que está así?

OFELIA.—Yo espero que todo irá
bien... Debemos tener paciencia... (Se entristece y llora.) Pero
yo no puedo menos de llorar con-
siderando que le han dejado sobre
la tierra fría... Mi hermano lo

sabrá... preciso... Y yo os doy las gracias por vuestros buenos consejos... *(Con mucha viveza y alegría.)* Vamos, la carroza. Buenas noches, señoras, buenas noches. Amiguitas, buenas noches, buenas noches.

CLAUDIO *(a Horacio).*—Acompáñala a su cuarto, y haz que la asista suficiente guardia. Yo te lo ruego.

ESCENA XIV

CLAUDIO, GERTRUDIS

CLAUDIO.—¡Oh! todo es efecto de un profundo dolor: todo nace de la muerte de su padre; y ahora observo, Gertrudis, que cuando los males vienen, no vienen esparcidos como espías, sino reunidos en escuadrones. Su padre muerto, tu hijo ausente (habiendo dado él mismo justo motivo a su destierro), el pueblo alterado en tumulto con dañadas ideas y murmuraciones sobre la muerte del buen Polonio, cuyo entierro oculto ha sido no leve imprudencia de nuestra parte. La desdichada Ofelia fuera de sí, turbada su razón, sin la cual somos vanos simulacros, o comparables sólo a los brutos, y por último (y esto no es menos esencial que todo lo restante), su hermano, que ha venido secretamente de Francia, y en medio de tan extraños casos, se oculta entre sombras misteriosas, sin que falten lenguas maldicientes que envenenen sus oídos, hablándole de la muerte de su padre. Ni en tales discursos, a falta de noticias seguras, dejaremos de ser citados continuamente de boca en boca. Todos estos afanes juntos, mi querida Gertrudis, como una máquina destructora que se dispara, me dan muchas muertes a un tiempo.

(Suena a lo lejos un rumor confuso, que se irá aumentando durante la escena siguiente.)

GERTRUDIS.—¡Ay Dios! ¿Qué estruendo es éste?

ESCENA XV

CLAUDIO, GERTRUDIS, un caballero

CLAUDIO.—¿En dónde está mi guardia?... Acudid... defended las puertas... ¿Qué es esto?

CABALLERO.—Huíd, señor. El Océano, sobrepujando sus términos, no traga las llanuras con ímpetu más espantoso, que el que manifiesta el joven Laertes ciego de furor, venciendo la resistencia que le oponen vuestros soldados. El vulgo le apellida señor, y como si ahora comenzase a existir el mundo, la antigüedad y la costumbre (apoyo y seguridad de todo buen gobierno) se olvidan y se desconocen. Gritan por todas partes: nosotros elegimos por rey a Laertes. Los sombreros arrojados al aire, las manos y las lenguas aplauden, llegando a las nubes la voz general que repite: Laertes será nuestro rey, ¡viva Laertes!

GERTRUDIS.—¡Con qué alegría sigue, ladrando, esa traílla pérfida el rastro mal seguro en que va a perderse!

CLAUDIO.—Ya han roto las puertas.

ESCENA XVI

LAERTES, CLAUDIO, GERTRUDIS, soldados y pueblo

LAERTES.—¿En dónde está el rey? *(Volviéndose hacia la puerta por donde ha salido, detiene a los conjurados que le acompañan, y hace que se retiren.)* Vosotros quedaos todos afuera.

VOCES.—No, entremos.

LAERTES.—Yo os pido que me dejéis.

VOCES.—Bien bien está.

LAERTES.—Gracias, señores. Guardad las puertas... y tú, indigno príncipe, dame a mi padre.

GERTRUDIS.—Menos, menos ardor, querido Laertes.

LAERTES.—Si hubiese en mí una gota de sangre con menos ardor, me declararía por hijo espurio, infamaría de cornudo a mi padre, e imprimiría sobre la frente limpia y casta de mi madre honestísima la nota infame de prostituta.

CLAUDIO.—Pero, Laertes, ¿cuál es el motivo de tan atrevida rebelión?... Déjale, Gertrudis, no le contengas... no temas nada contra mí. Existe una fuerza divina que defiende a los reyes; la traición no puede como quisiera penetrar hasta ellos, y ve malogrados en la ejecución todos sus designios... Dime, Laertes, ¿por qué estás airado?... Déjale, Gertrudis... Habla tú.

LAERTES.—¿En dónde está mi padre?

CLAUDIO.—Murió.

GERTRUDIS.—Pero no le ha muerto el rey.

CLAUDIO.—Déjale preguntar cuanto quiera.

LAERTES.—¿Y cómo ha sido su muerte?... ¡Eh!... No, a mí no se me engaña. Váyase al infierno la fidelidad, llévese el más atezado demonio los juramentos de vasallaje, sepúltense la conciencia, la esperanza de salvación en el abismo más profundo... La condenación eterna no me horroriza; suceda lo que quiera, ni este ni el otro mundo me importan nada... Sólo aspiro, y éste es el punto en que insisto, sólo aspiro a dar completa venganza a mi difunto padre.

CLAUDIO.—¿Y quién te lo puede estorbar?

LAERTES.—Mi voluntad sola, y no todo el universo; y en cuanto a los medios de que he de valerme, yo sabré economizarlos de suerte que un pequeño esfuerzo produzca efectos grandes.

CLAUDIO.—Buen Laertes, si deseas saber la verdad acerca de la muerte de tu amado padre, ¿está escrito acaso en tu venganza que hayas de atropellar sin distinción amigos y enemigos, culpados e inocentes?

LAERTES.—No, sólo a mis enemigos.

CLAUDIO.—¿Querrás sin duda conocerlos?

LAERTES.—¡Oh! a mis buenos amigos yo los recibiré con abiertos brazos, y semejante al pelícano amoroso los alimentaré, si necesario fuese, con mi sangre misma.

CLAUDIO.—Ahora hablaste como buen hijo y como caballero. Laertes, ni tengo culpa en la muerte de tu padre, ni alguno ha sentido como yo su desgracia. Esta verdad deberá ser tan clara a tu razón, como a tus ojos la luz del día.

VOCES.—Dejadla entrar. *(Ruido y voces dentro.)*

LAERTES.—¿Qué novedad... qué ruido es éste?

ESCENA XVII

CLAUDIO, GERTRUDIS, LAERTES, OFELIA, acompañamiento

(Ofelia sale vestida de blanco, el cabello suelto, y una guirnalda en la cabeza, hecha de paja y flores silvestres, trayendo en el faldellín muchas flores y yerbas)

LAERTES.—¡Oh, calor activo, abrasa mi cerebro! ¡Lágrimas en extremo cáusticas, consumid la potencia y la sensibilidad de mis ojos! Por los cielos te juro que esa demencia tuya será pagada por mí con tal exceso, que el peso del castigo tuerza el fiel y baje la balanza... ¡Oh, rosa de mayo! ¡amable niña! ¡mi querida Ofelia! ¡mi dulce hermana!... ¡Oh cielos! ¿y es posible que el entendimiento de una tierna joven sea tan frágil como la vida del hombre decrépito?... Pero la naturaleza es muy fina en amor, y cuando éste llega al exceso, el alma se desprende tal vez de alguna preciosa parte de sí misma, para ofrecérsela en don al objeto amado.

OFELIA.—Lleváronle en su ataúd
con el rostro descubierto.
Ay no ni, ay ay ay no ni.
Y sobre su sepultura
muchas lágrimas llovieron.
Ay no ni, ay ay ay no ni.

Adiós, querido mío. Adiós.

LAERTES.—Si gozando de tu razón me incitaras a la venganza, no pudieras conmoverme tanto.

OFELIA.—Debéis cantar aquello de:

Abajito está:
llámale, señor, que abajito está.

¡Ay, qué a propósito viene el estribillo!... El pícaro del mayordomo fue el que robó a la señorita.

LAERTES.—Esas palabras vanas producen mayor efecto en mí, que el más concertado discurso.

OFELIA.—Aquí traigo romero, que es bueno para la memoria. *(A*

Laertes.) Tomad, amigo, para que os acordéis... Y aquí hay trinitarias, que son para los pensamientos.

LAERTES.—Aun en medio de su delirio quiere aludir a los pensamientos que la agitan y a sus memorias tristes.

OFELIA.— *(a Gertrudis).*—Aquí hay hinojo para vos, y palomillas y ruda... para vos también, y esto poquito es para mí... Nosotros podemos llamarla yerba santa del domingo... vos la usaréis con la distinción que os parezca... *(A Claudio.)* Esta es una margarita... Bien os quisiera dar algunas violetas; pero todas se marchitaron cuando murió mi padre. Dicen que tuvo un buen fin.

Un solitario
de plumas vario
me da placer.

LAERTES.—Ideas funestas, aflicción, pasiones terribles, los horrores del infierno mismo, todo en su boca es gracioso y suave.

OFELIA.—Nos deja, se va,
y no ha de volver.
No, que ya murió,
no vendrá otra vez...
Su barba era nieve,
su pelo también.
Se fue ¡dolorosa
partida!, se fue.
En vano exhalamos
suspiros por él.
Los cielos piadosos
descanso le den.

A él y a todas las almas cristianas. Dios lo quiera... ¡Eh! señores, adiós.

ESCENA XVIII

CLAUDIO, GERTRUDIS, LAERTES

LAERTES.—¡Veis esto, Dios mío!

CLAUDIO.—Yo debo tomar parte en tu aflicción. Laertes, no me niegues este derecho. Óyeme aparte. Elige entre los más prudentes de tus amigos aquellos que te parezca. Óigannos a entrambos, y juzguen. Si por mí propio o por mano ajena resulto culpado, mi reino, mi corona, mi vida, cuanto puedo llamar mío, todo te lo daré para satisfacerte. Si no hay culpa en mí, deberé contar otra vez con tu obediencia, y unidos ambos, buscaremos los medios de aliviar tu dolor.

LAERTES.—Hágase lo que decís... Su arrebatada muerte, su oscuro funeral, sin trofeos, armas, ni escudos sobre el cadáver, ni debidos honores, ni decorosa pompa; todo, todo está clamando del cielo a la tierra por un examen el más riguroso.

CLAUDIO.—Tú le obtendrás, y la segur terrible de la justicia caerá sobre el que fuere delincuente. Ven conmigo.

ESCENA XIX

Sala en casa de HORACIO. HORACIO, un criado

HORACIO.—¿Quiénes son los que me quieren hablar?

CRIADO.—Unos marineros que, según dicen, os traen cartas.

HORACIO.—Hazlos entrar. (Vase el criado.) Yo no sé de qué parte del mundo pueda nadie escribirme, si ya no es Hamlet, mi señor.

ESCENA XX

HORACIO, dos marineros

MARINERO 1º—Dios os guarde.

HORACIO.—Y a vosotros también.

MARINERO 1º—Así lo hará, si es su voluntad. Estas cartas del embajador que se embarcó para Inglaterra vienen dirigidas a vos, si os llamáis Horacio como nos han dicho.

HORACIO (lee la carta).—"Horacio, luego que hayas leído ésta, dirigirás esos hombres al rey, para el cual les he dado una carta. Apenas llevábamos dos días de navegación, cuando empezó a darnos caza un pirata muy bien armado. Viendo que nuestro navío era poco velero, nos vimos precisados a apelar al valor. Llegamos al abordaje: yo salté el primero en la embarcación enemiga, que al mismo tiempo logró desaferrarse de la nuestra, y por consiguiente me hallé solo y prisionero. Ellos se han portado conmigo como ladrones compasivos; pero ya sabían lo que se hacían, y se lo he pagado muy bien. Haz que el rey reciba las cartas que le envío, y tú ven a verme con tanta diligencia como si huyeras de la muerte. Tengo unas cuantas palabras que decirte al oído, que te dejarán atónito, bien que todas ellas no serán suficientes a expresar la importancia del caso. Esos buenos hombres te conducirán hasta aquí.

Guillermo y Ricardo siguieron su camino a Inglaterra. Mucho tengo que decirte de ellos. Adiós. Tuyo siempre.—HAMLET."

Vamos. Yo os introduciré para que presentéis esas cartas. Conviene hacerlo pronto, a fin de que me llevéis después adonde queda el que os las entregó.

ESCENA XXI

Gabinete del rey. CLAUDIO, LAERTES

CLAUDIO.—Sin duda tu rectitud aprobará ya mi descargo, y me darás lugar en el corazón como a tu amigo, después que has oído con pruebas evidentes que el matador de tu noble padre conspiraba contra mi vida.

LAERTES.—Claramente se manifiesta... Pero decidme: ¿por qué no procedéis contra excesos tan graves y culpables, cuando vuestra prudencia, vuestra grandeza, vuestra propia seguridad, todas las consideraciones juntas deberían excitaros tan particularmente a reprimirlos?

CLAUDIO.—Por dos razones, que aunque tal vez las juzgarás débiles, para mí han sido muy poderosas. Una es que la reina su madre vive pendiente casi de sus miradas, y al mismo tiempo (sea desgracia o felicidad mía) tan estrechamente unió el amor mi vida y mi alma a la de mi esposa, que así como los astros no se mueven sino dentro de su propia esfera, así en mí no hay movimiento alguno que no dependa de su voluntad. La otra razón, por que no puedo proceder contra el agresor públicamente, es el grande cariño que le

tiene el pueblo; el cual, como la fuente cuyas aguas mudan los troncos en piedras, bañando en su afecto las faltas del príncipe, convierte en gracias todos sus yerros. Mis flechas no pueden con tal violencia dispararse, que resistan a huracán tan fuerte; y sin tocar el punto a que las dirija, se volverán otra vez al arco.

LAERTES.—Sí, y en tanto yo he perdido a un ilustre padre, y hallo a una hermana en la más deplorable situación... Mi hermana, cuyo mérito (si alcanza el elogio a lo que ya no existe) se levantó sobre lo más sublime de su siglo, por las raras prendas que en ella se admiraron juntas... Pero llegará, llegará el tiempo de mi venganza.

CLAUDIO.—Este cuidado no debe interrumpirte el sueño, ni has de presumir que yo esté formado de materia tan insensible y dura, que me deje remesar la barba y lo tome a fiesta... Presto te informaré de lo demás. Baste decirte que amé a tu padre, que nosotros nos amamos también, y que espero darte a conocer la... Pero... ¿Qué noticias traes?

ESCENA XXII

CLAUDIO, LAERTES, un guardia

GUARDIA.—Señor, veis aquí cartas del príncipe: ésta para V. M., y ésta para la reina.
(*Da unas cartas a Claudio.*)
CLAUDIO.—¡De Hamlet! ¿Quién las ha traído?

GUARDIA.—Dicen que unos marineros; yo no los he visto. Horacio, que las recibió del que las trajo, es el que me las ha entregado a mí.
CLAUDIO.—Oirás lo que dicen, Laertes. Déjanos solos.

ESCENA XXIII

CLAUDIO, LAERTES

CLAUDIO (*lee una carta*).—"Alto y poderoso señor: os hago saber cómo he llegado desnudo a vuestro reino. Mañana os pediré el permiso de ver vuestra presencia real; y entonces, mediante vuestro perdón, os diré la causa de mi extraña y repentina vuelta.—HAMLET."
¿Qué quiere decir esto? ¿Se habrán vuelto los otros también, o hay alguna equivocación, o acaso todo es falso?
LAERTES.—¿Conocéis la letra?
CLAUDIO (*examinando con atención la carta*).—Sí, es de Hamlet... Desnudo... y en una enmienda que hay aquí, dice: solo... ¿Qué puede ser esto?
LAERTES.—Yo nada alcanzo... Pero dejadle venir, que ya siento encenderse en nuevas iras mi corazón... Sí, yo viviré, y le diré en su cara: tú lo hiciste, y fue de esta manera.
CLAUDIO.—Si el caso es cierto... ¡Eh! ¡Cómo es posible!... ¿Y qué otra cosa puede ser?... ¿Quieres dirigirte por mí, Laertes?
LAERTES.—Sí, señor, como no procuréis inclinarme a la paz.
CLAUDIO.—A tu propia paz, no a otra ninguna. Si él vuelve ahora disgustado de este viaje y rehúsa comenzarle de nuevo, yo le ocuparé en una empresa que medito, en la cual perecerá sin duda. Esta muerte no excitará el aura más leve de acusación; su madre misma absolverá el hecho juzgándole casual.
LAERTES.—Seguiré en todo vuestras ideas, y mucho más si disponéis que yo sea el instrumento que las ejecute.
CLAUDIO.—Todo sucede bien... Desde que te fuiste se ha hablado mucho de ti delante de Hamlet, por una habilidad en que dicen que sobresales. Las demás que tienes no movieron tanto su envidia como esta sola, que en mi opinión ocupa el último lugar.
LAERTES.—¿Y qué habilidad es, señor?
CLAUDIO.—No es más que un lazo en el sombrero de la juventud, pero que le es muy necesario; puesto que así son propios de la juventud los adornos ligeros y alegres, como de la edad madura las ropas y pieles que se viste por abrigo y decencia... Dos meses ha que estuvo aquí un caballero de Normandía... Yo conozco a los franceses muy bien, he milita-

do contra ellos, y son por cierto buenos jinetes; pero el galán de quien hablo era un prodigio en esto. Parecía haber nacido sobre la silla, y hacía ejecutar al caballo tan admirables movimientos como si él y su valiente bruto animaran un cuerpo solo; y tanto excedió a mis ideas, que todas las formas y actitudes que yo pude imaginar no llegaron a lo que él hizo.

LAERTES.—¿Decís que era normando?

CLAUDIO.—Sí, normando.

LAERTES.—Ese es Lamond, sin duda.

CLAUDIO.—El mismo.

LAERTES.—Le conozco bien, y es la joya más preciosa de su nación.

CLAUDIO.—Pues éste, hablando de ti públicamente, te llenaba de elogios por tu inteligencia y ejercicio en la esgrima, y la bondad de tu espada en la defensa y el ataque; tanto, que dijo alguna vez que sería un espectáculo admirable el verte lidiar con otro de igual mérito, si pudiera hallarse; puesto que, según aseguraba él mismo, los más diestros de su nación carecían de agilidad para las estocadas y los quites cuando tú esgrimías con ellos. Este informe irritó la envidia de Hamlet, y en nada pensó desde entonces sino en solicitar con instancia tu propio regreso para batallar contigo. Fuera de esto...

LAERTES.—¿Y qué hay además de eso, señor?

CLAUDIO.—Laertes, ¿amaste a tu padre, o eres como las figuras de un lienzo, que tal vez aparentan riqueza en el semblante cuando les falta un corazón?

LAERTES.—¿Por qué lo preguntáis?

CLAUDIO.—No porque piense que no amabas a tu padre, sino porque sé que el amor está sujeto al tiempo, y que el tiempo extingue su ardor y sus centellas, según nos lo hace ver la experiencia de los sucesos. Existe en medio de la llama de amor una mecha o pábilo que la destruye al fin; nada permanece

en un mismo grado de bondad constantemente, pues la salud misma degenerando en plétora perece por su propio exceso. Cuanto nos proponemos hacer debería ejecutarse en el instante mismo en que lo deseamos, porque la voluntad se altera fácilmente, se debilita y se entorpece, según las lenguas, las manos y los accidentes que se atraviesan; y entonces aquel estéril deseo es semejante a un suspiro que exhalando pródigo el aliento, causa daño en vez de dar alivio... Pero toquemos en lo vivo de la herida. Hamlet vuelve... ¿Qué acción emprenderías tú para manifestar más con las obras que con las palabras que eres digno hijo de tu padre?

LAERTES.—¿Qué haré? Le cortaré la cabeza en el templo mismo.

CLAUDIO.—Cierto que no debería un homicida hallar asilo en parte alguna, ni reconocer límites una justa venganza; pero, buen Laertes, haz lo que te diré: Permanece oculto en tu cuarto; cuando llegue Hamlet, sabrá que tú has venido; yo le haré acompañar por algunos que alabando tu destreza den un nuevo lustre a los elogios que hizo de ti el francés. Por último, llegaréis a veros; se harán apuestas en favor de uno y otro... él, que es descuidado, generoso, incapaz de toda malicia, no reconocerá los floretes; de suerte que te será muy fácil, con poca sutileza que uses, elegir una espada sin botón, y en cualquiera de las jugadas tomar satisfacción de la muerte de tu padre.

LAERTES.—Así lo haré, y a ese fin quiero envenenar la espada con cierto ungüento que compré de un charlatán, de cualidad tan mortífera, que mojando un cuchillo en él, adonde quiera que haga sangre introduce la muerte, sin que haya emplasto eficaz que pueda evitarla, por más que se componga de cuantos simples medicinales crecen debajo de la luna. Yo bañaré la punta de mi espada con este veneno, para que apenas le toque muera.

CLAUDIO.—Reflexionemos más sobre esto... Examinemos qué ocasión, qué medios serán más oportunos a nuestro engaño; porque si tal vez se malogra, y equivocada la ejecución se descubren los fines, valiera más no haberlo emprendido. Conviene pues que este proyecto vaya sostenido con otro segundo, capaz de asegurar el golpe, cuando por el primero no se consiga. Espera... Déjame ver si...

Haremos una apuesta solemne sobre vuestra habilidad y... Sí, ya hallé el medio. Cuando con la agitación os sintáis acalorados y sedientos (puesto que al fin deberá ser mayor la violencia del combate), él pedirá de beber, y yo le tendré prevenida expresamente una copa, que al gustarla sólo, aunque haya podido librarse de tu espada ungida, veremos cumplido nuestro deseo. Pero... calla... ¿Qué ruido se escucha? (*Suena ruido dentro.*)

ESCENA XXIV

GERTRUDIS, CLAUDIO, LAERTES

CLAUDIO.—¿Qué ocurre de nuevo, amada reina?

GERTRUDIS.—Una desgracia va siempre pisando las ropas de otra: tan inmediatas caminan. Laertes, tu hermana acaba de ahogarse.

LAERTES.—¡Ahogada!... ¿En dónde?... ¡Cielos!

GERTRUDIS.—Donde hallaréis un sauce que crece a las orillas de ese arroyo, repitiendo en las ondas cristalinas la imagen de sus hojas pálidas. Allí se encaminó ridículamente coronada de ranúnculos, ortigas, margaritas y luengas flores purpúreas, que entre los sencillos labradores se reconocen bajo una denominación grosera, y las modestas doncellas llaman dedos de muerto. Llegada que fue, se quitó la guirnalda, y queriendo subir a suspenderla de los pendientes ramos, se troncha un vástago envidioso, y caen al torrente fatal ella y todos sus adornos rústicos. Las ropas huecas y extendidas la llevaron un rato sobre las aguas, semejante a una sirena, y en tanto iba cantando pedazos de tonadas antiguas, como ignorante de su desgracia, o como criada y nacida en aquel elemento. Pero no era posible que así durase por mucho espacio. Las vestiduras, pesadas ya con el agua que absorbían, la arrebataron a la infeliz, interrumpiendo su canto dulcísimo la muerte, llena de angustias.

LAERTES.—Qué, ¿en fin se ahogó? ¡Mísero!

GERTRUDIS.—Sí, se ahogó, se ahogó.

LAERTES.—¡Desdichada Ofelia! demasiada agua tienes ya: por eso quisiera reprimir la de mis ojos... Bien que a pesar de todos nuestros esfuerzos, imperiosa la naturaleza sigue su costumbre, por más que el valor se avergüence... Pero luego que este llanto se vierta, nada quedara en mí de femenil ni de cobarde... Adiós, señores... Mis palabras de fuego arderían en llamas, si no las apagasen estas lágrimas imprudentes. (*Vase Laertes.*)

CLAUDIO.—Sigámosle, Gertrudis, que después de haberme costado tanto aplacar su cólera, temo ahora que esta desgracia no la irrite otra vez. Conviene seguirle.

ACTO V

ESCENA PRIMERA

Cementerio contiguo a una iglesia

Sepultureros primero y segundo

SEPULTURERO 1º—¿Y es la que ha de sepultarse en tierra sagrada, la que deliberadamente ha conspirado contra su propia salvación?

SEPULTURERO 2º—Dígote que sí: con que haz presto el hoyo. El juez ha reconocido ya el cadáver, y ha dispuesto que se la entierre en sagrado.

SEPULTURERO 1º—Yo no entiendo cómo va eso... Aun si se hubiera ahogado haciendo esfuerzos para librarse, anda con Dios.

SEPULTURERO 2º—Así han juzgado que fue.

SEPULTURERO 1º—No, no, eso fue *se offendendo:* ni puede haber sido de otra manera, porque... ve aquí el punto de la dificultad: Si yo me ahogo voluntariamente, esto arguye por de contado una acción, y toda acción consta de tres partes, que son: hacer, obrar ejecutar; de donde se infiere, amigo Rasura, que ella se ahogó voluntariamente.

SEPULTURERO 2º—¡Qué!... Pero oigame ahora el tío Socaba.

SEPULTURERO 1º—No, deja, yo te diré, Mira, aquí está el agua. Bien Aquí está un hombre. Muy bien... Pues, señor, si este hombre va y se mete dentro del agua, se ahoga a sí mismo: porque por fas o por nefas, ello es que él va... Pero atiende a lo que digo. Si el agua viene hacia él y le sorprende y le ahoga, entonces no se ahoga él a

sí propio... Compadre Rasura, el que no desea su muerte no se acorta la vida.

SEPULTURERO 2º—Y qué, ¿hay leyes para eso?

SEPULTURERO 1º—Ya se ve que las hay, y por ellas se guía el juez que examina estos casos.

SEPULTURERO 2º—¿Quieres que te diga la verdad? Pues mira, si la muerta no fuese una señora, yo te aseguro que no la enterrarían en sagrado.

SEPULTURERO 1º—En efecto, dices bien; y es mucha lástima que los grandes personajes hayan de tener en este mundo especial privilegio, entre todos los demás cristianos, para ahogarse y ahorcarse cuando quieren, sin que nadie les diga nada... Vamos allá con el azadón... (*Pónense los dos a abrir una sepultura en medio del teatro, sacando la tierra con espuertas, y entre ella calaveras y huesos.*) Ello es que no hay caballeros de nobleza más antigua que los jardineros, sepultureros y cavadores, que son los que ejercen la profesión de Adán.

SEPULTURERO 2º—Pues qué, ¿Adán fue caballero?

SEPULTURERO 1º—Toma! como que fue el primero que llevó armas... Pero voy a hacerte una pregunta, y si no me respondes a cuento, has de confesar que eres un...

SEPULTURERO 2º—Adelante.

69

SEPULTURERO 1º—¿Cuál es el que construye edificios más fuertes que los que hacen los albañiles y los carpinteros de casas y navíos?

SEPULTURERO 2º—El que hace la horca, porque aquella fábrica sobrevive a mil inquilinos.

SEPULTURERO 1º—Agudo eres, por vida mía. Buen edificio es la horca; pero ¿cómo es bueno? Es bueno para los que hacen mal: ahora bien, tú haces mal en decir que la horca es fábrica más fuerte que una iglesia; con que la horca podría ser buena para ti... Volvamos a la pregunta.

SEPULTURERO 2º—¿Cuál es el que hace habitaciones más durables que las que hacen los albañiles, los carpinteros de casas y de navíos?

SEPULTURERO 1º—Sí, dímelo, y sales del apuro.

SEPULTURERO 2º—Ya se ve que te lo diré.

SEPULTURERO 1º—Pues vamos.

SEPULTURERO 2º—No puedo decirlo.

SEPULTURERO 1º—Vaya, no te rompas la cabeza sobre ello... Tú eres un burro lerdo que no saldrá de su paso por más que le apaleen. Cuando te hagan esta pregunta, has de responder: el sepulturero. ¿No ves que las casas que él hace duran hasta el día del juicio?... Anda, ve ahí a casa de Juanillo, y tráeme una copa de aguardiente.

ESCENA II

HAMLET, HORACIO, sepulturero primero

SEPULTURERO 1º—Yo amé en mis primeros años (canta),
dulce cosa lo juzgué;
pero casarme, eso no,
que no me estuviera bien.

HAMLET.—¡Qué poco siente ese hombre lo que hace, que abre una sepultura y canta!

HORACIO.—La costumbre le ha hecho ya familiar esa ocupación.

HAMLET.—Así es la verdad. La mano que menos trabaja tiene más delicado el tacto.

SEPULTURERO 1º—La edad callada en la huesa (canta).
me hundió con mano cruel,
y toda se destruyó
la existencia que gocé.

HAMLET.—Aquella calavera tendría lengua en otro tiempo, y con ella podría también cantar... ¡Cómo la tira al suelo el pícaro! Como si fuese la quijada con que hizo Caín el primer homicidio. Y la que está maltratando ahora ese bruto, podría ser muy bien la cabeza de algún estadista, que acaso pretendió engañar al cielo mismo. ¿No te parece?

HORACIO.—Bien puede ser.

HAMLET.—O la de algún cortesano que diría: felicísimos días, señor excelentísimo, ¿cómo va de salud, mi venerado señor? Esta puede ser la del caballero Fulano, que hacía grandes elogios del potro del cabalero Zutano para pedírsele prestado después. ¿No puede ser así?

HORACIO.—Sí, señor.

HAMLET.—¡Oh! sí por cierto; y ahora en poder del señor gusano, estropeada y hecha pedazos con el azadón de un sepulturero... Grandes revoluciones se hacen aquí, si hubiera entre nosotros medios para observarlas... Pero ¿costó acaso tan poco la formación de estos huesos a la naturaleza, que hayan de servir para que esa gente se divierta en sus garitos con ellos? ¡Eh! Los míos se estremecen al considerarlo.

SEPULTURERO 1º—Una piqueta (cantando)

> con una azada,
> un lienzo donde
> revuelto vaya,
> y un hoyo en tierra
> que le preparan:
> para tal huésped
> esto le basta.

HAMLET.—Y esa otra, ¿por qué no podría ser la calavera de un letrado?... ¿A dónde se fueron sus equívocos y sutilezas, sus litigios, sus interpretaciones, sus embrollos? ¿Por qué sufre ahora que ese bribón grosero le golpee contra la pared con el azadón lleno de barro?... ¡Y no dirá palabra acerca de un hecho tan criminal!... Este sería quizás, mientras vivió, un gran comprador de tierras, con sus obligaciones, reconocimientos, transacciones, seguridades mutuas, pagos, recibos... Ve aquí el arriendo de sus arriendos, y el cobro de sus cobranzas: todo ha venido a parar en una calavera llena de lodo. Los títulos de los bienes que poseyó cabrían difícilmente en su ataúd, y no obstante eso, todas las fianzas y seguridades recíprocas de sus adquisiciones no le han podido asegurar otra posesión que la de un espacio pequeño capaz de cubrirse con un par de sus escrituras... ¡Oh! y a su opulento sucesor tampoco le quedará más.

HORACIO.—Verdad es, señor.

HAMLET.—¿No se hace el pergamino de piel de carnero?

HORACIO.—Sí, señor, y de piel de ternera también.

HAMLET.—Pues dígote, que son más irracionales que las terneras y carneros los que fundan su felicidad en la posesión de tales pergaminos... Voy a tramar conversación con este hombre. (Al sepulturero.) ¿De quién es esa sepultura, buena pieza?

SEPULTURERO 1º—Mía, señor.
(Cantando.)

> Y un hoyo en tierra
> que le preparan:
> para tal huésped
> eso le basta.

HAMLET.—Sí; yo creo es tuya porque estás ahora dentro de ella... Pero la sepultura es para los muertos, no para los vivos: con que has mentido.

SEPULTURERO 1º—Ve ahí un mentís demasiado vivo; pero yo os le volveré.

HAMLET.—¿Para qué muerto cavas esta sepultura?

SEPULTUREjO 1º—No es hombre, señor.

HAMLET.—Pues bien, ¿para qué mujer?

SEPULTURERO 1º—Tampoco es eso.

HAMLET.—¿Pues qué es lo que ha de enterrarse ahí?

SEPULTURERO.—Un cadáver que fue mujer; pero ya murió... Dios la perdone.

HAMLET.—¡Qué taimado es! Háblemosle clara y sencillamente, porque si no, es capaz de confundirnos a equívocos. De tres años a esta parte he observado cuánto se va sutilizando la edad en que vivimos... Por vida mía, Horacio, que ya el villano sigue tan de cerca al caballero, que muy pronto le desollará el talón... ¿Cuánto tiempo ha que eres sepulturero?

SEPULTURERO 1º—Toda mi vida, se puede decir. Yo comencé el oficio el día que nuestro último rey Hamlet venció a Fortimbrás.

HAMLET.—¿Y cuánto tiempo habrá?

SEPULTURERO 1º—¡Toma! ¿No lo sabéis? Eso sucedió el mismo día en que nació el joven Hamlet, el que está loco y se ha ido a Inglaterra.

HAMLET.—¡Oiga! ¿Y por qué se ha ido a Inglaterra?

SEPULTURERO 1º—Porque... porque está loco, y allí cobrará su juicio: y si no lo cobra, a bien que poco importa.

HAMLET.—¿Por qué?

SEPULTURERO 1º—Porque allí todos son tan locos como él, y no será reparado.

HAMLET.—¿Y cómo ha sido volverse loco?

SEPULTURERO 1º—De un modo muy extraño, según dicen.

HAMLET.—¿De qué modo?

SEPULTURERO 1º—Habiendo perdido el entendimiento.

HAMLET.—Pero, ¿qué motivo dio lugar a eso?

SEPULTURERO 1º—¿Qué lugar? Aquí en Dinamarca, donde soy enterrador, y lo he sido de chico y de grande por espacio de treinta años.

HAMLET.—¿Cuánto tiempo podrá estar enterrado un hombre sin corromperse?

SEPULTURERO 1º—De suerte que si él no corrompía ya en vida (como nos sucede todos los días con muchos cuerpos galicados, que no hay por dónde asirlos), podrá durar cosa de ocho o nueve años. Un curtidor durará nueve años seguramente.

HAMLET.—¿Pues qué tiene él más que otro cualquiera?

SEPULTURERO 1º—Lo que tiene es un pellejo tan curtido ya por mor de su ejercicio, que puede resistir mucho tiempo al agua; y el agua, señor mío, es la cosa que más pronto destruye a cualquier hideputa de muerto. Ve aquí una calavera que ha estado debajo de tierra veinte y tres años.

HAMLET.—¿De quién es?

SEPULTURERO 1º—¡Mayor hideputa, loco!... ¿De quién os parece que será?

HAMLET.—Yo ¿cómo he de saberlo?

SEPULTURERO 1º—¡Mala peste en él y en sus travesuras!... Una vez me echó un frasco de vino del Rhin por los cabezones... Pues, señor, esta calavera es la calavera de Yorick, el bufón del rey.

(El sepulturero le da una calavera a Hamlet.)

HAMLET.—¿Esta?

SEPULTURERO 1º—La misma.

HAMLET.—¡Ay, pobre Yorick!... Yo le conocí, Horacio... Era un hombre sumamente gracioso, de la más fecunda imaginación. Me acuerdo que siendo yo niño me llevó mil veces sobre sus hombros... y ahora su vista me llena de horror, y oprimido el pecho palpita... Aquí estuvieron aquellos labios donde yo di besos sin número... ¿Qué se hicieron tus burlas, tus brincos, tus cantares y aquellos chistes repentinos que de ordinario animaban la mesa con alegre estrépito? Ahora, falto ya enteramente de músculos, ni aun puedes reirte de tu propia deformidad... Ve al tocador de una de nuestras damas, y dila para excitar su risa, que por más que se ponga una pulgada de afeite en el rostro, al fin habrá de experimentar esta misma transformación... (Tira la calavera al montón de tierra inmediato a la sepultura.) Dime una cosa, Horacio.

HORACIO.—¿Cuál es, señor?

HAMLET.—¿Crees tú que Alejandro metido debajo de tierra tendría esa forma horrible?

HOROCIO.—Cierto que sí.

HAMLET.—¿Y exhalaría este mismo hedor?... ¡Uh!

HORACIO.—Sin diferencia alguna.

(El sepulturero primero, acabada la excavación, sale de la sepultura y se pasea hacia el fondo del teatro. Viene después el sepulturero segundo, que trae el aguardiente: beben y hablan entre sí, permaneciendo retirados hasta la escena, como lo indica el diálogo.)

HAMLET.—¡En qué abatimiento hemos de parar, Horacio!... Y ¿por qué no podría la imaginación seguir las ilustres cenizas de Alejandro hasta encontrarlas tapando la boca de algún barril?

HORACIO.—A fe, que sería excesiva curiosidad ir a examinarlo.

HAMLET.—No, no por cierto. No hay sino irle siguiendo hasta conducirle allí con probabilidad y sin violencia alguna. Como si dijéramos: Alejandro murió, Alejandro fue sepultado, Alejandro se redujo a polvo, el polvo es tierra, de la tierra hacemos barro... Y ¿por qué con este barro, en que él está ya convertido, no habrán podido tapar un barril de cerveza? El emperador César, muerto y hecho tierra, puede tapar un agujero para estorbar que pase el aire... ¡Oh! Y aquella tierra que tuvo atemorizado el orbe, servirá tal vez de reparar las hendiduras de un tabique contra las intemperies del invierno... Pero callemos... hagámonos a un lado, que... Sí... aquí viene el rey, la reina, los grandes... ¿A quién acompañan? ¡Qué ceremonial tan incompleto es éste!... Todo ello me anuncia, que el difunto que conducen dio fin a su vida con desesperada mano... Sin duda era persona de calidad. Ocultémonos un poco, y observa.

ESCENA III

Claudio, Gertrudis, Hamlet, Laertes, Horacio, un cura, dos sepultureros, acompañamiento de damas, caballeros y criados

(Conducen entre cuatro hombres el cadáver de Ofelia, vestida con túnica blanca y coronada de flores. Detrás sigue el preste y todos los que hacen el duelo, atravesando el teatro a paso lento, hasta llegar adonde está la sepultura. Suena el clamor de las campanas. Hamlet y Horacio se retiran a un extremo del teatro.)

Laertes.—¿Qué otra ceremonia falta?

Hamlet.—Mira, aquél es Laertes, joven muy ilustre.

Laertes.—¿Qué ceremonia falta?

El cura.—Ya se han celebrado sus exequias con toda la decencia posible. Su muerte da lugar a muchas dudas, y a no haberse interpuesto la suprema autoridad que modifica las leyes, hubiera sido colocada en lugar profano; allí estuviera hasta que sonase la trompeta final, y en vez de oraciones piadosas, hubieran caído sobre su cadáver guijarros, piedras y cascote. No obstante esto, se la han concedido las vestiduras y adornos virginales, el clamor de las campanas y la sepultura.

Laertes.—¿Con que no se debe hacer más?

El cura.—No más. Profanaríamos los honores sagrados de los difuntos cantando un *requiem* para implorar el descanso de su alma, como se hace por aquellos que parten de esta vida con más cristiana disposición.

Laertes.—Dadla tierra, pues. *(Ponen el cadáver de Ofelia en la sepultura.)* Sus hermosos e intactos miembros acaso producirán violetas suaves. Y a ti, clérigo zafio, te anuncio que mi hermana será un ángel del Señor, mientras tú estarás bramando en los abismos.

Hamlet.—¡Qué!... ¡La hermosa Ofelia!

Gertrudis.—Dulces dones a mi dulce amiga. *(Esparce flores sobre el cadáver.)* Adiós... Yo deseaba que hubieras sido esposa de mi Hamlet, graciosa doncella, y esperé cubrir de flores tu lecho nupcial... pero no tu sepulcro.

Laertes.—¡Oh! una y mil veces sea maldito aquel cuya acción inhumana te privó a ti del más sublime entendimiento!... No... esperad un instante; no echéis la tierra todavía... no... hasta que otra vez la estreche en mis bra-

zos... (*Métese en la sepultura.*)
Echadla ahora sobre la muerta y
el vivo, hasta que de este llano
hagáis un monte que descuelle sobre el antiguo Pelión, o sobre la
azul extremidad del Olimpo que
toca los cielos.
HAMLET.—¿Quién es el que da a sus
penas idioma tan enfático, el que
así invoca en su aflicción a las
estrellas errantes, haciéndolas detenerse admiradas a oirle?... Yo
soy Hamlet, príncipe de Dinamarca.
(*Atravesando por medio de todos, va
hacia la sepultura, entra en ella,
y luchan él y Laertes, y se dan
puñadas. Algunos de los circunstantes van allá, los sacan del hoyo
y los separan.*)
LAERTES.—El demonio lleve tu alma.
HAMLET.—No es justo lo que pides... Quita esos dedos de mi
cuello: porque aunque no soy
precipitado ni colérico, algún riesgo hay en ofenderme, y si eres
prudente debes evitarle... Quita
de ahí esa mano.
CLAUDIO.—Separadlos.
GERTRUDIS.—¡Hamlet! ¡Hamlet!
TODOS.—¡Señores!
HORACIO.—Moderaos, señor.
HAMLET.—No; por causa tan justa
lidiaré con él hasta que cierre mis
párpados la muerte.
GERTRUDIS.—¿Qué causa puede haber, hijo mío?
HAMLET.—Yo he querido a Ofelia,
y cuatro mil hermanos juntos no
podrán con su amor exceder al
mío... ¿Qué quieres hacer por
ella? Di.
CLAUDIO.—Laertes, mira que está
loco.
GERTRUDIS.—Por Dios, Laertes, déjale.

HAMLET.—Dime lo que intentas hacer. (*Los sepultureros llenan la
sepultura de tierra y la apisonan.*)
¿Quieres llorar, combatir, negarte
al sustento, hacerte pedazos, beber todo el Esil, devorar un cai-
mán? Yo lo haré también...
¿Vienes aquí a lamentar su muerte, a insultarme precipitándote en
su sepulcro, a ser enterrado vivo
con ella? Pues bien, eso quiero yo;
y si hablas de montes, descarguen
sobre nosotros yugadas de tierra
innumerables, hasta que estos
campos tuesten su frente en la
tórrida zona; y el alto Osa parezca en su comparación un terrón
pequeño... Si me hablas con soberbia, yo usaré un lenguaje tan
altanero como el tuyo.
GERTRUDIS.—Todos son efectos de
su frenesí, cuya violencia podrá
agitarle por algún tiempo; pero
después, semejante a la mansa paloma cuando siente animadas las
mellizas crías, le veréis sin movimiento y mudo.
HAMLET.—Óyeme: ¿cuál es la razón de obrar así conmigo?...
Siempre te he querido bien... Pero... nada importa. Aunque el
mismo Hércules con todo su poder quiera estorbarlo, el gato ma-
yará y el perro quedará vencedor.
(*Vase Hamlet y Horacio le sigue.*)
CLAUDIO.—Horacio, ve, no le abandones... Laertes, nuestra plática
de la noche anterior fortificará tu
paciencia mientras dispongo lo
que importa en la ocasión presente... Amada Gertrudis, será bien
que alguno se encargue de la
guardia de tu hijo... Esta sepultura se adornará con un monumento durable... Espero que go-
zaremos brevemente horas más
tranquilas: pero entre tanto conviene sufrir.

ESCENA IV

Salón del palacio, el mismo que sirvió para la representación, con
asientos que han de ocuparse en la escena IX

HAMLET, HORACIO

HAMLET.—Baste ya lo dicho sobre esta materia. Ahora quisiera informarte de lo demás; pero ¿te acuerdas bien de todas las circunstancias?

HORACIO.—¿No he de acordarme, señor?

HAMLET.—Pues sabrás, amigo, que agitado continuamente mi corazón en una especie de combate, no me permitía conciliar el sueño, y en tal situación me juzgaba más infeliz que el delincuente cargado de prisiones. Una temeridad... Bien que debo dar gracias a esta temeridad, pues por ella existo... Sí, confesemos que tal vez nuestra indiscreción suele sernos útil, al paso que los planes concertados con la mayor sagacidad se malogran; prueba certísima de que la mano de Dios conduce a su fin todas nuestras acciones, por más que el hombre las ordene sin inteligencia.

HORACIO.—Así es la verdad.

HAMLET.—Salgo pues de mi camarote, mal rebujado con un vestido de marinero; y a tientas, favorecido de la oscuridad, llego hasta donde ellos estaban. Logro mi deseo, me apodero de sus papeles, y me vuelvo a mi cuarto. Allí, olvidando mis recelos toda consideración, tuve la osadía de abrir sus despachos, y en ellos encuentro, amigo, una alevosía del rey. Una orden precisa, apoyada en varias razones de ser importante a la tranquilidad de Dinamarca y aun a la de Inglaterra, y... ¡oh! mil temores y anuncios de mal si me dejan vivo... En fin, decía que luego que fuese leída, sin dilación ni aun para afinar a la segur el filo, me cortasen la cabeza.

HORACIO.—¿Es posible?

HAMLET.—Mira la orden aquí (le enseña un pliego, y vuelve a guardársele): podrás leerla en mejor ocasión. Pero, ¿quieres saber lo que yo hice?

HORACIO.—Sí, yo os lo ruego.

HAMLET.—Ya ves como rodeado así de traiciones, ya ellos habían empezado el drama aun antes de que yo hubiese comprendido el prólogo. No obstante, siéntome al bufete, imagino una orden distinta, y la escribo inmediatamente de buena letra... Yo creí algún tiempo (como todos los grandes señores) que el escribir bien fuese un desdoro, y aun no dejé de hacer muchos esfuerzos para olvidar esta habilidad; pero ahora conozco, Horacio, cuán útil me ha sido tenerla. ¿Quieres saber lo que el escrito contenía?

HORACIO.—Sí, señor.

HAMLET.—Una súplica del rey dirigida con grandes instancias al de Inglaterra, como a su obediente feudatario, diciéndole que su recíproca amistad florecería como la palma robusta; que la paz coronada de espigas mantendría la quietud de ambos imperios, uniéndolos en amor durable, con otras expresiones no menos afectuosas; pidiéndole por último que vista que fuese aquella carta, sin otro examen, hiciese perecer con pronta muerte a los mensajeros, no dándoles tiempo ni aun para confesar su delito.

HORACIO.—¿Y cómo la sellasteis?

HAMLET.—Aun eso también parece que lo dispuso el cielo; porque felizmente traía conmigo el sello de mi padre, por el cual se hizo el que hoy usa el rey. Cierro el pliego en la forma que el anterior, póngole la misma dirección, el mismo sello, le conduzco sin ser visto al mismo paraje, y nadie nota el cambio... Al día siguiente ocurrió el combate naval: lo que después sucedió, ya lo sabes.

HORACIO.—De ese modo Guillermo y Ricardo caminan derechos a la muerte.

HAMLET.—Ya ves que ellos han solicitado este encargo: mi conciencia no me acusa acerca de su castigo... Ellos mismos se han procurado su ruina... Es muy peligroso al inferior meterse entre las puntas de las espadas, cuando dos enemigos poderosos lidian.

HORACIO.—¡Oh, qué rey éste!

HAMLET.—¿Juzgas tú que no estoy en obligación de proseguir lo que falta? El asesinó a mi padre y mi rey, que ha deshonrado a mi madre, que se ha introducido furtivamente entre el solio y mis derechos justos, que ha conspirado contra mi vida valiéndose de medios tan aleves... ¿no será justicia rectísima castigarle con esta mano? ¿No será culpa en mí tolerar que ese monstruo exista para cometer, como hasta aquí, maldades atroces?

HORACIO.—Presto le avisarán de Inglaterra cuál ha sido el éxito de su solicitud.

HAMLET.—Sí, presto lo sabrá; pero entre tanto el tiempo es mío, y para quitar a un hombre la vida un instante basta... Sólo me disgusta, amigo Horacio, el lance ocurrido con Laertes, en que olvidado de mí propio, no vi en mi sentimiento la imagen y semejanza del suyo. Procuraré su amistad, sí... Pero, ciertamente, aquel tono amenazador que daba a sus quejas irritó en exceso mi cólera.

HORACIO.—Callad... ¿Quién viene aquí?

ESCENA V

HAMLET, HORACIO, ENRIQUE

ENRIQUE.—En hora feliz haya regresado V. A. a Dinamarca.

HAMLET.—Muchas gracias, caballero... ¿Conoces a este moscón?

HORACIO.—No, señor.

HAMLET.—Nada se te dé, que el conocerle es por cierto poco agradable. Este es señor de muchas tierras y muy fértiles, y por más que él sea un bestia que manda en otros tan bestias como él, ya se sabe, tiene su pesebre fijo en la mesa del rey... Es la corneja más charlera que en mi vida he visto; pero, como te he dicho ya, posee una gran porción de polvo.

ENRIQUE.—Amable príncipe, si vuestra grandeza no tiene ocupación que se lo estorbe, yo le comunicaría una cosa de parte del rey.

HAMLET.—Estoy dispuesto a oírla con la mayor atención... Pero emplead el sombrero en el uso a que fue destinado. El sombrero se hizo para la cabeza.

ENRIQUE.—Muchas gracias, señor... ¡Eh! el tiempo está caluroso.

HAMLET.—No, al contrario, muy frío. El viento es norte.

ENRIQUE.—Cierto, que hace bastante frío.

HAMLET.—Antes yo creo... a lo menos para mi complexión hace un calor que abrasa.

ENRIQUE.—¡Oh! en extremo... sumamente fuerte, como... yo no sé cómo diga... Pues, señor, el rey me manda que os informe de que ha hecho una grande apuesta en vuestro favor. Este es el asunto.

HAMLET.—Tened presente que el sombrero se...

ENRIQUE.—¡Oh! señor... lo hago por comodidad... cierto... Pues ello es que Laertes acaba de llegar a la corte... ¡Oh! es un perfecto caballero, no cabe duda. Excelentes cualidades, un trato muy dulce, muy bien quisto de todos... Cierto, hablando sin pasión, es menester confesar que es la nata y flor de la nobleza, porque en él se hallan cuantas prendas pueden verse en un caballero.

HAMLET.—La pintura que de él hacéis no desmerece nada en vuestra boca, aunque yo creí que al hacer el inventario de sus virtudes se confundirían la aritmética y la memoria, y ambas serían insuficientes para suma tan larga. Pero sin exagerar su elogio, yo le tengo por un hombre de grande espíritu y de tan particular y extraordinaria naturaleza, que (hablando con toda la exactitud posible) no se hallará su semejanza sino en su mismo espejo; pues el que presuma buscarla en otra parte sólo encontrará bosquejos informes.

ENRIQUE.—V. A. acaba de hacer justicia imparcial en cuanto ha dicho de él.

HAMLET.—Sí, pero sépase a qué propósito nos enronquecemos ahora, entremetiendo en nuestra conversación las alabanzas de ese galán.

ENRIQUE.—¿Cómo decís, señor?

HORACIO.—¿No fuera mejor que le hablarais con más claridad? Yo creo, señor, que no os sería difícil.

HAMLET.—Digo que ¿a qué viene ahora hablar de ese caballero?

ENRIQUE.—¿De Laertes?

HORACIO.—¡Eh! ya vació cuanto tenía, y se le acabó la provisión de frases brillantes.

HAMLET.—Sí, señor, de ese mismo.

ENRIQUE.—Yo creo que no estaréis ignorante de...

HAMLET.—Quisiera que no me tuvierais por ignorante; bien que vuestra opinión no me añadiría un gran concepto... Y bien, ¿qué más?

ENRIQUE.—Decía, que no podéis ignorar el mérito de Laertes.

HAMLET.—Yo no me atreveré a confesarlo por no igualarme con él, siendo averiguado que para conocer bien a otro es menester conocerse bien a sí mismo.

ENRIQUE.—Yo lo decía por su destreza en el arma, puesto que según la voz general, no se le conoce compañero.

HAMLET.—¿Y qué arma es la suya?

ENRIQUE.—Espada y daga.

HAMLET.—Esas son dos armas... Vaya, adelante.

ENRIQUE.—Pues, señor, el rey ha apostado contra él seis caballos bárbaros, y él ha impuesto por su parte (según he sabido) seis espadas francesas con sus dagas y municiones correspondientes, como cinturón, colgantes, y así a este tenor... Tres de estas cureñas particularmente son la cosa más bien hecha que puede darse. ¡Cureñas como ellas!... ¡Oh! es obra de mucho gusto y primor.

HAMLET.—Y ¿a qué cosa llamáis cureñas?

HORACIO.—Ya recelaba yo que sin el socorro de notas marginales no pudierais acabar el diálogo.

ENRIQUE.—Señor, por cureñas entiendo yo, así, los... los cinturones...

HAMLET.—La expresión sería mucho más propia, si pudiéramos llevar al lado un cañón de artillería; pero en tanto que este uso no se introduce, los llamaremos cinturones... En fin, vamos al asunto. Seis caballos bárbaros contra seis espadas francesas con sus cinturones, y entre ellos tres cureñas primorosas... ¿Con que esto es lo que apuesta el francés contra el dinamarqués? ¿Y a qué fin se han impuesto (como vos decís) todas esas cosas?

ENRIQUE.—El rey ha apostado que si batalláis con Laertes, en doce jugadas no pasarán de tres botonazos los que él os dé; y él dice, que en las mismas doce os dará nueve cuando menos, y desea que esto se juzgue inmediatamente, si os dignáis responder.

HAMLET.—¿Y si respondo que no?

ENRIQUE.—Quiero decir, si admitís el partido que os propone.

HAMLET.—Pues señor, yo tengo que pasearme todavía en esta sala; porque si S. M. no lo ha por enojo, ésta es la hora crítica en que yo acostumbro respirar el ambiente. Tráiganse aquí los floretes, y si ese caballero lo quiere así, y el rey se mantiene en lo dicho, le haré ganar la apuesta si puedo; y si no puedo, lo que yo ganaré será vergüenza y golpes.

ENRIQUE.—Conque ¿lo diré en esos términos?

HAMLET.—Esta es la sustancia; después lo podéis adornar con todas las flores de vuestro ingenio.

ENRIQUE.—Señor, recomiendo nuevamente mis respetos a vuestra grandeza.

HAMLET.—Siempre vuestro, siempre

ESCENA VI

HAMLET, HORACIO

HAMLET.—Él hace muy bien de recomendarse a sí mismo; porque si no, dudo mucho que nadie lo hiciese por él.

HORACIO.—Este me parece un vencejo que empezó a volar y chillar con el cascarón pegado a las plumas.

HAMLET.—Sí, y aun antes de mamar hacía ya cumplimientos a la teta... Este es uno de los muchos que en nuestra corrompida edad son estimados, únicamente porque saben acomodarse al gusto del día con esa exterioridad halagüeña y obsequiosa... y con ella tal vez suelen sorprender el aprecio de los hombres prudentes; pero se parecen demasiado a la espuma, que por más que hierva y abulte, al dar un soplo se reconoce lo que es; todas las ampollas huecas se deshacen, y no queda nada en el vaso.

ESCENA VII

HAMLET, HORACIO, un caballero

CABALLERO.—Señor, parece que S. M. os envió un recado con el joven Enrique, y éste ha vuelto diciendo que esperabais en esta sala. El rey me envía a saber si gustáis de batallar con Laertes inmediatamente, o si queréis que se dilate.

HAMLET.—Yo soy constante en mi resolución, y la sujeto a la voluntad del rey. Si esta hora fuese cómoda para él, también lo es para mí: con que hágase al instante o cuando guste, con tal que me halle en la buena disposición que ahora.

CABALLERO.—El rey y la reina bajan con toda la corte.

HAMLET.—Muy bien.

CABALLERO.—La reina quisiera que antes de comenzar la batalla, hablarais a Laertes con dulzura y expresiones de amistad.

HAMLET.—Es advertencia muy prudente.

ESCENA VIII

HAMLET, HORACIO

HORACIO.—Temo que habéis de perder, señor.

HAMLET.—No, yo pienso que no. Desde que él partió para Francia, no he cesado de ejercitarme, y creo que le llevaré ventaja... Pero... no podrás imaginarte qué angustia siento aquí en el corazón... ¿Y sobre qué?... No hay motivo.

HORACIO.—Con todo eso, señor...

HAMLET.—¡Ilusiones vanas!... Especies de presentimientos capaces sólo de turbar un alma femenil.

HORACIO.—Si sentís interiormente alguna repugnancia, no hay para qué empeñaros. Yo me adelantaré a encontrarlos, y les diré que estáis indispuesto.

HAMLET.—No, no... Me burlo yo de tales presagios. Hasta en la muerte de un pajarillo interviene una providencia irresistible. Si mi hora es llegada, no hay que esperarla; si no ha de venir ya, señal que es ahora; y si ahora no fuese, habrá de ser después: todo consiste en hallarse prevenido para cuando venga. Si el hombre al terminar su vida ignora siempre lo que podría ocurrir después, ¿qué importa que la pierda tarde o presto? Sepa morir.

ESCENA IX

HAMLET, HORACIO, CLAUDIO, GERTRUDIS, LAERTES, ENRIQUE, caballeros, damas, acompañamiento

CLAUDIO.—Ven, Hamlet, ven y recibe esta mano que te presento. *Hace que Hamlet y Laertes se den la mano.)*

HAMLET.—Laertes, si estáis ofendido de mí, os pido perdón. Perdonadme como caballero. Cuantos se hallan presentes saben, y aun vos mismo lo habréis oído, el desorden que mi razón padece. Cuanto haya hecho insultando la ternura de vuestro corazón, vuestra nobleza o vuestro honor, cualquiera acción, en fin, capaz de irritaros, declaro solemnemente en este lugar que ha sido efecto de mi locura. ¿Puede Hamlet haber ofendido a Laertes? No. Hamlet no ha sido, porque estaba fuera de sí; y si en tal ocasión (en que él a sí propio se desconocía) ofendió a Laertes, no fue Hamlet el agresor, porque Hamlet lo desaprueba y lo desmiente. Pues ¿quién puede ser? Su demencia sola... Siendo esto así, el desdichado Hamlet es partidario del ofendido, al paso que en su propia locura reconoce su mayor contrario. Permitid pues que delante de esta asamblea me justifique de toda siniestra intención, y espero de vuestro ánimo generoso el olvido de mis desaciertos. Disparaba el arpón sobre los muros de ese edificio; y por error herí a mi hermano.

LAERTES.—Mi corazón, cuyos impulsos naturales eran los primeros a pedirme en este caso venganza, queda satisfecho. Mi honra no me permite pasar adelante, ni admitir reconciliación alguna, hasta que examinado el hecho por ancianos y virtuosos árbitros, se declare que mi pundonor está sin mancilla. Mientras llega este caso, admito con afecto recíproco el que me anunciáis, y os prometo de no ofenderle.

HAMLET.–Yo recibo con sincera gratitud ese ofrecimiento, y en cuanto a la batalla que va a comenzarse, lidiaré con vos como si mi competidor fuese mi hermano... Vamos, dadnos floretes.

LAERTES.—Sí, vamos... uno a mí.

HAMLET.—La victoria no os será difícil; vuestra habilidad lucirá sobre mi ignorancia, como una estrella resplandeciente entre las tinieblas de la noche.

LAERTES.—No os burléis, señor.

HAMLET.—No, no me burlo.

CLAUDIO.—Dales floretes, joven Enrique. Hamlet, ya sabes cuáles son las condiciones.

HAMLET.—Sí, señor, y en verdad que habéis apostado por el más débil.

(Traen los criados una mesa, y en ella, cuando lo manda Claudio, ponen jarros y copas de oro que llenan de vino. Claudio y Gertrudis se sientan junto a la mesa, y todos los demás, según su clase, ocupan los asientos restantes. Quedan en pie los criados que sirven las copas, Hamlet y Laertes, que se disponen para batallar, y Horacio y Enrique en calidad de jueces o padrinos.)

CLAUDIO.—No temo perder. Yo os he visto ya esgrimir a entrambos, y aunque él haya adelantado después, por eso mismo el premio es mayor a favor nuestro.

LAERTES.—Este es muy pesado. Dejadme ver otro.

(Enrique presenta varios floretes; Hamlet toma uno, y Laertes escoge otro.)

HAMLET.—Este me parece bueno... ¿Son todos iguales?

ENRIQUE.—Sí, señor.

CLAUDIO.—Cubrid esta mesa de copas llenas de vino. Si Hamlet da la primera o segunda estocada, o en la tercera suerte da un quite al contrario, disparen toda la artillería de las almenas. El rey beberá a la salud de Hamlet, echando en la copa una perla más preciosa que la que han usado en su corona los cuatro últimos soberanos daneses... Traed las copas, y el timbal diga a las trompetas, las trompetas al artillero distante, los cañones al cielo, y el cielo a la tierra: ahora brinda el rey de Dinamarca a la salud de Hamlet... Comenzad, y vosotros, que habéis de juzgarlos, observad atentos.

HAMLET.—Vamos.

LAERTES.—Vamos, señor. *(Batallan Hamlet y Laertes.)*

HAMLET.—Una.

LAERTES.—No.

HAMLET.—Que juzguen.

ENRIQUE.—Una estocada, no hay duda.

LAERTES.—Bien, a otra.

CLAUDIO.—Esperad... Dadme de beber. *(Claudio echa una perla en la copa y bebe, alarga después la copa a Hamlet, y él rehusa tomarla. Suena a lo lejos ruido de trompetas y cañonazos.)* Hamlet, esta perla es para ti, y brindo con ella a tu salud. Dadle la copa.

HAMLET.—Esperad un poco. *(Vuelven a batallar.)* Quiero dar este bote primero. Vamos... Otra estocada. ¿Qué decís?

LAERTES.—Sí, me ha tocado: lo confieso.

CLAUDIO.—¡Oh! nuestro hijo vencerá.

GERTRUDIS.—Está grueso y se fatiga demasiado. Ven aquí, Hamlet, toma este lienzo y límpiate el rostro... La reina brinda a tu buena fortuna, querido Hamlet.

(Toma la copa y bebe; Claudio lo quiere estorbar; y Gertrudis bebe segunda vez.)

HAMLET.—Muchas gracias, señora.

CLAUDIO.—No, no bebáis.

GERTRUDIS.—¡Oh! señor, perdonadme, yo he de beber.

CLAUDIO.—¡La copa envenenada!... Pero... no hay remedio.

HAMLET.—No, ahora no bebo, esperad un instante.

GERTRUDIS.—Ven, hijo mío, te limpiaré el sudor del rostro.

LAERTES.—Ahora veréis si le acierto. (*Laertes habla con Claudio en voz baja, mientras Gertrudis limpia con un lienzo el sudor a Hamlet.*)

CLAUDIO.—Yo pienso que no.

LAERTES.—No se qué repugnancia siento al ir a ejecutarlo.

HAMLET.—Vamos a la tercera, Laertes... Pero bien se ve que lo tomáis a fiesta: batallad, os ruego, con más ahínco. Mucho temo que os burléis de mí.

LAERTES.—¿Eso decís, señor? Vamos. (*Batallan.*)

ENRIQUE.—Nada: ni uno ni otro.

LAERTES—Ahora... ésta... (*Vuelven a batallar; se enfurecen, truécanse las espadas y quedan heridos los dos. Horacio y Enrique los separan con dificultad; Gertrudis cae moribunda en los brazos de Claudio. Todo es terror y confusión.*)

CLAUDIO.—Parece que se acaloran demasiado... Separadlos.

HAMLET.—No, no, vamos otra vez.

ENRIQUE.—Ved qué tiene la reina... ¡Cielos!

HORACIO.—¡Ambos heridos! ¿Qué es esto, señor?

ENRIQUE.—¿Cómo ha sido, Laertes?

LAERTES.—Esto es haber caído en el lazo que preparé... justamente muero víctima de mi propia traición.

HAMLET.—¿Qué tiene la reina?

CLAUDIO.—Se ha desmayado al veros heridos.

GERTRUDIS.—No, no... ¡La bebida!... ¡Querido Hamlet!... ¡La bebida!... ¡Me han envenenado! (*Queda muerta en la silla.*)

HAMLET.—¡Oh, qué alevosía!... ¡Oh!... Cerrad las puertas... Traición... Buscad por todas partes...

LAERTES.—No, el traidor está aquí. (*Dirá esto sostenido por Enrique.*) Hamlet, tú eres muerto... No hay medicina que pueda salvarte: vivirás media hora apenas... En tu mano está el instrumento aleve, bañada con ponzoña su aguda punta... ¡Volvióse en mi daño la trama indigna!... Vesme aquí postrado para no levantarme jamás... Tu madre ha bebido un tósigo... No puedo proseguir... El rey, el rey es el delincuente. (*Claudio quiere huir. Hamlet corre a él furioso, y le atraviesa la espada por el cuerpo. Toma la copa envenenada, y se la hace apurar por fuerza. Le deja muerto en el suelo, y vuelve a oír las últimas palabras de Laertes.*)

HAMLET.—¿Está envenenada esta punta? Pues, veneno, produce tus efectos.

TODOS.—Traición, traición.

CLAUDIO.—Amigos, estoy herido... Defendedme.

HAMLET.—¡Malvado, incestuoso asesino! Bebe esta ponzoña... ¿Está la perla aquí? Sí, toma, acompaña a mi madre.

LAERTES.—¡Justo castigo!... Él mismo preparó la poción mortal... Olvidémonos de todo, generoso Hamlet, y... ¡Oh, no caiga sobre ti la muerte de mi padre y la mía, ni sobre mí la tuya! (*Cae muerto.*)

HAMLET.—El cielo te perdone... Ya voy a seguirte... Yo muero, Horacio... Adiós, reina infeliz... (*Abrazando el cadáver de Gertrudis.*) Vosotros, que asistís pálidos y mudos con el temor a este suceso terrible... Si yo tuviera tiempo... (*Empieza a manifestar desfallecimiento y angustias de muerte. Parte de los circunstantes le acompaña y sostiene. Horacio hace extremos de dolor.*) La muerte es un ministro inexorable que no dilata la ejecución... Yo pudiera deciros... pero no es posible. Horacio, yo muero. Tú, que vivirás, refiere la verdad y los motivos de mi conducta a quien los ignora.

HORACIO.—¿Vivir? No lo creáis. Yo tengo alma romana, y aún ha quedado aquí parte del tósigo. *(Busca en la mesa el jarro del veneno, echa porción de él en una copa, va a beber. Hamlet quiere estorbárselo. Los criados quitan la copa a Horacio, la toma Hamlet, y la tira al suelo.)*

HAMLET.—Dame esa copa... presto... por Dios te lo pido. ¡Oh, querido Horacio! si esto permanece oculto, ¡qué manchada reputación dejaré después de mi muerte! Si alguna vez me diste lugar en tu corazón, retarda un poco esa felicidad que apeteces, alarga por algún tiempo la fatigosa vida en este mundo lleno de miserias, y divulga por él mi historia... ¿Qué estrépito militar es éste? *(Suena música militar, que se va aproximando lentamente.)*

ESCENA X

HAMLET, HORACIO, ENRIQUE, un caballero y acompañamiento

CABALLERO.—El joven Fortimbrás, que vuelve vencedor de Polonia, saluda con la salva marcial que oís a los embajadores de Inglaterra.

HAMLET.—Yo expiro, Horacio: la activa ponzoña sofoca mi aliento... No puedo vivir para saber nuevas de Inglaterra; pero me atrevo a anunciar que Fortimbrás será elegido por aquella nación. Yo moribundo le doy mi voto... Díselo tú, e infórmale de cuanto acaba de ocurrir... ¡Oh! Para mí sólo queda ya... silencio eterno. *(Muere.)*

HORACIO.—¡En fin, se rompe ese gran corazón!... Adiós, adiós, amado príncipe. *(Le besa las manos, y hace ademanes de dolor.)* ¡Los coros angélicos te acompañen al celeste descanso!... Pero, ¿cómo se acerca hasta aquí ese estruendo de atambores?

ESCENA XI

FORTIMBRÁS, dos embajadores, HORACIO, ENRIQUE, soldados, acompañamiento

FORTIMBRÁS.—¿En dónde está ese espectáculo?

HORACIO.—¿Qué buscáis aquí? Si no queréis ver desgracias espantosas, no paséis adelante.

FORTIMBRÁS.—¡Oh! Este destrozo pide sangrienta venganza... Soberbia muerte, ¿qué festín dispones en tu morada infernal, que así has herido con un golpe solo tantas ilustres víctimas?

EMBAJADOR. 1º—¡Horroriza el verlo!... Tarde hemos llegado con los mensajes de Inglaterra. Los oídos a quienes debíamos dirirlos son ya insensibles. Sus órdenes fueron puntualmente ejecutadas. Ricardo y Guillermo perdieron la vida... Pero, ¿quién nos dará las gracias de nuestra obediencia?

HORACIO.—No las recibiríais de su boca aunque viviese todavía, que él nunca dio orden para tales muertes. Pero puesto que vos, viniendo victorioso de la guerra contra Polonia, y vosotros, enviados de Inglaterra, os halláis juntos en este lugar, y os veo deseosos de averiguar este suceso trágico, disponed que esos cadáveres se expongan sobre una tumba elevada a la vista pública, y entonces haré saber al mundo, que lo ignora, el motivo de estas desgracias. Me oiréis hablar (pues todo os lo sabré referir fielmente) de acciones crueles, bárbaras, atroces: sentencias que dictó el acaso, estragos imprevistos, muertes ejecutadas con violencia y aleve astucia, y al fin proyectos malogrados que han hecho perecer a sus autores mismos.

FORTIMBRÁS.—Deseo con impaciencia oíros, y convendrá que se reúna con este objeto la nobleza de la nación. No puedo mirar sin horror los dones que me ofrece la fortuna; pero tengo derechos muy antiguos a esta corona, y en tal ocasión es justo reclamarlos.

HORACIO.—También puedo hablar en ese propósito, declarando el voto que pronunció aquella boca que ya no formará sonido alguno... Pero ahora que los ánimos están en peligroso movimiento, no se dilate la ejecución un instante solo, para evitar los males que pudieran causar la malignidad o el terror.

FORTIMBRÁS.—Cuatro de mis capitanes lleven al túmulo el cuerpo de Hamlet con las insignias correspondientes a un guerrero. ¡Ah! si él hubiese ocupado el trono, sin duda hubiera sido un excelente monarca... Resuene la música militar por donde pase la pompa fúnebre y hágansele todos los honores de la guerra... Quitad, quitad de ahí esos cadáveres. Espectáculo tan sangriento más es propio de un campo de batalla que de este sitio... Y vosotros, haced que salude con descargas todo el ejército.

PENAS POR AMOR PERDIDAS - 1598

Según Malone, uno de los primeros ensayos escrito para el teatro por Shakespeare en 1591.

Es evidente que la presentación y el estilo fueron pensados especialmente para complacer a un auditorio selecto, pues se representó por primera vez ante la reina Isabel, durante las festividades de la Navidad de 1597. Las alusiones a la guerra civil de Francia, hacen suponer que su autor la escribió en la fecha indicada por Malone, aunque no cabe duda de que fue modificada en años posteriores hasta quedar, en 1598, en la forma que hoy la conocemos. Se dice que Shakespeare "tomó el argumento" de algún escrito francés o italiano. En realidad la obra carece de argumento, y es más bien una serie de episodios, parlamentos y charlas entre corrillos de cortesanos y campesinos.

PERSONAJES

FERNANDO, rey de Navarra.

BEROWNE
LONGAVILLE } jóvenes señores del séquito del Rey.
DUMAINE

BOYET, caballero, de más edad, del séquito de la Princesa de Francia.

MERCADE, mensajero.

DON ADRIANO, español imaginado por Shakespeare.

HOLOFERNES, maestro de escuela.

SIR NATHANIEL, cura.

DULL, guarda rural.

COSTARD, campesino.

MOTH, paje de Armando.

Un guarda de caza.

LA PRINCESA DE FRANCIA.

ROSALINA
CATALINA } damas del séquito de la Princesa.
MARÍA

SANTIAGUITA, campesina.

Oficiales y otras personas del séquito del Rey y del de la Princesa.
La acción ocurre en el reino de Navarra.

ACTO PRIMERO

ESCENA PRIMERA

En el parque del rey de Navarra

(*Entran* FERNANDO, *rey de Navarra,* BEROWNE, LONGAVILLE *y* DUMAINE.)

EL REY.—Pueda la fama, gloria que todos los hombres persiguen mientras están vivos, perdurar para siempre, grabada en el bronce de nuestras tumbas, proclamando nuestra victoria contra la desgracia de la muerte. Y gracias a ella, y pese al tiempo, ese cuervo voraz, pueda el esfuerzo de este momento actual procurarnos un honor que embote el agudo corte de su guadaña y nos haga herederos de la eternidad. Con ello, mis bravos conquistadores —pues sois verdaderos conquistadores, ya que combatís contra vuestras pasiones y contra el inmenso ejército que son los deseos de este mundo—, nuestro reciente edicto, puesto en práctica con todo rigor y en toda su amplitud, hará de Navarra la maravilla del mundo, y de nuestra Corte una pequeña academia apacible, contemplativa del arte de vivir. Los tres, Berowne, Dumaine y Longaville, me habéis jurado vivir conmigo durante tres años como mis compañeros de estudios, observando los estatutos de la cédula que veis aquí. El juramento ya está prestado, ahora es preciso que firméis con objeto de que viole el menor artículo de este pacto, vea su honor herido por su propia mano. Si os sentís armados del valor necesario para cumplir lo que habéis jurado hacer, confirmad, mediante una firma, lo jurado, y cumplidlo.

LONGAVILLE.—En cuanto a mí, resuelto estoy. Al fin y al cabo, no se trata sino de un ayuno de tres años. El alma banqueteará si el cuerpo languidece. A mucha panza, poco cerebro. Si los buenos bocados ponen al cuerpo lustroso, también al espíritu en franca bancarrota.

DUMAINE.—Amable señor, Dumaine a la mortificación se entrega también. Abandono los groseros placeres del mundo a los viles esclavos de lo material. Renuncio y muerto soy para el amor, la riqueza, el fasto; todo por vivir como los que se entregan a la filosofía.

BEROWNE.—Yo no puedo, querido soberano, sino sumarme a sus afirmaciones, puesto que he jurado vivir y estudiar aquí durante tres años. Pero hay otras obligaciones demasiado rigurosas, que espero no estén inscritas en la cédula: por ejemplo, no tener contacto con mujer durante todo este tiempo; ni la de abstenerse de alimento un día a la semana y los demás no hacer sino una sola comida; sin contar eso de no dormir sino tres horas cada noche y no poder dar una cabezada en todo el día, ¡yo, habituado como estoy a no conceder nada, ni un mal pensamiento, a la noche, sino a dormirla toda entera, e incluso a considerar la mitad del día como noche cerrada! Espero, pues, que esto tampoco figurará en la cédula. Serían votos tan inútiles como penosos de soportar el no tener contacto con mujeres, ayunar y no dormir, ¡bah!

EL REY.—Juramento has prestado de pasarte de todo ello.

BEROWNE.—Permitidme, si os place, mi querido señor, que responda que no. Cuanto he jurado ha sido estudiar junto a Tu Gracia, y permanecer aquí, en tu Corte, durante tres años.

EL REY.—Has jurado esto, Berowne, y lo demás también.

BEROWNE.—Sí y no, Majestad. Si he jurado, por pura broma ha sido... Porque, ¿cuál es el objeto del estudio? Os ruego me lo digáis.

EL REY.—¡Evidente es!, conocer lo que sin él no conoceríamos.

BEROWNE.—¿Queréis decir, sin duda, las cosas ocultas y fuera del alcance del sentido común?

EL REY.—En efecto, tal es la divina recompensa del estudio.

BEROWNE.—¡Sea!, recompensémonos, pues. Aceptado y jurado darme al estudio con objeto de aprender aquello que me está vedado conocer: por ejemplo, dónde hacer una buena comida cuando me esté expresamente prohibido. Estudiaré también dónde hallar una hermosa querida, cuando el simple sentido común no me la ofrezca. Y cuando haya hecho juramento demasiado duro de cumplir, estudiaré el modo de romperle sin faltar a mi palabra. Si éste es el beneficio del estudio y si en ello ha de consistir el nuestro, es decir, en conocer lo que aún no conocemos, entonces hacedme jurar y jamás responderé no.

EL REY.—Cuanto dices, obstáculos son, precisamente, que se oponen al estudio, por acostumbrar a nuestra inteligencia a los vanos placeres.

BEROWNE.—¡Por supuesto, que todos los placeres son vanos! Pero ninguno tanto como el que adquirido con pena, tan sólo penas nos procuraría. ¿Para qué permanecer con los ojos penosamente pegados a un libro, tratando de encontrar en él la luz de la verdad, si esta misma verdad nos ciega traidoramente con su brillo? Luz en busca de luz no es sino luz cogida en los lazos de la luz. Antes de descubrir la luz en el seno de las tinieblas, perdemos los ojos, y a causa de ello, la luz misma se nos torna tinieblas. Aprended, pues, más bien, a encantar vuestros ojos fijándolos sobre otros más hermosos que, con su brillo, os sirvan de guía y os devuelva la luz tras haberos deslumbrado. El estudio es como el resplandeciente sol del cielo, que no quiere ser escrutado por miradas insolentes. Los tragalibros asiduos, apenas han ganado jamás otra cosa en los libros escritos por otros que una autoridad canija. Estos padrinos terrestres de las luces celestes que llaman por su nombre a cada estrella fija no gozan de más noches luminosas que los que se pasean ignorantes del nombre de tales estrellas. Conocer demasiado es conocer de segunda mano. Ser padrino no es sino dar nombre a otro.

EL REY.—¡Qué saber demuestra razonando contra el saber!

DUMAINE.—Como principio no sería malo, si no impidiese toda consecuencia.

LONGAVILLE.—La primavera se acerca cuando los pájaros incuban.

EL REY.—¿Es decir?

BEROWNE.—Que cada cosa tiene su tiempo y su lugar.

DUMAINE.—Eso, razonablemente, no dice nada.

EL REY.—Berowne es como esas heladas envidiosas y malignas

muerden a lo que nace primero en primavera.

BEROWNE.—Si se quiere, ¡sea! Mas, ¿por qué el orgulloso verano se pavonearía antes de que los pájaros hayan tenido ocasión de cantar? ¿Por qué me alegraría yo de un nacimiento abortado? Ni en Navidad pido rosas ni deseo nieves cuando florecen en mayo. Deseo cada cosa en su tiempo. Es decir, que para darnos al estudio es ya demasiado tarde. Es como subir al tejado para abrir la puertecilla de entrada.

EL REY.—Pues entonces abandona la partida y vuélvete a tu casa, Berowne; ¡adiós!

BEROWNE.—No, bondadoso señor, he jurado permanecer con vos, y aunque he abogado por la ignorancia más que vos podéis hacerlo en favor de vuestro angélico saber, guardaré lealmente el juramento que he prestado y soportaré, día tras día, la penitencia de estos tres años. Dadme la cédula, la leeré de punta a cabo, y estamparé mi firma bajo las más rigurosas cláusulas.

EL REY.—He aquí una sumisión que te salva de la vergüenza.

BEROWNE.—*(Leyendo.)* "Item, que ninguna mujer se acerque a menos de una milla de mi Corte." ¿Ha sido proclamado este artículo?

LONGAVILLE.—Hace ya cuatro días.

BEROWNE.—Veamos la penalidad. *(Leyendo.)* "So pena de perder la lengua." ¿Quién ha imaginado esta penalidad?

LONGAVILLE.—Yo, ¡pardiez!

BEROWNE.—¿Y por qué, mi querido amigo?

LONGAVILLE.—Porque tan temible castigo las alejará de aquí.

BEROWNE.—¡Ley peligrosa para la galantería! *(Leyendo.)* "Item, si durante este espacio de tiempo, de tres años, un hombre es sorprendido hablando con una mujer, sufrirá la humillación pública que el resto de la Corte juzgue

bueno imponerle." Este artículo, Alteza, vos mismo tendréis que violarle, pues sabéis muy bien que la hija del rey de Francia, doncella de una gracia y de una majestad totales, viene como embajadora para tratar con vos de la cesión de Aquitania a su padre, decrépito, enfermo y en el lecho. Por consiguiente, o este artículo ha sido redactado en vano, o en vano viene la admirable princesa aquí.

EL REY.—¿Qué decís a esto, señores? En verdad que habíamos olvidado tal cosa.

BEROWNE.—Luego bien veis que el estudio jamás alcanza lo que se propone. Mientras anda a la busca de lo que quisiera conseguir, olvida hacer lo que debería. Y cuando tiene lo que perseguía, su conquista es como la de esas ciudades que se toman tras haberlas incendiado: es decir, tan pronto perdidas como tomadas.

EL REY.—Es preciso abolir este artículo. Es absolutamente necesario que la Princesa se aloje aquí.

BEROWNE.—La necesidad nos hará tres mil veces perjuros en estos tres años. Pues cada hombre nace con pasiones que tan sólo una gracia especial puede dominar, no la voluntad. Si yo quebranto mi juramento, esta palabra, "necesidad", me servirá de excusa. Estampo, pues, mi firma en el decreto, sin hacer excepción alguna. *(Lo hace.)* Y que el que infrinja el menor detalle sufra la pena de una vergüenza eterna. Las tentaciones, idénticas son para mí que para vosotros; pues bien, aunque parezca que firmo en contra de mi voluntad, creo que el último que honrará su juramento seré yo. Pero, ¿se nos concederá al menos algún alegre entretenimiento?

EL REY.—Esto sí. Nuestra Corte, como sabéis, es visitada frecuentemente por un viajero de España; hombre refinado, experto en todas las modas nuevas y cuyo cerebro es una fábrica de lindas frases. Un hombre a quien la música de su vano lenguaje parece seducir cual armonía encantadora; criatura al corriente de todos los usos y al que se escoge como árbitro cuando hay querella entre lo que conviene o no conviene. Este prodigio de la fantasía, que se llama Armando, nos contará, en el intervalo de nuestros estudios, y en términos sublimes, las proezas de muchos caballeros de la leonada España, perecidos en las querellas de este mundo. Hasta qué punto os distrae, esto ya no lo sé; mas sí que yo adoro oírle inventar sus mentiras y que he de hacer de él mi trovador.

BEROWNE.—Armando es un personaje enteramente ilustre; arca de palabras recientemente acuñadas; verdadero caballero a la moda.

LONGAVILLE.—Costard, el joven campesino, y él serán nuestro entretenimiento. Y tras ello, estudiemos. Tres años pasarán pronto. *(Entran Dull, el guarda campestre, y Costard.)*

DULL.—¿Quién de vosotros es el Duque en persona?

BEROWNE.—Hele aquí, muchacho. ¿Qué quieres de él?

DULL.—Yo represento, yo mismo, su persona, pues yo soy guarda campestre de Su Gracia. Pero quisiera ver su propia persona en carne y hueso.

BEROWNE.—Pues él es.

DULL.—El señor Arm... Arm... os envía su saludo. *(Entrega al Rey una carta.)* Ocurren allí cosas poco limpias. Esta carta os dirá más de lo que yo digo.

COSTARD.—Mi señor, los informes que contiene a mí se refieren.

EL REY.—¡Carta del magnífico Armando!

BEROWNE.—Por ínfimo que sea el asunto, espero en Dios que las palabras serán sublimes.

LONGAVILLE.—¡Esperanza infinita y resultado mediocre! ¡El Señor nos dé paciencia!

BEROWNE.—¿Para escuchar o para no escuchar?

LONGAVILLE.—Para escuchar con resignación, caballero amigo, y para reír con moderación. O para abstenernos de ambas cosas.

BEROWNE.—Todo dependerá, ¡pardiez!, de lo que el motivo o el estilo empuje a nuestra alegría.

COSTARD.—La cosa se refiere a mí, señor. Cuestión de Santiaguilla. Ocurre que he sido sorprendido en lo ocurrido.

EL REY.—¿Y qué ha ocurrido?

COSTARD.—He aquí lo ocurrido y la manera como ha ocurrido lo ocurrido, en tres partes: he sido visto con ella en la casa grande, sentado con ella en un banco, y sorprendido, siguiéndola, en el parque. Lo que uno con otro hace la ocurrencia de lo ocurrido. Ahora bien, señor, en cuanto a lo ocurrido, es la forma como suele ocurrir que un hombre hable a la mujer; y en cuanto a cómo ha ocurrido lo ocurrido, es ese cómo especial...

BEROWNE.—¿Y tras ello, señor mío?

COSTARD.—Y tras ello, a ver, qué sé yo, mi castigo. ¡Qué Dios defienda el buen derecho!

EL REY.—¿Queréis oír esta carta con atención?

BEROWNE.—Como escucharíamos un oráculo.

COSTARD.—¡Tal es la tontería del hombre cuando escucha lo que se refiere a la carne!

EL REY.—*(Leyendo.)* "Gran diputado, vicegerente de la bóveda celeste, dominador único de Navarra, Dios terrestre de mi alma y patrón nutridor de mi cuerpo."

COSTARD.—Todavía ni palabra de Costard.

EL REY.—*(Leyendo siempre.)* "He aquí los hechos."

COSTARD.—Es posible que cuente los hechos; pero como diga lo que han sido los hechos, en verdad de verdades que me deja deshecho.

EL REY.—¡Paz a la lengua!

COSTARD.—¡Y paz a mí y a todo hombre que tenga miedo si combate!

EL REY.—¡He dicho que silencio!

COSTARD.—Respecto a los secretos de otro, os lo prometo.

EL REY.—(Leyendo de nuevo.) "He aquí los hechos: sitiado por negra melancolía, había confiado este humor sombrío y opresor a la saludable medicina del aire libre, y tan verdad como que soy un hidalgo que se me metió en la cabeza el dar un paseo. ¿A qué hora? Hacia la hora sexta; hora en que el animal pace más a su gusto, en que el pájaro picotea con más apetito y en que el hombre se sienta a la mesa para hacer esa colación que se llama cena. Ahora, ¿en qué sitio? Entiendo por sitio el lugar por el que me paseaba. En el denominado tu parque. Ahora, lugar en el qué. Entiendo por lugar en el qué, aquel en el cual se ha ofrecido a mis ojos el acontecimiento obsceno y enteramente incongruente, que saca de mi pluma, blanca como la nieve, la tinta color de ébano que ves, contemplas, miras, examinas u observas. En cuanto al lugar en el que, el situado al Norte-Noroeste y al Este del ángulo Oeste de su jardín el de las curiosas revueltas. He aquí donde he visto a ese patán de bajo espíritu, a ese vil desperdicio que te causa alegría..."

COSTARD.—¡Yo!

EL REY.—"Ese alma iletrada y de ínfimo saber..."

COSTARD.—¡Yo!

EL REY.—"Ese vulgar vasallo..."

COSTARD.—¡Yo aún!

EL REY.—"Que si mal no recuerdo se denomina Costard..."

COSTARD.—No hay duda que yo, ¡ay!

EL REY.—"Asociarse y unirse a despecho de tu edicto establecido y proclamado y de los cánones contenidos en él, con... con...

¡Oh cómo me cuesta decirte con quién!..."

COSTARD.—Con una chica.

EL REY.—"Con una hija de nuestra abuela Eva. Con una hembra. Y para hablar mejor a tu exquisito entendimiento, con una mujer. Este hombre, yo (empujado por un inalterable sentido del deber), te lo envío para que reciba la recompensa del castigo que merece por mano de un oficial de Tu Suave Majestad, el denominado Antonio Dull, hombre de buena reputación y de buena conducta, de buenas costumbres y bien estimado."

DULL.—Yo mismo, si os place, soy Antonio Dull.

EL REY.—"En cuanto a Santiaguilla —así se llama la frágil barquichuela a la que he sorprendido con el antedicho patán—, la retengo aquí como nave destinada a sufrir la cólera de tu ley, dispuesto a hacerla comparecer al menor signo de tu suave voluntad. Todo de ti, con la plenitud de un corazón consagrado al devorante ardor del deber." Don Adriano de Armando.

BEROWNE.—No está tan bien como esperaba; no obstante, es de lo mejor que he oído.

EL REY.—Sí, es de lo mejor en lo malo. En cuanto a ti, ¡bribón!, ¿qué respondes a esto?

COSTARD.—Mi señor, lo de la chica lo confieso.

EL REY.—¿No habías oído la proclama?

COSTARD.—Confieso haberla oído mucho, pero escuchado, poco.

EL REY.—No obstante, ha sido proclamado un año de prisión para todo aquel que fuese sorprendido con una muchacha.

COSTARD.—Yo no he sido sorprendido con una muchacha, señor, sino con una damisela.

COSTARD.—Es que tampoco era una damisela.

COSTARD.—Es que tampoco era una damisela, señor, sino una virgen.

EL REY.—Esta variante estaba también en la proclama; decía; asimismo, una virgen.

COSTARD.—De ser así me vuelvo atrás sobre lo de la virginidad; tratábase de una doncella.

EL REY.—Esta doncella no arreglará tu asunto, caballerete.

COSTARD.—Por tanto, esta doncella arregla bien cuanto necesito, señor.

EL REY.—Pues bien, voy a pronunciar tu sentencia: durante una semana ayunarás a pan y agua.

COSTARD.—Preferiría orar un mes a sopa y carnero.

EL REY.—Y don Armando será tu carcelero. Señor Berowne, cuidad de que el prisionero le sea entregado. En cuanto a nosotros, amigos míos, vamos a poner en ejecución lo que tan firmemente hemos jurado. (Salen el Rey, Longaville y Dumaine.)

BEROWNE.—Apostaría mi cabeza contra el sombrero de cualquier buen hombre a que esos juramentos y esos edictos acaban en pura irrisión. ¡Andando, bribón!

COSTARD.—Sufro por la verdad, señor, pues nada más verdad que he sido sorprendido con Santiaguita, y que Santiaguita es una verdadera muchacha. Sé, pues, bien venida, copa amarga de la prosperidad. Un día u otro la aflicción puede empezar a sonreírme de nuevo; hasta entonces, ¡ten calma, dolor! (Salen.)

ESCENA II

(Entran ARMANDO y MOTH)

ARMANDO.—Muchacho, cuando un hombre de gran espíritu se torna melancólico, ¿de qué es ello señal?

MOTH.—Gran señal, es, señor, de que está triste.

ARMANDO.—Pero tristeza y melancolía son una y misma cosa, mi querido muchachito.

MOTH.—No, no, seguramente, no, señor.

ARMANDO.—¿Cómo te las arreglarías tú para distinguir la tristeza de la melancolía, mi tierno mozalbete?

MOTH.—Mediante una demostración familiar de sus efectos, mi coriáceo señor.

ARMANDO.—¿Por qué coriáceo señor?, ¿por qué coriáceo señor?

MOTH.—¿Por qué tierno mozalbete?, ¿por qué tierno mozalbete?

ARMANDO.—He dicho "tierno mozalbete" porque tal es el epíteto congruente que cuadra y conviene a tus años tan jóvenes, que bien se pueden denominar tiernos.

MOTH.—Y yo digo "coriáceo señor" porque tal es el epíteto que conviene a vuestra mucha edad, que bien puede ser calificada de coriácea.

ARMANDO.—¡Lindo y pertinente!

MOTH.—¿Qué queréis decir con esto, señor? ¿Qué yo soy lindo y mi palabra oportuna, o que yo estoy lleno de oportunidad y que mi pabra es linda?

ARMANDO.—Tú eres lindo porque eres pequeño.

MOTH.—Pequeñamente lindo, puesto que soy pequeño. ¿Y por qué oportuno?

ARMANDO.—Oportuno porque eres vivo.

MOTH.—¿Lo decís en alabanza mía, mi amo?

ARMANDO.—En merecida alabanza.

MOTH.—Con parecida alabanza podría yo alabar a una anguila.

ARMANDO.—¡Cómo! ¿Serías capaz de decir de una anguila que es ingeniosa?

MOTH.—Diría que es viva.

ARMANDO.—Yo he querido decir que tú eres vivo en la réplica. Me calientas la sangre.

MOTH.—Por respondido me doy, señor.

ARMANDO.—No me gusta que se sea doble conmigo.

MOTH.—(Aparte.) Dice todo lo contrario de lo que es: son los doblones los que no gustan de él.

ARMANDO.—He prometido estudiar tres años con el Duque.

MOTH.—Podéis bien hacerlo en una hora, señor.

ARMANDO.—Imposible.

MOTH.—¿Cuánto hace tres veces uno?

ARMANDO.—Yo cuento mal. Ello es útil para la inteligencia de un mozo de taberna.

MOTH.—Vos sois hidalgo y jugador, señor.

ARMANDO.—Confieso tener ambas cualidades; son el barniz de un hombre cumplido.

MOTH.—Pues entonces, seguro estoy que sabéis a la importante suma a que llegan dos más as.

ARMANDO.—A la suma de uno más dos.

MOTH.—Lo que el bajo vulgo llama tres.

ARMANDO.—Exacto.

MOTH.—Y bien, señor, ¿es esto un estudio muy difícil? He aquí que hemos podido estudiar ya tres antes de que hayáis tenido tiempo de guiñar un ojo tres veces. En qué modo es fácil añadir la palabra años a la palabra tres y estudiar con ello tres años en dos palabras, el caballo que baila os lo diría.

ARMANDO.—¡Admirable demostración!

MOTH.—(Aparte.) Que prueba que tú eres cero.

ARMANDO.—Tras lo cual, te confesaré que estoy enamorado. Y como es cosa baja que un solda-do ame, yo estoy enamorado de una muchacha de baja condición. De poder sacar la espada contra esta inclinación amorosa y librarme de estos reprobables pensamientos, haría a Deseo prisionero y se lo cambiaría a cualquier cortesano francés contra una reverencia a la moda nueva. Pues encuentro humillante suspirar. Creo que debería renegar de Cupido. Consuélame, muchacho. ¿Qué grandes hombres estuvieron enamorados?

MOTH.—Hércules, mi amo.

ARMANDO.—¡Suavísimo Hércules! Cítame aún otros de marca, querido niño. Y sobre todo, mi dulce criatura, que sean hombres de buena conducta y sólida reputación.

MOTH.—Sansón, amo. Era hombre de sólida, de formidable reputación a causa de haberse echado las puertas de una ciudad a la espalda, como un mozo de cuerda. No obstante, estuvo enamorado.

ARMANDO.—¡Oh robustísimo Sansón! ¡Sansón musculoso! Yo soy superior a ti con la tizona, tanto como tú lo eres respecto a mí arrancando puertas. Pero yo también estoy enamorado. ¿Y de quién estaba enamorado Sansón, mi querido Moth?

MOTH.—De una mujer, mi amo.

ARMANDO.—¿De qué color era su tez?

MOTH.—De los cuatro colores, o de tres, o de dos, o de uno sólo de los cuatro.

ARMANDO.—Pero dime con precisión de qué tinte.

MOTH.—Verde agua de mar, mi amo.

ARMANDO.—¿Es éste uno de los cuatro tintes?

MOTH.—Sí, mi amo, según lo que yo he leído. E incluso el más bonito.

ARMANDO.—En efecto, el verde es el color de los amantes. No obstante, paréceme que Sansón no tenía mucha razón para hacer tal cosa. Seguro es que la amaba a causa de su espíritu.

MOTH.—Precisamente, señor, puesto que tenía un espíritu de los más verdes.

ARMANDO.—Mi amada es de un blanco y de un rojo inmaculados.

MOTH.—Los más inmaculados pensamientos, amo, se ocultan bajo tales colores.

ARMANDO.—Explica, explica, niño bien cultivado.

MOTH.—Espíritu de mi padre y lengua de mi madre, ¡asistidme!

ARMANDO.—¡Tierna convocación en un hijo! ¡En qué modo encantadora y patética!

MOTH.—

Si en verdad hecha está de blanco
[y rojo,
jamás sus faltas han de ser sabidas.
Pues es precisamente en el sonrojo
como las faltas, sí, son conocidas.
En pecado que esté, o de miedo
[llena,
palidez no será en su cara espejo;
roja, parecerá inocente y buena;
blanca, cándida y llena de gracejo.

He aquí, amo, unos versos que os pondrán sobre aviso contra los peligros de lo blanco y de lo rojo.

ARMANDO.—¿No hay una balada, muchacho, llamada *del Rey y de la Mendiga*?

MOTH.—Hace tres generaciones que el mundo es culpable de esta balada; pero creo que ahora no habría medio de encontrarla. E incluso, de encontrarla, ya no valdría nada ni como letra ni como música.

ARMANDO.—Voy a volver a escribir esta balada con objeto de justificar mi extravío mediante algún precedente ilustre... Porque, hijo mío, amo a esa joven campesina a la que he sorprendido en el parque con ese patán racional llamado Costard. Es una muchacha digna.

MOTH.—*(Aparte.)* Digna de ser azotada; y en todo caso de tener un amante mejor que mi amo.

ARMANDO.—Canta, muchacho. El amor llena de peso mi corazón.

MOTH.—Mucho me extraña tal cosa, puesto que amáis a una muchacha ligera.

ARMANDO.—Canta, te digo.

MOTH.—Espera a que los que llegan se alejen. *(Entran Dull, Costard y Santiaguita.)*

DULL.—Señor, la voluntad del Duque es que guardéis como es debido a Costard. No deberéis permitirle placer ni infligirle pena, pero habrá de ayunar tres días por semana. En cuanto a esta joven, yo tengo que guardarla en el parque, donde servirá como lechera. Adiós. *(Se aleja.)*

ARMANDO.—Mi propio rubor me traiciona. ¡Joven!

SANTIAGUITA.—¡Hombre!

ARMANDO.—Iré a visitarte a tu cobijo.

SANTIAGUITA.—Por ahí está.

ARMANDO.—Yo sé dónde.

SANTIAGUITA.—¡Dios, qué sabio sois!

ARMANDO.—Te contaré maravillas.

SANTIAGUITA.—¡Cara tenéis de ello!

ARMANDO.—¡Te amo!

SANTIAGUITA.—Al menos os lo oigo decir.

ARMANDO.—Por consiguiente, hasta más ver.

SANTIAGUITA.—Que el buen tiempo llegue con vos.

DULL.—*(Llamándola.)* Ven, Santiaguita, y vamos. *(Se disponen a marcharse.)*

ARMANDO.—Mientras no seas perdonado, bribón, ayunarás a causa de tus maldades.

COSTARD.—Sea, señor. Ayudaré animosamente con el estómago lleno, cual espero.

ARMANDO.—Serás pesadamente castigado.

COSTARD.—Entonces os quedaré más obligado que vuestros servidores que tan ligeramente son remunerados.

ARMANDO.—Llevad a este patán y hacedle callar.

MOTH.—Esclavo delincuente, ¡vamos!

COSTARD.—No me hagáis encerrar, señor; ayunar, bien puedo hacerlo en libertad.

MOTH.—No, caballero; jugarás al escondite. A prisión irás.

COSTARD.—Pues bien, si alguna vez vuelvo a ver los hermosos días de desolación que ya he visto, otros habrá que verán entonces...

MOTH.—¿Y qué es lo que verán?

COSTARD.—Nada. ¡pardiez!, señor Moth, sino aquello que miren. Y como conviene a los prisioneros ser avaros de sus palabras, nada más diré. Gracias a Dios tengo tan poca paciencia como cualquier otro; por consiguiente, sabré estar tranquilo. (Salen Moth y Costard.)

ARMANDO.—Adoro hasta el polvo (bien bajo, por tanto), que pisa su zapato (más bajo aún), guiado por su pie (¡todavía más bajo!) Pero amando, me perjuro, lo que es gran prueba de deslealtad. Mas, ¿cómo puede ser leal el amor alcanzado mediante la perfidia? Amor es un duende; Amor es un diablo; no hay otro ángel malo que Amor. No obstante, Sansón tentado fue como yo, pese a tener una fuerza extraordinaria. Y Salomón, asimismo, fue seducido, no obstante toda su sabiduría. Si la maza de Hércules nada pudo contra la acerada flecha de Cupido, ¿que podría contra ella la tizona de un español? Tercera y cuarta parada de nada me servirían. Ni Amor respeta los ataques ni se preocupa de las leyes del duelo. Su humillación está en ser llamado niño; su gloria en someter a los hombres. ¡Adiós, valor! ¡Enmohece, tizona!; tambor, ¡silencio! Vuestro amo está enamorado. Sí, ¡ama! Que algún dios de la rima improvisada me asista, pues seguro que voy a fabricar sonetos. Medita, espíritu; escribe pluma; siento que voy a producir volúmenes in folio. (Sale.) . . ..

ACTO II

ESCENA UNICA

El parque del rey de Navarra

(Entran la PRINCESA DE FRANCIA, ROSALINA, MARÍA, CATALINA, BOYET *y otros señores de la comitiva)*

BOYET.—Y ahora, Señora, invocad a vuestras mejores cualidades. Considerad que el rey, vuestro padre, os envía en embajada; a quien os envía, y cual es el objeto de vuesmisión. Sois vos, tan superiormente situada en la opinión del mundo, quien vais a negociar con el incomparable navarro, heredero único de todas las perfecciones que un hombre puede poseer. Y el objeto en litigio es nada menos que Aquitania, bien viudal digno de una reina. Sed, pues, tan pródiga en gracias exquisitas como lo fue la naturaleza cuando hizo las gracias tan raras al despojar de ellas al mundo entero para colmaros a vos tan generosamente.

PRINCESA.—Mi buen caballero Boyet, mi belleza, bien endeble, no tiene necesidad de la florida pintura de vuestros elogios. Es el juicio del que mira lo que da precio a la hermosura y no las bajas pujas lanzadas por los mercaderes. Me siento menos orgullosa oyéndoos alabar mis méritos, que vos estáis deseoso de que os tenga por espiritual, gastando vuestro espíritu en alabar el mío. Y ahora el asignar su misión al profesor que enseña la suya a los demás. No ignoráis, mi buen Boyet, puesto que el rumor público ha llevado su eco hasta el extranjero, que el navarro ha hecho voto de no dejar acercarse a ninguna mujer a su Corte antes de haber consumido tres años en penosos estudios. Parécenos, pues, necesario, antes de franquear sus prohibidas puertas, conocer lo que bien le plazca. A este efecto, y llena de confianza en vuestros méritos, os hemos escogido como nuestro abogado más persuasivo y elocuente. Decidle, pues, que la hija del rey de Francia, implora el honor de una conferencia personal con Su Gracia, para tratar de un asunto importante, y que necesita ser prestamente resuelto. Apresuraos a significarle nuestro deseo; cual modestos visitantes, esperamos aquí su decisión.

BOYET.—Orgulloso de mi misión, parto gustoso a cumplirla.

PRINCESA.—Todo orgulloso de algo es solícito en realizarlo; tal os ocurre a vos. *(Boyet sale.)* ¿Y quiénes son, mis amados caballeros, los que se han asociado al voto del virtuoso Duque?

UN SEÑOR.—El señor de Longaville es uno de ellos.

PRINCESA.—¿Le conocéis?

MARÍA.—Yo le conozco, Señora. He visto a este Longaville en Normandía con motivo del matrimonio entre el señor Perigord y la linda heredera de Santiago de Falcobridge. Tiene fama de hombre dotado de méritos excepcionales;

muy versado en artes y glorioso en las armas. Dícese que triunfa en cuanto emprende. La única mancha en el brillo de sus raras virtudes —si el brillo de la virtud puede sufrir mancha— es tener un espíritu acerado unido a una voluntad en exceso obstinada. El que tiene un espíritu hiriente y una voluntad inmutables no perdona a nadie que caiga en su poder.

PRINCESA.—Un alegre burlón, sin duda, ¿no es esto?

MARÍA.—Eso dicen los que conocen bien su carácter.

PRINCESA.—Tales espíritus son de corta duración; se ajan al crecer. ¿Quiénes son los otros?

CATALINA.—El señor Dumaine, joven caballero en todo cumplido; estimado a causa de su virtud por todos aquellos para quienes la virtud es estimable; todopoderoso para hacer el mal, bien que sin la maldad; con suficiente espíritu para transformar la fealdad en hermosura y suficiente hermosura para agradar, aunque careciese de espíritu. Le he visto una vez en casa del duque Alanson, y cuanto bien digo de él queda muy por bajo de su gran mérito.

ROSALINA.—Y estaba con él, si no me equivoco, otro de estos compañeros de estudios llamado Berowne. Jamás he conversado, durante una hora, con un hombre más alegre, sin sobrepasar los límites de la alegría decente. Su mirada no deja de ofrecer a su espíritu ocasiones para brillar. Cada objeto que aquélla capta, éste le torna en regocijante broma; y su lengua, intérprete sutil de su pensamiento, expresa éste en términos tan justos y tan graciosos, que escuchándole, los viejos diríase que recobran el alma retozona de su juventud al tiempo que los jóvenes quedan maravillados, de tal modo su conversación está llena de vivacidad y de encanto.

PRINCESA.—¡Dios os bendiga, mis damas! ¿Estáis, sin duda, todas enamoradas, cuando de este modo cada una de vosotras adorna a su preferido con las más brillantes guirnaldas de elogios?

UN SEÑOR.— He aquí a Boyet, que vuelve. (Entra Boyet.)

PRINCESA.—Veamos, mi señor Boyet, ¿qué acogida podemos esperar?

BOYET.—El navarro había tenido noticia de vuestra graciosa llegada, y estaba dispuesto, en unión de los caballeros que han prestado con él juramento, a salir a vuestro encuentro, noble señora, cuando yo he llegado. Desgraciadamente, según he creído comprender, su intención es más bien alojaros en pleno campo, cual enemigo que viniese a sitiar su Corte, que tratar de eludir su juramento acogiéndoos en su palacio solitario. Pero aquí tenéis al navarro. (Entran el Rey, Longaville, Dumaine, Berowne y el séquito del rey.)

EL REY.—Amable Princesa, sed la bien venida a la Corte de Navarra.

PRINCESA.—Amable, os devuelvo el cumplido. En cuanto a bien venida, aún no lo soy, pues el tejado de la Corte en que estamos es demasiado alto para ser el de la vuestra, y vuestra bienvenida, en pleno campo, demasiado humilde para mí.

EL REY.—Seréis, Señora, la bien venida en mi Corte.

PRINCESA.—Consiento en ser allí la bien venida. Conducidme, pues, hasta ella.

EL REY.—Escuchadme, querida señora; he hecho un juramento.

PRINCESA.—¡Nuestra Señora asista a Vuestra Majestad! Vais a perjuraros.

EL REY.—Por nada del mundo, hermosa señora. Al menos voluntariamente.

PRINCESA.—Sí, sí, vuestra voluntad quebrantará este juramento; vuestra sola voluntad.

EL REY.—Vuestra Gracia ignora en qué consiste tal juramento.

PRINCESA.—Si Vuestra Alteza fuese ignorante como yo, vuestra ignorancia sería sabiduría; mientras que ahora, vuestro saber es prueba de ignorancia. He sabido que Vuestra Gracia ha hecho juramento de desterrar toda hospitalidad. Tal juramento, Señor, pecado mortal es el sostenerle. Mas perdonadme, soy demasiado atrevida; mal está dar una lección a mi maestro. Dignaos saber el objeto de mi venida y responded inmediatamente a mi petición. (*Le da un papel.*)

EL REY.—Inmediatamente lo haré, Señora, si ello me es posible.

PRINCESA.—Lo podréis, tanto más cuanto que con ello os desembarazaréis de mí más pronto; haciendo que me quedase os tornaríais perjuro. (*El Rey lee atentamente el mensaje.*)

BEROWNE.—(*A Rosalina.*) ¿No he bailado con vos una vez en Brabant?

ROSALINA.—¿No he bailado con vos una vez en Brabant?

BEROWNE.—Seguro estoy que sí.

ROSALINA.—Entonces, ¿para qué preguntármelo?

BEROWNE.—No seáis tan viva.

ROSALINA.—¿De quién es la culpa? No me espoleéis con preguntas semejantes.

BEROWNE.—Fogoso es vuestro espíritu. Corre tan de prisa que se fatigará.

ROSALINA.—No sin haber tirado a su caballero en pleno bache.

BEROWNE.—¿Qué hora es?

ROSALINA.—La hora en que los tontos la preguntan.

BEROWNE.—¡Buena suerte a vuestra máscara!

ROSALINA.—¡La buena suerte a la cara que cubre!

BEROWNE.—Y que tengáis muchos amantes.

ROSALINA.—Amén, con tal de que vos no estéis entre ellos.

BEROWNE.—Comprendido. Dejo el campo libre.

EL REY.—Señora, vuestro padre habla aquí del pago de cien mil coronas, que no hacen sino la mitad de la suma que el mío ha desembolsado por él en sus guerras. Admitiendo, bien que no haya ocurrido, que mi padre o yo hayamos admitido esta suma, quedarían aún por pagar otras cien mil coronas en garantía de las cuales retenemos una parte de la Aquitania, prenda muy inferior al valor de esta cantidad. Por consiguiente, si el Rey, vuestro padre, quiere reembolsar siquiera la mitad que nos es aún debida, renunciaremos a nuestros derechos sobre Aquitania y seguiremos manteniendo amistad leal con Su Majestad. Mas no parece que tal sea su intención, puesto que, como veis, nos pide reembolsarle a él cien mil coronas, con objeto de mantener sus derechos sobre Aquitania, provincia de la que nos desembarazaríamos con gusto, pues preferiríamos recibir el dinero prestado por nuestro padre, que conservar Aquitania mutilada tal cual está. Querida Princesa, si la petición de vuestro padre no estuviese tan lejos de todo arreglo razonable, vuestra hermosura obtendría que mi corazón concediese incluso lo que fuese contra razón, con lo que podríais volveros a Francia plenamente satisfecha.

PRINCESA.—Hacéis una gran ofensa al rey, mi padre, e incluso perjudicáis el honor y fama que rodea vuestro nombre, fingiendo ignorar haber recibido lo que tan lealmente os fue pagado.

EL REY.—Os aseguro que jamás oí hablar de tal pago. Si os queréis tomar la pena de probármelo, dispuesto estoy, ora a devolver esta suma, ora a ceder Aquitania.

PRINCESA.—Os cogemos la palabra. Boyet, podéis mostrar los recibos entregados contra tal cantidad por los oficiales especiales de Carlos, su padre.

EL REY.—Con ellos me daría por satisfecho.

BOYET.—Que ello no contraríe a Vuestra Gracia, pero el paquete que contiene estos recibos y otros documentos relativos al asunto, no ha llegado aún. Pero mañana los tendréis ante vuestros ojos.

EL REY.—Ello me bastará. Tendremos una nueva entrevista y aceptaré todo arreglo razonable. Entretanto, recibid de mi parte la bienvenida que el honor puede conceder, sin faltar al honor, a vuestro positivo mérito. Hermosa princesa, no podéis cruzar mi puerta, pero aquí, fuera, seréis acogida de tal modo que podréis figuraros que estáis alojada en mi corazón, bien que la hospitalidad en mi palacio os sea rehusada. Que vuestra mucha indulgencia me excuse. Adiós, Señora. Mañana volveré a visitaros de nuevo.

PRINCESA.—Que una salud perfecta y satisfechos cuantos deseos tengáis acompañen a Vuestra Gracia.

EL REY.—Yo hago por vos, Señora, los mismos votos, estéis allí donde estéis. (Sale seguido de su séquito.)

BEROWNE.—(A Rosalina.) Señora, os recomendaré a mi corazón.

ROSALINA.—Recomendadme, sí, os lo ruego; mi contento sería grande viéndole.

BEROWNE.—¡Qué no daría porque le oyeseis gemir!

ROSALINA.—¿Está enfermo el pobre loco?

BEROWNE.—Enfermo del corazón.

ROSALINA.—¡Oh!, que le hagan una buena sangría.

BEROWNE.—¿Creéis que le sentaría bien?

ROSALINA.—Mi medicina dice que sí.

BEROWNE.—¿Queréis entonces atravesarle con vuestras miradas?

ROSALINA.—No, con mi cuchillo.

BEROWNE.—¡Dios preserve entonces vuestra vida!

ROSALINA.—Y la vuestra aún más.

BEROWNE.—Imposible permanecer más tiempo para daros las gracias. (Se retira.)

DUMAINE.—(A Boyet.) Una palabra, caballero, os lo ruego: ¿Quién es esa dama?

BOYET.—La heredera de Alansón. Su nombre es Catalina.

DUMAINE.—Encantadora criatura. Caballero, hasta la vista. (Sale.)

LONGAVILLE.—(A Boyet.) Una palabra, por favor. ¿Quién es la que va de blanco?

BOYET.—Vista a la ligera podríasela tomar por una mujer.

LONGAVILLE.—Vista a la ligera podría parecer ligera, señor mío. Desearía su nombre.

BOYET.—No teniendo sino uno para ella, sería vergonzoso desearlo.

LONGAVILLE.—Decidme, os lo ruego, ¿de quién es hija?

BOYET.—Según he oído, de su madre.

LONGAVILLE.—Grandes deseos siento de daros un tironcito de la barba.

BOYET.—Mi buen caballero, no os enfadéis; es la heredera de Falconbridge.

LONGAVILLE.—Acabó mi cólera. Es una deliciosa criatura.

BOYET.—Bien pudiera serlo, en efecto. (Longaville sale y Berowne vuelve.)

BEROWNE.—(Señalando a Rosalina.) ¿Cómo se llama la dama de la caperuza?

BOYET.—Rosalina, por venturosa casualidad.

BEROWNE.—¿Está casada o no?

BOYET.—No tiene otro marido que su capricho, caballero, o cosa así.

BEROWNE.—Sois el bien venido, señor, adiós.

BOYET.—Guardo el adiós, para vos la bienvenida. (Berowne sale.)

MARÍA.—Este último es Berowne, el tan alegre y bromista señor. No hay palabra en él que no sea una chanza.

BOYET.—Y todas sus chanzas no son sino palabras.

PRINCESA.—Bien habéis hecho respondiéndole en su mismo tono.

BOYET.—Tan deseoso estaba de enzarzarme con él como él de abordarme.

CATALINA.—Como dos borregos que se topan, ¡a fe mía!

BOYET.—¿Y por qué no dos veleros? Yo no quisiera ser borrego, mi dulce cordera, a menos de poder pastar en vuestros labios.

CATALINA.—Sea; vos borrego y yo pasto, si ello termina la broma.

BOYET.—(Tratando de abrazarla.) Acaba en cuanto me concedáis el dulce pasto.

CATALINA.—No, cariñoso borrego; mis labios son propiedad privada, no prado comunal.

BOYET.—¿A quién perteneces?

CATALINA.—A mi suerte y a mí.

PRINCESA.—Los espíritus hirientes buscan la discordia, los buenos hallan la armonía. Esta guerra civil en la que aguzáis el ingenio, sería mucho más provechosa contra el rey de Navarra y sus bibliomanos. Ahora está fuera de lugar.

BOYET.—Si mi observación, que rara vez se equivoca, no me engaña ahora, leo en su mirada el secreto lenguaje de su corazón, y por él veo que el rey de Navarra está herido.

PRINCESA.—¿Por quién?

BOYET.—Por lo que los amantes llamamos pasión profunda.

PRINCESA.—¿Razón para decir tal cosa?

BOYET.—¡Pardiez!, todos sus sentimientos habíanse refugiado en el bastión de sus ojos que centelleaban de deseo. Su corazón, semejante a un ágata en que estuviese grabada vuestra imagen, orgulloso de tan preciosa huella, manifestaba este orgullo en sus miradas. Todos sus sentidos recogíanse en el de la vista, ajeno a contemplar otra cosa que la más hermosa entre las hermosas. Hubiérase dicho, sí, que todos sus sentidos estaban encerrados en sus ojos, como en una caja de cristal las joyas que se quieren hacer comprar a un príncipe, y que, dejando ver su esplendor a través de lo que contiene, tienta el bolsillo de cuantos pasan. Se leía en su cara tal sorpresa, que todos los ojos veían que los suyos estaban maravillados de lo que contemplaban. Para vos Aquitania y cuanto contiene, os lo aseguro, si consintieseis en darle un solo beso de amor.

PRINCESA.—Vamos a nuestro pabellón. Boyet está dispuesto a...

BOYET.—Dispuesto tan sólo a expresar con palabras lo que las miradas del rey han revelado. Me contento con ser la boca de sus ojos y con añadir a ella una lengua que bien sé que no miente.

ROSALINA.—Lo que sois es un viejo galanteador, hábil en hablar de estas cosas.

MARÍA.—Es el abuelo de Cupido y por él sabe lo que sabe.

ROSALINA.—En este caso, Venus se parecería a su madre, pues su padre es horrible.

BOYET.—¿Oís bien, mis locas doncellas?

MARÍA.—No.

BOYET.—¿Veis bien, en todo caso?

ROSALINA.—Sí, nuestro camino para irnos.

BOYET.—Sois demasiado astutas para mí. (Salen.)

ACTO III

ESCENA UNICA

Otra parte del parque

(ARMANDO y MOTH *están sentados bajo los árboles*)

ARMANDO.—Gorjea, pequeñuelo, y encanta mi sentido del oído. *(Moth canta la canción "Concolinel".)* ¡Dulce música! Toma, pimpollo de juventud, esta llave, da espacio libre al patán y tráemele aquí al instante. Quiero hacerle llevar una carta a mi amada.

MOTH.—¿Queréis, mi amo, ganar a vuestra amada? Enseñadla el "meneo" francés.

ARMANDO.—¿El meneo francés? ¿Qué quieres decir?

MOTH.—He aquí, mi noble señor; tarareáis una jiga apenas con la punta de la lengua al tiempo que bailáis una canaria con los pies, sazonando todo ello con un intencionado rodar de ojos. Una nota la cantáis, otra la suspiráis, unas veces con la garganta cual si tragaseis el amor al cantarle, bien con la nariz cual si le sorbieseis con sólo olfatearle. Vuestro sombrero hacia adelante como alero sobre la barraca de vuestros ojos; los brazos, cruzados sobre el justillo que cubre vuestra menguada panza, cual conejo en asador, o bien en el bolsillo como los personajes de las estampas antiguas. Teniendo cuidado de no insistir mucho en la misma canción; apenas un punto y a otra. He aquí las delicadezas, he aquí las finuras que seducen a las chicas guapas que sin ello, por supuesto, serían igualmente seducidas, y que hacen de quienes las poseen —¡notadlo bien, señor!— hombres notables.

ARMANDO.—¿Cómo has adquirido esta experiencia?

MOTH.—Mediante un penique de observación.

ARMANDO.—¡Ay!, ¡ay!

MOTH.—*(Cantando.)* "¡Gire, gire el caballo de madera!"

ARMANDO.—¿Tomas a mi amada por un caballo de madera?

MOTH.—No, mi amo. El caballo de madera no es sino otro *(aparte)*, y vuestra amada es quizá una hacanea de alquiler. Pero, ¿habéis olvidado ya a vuestra amada?

ARMANDO.—Sí, casi.

MOTH.—¡Escolar negligente! Es preciso conocerla de memoria.

ARMANDO.—De memoria y de corazón, hijo mío.

MOTH.—Y fuera del corazón, mi amo; os voy a probar las tres cosas.

ARMANDO.—¿Qué vas a probar?

MOTH.—Que soy un hombre, si vivo bastante para ello. Pero os voy a demostrar al punto que debéis conocer a vuestra bella de memoria, con el corazón y fuera del corazón. Amáis a vuestra bella de memoria, porque no la tenéis sobre vuestro corazón; la amáis de todo corazón, porque todo él está lleno de ella, y la amáis fuera

103

de vuestro corazón puesto que éste no tiene esperanza de conseguirla.

ARMANDO.—En efecto, triplemente enamorado estoy.

MOTH.—Sí, de estas tres maneras y de muchas otras más... (*Aparte.*) Sin que dejes por ello de ser una nulidad.

ARMANDO.—Ve a buscarme al patán; es preciso que me lleve una carta.

MOTH.—He aquí un mensaje en regla: un rocín sirviendo de embajador a un asno.

ARMANDO.—¿Eh?, ¿eh?, ¿qué estás diciendo ahí?

MOTH.—Que deberíais, mi amo, hacer que al asno cumpliese el recado a lomos de rocín, pues anda muy despacio. Pero me voy.

ARMANDO.—El camino no es largo. Corre.

MOTH.—Rápido como el plomo, mi amo.

ARMANDO.—¿Qué quieres decir, ingenioso niño? ¿No es, acaso, el plomo un metal pesado, macizo, lento?

MOTH.—"*Minime*", mi honorable amo; dicho de otro modo, de ninguna manera, mi amo.

ARMANDO.—Yo digo que el plomo es lento.

MOTH.—Habláis demasiado de prisa, mi amo, diciendo tal cosa. El plomo que sale de un fusil, ¿es lento?

ARMANDO.—¡Lindo vaporcillo de retórica! Me toma por un fusil y es él quien es la bala. Pues bien, te descargo contra el patán.

MOTH.—¡Apunten! ¡Fuego! ¡Salgo! (*Lo hace.*)

ARMANDO.—¡Qué jovenzuelo lleno de vivacidad!, ¡qué gracia!, ¡qué agilidad de espíritu! Perdóname, dulce cielo, que suspire en tu propia cara. ¡Oh tristísima melancolía ante la cual hasta el valor cede su puesto!... Pero he aquí a mi heraldo de vuelta. (*Moth entra en unión de Costard.*)

MOTH.—¡Un milagro, amo! He aquí una calabaza que se ha roto una espinilla.

ARMANDO.—¡Aun un enigma!, ¡una charada!, veamos la "dedicatoria". ¡Empieza!

COSTARD.—Nada de enigma, de charada ni de dedicatoria, señor, ni de otros ungüentos. Bastará un poco de llantén, creedme, señor; de llantén puro y simple. Dedicatoria, no, dedicatoria, no, ni ungüentos; ¡llantén!, ¡llantén!

ARMANDO.—¡Voto a tal!, me obligas a reír. Tu estupidez me dilata el bazo y, al hinchar mis pulmones, provoca en mí una hilaridad ridícula. ¡Oh estrellas mías, perdonadme! ¡El inconsciente toma la dedicatoria por un ungüento!

MOTH.—¿No hace, acaso, el sabio lo mismo?, ¿no es la dedicatoria un bálsamo?

ARMANDO.—No, pajecillo. La dedicatoria es un epílogo; un discurso destinado a esclarecer algún pensamiento oscuro dicho precedentemente. Voy a dar un ejemplo:

El Zorro, el Mono y el Abejorro
estando tres, un número impar
[eran.

He aquí el apólogo. Ahora la dedicatoria.

MOTH.—Yo añadiré la dedicatoria; repetid el apólogo.

ARMANDO.—El Zorro, el Mono, el
[Abejorro,
estando tres, un número impar
[eran.

MOTH.—Cuando el ganso, saliendo
[del hangar,
juntóse a ellos y los hizo par.
Ahora yo repetiré vuestro apólogo y vos continuaréis con mi dedicatoria:

El Zorro, el Mono, el Abejorro,
estando tres, un número impar eran.

ARMANDO.—Cuando el ganso, sa-
[liendo del hangar,
juntóse a ellos y los hizo par.

MOTH.—Y me parece que como dedicatoria es de primera, puesto que dedicáis un ganso. ¿Qué más podríais pedir?

COSTARD.—El muchacho se la ha dado y mejor que con queso. Sobre que si el ganso está bien cebado, señor, habéis hecho negocio. Para hacer un buen negocio, es preciso, como en el juego, si se quiere ganar, hacer trampa. Pero un ganso cebado, a fe mía que es una dedicatoria sustanciosa.

ARMANDO.—Veamos, ¿cómo ha empezado esta discusión?

MOTH.—Diciendo que una calabaza se había roto una espinilla. Entonces, vos me habéis pedido la dedicatoria.

COSTARD.—Es verdad. Y yo he pedido llantén. Con lo que ha llegado vuestra demostración. Luego ha sido la dedicatoria sustanciosa del paje. Vos que habéis caído en la trampa, y con ello, el asunto terminado.

ARMANDO.—Pero dime, ¿cómo una calabaza ha podido romperse una pierna?

MOTH.—Os voy a explicar la cosa de una manera sensible.

COSTARD.—Como tú no puedes sentirla tanto como yo, Moth, esta vez seré yo quien diga la dedicatoria:

Al salir, yo Costard, de la prisión
[por la puertecilla,
me caí; ¡qué costalada, dioses! y
[rompíme la espinilla.

ARMANDO.—Bien, dejemos aquí la cosa.

COSTARD.—Hasta que mi tibia tenga una nueva historia.

ARMANDO.—Costard, mi excelente patán, te voy a libertar.

COSTARD.—¿Libertar? ¿Queréis decir que vais a casarme con una muchacha demasiado libre? ¡Umh!, huelo trampa aquí. Como quien dice, el ganso de la dedicatoria.

ARMANDO.—Quiero decir, ¡por mi alma exquisita!, que voy a dejarte en libertad; a hacer libre tu persona. ¿No estabas enmurallado, encerrado, aprisionado, confinado?

COSTARD.—Es verdad, es verdad. Y ahora vos queréis ser mi purga, pues me vais a dejar bien suelto.

ARMANDO.—Te doy la libertad, te extraigo de la prisión y la única condición que a cambio de ello te impongo es la siguiente: (le da una carta.) Lleva esta significación a Santiaguita, la campesina. (Le da una moneda.) He aquí tu remuneración. Pues el mejor atributo de mi honor es remunerar a mis servidores. Moth, sígueme. (Sale.)

MOTH.—Yo soy todo su séquito. Signior Costard, adiós. (Moth sale.)

COSTARD.—¡Adiós, dulce onza de carne humana!, ¡mi linda joya! Y ahora veamos la remuneración. Sin duda, es la palabra latina para decir tres cuartos de penique; tres cuartos de penique, ¡una remuneración! ¿Cuánto esta cinta?—Un penique—. No, os daré una remuneración, ¡y cinta comprada! Pues es una palabra más bonita, ¡pardiez!, que el escudo francés. No volveré a comprar, ni a vender, sino empleando esta palabra. (Entra Berowne.)

BEROWNE.—¡Hombre!, este excelente bribón de Costard, ¡feliz hallazgo!

COSTARD.—Un ruego, señor, ¿cuánta cinta de color rosa se puede comprar por una remuneración?

BEROWNE.—¿Y qué es una remuneración?

COSTARD.—Caray, señor, tres cuartos de penique.

BEROWNE.—Pues bien, puedes comprar tres cuartos de penique de seda.

COSTARD.—Doy las gracias a Vuestro Honor. El señor os acompañe. (Se dispone a salir.)

BEROWNE.—Espera, pícaro, que tengo necesidad de ti. Si quieres ganar mi protección, mi buen Costard, haz por mí una cosa que voy a pedirte.

COSTARD.—¿Cuándo queréis que sea hecha, señor?

BEROWNE.—Esta tarde.

COSTARD.—Pues hecha será, señor; ¡adiós!

BEROWNE.—Pero si no sabes de qué se trata.

COSTARD.—Una vez que la haya hecho lo sabré.

BEROWNE.—Pero, necio, es preciso que la sepas antes.

COSTARD.—Ya iré a ver a Vuestro Honor mañana por la mañana.

BEROWNE.—Es preciso que sea hecho esta tarde. Escúchame, mendrugo, se trata simplemente de lo siguiente: la Princesa vendrá a cazar aquí al parque; y entre su séquito hay cierta dama cuyo nombre basta pronunciar para tener ya la voz dulce y embalsamada: ¡Rosalina! Pues bien, pregunta por ella y deja en su blanca mano este billete lacrado. (*Le da una carta y un chelín.*) Y esto para ti, como gratificación. Vete.

COSTARD.—¡Gratificación!, ¡querida gratificación! ¡Qué diferencia con una remuneración! ¡Once peniques más! ¡Oh gratificación infinitamente dulce! Yo haré exactamente lo que queréis. ¡Gratificación!... ¡Remuneración!... (*Sale.*)

BEROWNE.—Y yo, ¡pardiez!, heme aquí enamorado. ¡Yo, que fustigaba el amor! ¡Yo, severo como dómine contra los suspiros de los enamorados! ¡Yo creo, crítica viva, sargento de la policía nocturna del amor, pedante que tiranizaba con más arrogancia que mortal alguno a ese niño de los ojos vendados, lloriqueón, ciego y caprichoso! ¡A ese joven milord! ¡A ese enano gigante, el todopoderoso don Cupido, soberano consagrado con suspiros y lamentos! ¡Majestad de todos los desocupados y de todos los descontentos! ¡Terrible príncipe de faldas, rey de braguetas, emperador absoluto y general en jefe de todos los recaderos ambulantes! ¡Pobre corazón mío! ¡Verme reducido ahora a simple oficial de campo de su ejército y a llevar sus colores como el aro rodeado de cintas de un saltimbanqui! ¡Pero cómo!, ¿amar yo?, ¿yo hacer la corte?, ¿buscar yo una mujer, una esposa, semejante a un reloj alemán, a la que haya que arreglar siempre por estar siempre descompuesta y que no vaya bien sino a costa de vigilarla sin cesar de querer que dé la hora? Y lo que es peor de todo, ¡perjurarme! Y por si todo ello fuese poco, amar, de tres mujeres, ¡la peor! ¡Una coqueta paliducha con cejas de terciopelo y dos bolas de pez clavadas en la cara a guisa de ojos! Sí, ¡por el cielo! una moza que hará lo que le plazca, ¡aunque le pongan a Argos como eunuco y guardián! ¡Y que yo suspire por ella! ¡que por ella pierda el sueño!, ¡que hasta por ella llegue a rogar! No hay duda que es un calamitoso castigo que Cupido me impone por haber desconocido su todo poder y terrible pequeña fuerza... Pues bien, ¡sea!, amaré, escribiré, suspiraré, rogaré, suplicaré y gemiré. En definitiva, todos aman: unos a las damas, otros, a las fregonas. (*Sale.*)

ACTO IV

ESCENA PRIMERA

El parque del rey de Navarra

(Entran la PRINCESA, ROSALINA, MARÍA, CATALINA, BOYET, *el séquito y un guardacaza)*

PRINCESA.—¿Era el Rey el que espoleaba tan vivamente a su caballo para hacerle escalar esa colina tan escarpada?

BOYET.—No lo sé; pero creo que no era el Rey.

PRINCESA.—Sea quien fuere el tal caballero, demostraba tener un temple fogoso. Ea, señores, hoy despacharemos nuestros asuntos, y el sábado nos volveremos a Francia. Y ahora vamos a ver, tú, amigo, el guardacaza, dinos, ¿dónde está el matorral donde debemos apostarnos para hacer de asesinos desde él?

GUARDACAZA.—Muy cerca de aquí. En la linde de ese tallar que hay allí. Puesto es desde el que podréis hacer blancos, ¡hermosos!

PRINCESA.—Si los blancos son hermosos y soy yo quien los hago, habré de dar gracias más que a mi habilidad de buena cazadora, a mi hermosura, por lo que, sin duda, tú dices lo de hermosos.

GUARDACAZA.—Perdonad, Señora, no es así como yo entendía la cosa.

PRINCESA.—¿Cómo?, ¿cómo?, ¿empiezas por alabarme y luego te desdices? ¡Efímera vanidad! ¿No soy hermosa entonces? ¡Ay de mí, qué desgracia!

GUARDACAZA.—Cierto que sí, Señora, que sois hermosa.

PRINCESA.—¡Bah!, no trates ahora de rehacer mi retrato. Donde no hay belleza, en vano la adulación trataría de enmendar la cara. Toma, mi buen espejo, esto para ti, por haberme dicho la verdad. *(Le da dinero.)* Buena recompensa por malas palabras es dar más de lo debido.

GUARDACAZA.—Nada hay que no sea hermoso en todo cuanto poseéis.

PRINCESA.—Vedlo, vedlo, mi hermosura va a ser salvada por mi liberalidad. ¡Oh herejía contra la belleza digna de nuestro tiempo! La mano que da, por fea que sea, obtendrá lindas alabanzas. Pero, ea, dadme el arco. Cuando la piedad se dispone a matar, cuanto mejores sean los golpes, peores serán. En todo caso, segura estoy de salir airosamente de esta cacería: si no atino a las piezas, se dirá que la piedad me lo ha impedido; de alcanzarlas, entonces que lo he hecho para mostrar mi destreza; es decir, más por ser alabada que por el propósito de matar. Y, en verdad, que cosa semejante sucede con frecuencia: la gloria se hace culpable de crímenes odiosos cuando, por obtener alabanzas o renombre, vanidades puramente exteriores, inclinamos hacia ellas los impulsos de nuestro corazón. Así yo ahora, tan sólo por conseguir alabanzas, trataré de derramar la sangre de un pobre gamo, al que mi corazón no desea mal ninguno.

BOYET.—¿No es también por amor, simplemente, a ser alabadas, por lo que las mujeres de carácter agrio se esfuerzan por establecer su soberanía, tratando de hacerse las dueñas de sus dueños?

PRINCESA.—En efecto, y alabanzas debemos a toda dama que subyuga a su señor. (Entra Costard.)

BOYET.—Pues aquí llega un miembro de la cofradía.

COSTARD.—¡Buenas tardes, a todos! Con perdón, ¿quién es aquí la dama de cabeza?

PRINCESA.—Para reconocerla, muchacho, no tienes sino mirar a aquellas a las que les falte.

COSTARD.—Quiero decir la dama más grande, la más elevada.

PRINCESA.—Pues entonces la más fuerte y la más alta.

COSTARD.—La más fuerte y la más alta, esto es. La verdad es la verdad. Si vuestro talle, mi señora, fuese tan delgado como mi espíritu, el cinturón de una de esas damiselas os iría bien. ¿Sois, pues, la que manda aquí? Porque entre todas sois la más fuerte.

PRINCESA.—¿Y qué queréis, señor mío?, ¿qué queréis?

COSTARD.—Tengo una carta de mi señor Berowne para una tal dama Rosalina.

PRINCESA.—¡Ah! Dame, dame tu carta al punto; es una de mis buenas amigas (coge la carta). Aguarda un poco, mi buen mensajero. Boyet, vos que sabéis trinchar, abridme este pollo.

BOYET.—Siempre a vuestro servicio... (Viendo la dirección.) Pero hay error. Esta carta no es para nadie de aquí. Ha sido escrita para Santiaguita.

PRINCESA.—La leeremos, no obstante, lo juro. Torced el cuello a ese sello y que cada uno aguce el oído.

BOYET.—(Leyendo.) "Que eres hermosa, ¡por el cielo!, cosa es absolutamente infalible; que eres linda, mucha verdad; que adorable, ¡la verdad misma !¡Oh tú, más graciosa que la gracia, más hermosa que la hermosura, más verdadera que la verdad, ten compasión de tu heroico vasallo! En otro tiempo, el magnánimo y muy ilustre rey Cophetua dejó caer sus ojos sobre la perniciosa y evidente mendiga Zenelophon; y él es quien hubiera tenido el derecho de decir: "veni, vidi, vici", palabras que, anatomizadas en lenguaje vulgar (¡oh vil, bajo y oscuro vulgar!), quieren decir "videlicet": que llegó, que vio y que venció. Vino, uno; vio, dos; venció, tres. ¿Quién vino?, el Rey. ¿Para qué vino? Para ver. ¿Para qué vio?, Para vencer. ¿Por quién vino? Por la mendiga. ¿Qué vio?, la mendiga. ¿A quién venció?, a la mendiga. Conclusión: una victoria. ¿De qué lado?, de lado del Rey. La prisionera fue enriquecida. ¿Quién era esta prisionera?, la mendiga. La catástrofe: un matrimonio. ¿Para quién? ¿Para el Rey? No, para los dos a la vez, o a la vez para los dos. Yo soy el Rey, pues así se explica la comparación; tú, tú eres la mendiga, pues tal atestigua tu baja condición. ¿Mandaré en tu amor?, puedo hacerlo. ¿Forzaré tu amor?, podría. ¿Imploraré tu amor?, consiento en ello. ¿Contra qué cambiarás tus andrajos?, contra trajes. ¿Tú indignidad?, contra dignidades. ¿Tú misma?, contra mí. Esperando tu respuesta prófano mis labios en tus pies, mis ojos en tu imagen y mi corazón en cada parcela de tu persona. De ti, con la más tierna intención de servirte.

Don Adriano de Armando.

¿No oyes, querida oveja,
cómo junto a ti ruge
el león de Nemea?
¡Guárdate de su empuje!
Si te inclinas sumisa
bajo su garra real,

tal vez, harto, se digne
jugar, el animal.
Pero si le resistes,
pobre alma dolorida,
serás pasto a su rabia,
carnaza en su guarida."

PRINCESA.—¿Qué pluma de pavo real
ha redactado esta carta? ¿Qué fanfarrón?, ¿qué gallo de veleta? ¿Habéis oído jamás algo más chusco?

BOYET.—O mucho me engaño o reconozco el estilo.

PRINCESA.—Mala memoria tendríais
de haberle olvidado tan pronto.

BOYET.—Este Armando es un español que reside aquí en la corte.
Un Monarcho. Un hombre que
sirve de entretenimiento al príncipe y a sus compañeros de estudio.

PRINCESA.—Una palabra, muchacho.
¿Quién te ha dado esta carta?

COSTARD.—Ya os lo he dicho, mi
señor.

PRINCESA.—¿Y a quién tenías que
entregarla?

COSTARD.—A mi señora, de parte
de mi señor.

PRINCESA.—¿Y de qué señor y a
qué dama?

COSTARD.—De mi señor Berowne, a
una dama de Francia llamada Rosalina.

PRINCESA.—Te has equivocado de
carta... (volviéndose hacia su séquito). Ea, señores, vamos. (A Rosalina.) De todos los modos, toma
esta carta, querida; la tuya ya llegará otro día. (Salen todos excepto Boyet, Rosalina, María y Costard.)

BOYET.—¿Quién está de caza?,
¿quién está de caza?

ROSALINA.—¿Tengo que enseñáros-
lo?

BOYET.—Sí, continente de hermosura.

ROSALINA.—Pues bien, la que tiene
el arco. ¡Toma!, ¡para que apren-
das!

BOYET.—La princesa mi señora corre a matar animales con cuernos; pero cuando tú te cases, ¡que

me ahorquen si los cuernos faltan
aquel año! ¡Ésta para ti!

ROSALINA.—Entonces yo seré quien
cace.

BOYET.—¿Y quién será tu ciervo?

ROSALINA.—Si se le escoge por los
cuernos, no os pongáis a mi alcance. ¡Buen dardo o mucho me
engaño!

MARÍA.—Siempre estáis buscándola
querella, Boyet, por tanto, os da
en plena frente.

BOYET.—Ella recibe los golpes más
abajo. ¿La he dado yo bien esta
vez?

ROSALINA.—Puesto que estamos a
golpes, ¿deberé asestaros una vieja pulla, adulta ya como un hombre, cuando Pepino, el rey de
Francia, no era aún sino un niño?

BOYET.—Y yo, ¿podré responderte
con un también viejo dicho, adul-
to ya como una mujer, cuando
Genoveva, la reina de Bretaña, no
era aún sino una niñita?

ROSALINA.—Ya no puedes, ya no
puedes, ¡hombrecito!
Para ti ya el blanco es negro, ¡po-
brecito!

BOYET.—Yo no puedo, yo no puedo,
¡bien lo sé!,
pero en pleno de tu blanco habrá
quien dé.

(Rosalina sale corriendo seguida de
Catalina.)

COSTARD.—¡Muy entretenido, a fe
mía!, ¡cómo han arreglado la cosa
entre los dos!

MARÍA.—Ha sido, sí, un blanco bien
apuntado, puesto que los dos han
dado en él.

BOYET.—¿Blanco dices, mi damita?
¡Cuidado con el blanco siempre!
Nada mejor para ajustar un blan-
co que una buena clavija.

MARÍA.—Vos falláis siempre. Dais
al lado. Apuntáis demasiado alto.

COSTARD.—Cierto, debería apuntar
desde más cerca, si no, jamás dará
en el sitio.

BOYET.—Si yo apunto demasiado
alto, tú, en cambio, parece ser
que aciertas siempre donde quieres.

COSTARD.—El buen golpe está en rajar en dos la clavija.

MARÍA.—¡Largo, largo!, habláis de un modo tan grosero que torna morros vuestros labios.

COSTARD.—Puesto que tirando no podéis con ella, señor, desafiadla a echar una partida de bolos.

BOYET.—Temo que me echaría también a rodar muy pronto. *(Saludando.)* Buenas noches, excelente mochuelo. *(Salen Boyet y María.)*

COSTARD.—¡Por mi alma, qué rústico, qué patán! ¡Señor, Señor, cómo le hemos manteado las dos damas y yo! ¡Deliciosa broma, a fe mía! ¡Qué sutilmente vulgar es todo lo que brota a propósito deliciosa y obscenamente! ¡Qué diferencia con Armando! ¡Este sí que es un hombre refinado! ¡Hay que verle pasearse con una dama llevándola el abanico! ¡Hay que verle besarle la mano y hacerle promesas dulces! Sin contar que está, además, ahí su paje, ese puñadito de chispa. Ese, ¡el cielo me valga!, piojito patético. *(Se oye un grito.)* ¿Eh? ¿Qué pasa? *(Corre y se esconde.)*

ESCENA II

En el parque

(Entran HOLOFERNES, NATANIEL *y* DULL *hablando animadamente)*

NATANIEL.—He aquí una caza enteramente respetable, y hecha de modo que da testimonio de una buena conciencia.

HOLOFERNES.—El gamo estaba, como lo sabéis, *sanguis* y en el punto justo para ser muerto; es decir, maduro como una manzana reineta que pende, como una joya, de la oreja del *coelum*, el cielo, la bóveda celeste, el firmamento; y he aquí que de pronto cae como manzana silvestre sobre la faz de la *terra*, el suelo, el terruño, la tierra.

NATANIEL.—Es verdad, maestro Holofernes, que variáis deliciosamente los epítetos como podría hacerlo un sabio, por lo menos. Pero lo que os aseguro es que se trataba de un corzo de un año.

HOLOFERNES.—*Haud credo,* mosén Nataniel.

DULL.—No era un haut credo, sino un cervato.

HOLOFERNES.—¡Bárbara interpretación! Es, no obstante, una especie de insinuación, como si dijéramos *in via,* a guisa de explicación; con objeto de *facere,* una especie de réplica, o más bien, a fin de *ostentare,* de manifestar su sentimiento, según su manera ineducada, no cortés, grosera, inculta; carente de experiencia o más bien, iletrada, o mejor aún, no corroborada, que le hace tomar mi *haud credo* por un cervatillo.

DULL.—Yo lo que he dicho es que el cervato no era un haut credo, sino un corzo.

HOLOFERNES.—¡Simpleza doblemente enraizada! *Bis coctus!* ¡Oh ignorancia, oh monstruo, cuán deforme eres!

NATANIEL.—Es, señor, que jamás se ha nutrido de las sutilidades que se hallan en los libros. Jamás ha comido como si dijéramos, papel, ni es tampoco un bebedor de tinta. Su intelecto no ha sido amueblado. Es un animal sensible, tan sólo en las partes groseras. Una de esas plantas estériles que son puestas ante nosotros con objeto de que nosotros, hombres de gusto y de sentimientos, estemos agradecidos a las facultades que fructifican mejor en nosotros que en él. Pues del mismo modo que a mí me iría mal hacerme el tonto, el indiscreto o el imbécil, asimismo, sería poner a estudiar a un zafio, el enviarle a él a la escuela. Pero *omne bene*, digo yo, a mi vez, y con ello soy de la opinión de un antiguo monje: "Muchos que no aman las tempestades pueden soportar el mal tiempo."

DULL.—Vos, que sois ambos hombres de libros, ¿podriais adivinar, con todo vuestro saber, lo que, teniendo un mes cuando Caín nació, aún no alcanza hoy las cinco semanas?

HOLOFERNES.—Dictynna, mi excelente Dull, Dictynna.

DULL.—¿Y qué es Dictynna?

NATANIEL.—Uno de los nombres que se da a *Febé, Luna*, la luna.

HOLOFERNES.—La luna tenía un mes cuando Adán no tenía más, y no tenía aún cinco semanas cuando él era ya centenario. Dígase Adán o Caín, es lo mismo.

DULL.—En efecto, póngase uno u otro, la cosa viene a ser igual.

HOLOFERNES.—¡Dios viene en ayuda de tus capacidades! Por mi parte, digo que la adivinanza hace alusión a las fases de la luna.

DULL.—Yo por la mía, que a las fases de la luna hace alusión. Que la luna nunca tiene más de un mes. Y, además, afirmo que es un cervato lo que la Princesa ha matado.

HOLOFERNES.—M o s é n Nataniel, ¿queréis escuchar un epitafio improvisado a propósito de la muerte del corzo? Por complacer a este ignorante, llamo cervato al corzo que la Princesa ha matado.

NATANIEL.—*Perge*, mi buen maestro Holofernes, *perge*, si queréis abrogar con gusto toda vulgaridad.

HOLOFERNES.—Insistiré un poco en la alteración, para demostrar facilidad.

Sin piedad, la princesa cazadora, atraviesa,
de un gamo saltarín, el lustroso costado.

(Gamo era, no cervato, la codiciada presa,
bien que alguno lo diga; cierto, mal enterado.)
Entre los matorrales, de canes los ladridos
mezclábanse a los gritos de muchos cazadores;
tras la testa de un gamo unos ramos perdidos
hacían de él un ciervo de diversos colores.
¡Oh capricho curioso de la naturaleza!
Unas ramas transforman de un gamo la cabeza,
como cinco de entre ellos, si lleváis bien la cuenta
basta añadir un cero para hacerlos... ¡cincuenta!

NATANIEL.—¡Oh qué talento peregrino!

DULL.—Si el talento es una garra, ved cómo agarra él como con una garra el suyo.

HOLOFERNES.—Es un don que poseo, nada más, nada más. Tengo un espíritu fantástico y extravagante, lleno de imágenes, de figuras, de formas, de objetos, de ideas, de concepciones, de movimientos, de revoluciones. Todo ello concebido en el ventrículo de la memoria, nutrido en el seno de *pia mater*, y que viene a nacer cuando la ocasión se ofrece madura. Este don es precioso cuando es vivo, y en cuanto a esto no tengo sino dar gracias.

NATANIEL.—Yo, mi señor Holofernes, gracias doy a Dios por haberos creado, y lo mismo pueden hacer mis feligreses, ya que sus hijos están bien educados, gracias a vos, y sus hijas, gracias a vos, también hacen grandes progresos; sois, en verdad, un buen ciudadano de la comunidad.

HOLOFERNES.—*Mehercle!*, si sus hijos son inteligentes, no será la instrucción la que les falte; de tener sus hijas alguna capacidad, ciertamente no quedará sin empleo.

Pero *vir sapit qui pauca loquitur.*
He aquí, un alma femenina que
nos saluda. *(Entran Santiaguita y
Costard.)*

SANTIAGUITA.—Dios os dé un buen
día, señor cura.

HOLOFERNES.—¡Señor cura!, *¡quesi*
una cura! ¿Quién, pues de nosotros, tiene necesidad de someter-
se a cura?

COSTARD.—¡Pardiez!, señor maestro
de escuela, el que más se parezca
a un barril.

HOLOFERNES.—¡Justo, puesto que
curar equivale a limpiar y es preciso que un barril lo esté! He aquí
un pensamiento deslumbrador para
un terrón de tierra, una linda chispa para una piedra, una hermosa
perla para un puerco; encantador,
excelente.

SANTIAGUITA.—*(Entregándole una
carta.)* Mi buen señor cura, tened
la bondad de leerme esta carta. Me
la envía don Armando, y Costard
me la ha dado de su parte. Por
favor, leédmela.

HOLOFERNES.—*"Fauste, precor, geli-
da quanlo pecus omne sub umbra
ruminat",* etc. ¡Ah!, ¡excelente
mantuano, yo puedo decir de ti
lo que los viajeros dicen de Venecia:
*"Venetia, Venetia,
Chi non ti vede, non ti pretia!"*
¡Viejo mantuano!, ¡viejo mantuano! Quien no te comprende, no
puede amarte. *(Canturreando.)*
¡Do, re, sol, la, mi, fa! *(Mirando
por encima del hombro de mosén
Nataniel.)* Con vuestro permiso,
señor y amigo, ¿cuál es su contenido? O más bien, como dice Horacio en su obra... ¡Pero, por
mi alma!, ¡si son versos!

NATANIEL.—Sí, caballero. Y en modo
alguno mal compuestos.

HOLOFERNES.—Hacedme oír una es-
trofa, una estancia, un verso. *Lege,
domine.*

NATANIEL.—*(Leyendo.)*

Perjuro soy, señora, por amaros.
Mas, ¿qué puede obligar sino hermosura?
A vos sólo leal, grande locura
sería el no rendirse y adoraros.
¿A qué los libros, si para cantaros
no ha de servir su ciencia? ¿A qué
pintura?
¿Puede haber otra ciencia más segura
que conoceros? ¿Arte que pintaros?
¡Alma infeliz, si viéndoos no muere!
Yo, sólo de admiraros, me sé sabio.
¡Ojos de luz!, voz, si se enfada,
¡trueno!
Pero armonía, si acaricia y quiere.
Permitid, ¡oh divina!, a un pobre
labio
que cante al cielo (¡tú!), de tierra
lleno.

HOLOFERNES.—No marcáis bien los
apóstrofes, y a causa de ello, no se
siente bien el ritmo. *(Coge la
carta.)* Dejadme releer la cancio-
nilla. Sólo la medida ha sido res-
petada, pero en lo que afecta a
la elegancia, a la facilidad, al ritmo dorado de la poesía, *caret.*
Ovidio Naso era el gran hombre
para esto. ¿Y por qué, en verdad,
era llamado Naso? Pues porque
sabía olfatear las odoriferantes flores de la fantasía; los borbotones
de la inspiración. *Imitari* no es
nada: esto lo hace el perro con
su amo, el mono con su guardián,
el caballo, bien adiestrado, con
su caballero. Pero, ¿es a ti, virginal damisela, a quien esto va
dirigido?

SANTIAGUITA.—Sí, mi señor. Y de
parte del caballero Berowne, uno
de los señores de la princesa extranjera.

HOLOFERNES.—Echemos una mirada sobre la dirección *(lee).* "A la
mano, blanca como la nieve, de
la muy hermosa dama Rosalina".
Examinemos aún la firma de la
carta con objeto de conocer la
denominación de quien escribe
a la persona antedicha: "De Vuestra Gracia, su enteramente rendi-

do servidor Berowne." Mosén Nataniel, este Berowne es uno de los compañeros del Rey, y ha redactado esta carta por una de las damas de la comitiva de la reina extranjera; carta que, accidentalmente, cuando iba en vía de progresión hacia su destino, se ha extraviado. Vuela con paso ligero, monina, y deja este escrito en la noble mano del Rey; puede ser importante. Y no te detengas en dar las gracias. Te dispenso de toda cortesía. ¡Adiós!

SANTIAGUITA.—Querido Costard, ven conmigo. Dios os guarde, señores.

COSTARD.—Todo tuyo, queridita. (Salen juntos.)

NATANIEL.—Caballero, habéis obrado esta vez muy devotamente y de acuerdo con el temor de Dios; y como dice cierto santo padre...

HOLOFERNES.—Mosén, no me habléis de los Padres. Los colores colorantes me dan miedo. Pero, volviendo a los versos, ¿os han agradado, mosén Nataniel?

NATANIEL.—En lo que afecta a la letra, admirables.

HOLOFERNES.—Yo ceno esta noche con el padre de uno de mis discípulos. Si os place venir antes de la comida a gratificar la mesa con un *benedicite,* yo me aplicaré, en virtud de los privilegios que gozo con los padres del dicho niño o alumno mencionado, a declararos *ben venuto.* Y entonces os probaré que los tales versos son poco sabios y que carecen de todo sabor poético, de espíritu y de invención. Imploro, pues, vuestra compañía.

NATANIEL.—Acepto con mucho gusto, y os doy las gracias. Pues, como dicen los libros santos, la sociedad hace la felicidad de la vida.

HOLOFERNES.—Y no hay duda que los libros santos emiten con ello una conclusión infalible. (A Dull.) Amigo, os invito también. No me digáis que no: *pauca verba.* Partamos. Los gentileshombres están de caza; vayamos nosotros también a lo que nos agrada. (Salen.)

ESCENA III

En el parque siempre

(*Entra* BEROWNE *con un papel en la mano*)

BEROWNE.—El Rey caza el ciervo; yo me cazo a mí mismo. Los cazadores tienden un lazo al animal; yo, me enligo en mi propio lazo. ¿Enligado? ¡No!, ¡sucia palabra! Ten calma, dolor! Un bobo ha dicho esto, yo lo digo también, luego yo soy un bobo. ¡Bien razonado, espíritu mío! ¡Pardiez!, este amor es tan insensato como el furor de Aiax; mata carnero, y como yo soy un carnero, me mata. He aquí aún un buen razonamiento, a fe mía. No, yo no quiero amar; ahorcado sea si amo. Seguro que no quiero enamorarme. ¡Ah, pero sus miradas! Por la luz que me alumbra, que sin estas miradas, sin sus ojos, no la amaría. Bien; no hago sino mentir y desmentirme. Cierto, cielo, que sí que estoy enamorado. Y ello es lo que me ha enseñado a rimar y a estar melancólico. He aquí una muestra de rimas y melancolía... (*suspira.*) Pero ella tiene ya uno de mis sonetos, el rústico se lo ha llevado: el bobo lo ha enviado, la dama lo ha recibido. Amable patán, bobo aún más amable, dama, ¡infinitamente amable! ¡Por el universo, que todo me tendría tan sin cuidado como un alfiler, de estar los otros tres cogidos como yo! Pero he aquí a uno de ellos que llega con un papel. ¡Dios le conceda la gracia de gemir! *(Berowne se sube a un árbol y al instante entra el Rey.)*

EL REY.—*(Gimiendo.)* ¡Ay!

BEROWNE.—*(Aparte.)* ¡Cielos! ¡Está herido! Continúa, Cupido. ¡Le has herido con tu flecha de pájaro, bajo la tetilla izquierda! ¿Y secretitos también?

EL REY.—*(Leyendo.)*

A la rosa mojada por el blando rocío
no da un beso tan dulce el sol de la mañana
como el sol de tus ojos, ¡oh sin par soberana!
al fuego que a mi rostro sube del pecho mío.
Ni la luna de plata es tan resplandeciente
cuando del mar las olas ilumina y colora,
como tu rostro puro, que tanto me enamora.
resplandece en las gotas de mi lágrima ardiente.
Mi llanto, ¡pobre llanto!, de tu hermosura es carro
que te transporta, erguida, sobre mi triste pena;
contempla tan siquiera de mi llanto la vena
y al gozar, con tu gloria triunfarás de mi barro.
Tú, si de amar te libras, podrás eternamente
mirar altiva el fardo que hoy inclina mi frente.
¡Oh reina de las reinas!, tu perfección es tanta
que alabar no podría boca alguna que canta.

¿Cómo hacerla conocer mi pena? Voy a dejar caer este papel. Hojas amables, prestad vuestra sombra a mi locura... ¿Quién viene? *(Se oculta tras un matorral. Al punto entra Longaville leyendo un papel; lleva aún un segundo papel en su* sombrero y aún otro en su cinturón.) ¡Longaville! ¡Y leyendo! ¡Escuchad, oídos!

BEROWNE.—*(Aparte.)* ¡Aún un bobo a tu imagen y semejanza!

LONGAVILLE.—¡Ay! ¡Perjuro soy!

BEROWNE.—En efecto, llega com un perjuro, con el cartel por delante.

EL REY.—*(Aparte.)* Espero que estará también enamorado. Si es así ¡dulce camaradería en la misma vergüenza!

BEROWNE.—*(Aparte.)* Nada más grato para un borracho que encontrar a otro borracho.

LONGAVILLE.—¿Seré yo el primero en ser de este modo perjuro?

BEROWNE.—*(Aparte.)* Yo podría tranquilizarte, que conozco otros dos en el mismo caso. Tú completas el triunvirato; el tricornio de nuestra sociedad; el triángulo de la horca de amor del que cuelga nuestra simpleza.

LONGAVILLE.—Temo que estos versos inhábiles no sean capaces de conmoverla. *(Leyendo.)* "¡Oh dulcísima María, emperatriz de mi amor!" No, voy a romper estas estrofas y a escribirla en prosa *(Rompe el papel.)*

BEROWNE.—*(Aparte.)* Los versos son los flecos de los calzones de ese atolondrado de Cupido. No desluzcas sus bragas, hombre.

LONGAVILLE.—*(Sacando otro papel de su cinturón.)* Este poema hará lo necesario. *(Lee su soneto.)*

¿No ha sido de tus ojos la celeste elocuencia,
contra la cual se estrella toda humana razón,
la que ha vuelto perjuro mi pobre corazón?
Luego, si fuí traidor, bien merezco clemencia.
A amores terrenales renunció mi conciencia,
pero no de una diosa a la ardiente pasión;
juré, cierto, apartarme de la humana ocasión,

mas siendo tú una diosa, gano toda
indulgencia.
Aire son juramentos y el aire soplo
leve.
Pero tú, ¡sol radiante!, que sobre mí
gravitas,
secaste mi promesa. ¿Quién dudarlo se atreve?
Que nadie, pues, me culpe. Si falto,
caiga un velo.
Calle toda censura. Hable sólo el
que pruebe
que es error ser perjuro, si por precio está el cielo.

BEROWNE.—¡He aquí de lo que es
capaz, por pura idolatría, la vena
amorosa! ¡De transformar a una
simple gansilla blanca en una diosa! ¡Dios nos enmiende! ¡Dios nos
enmiende! Estamos, sí, muy lejos
del camino recto.

LONGAVILLE.—¿Mediante quién la
enviaría esto? *(Llega Dumaine, con
un papel.)* ¡Alguien llega! ¡Esca-
po! *(Se oculta.)*

BEROWNE.—Todos jugamos al escondite, ¡viejo juego de niños! En
cuanto a mí, aquí estoy, encara-
mado en el cielo, como un semi-
diós, escrutando desde arriba los
secretos de los pobres bobos de
abajo. ¡Otro aún que viene a traer
su trigo al molino! ¡Oh cielo, has
colmado mis votos! ¡Dumaine
también tranformado! ¡Cuatro pa-
vos en la misma fuente!

DUMAINE.—¡Oh archidivino arcán-
gel! ¡Catalina!

BEROWNE.—¡Oh archiprofano papa-
natas!

DUMAINE.—¡El cielo es testigo de
que jamás ojos humanos vieron
maravilla semejante a ti!

BEROWNE.—¡Testigo es la tierra de
cómo mientes, amiguito!

DUMAINE.—¿Qué es el ámbar, el
ámbar mismo junto a sus cabellos?

BEROWNE.—¡Bah!, se dice que hasta hay cuervos de color de ámbar.

DUMAINE.—¡Derecha como un ce-
dro!

BEROWNE.—*(Siempre aparte.)* ¡Quita
un poco, hombre, que a lo mejor
es un poco cargada de espaldas!

DUMAINE.—¡Hermosa como el día!

BEROWNE.—Sí, como ciertos días en
que el sol no brilla.

DUMAINE.—¡Qué no daría porque
mis deseos se viesen cumplidos!

LONGAVILLE.—*(Aparte.)* Y yo los
míos!

EL REY.—¡Y los míos también, santo Dios!

BEROWNE.—¡Amén, con tal de que
a los míos les ocurra otro tanto!
¿No es esto una buena plegaria?

DUMAINE.—¡Ay!, quisiera olvidarla;
pero es como una fiebre que reina
en mi sangre y que me obliga a
recordarla.

BEROWNE.—¿Una fiebre que reina
en tu sangre? ¡Pues entonces una
buena sangría, y que corra hasta
llenar una aljofaina! ¡Error delicioso!

DUMAINE.—Voy a releer una vez
más lo que he escrito.

BEROWNE.—Veamos una vez más
cómo el amor sabe variar de inspiración.

DUMAINE.—*(Leyendo sus versos.)*

Un día, Amor —¡Oh día infortunado!—
era de Mayo el tiempo delicado—;
vio una rosa, de primavera boca,
jugando alegre con la brisa loca.
De su corola, el raso delicioso
Céfiro acariciaba presuroso,
mientras el loco Amor, ardiendo en
celo
enviaba sus súplicas al cielo:
Brisa feliz, que robas su caricia,
¡cómo envidio que gustes tal delicia!
Ella, ¡oh, rosa!, te envuelve y te
embelesa,
pues libre, no es esclava de promesa.
¡Promesa dura a un corazón amante,
joven, rendido por pasión triunfante!
Y, pues, víctima es de tal apuro
de perjurar, ¿sería tal perjuro?
Júpiter mismo, por tu amor, ¡oh
rosa!,
negaría que Juno fuese hermosa.

Y sólo por poder besar tu mano...
¡Su destino divino, haría humano!

Voy a enviarla estos versos, y aún
algo de prosa, limpia y clara, que
la exprese de un modo total el
duro sufrimiento que me causa
este amor tan 'hambriento y tan
sincero. ¡Ah, si el Rey, Berowne
y Longaville estuviesen enamorados como yo, su falta, sirviendo
de ejemplo a la mía, borraría de
mi frente toda huella de perjurio! Pues nadie cae en falta donde
todos son víctimas de la misma
debilidad.

LONGAVILLE.—*(Avanzando.)* Poco
caritativo es tu amor, Dumaine,
puesto que buscas compañeros
que compartan tu pena. Sí, sí,
puedes palidecer; pero yo enroje-
cería más bien de haber sido oído
y sorprendido como tú lo eres.

EL REY.—*(Mostrándose.)* Pues puedes empezar ya a ponerte como
una amapola, porque tu caso y el
suyo son gemelos. Es decir, que
amonestándole, redoblas tus culpas. Seguro que tú no amas a
María, ¿verdad? ¡Oh no! Longaville jamás ha compuesto sonetos en su honor. Ni apretó jamás los brazos contra su pecho
para contener al enamorado corazón. Escondido tras este zarzal, a
los dos os he espiado y hasta he
enrojecido por vosotros. He oído,
sí, vuestros versos culpables, he
observado vuestros gestos, os he
oído lanzar suspiros, he sido testigo de vuestros transportes amorosos. ¡Ay, suspirabais uno. ¡Oh
Júpiter!, lloraba el otro. Uno ala-
babais los cabellos de oro de la
amada; el otro, los ojos de cristal
de la suya. *(A Longaville.)* Tú, dispuesto estabas, por tu beldad celeste, a romper votos y promesas.
(A Dumaine.) Tú afirmabas que,
por tu bella, Júpiter rompería toda
clase de juramentos. ¿Qué dirá
Berowne cuando sepa el ardor con
que habéis renegado de lo prometido con tanto celo? ¡Cómo se

burlará de vosotros! ¡Qué ingenio va a derrochar en desprecia-
ros! ¡Qué triunfo para él! ¡Qué
saltos de alegría! ¡Qué risa de
vuestra debilidad! ¡Por cuanto
hay en el mundo no querría yo
que supiese otro tanto de mí!

BEROWNE.—Pues a mí, el descender
ahora para flagelar la hipocresía... *(Baja del árbol.)* Mi amado
señor y soberano, os ruego me
perdonéis. En verdad, que no carecéis de gracia censurando a estos
gusanillos amorosos, vos... ¡el
más enamorado de todos! ¿Acaso las lágrimas no ruedan desde
vuestros ojos? ¿No son acaso es-
pejos para que en ellos se contemple cierta princesa? ¿Ser perjuro vos, señor? ¡Oh, no!, ¡sería
cosa abominable! En cuanto a versos, empresa es de trovadores e
rimar, no vuestra. Pero, ¿no sentís vengüenza; los tres, en verdad
no os da vergüenza el veros des-
cubiertos de este modo? Tú ha
visto la paja en el ojo de Dumaine, el Rey la ha visto con el tuyo
yo, ¡una viga en la pupila de cada
uno! ¡De veras que he sido testigo de un lindo espectáculo loco
¡Qué de lamentos! ¡Qué de súpli
cas! ¡Cuánto suspiro! ¡Con que
heroica paciencia, Dios es testigo
he permanecido oculto contem
plando a todo un rey transforma
do en mosquito, al poderoso Hér
cules haciendo bailar un peón,
Salomón sapientísimo canturrean
do una jiga; Néstor jugando al aro
con los niños. Y Timón, el Cen
sor, entreteniéndose con jugueti
llos! ¿Dónde tienes el mal, m
buen Dumaine? ¿Y tú el tuyo
querido Longaville? ¿Y mi seño
y soberano? Los tres sufren de
pecho... ¡A ver, pronto, un cor
dial!

EL REY.—Tu burla es demasiad
amarga. ¿De veras tus ojos no
han traicionado de tal modo?

BEROWNE.—No sois vosotros los trai
cionados por mí, sino yo el trai
cionado por vosotros. Yo, que h

honrado lo prometido; yo, que tenía como pecado el romper el juramento que me ataba: yo, el defraudado por haberme asociado a hombres tan incapaces de constancia. ¿Es que me veréis a mí jamás escribir versos, suspirar por una Maritornes, o perder un minuto en emperifollarme? ¿Cuándo me oiréis alabar, me entendéis bien, una mano, un pie, un rostro, unos ojos, esta o aquella manera de andar, el porte, la garganta, el talle, una pierna o cualquier parte del cuerpo?

EL REY.—¡Despacio! ¿A qué ese galope? ¿Es un hombre honrado o un ladrón el que de tal modo corre?

BEROWNE.—Si de tal modo corro es por escapar al amor. Bello enamorado, dejadme partir. (*Entran Santiaguita y Costard. Santiaguita trae una carta en la mano.*)

SANTIAGUITA.—¡Dios bendiga al Rey!

EL REY.—¿Qué noticias traes ahí?

COSTARD.—Seguramente una traición.

EL REY.—¿Qué viene a hacer aquí la traición ahora?

COSTARD.—Como hacer, nada viene a hacer, señor.

EL REY.—Si nada tiene que hacer o deshacer aquí, ni vosotros tampoco, podéis iros de aquí.

SANTIAGUITA.—Yo suplico a Vuestra Gracia que haga leer esta carta. (*Se la ofrece.*) Nuestro cura la ha encontrado sospechosa. Es él quien ha dicho que era una traición.

EL REY.—Berowne, léela. (*Berowne la coge.*) ¿A ti quién te la ha dado?

SANTIAGUITA.—Costard.

EL REY.—¿Y a ti?

COSTARD.—Don Adriano, don Adriano. (*Berowne rompe la carta.*)

EL REY.—¿Qué haces? ¿Por qué la rompes?

BEROWNE.—¡Bah!, señor! es una tontería. Una pura tontería. Que Vuestra Gracia no se inquiete por ello.

LONGAVILLE.—Esa carta, señor, le ha emocionado profundamente. Debemos, pues, saber lo que dice.

DUMAINE.—(*Recogiendo los trocitos de papel.*) ¡La letra es de Berowne! Y aquí está su nombre!

BEROWNE.—(*A Costard.*) ¡Hijo de zorra!, ¡mula de collera!, ¡has nacido para avergonzarme! (*Al Rey.*) Soy culpable, señor, culpable; lo confieso.

EL REY.—¿Y qué confiesas?

BEROWNE.—Que a los tres locos que sois, señor, faltaba el cuarto para hacer tute. Este, ése y vos, señor, más yo, somos salteadores de amor y merecemos la muerte. Despachad al auditorio y aún diré más cosas.

DUMAINE.—Henos, pues, ya, en número par.

BEROWNE.—Sí, sí, cuatro somos. Pero esos tórtolos, ¿se van o no?

EL REY.—(*A Santiaguita y a Costard.*) Vosotros, fuera de aquí. ¡Largo!

COSTARD.—Vámonos los honrados y dejemos solos a los perjuros. (*Salen enlazados como dos enamorados.*)

BEROWNE.—Queridos señores, tiernos amantes, ¡abracémonos! Lo mismo que el mar tiene su flujo y reflujo, que el cielo muestra su faz, así nuestra carne y nuestra sangre habla en nosotros. Sangre joven no obedece a viejo decreto. Imposible nos es cambiar nuestro modo de ser. He aquí por qué forzosamente teníamos que ser perjuros.

EL REY.—¡Hola! Esta carta, entonces, revelaba que tú también estás enamorado, ¿no?

BEROWNE.—¿Enamorado decís? ¿Pero quién podría ver a la celeste Rosalina sin quedar deslumbrado, como el indio rudo y salvaje cuando despierta la luz espléndida por Oriente? ¿Quién no doblaría la cabeza, cual rendido vasallo, y cegado, no inclinaría el corazón, sumiso, hacia la tierra vil? ¿Quién tendría una mirada de águila, tan arrogante como para atreverse a contemplar el cielo cara a cara sin quedar anonadado ante su majestad?

EL REY.—¿Qué celo, qué furia te inspira ahora? Mi bienamada, señora de la tuya, es la luna en toda su hermosura. La tuya, pues, un pálido satélite, apenas visible.

BEROWNE.—¿Es que mis ojos entonces ya no son ojos, ni yo Berowne? ¡Oh no, sin mi amor, noche sería el día!

Los más hermosos tonos, los más puros colores,
en su suaves mejillas, rivalizan dichosos,
vueltos, gracias a ella, ¡aún mucho más hermosos!
y tornándolas lazos, prisión de mis amores.
Los más ávidos pechos de cariño y dulzores
serían a su lado, más que nunca dichosos.
Lleguen del bien decir mil bardos presurosos
a proclamar sus gracias, ¡envidia de las flores!
Pero no, escapen, ¡huyan!, las retóricas vanas.
Llega, tú, ¡oh verdad pura!, a confesar sincera
que un ermitaño al verla lloraría sus canas.
Que ella, ¡juventud viva!, bastaría, certera,
a hacer joven al viejo, nuevo lo que se arrumba,
¡a sacar fresco y sano a un muerto de su tumba!

EL REY.—Pero, ¡el cielo me valga!, si tu bienamada es negra como el ébano.

BEROWNE.—¿El ébano es como ella? ¡Madera divina entonces! ¿Qué felicidad comparable a una esposa de esta madera? ¡Que yo sepa quien puede aquí recibir un juramento! ¿Dónde está el libro santo para que yo pueda jurar por él que carece de hermosura la her-

mosura, si no toma luz de los ojos de Rosalina? Así como que no hay rostro bello de no estar tan ricamente adornado de negro como el suyo.

EL REY.—¡Extraña paradoja!, lo negro, emblema es del infierno, color de los calabozos, caperuza de la noche. La cimera de la hermosura, con su claridad, adorna el cielo.

BEROWNE.—Como mejor y más pronto seduce el diablo es disfrazándose de espíritu de luz. Si la frente de mi bella se adorna con trenzas negras, es por llevar duelo a causa de esos rostros pintados, y de esos cabellos engañadores, que encantan a los enamorados con sus artificios. Ella ha nacido para hacer centellear lo negro. Su tinte está cambiando la moda del día. Como artificial se empieza ya a considerar el rojo sangre de la naturaleza, y las mejillas sonrosadas, temerosas de no agradar, pronto se pintarán de negro para imitar su tono moreno.

DUMAINE.—Por supuesto; por imitarla, negros son ya los deshollinadores.

LONGAVILLE.—Y desde que ella está en el mundo, los carboneros pasan por mozos guapos.

EL REY.—Como los etiópicos se alaban de su hermoso color.

DUMAINE.—¿Para qué las candelas, puesto que las tinieblas son luz?

BEROWNE.—En todo caso, vuestras amadas no se atreven a salir cuando llueve, temerosas de que sus colores se disuelvan.

EL REY.—Bien haría, en cambio, la tuya, aguantando el aguacero. Porque, hablando con franqueza, fácil sería encontrar una cara más clara que la suya en cualquiera de las que no se han lavado nunca.

BEROWNE.—Yo probaría que es la claridad misma, aunque para ello tuviese que estar perorando hasta el día del Juicio Final.

EL REY.—Este día no habrá diablo que te asuste tanto como ella.

DUMAINE.—Yo no vi jamás a hombre alguno conceder tanto precio a tan mala mercancía.

LONGAVILLE.—*(Quitándose un zapato.)* Toma, aquí tienes a tu bella; mira mi zapato y verás su cara.

BEROWNE.—Habrían de estar las calles empedradas con tus ojos, y aún sus pies serían demasiado delicados para dejar en ellos su huella.

DUMAINE.—¡Quita allá! De pasearse así, la calle vería lo situado más arriba, como si ella estuviese en el aire.

EL REY.—¿A qué disputar?, ¿no estamos todos enamorados?

BEROWNE.—Nada más cierto. Y a causa de ello, perjuros.

EL REY.—Cese, pues, esta vana charla, y tú mi querido Berowne, aplícate a probar que nuestro amor es el legítimo y que no hemos violado nuestro juramento.

DUMAINE.—Eso, eso, ¡diantre!, es lo que hace falta. Apresúrate a excusar nuestra falta.

LONGAVILLE.—Sí, un argumento que nos autorice a continuar; un artificio, un subterfugio que nos enseñe cómo engañar al diablo.

BEROWNE.—¡Oh!, más razones tenemos de las que necesitamos. ¡Atención, pues, combatientes, por amor! Considerad, ante todo, los juramentos que habéis prestado: ayunar, estudiar, no ver ninguna mujer. Es decir, traición, pura y simple, contra los derechos soberanos de la juventud. Porque, decidme, ¿podríais ayunar? Vuestros estómagos son demasiado jóvenes y la abstinencia engendra enfermedades. También, señores; habéis jurado estudiar, sin daros cuenta que al hacerlo, cada uno renegabais del más sagrado de vuestros libros. Pues, ¿podríais sin cesar meditar, reflexionar y examinar? Además, ¿cómo vos, señor, y tú, y tú lo mismo, hubierais podido hallar lo que constituye la base del estudio sin la ayuda de la hermosura de un rostro de mujer? De los ojos precisamente de las mujeres saco yo la doctrina siguiente: que ellas son el fundamento de todo saber, los libros, las academias de donde brota la verdadera llama de Prometeo. Sí, el estudio, llevado al exceso, ahoga en las arterias los ágiles espíritus, del mismo modo que el movimiento y la acción prolongados, agotan la energía nerviosa de un viajero. Así como que, prometiendo no mirar un rostro de mujer, renegabais del uso de vuestros ojos, y al mismo tiempo, la promesa de estudiar, base y principio de vuestro juramento. Porque, decidme, ¿qué autor en el mundo sería capaz de enseñarnos tanto sobre la belleza como los ojos de una mujer? La ciencia, en realidad, no es para nosotros sino un accesorio, y allí donde estamos, ella con nosotros está. Luego, cuando nos miramos en los ojos de una mujer, ¿es que no vemos nuestra ciencia al mismo tiempo que nuestra imagen? Claro, que diréis que hemos jurado estudiar; pero, señores míos, al prestar juramento, ¿no renegábamos, en realidad, de nuestros libros? Porque vos, señor, y tú, y lo mismo tú, ¿cómo habríais podido encontrar en la fría meditación cadencias tan ardientes como esas con las que os han enriquecido los inspiradores ojos de las que os han enseñado, como verdaderas maestras que son en la ciencia de la belleza? Las otras ciencias, más inertes, permanecen confinadas en el cerebro, y no encontrando a causa de ello sino adeptos estériles, apenas consiguen mostrar el fruto de un pesado trabajo. Mientras que el amor, aprendido, ante todo, en los ojos de una mujer, no permanece solitario y claustrado en el cerebro, sino que, poniendo en agitación a todos los elementos, corre rápido como el pensamiento a través, sin dejar una, de las potencias de nuestro ser; y doblándolas y magnificándolas, las hace muy superiores y las eleva por sobre su misión y su oficio. Sin contar que añade a los ojos una vista preciosa. Los ojos de un enamorado cegarían a un águila con su brillo; los oídos de un amante capaces son de advertir el más pequeño ruido, allí donde la oreja alerta de un ladrón no oye nada. El tacto del amor es más sensible, más delicado que los tiernos cuernos de un caracol. Tan refinado es el gusto del amor, que, junto a él, el goloso Baco es grosero. En cuanto a su valor, ¿no es el amor siempre un Hércules, dispuesto a trepar al árbol de las Hespérides? Sutil como la Esfinge, suave y melodioso como el laúd del brillante Apolo, cuyas cuerdas fuesen sus propios cabellos. Y cuando habla el amor, las voces de todos los dioses embriagan el cielo con su armonía. Jamás poeta alguno osó tomar la pluma sin que su tinta estuviese impregnada con los suspiros del amor. Pero entonces sus versos encantaban los oídos más groseros y llevaban al corazón de los tiranos la dulzura de la modestia. En cuanto a los ojos de las mujeres, de ellos saco la siguiente doctrina: que arden siempre con la verdadera llama de Prometeo; que son los libros, las artes, las academias que enseñan, contienen y nutren a todo el universo, y que sin ellos, nadie puede sobresalir en algo. Locos estabais pues, renegando, como lo hicisteis, de las mujeres; y de mantener vuestro juramento, locos seguiríais aún. En nombre, pues, de la sabiduría, tan apreciada de los hombres; en nombre del amor, honor de los mortales; en nombre de los hombres, autores de las mujeres, y en nombre de las mujeres, que procrean a los hombres, reneguemos para siempre de nuestros juramentos, con objeto de volver a ser nosotros mismos; de no hacerlo y de mantener nuestra promesa, nos perderíamos para siempre. Perjurar de este modo es religión pura. La caridad, que ello representa, es la ley suprema, y, ¿quién podría separar la caridad del amor?

EL REY.—Invoquemos, pues, a San Cupido, y vosotros, soldados. ¡adelante!

BEROWNE.—Desplegad vuestros estandartes, señores, ¡y al enemigo! Entablemos combate, ¡y al suelo con ellas! Pero tened cuidado al cargar, de que el sol no os dé en plenos ojos.

LONGAVILLE.—Vengamos a lo que interesa dejándonos de metáforas. ¿Estamos resueltos a cortejar a esas hijas de Francia?

EL REY.—E incluso a conquistarlas. Pensemos, pues, qué fiestas y diversiones daremos en sus propias tiendas.

BEROWNE.—Por lo pronto, vayamos al parque, traigámoslas aquí, y de camino, coja cada uno la mano de su amada. Después de comer nos divertiremos con entretenimientos improvisados. Porque diversiones, bailes, mascaradas, en una palabra, las horas alegres deben preceder al grato amor, sembrando su camino de flores.

EL REY.—En marcha entonces. No perdamos un minuto que podamos aprovechar.

BEROWNE.—Vamos, vamos, sí. Semilla de cizaña no permite cosechar trigo. La justicia retribuye nuestros actos según su mérito. Jóvenes ligeras pueden estar reservadas, como castigo, a los perjuros. De ocurrirnos así, no habríamos recibido como pago sino lo que merecemos (Salen.)

ACTO V

ESCENA PRIMERA

(Entran HOLOFERNES, mosén NATANIEL y DULL)

HOLOFERNES.—*Satis quod sufficit.*

NATANIEL.—Doy gracias a Dios por haberos traído al mundo, caballero. Vuestros dichos, en la mesa, han sido agudos y sentenciosos; agradables, sin indecencia, espirituales, sin afectación; atrevidos, sin imprudencia; eruditos, sin pedantería; originales, sin herejía... He conversado en este *quondam* día con un compañero del Rey, que se intitula, se denomina o se llama, don Adriano de Armando.

HOLOFERNES.—*Novi hominem tanquam te.* Es un hombre de humor orgulloso, de verbo perentorio, lengua acerada, mirada arrogante, ademán imponente; aspecto, en general vanidoso, ridículo, pretencioso. Emperifollado en exceso, rozagante en demasía, afectado hasta la exageración, demasiado original, en cierto modo; añadiría, con gusto, exótico en exceso.

NATANIEL.—He aquí un epíteto singular y bien escogido. *(Saca un cuaderno de notas.)*

HOLOFERNES.—La hebra de su verbosidad es más finamente alargada que la trama de sus razonamientos. Yo aborrezco a estos fanáticos del refinamiento, a estos compañeros con los que no hay medio de entenderse por estar siempre sacando punta a las cosas. A estos verdugos de la ortografía, que pronuncian "constipado" en vez de "costipado" o "transladar" en vez de "trasladar". ¡Abominable! Tal modo de obrar me insinúa la insania: *Anne intelligis, domine?* Es como para volverse frenético, lunático.

NATANIEL.—*Laus Deo, bone intelligo.*

HOLOFERNES.—*¿Bone?,* ¡bueno por bien! Prisciano sale un poco arañado. Pero, ¡bah!, no tiene importancia. *(Entran Moth, Armando y Costard.)*

NATANIEL.—*Videsme quis venit?*

HOLOFERNES.—*Video, et gaudeo.*

ARMANDO.—*(A Moth.)* ¡Tritón!

HOLOFERNES.—*¿Quare* tritón y no bribón?

ARMANDO.—Gentes de paz, feliz de encontraros.

HOLOFERNES.—Militarísimo señor, nuestros saludos. *(Se saludan ceremoniosamente. Holofernes guarda su sombrero en la mano.)*

MOTH.—*(Aparte a Costard.)* Han ido a un festín de lenguas y han recogido las migas.

COSTARD.—*(A Moth.)* ¡Bah!, hace tiempo que viven de las palabras que se echan al cesto.. Lo que me extraña es que tu amo, tomándote por una palabra, no te haya tragado ya, pues eres menos largo de una cabeza que un *honorificabilitudinitatibus.* De modo que podría tragarte con más facilidad que a un terrón de azúcar mojado en aguardiente.

MOTH.—¡Silencio, que empieza el fuego!

ARMANDO.—*(A Holofernes.)* Caballero, ¿no sois letrado?

Moth.—Por supuesto; enseña a los niños el alfabeto de cuerno. ¿Qué hacen la be y la e, ésta con un cuernecillo encima?

Holofernes.—¡Bê, *pueritia!* con acento circunflejo.

Moth.—¡Bah!, un acento circunflejo son dos cuernos. ¡Topa, carnero!

Holofernes.—*Quis, quis,* ¿con qué letra rimas?

Moth.—Con la última de las cinco vocales si vos las repetís, o con la quinta si lo hago yo.

Moth.—¡U!, ¡el carnero eres tú!

Armando.—¡Por las olas saladas del Mediterráneo, qué botonazo más certero!, ¡lindo envite espiritual! Pin, paun y ¡pan!, ¡derecho al corazón! Esto regocija mi intelecto. ¡He aquí un magnífico dardo certero!

Moth.—Lanzado por un niño a un viejo chocho.

Holofernes.—¿Cuál es la figura retórica?, ¿cuál es la figura retórica?

Moth.—¡Dos cuernos!

Holofernes.—Razonas como un niño. Anda, vete a jugar al peón.

Moth.—Prestadme vuestros cuernos para hacerme uno y haré bailar con gusto vuestra tontería *circum circa.* ¡Qué magníficos zuecos se harían con los cuernos de un cornudo!

Costard.—Habría de no tener sino un penique y te lo daría para que comprases pan de higos... *(busca en su bolsillo.)* Toma, aquí tienes, precisamente la remuneración que he recibido de tu amo. Para ti, bolsita llena de ingenio, huevo de paloma lleno de agudeza. Si el cielo hubiese querido que fueras siquiera mi bastardo, ¡qué feliz papaíto hubieras hecho de mí! Anda, monín, que tienes espíritu *ad unculem,* hasta en las uñas, como suele decirse.

Holofernes.—¡Ah!, olfateo un mal latín: *unculen* por *unguem.*

Armando.—*(A Holofernes.)* Doctor en artes, *preambulate.* Distingámonos de los bárbaros. ¿No sois vos quien educáis a la juventud en la escuela gratuita que hay en la cima de la montaña?

Holofernes.—¿Queréis decir, sin duda, de la *mons,* de la colina?

Armando.—De la montaña, con vuestra graciosa complacencia.

Holofernes.—Pues bien, sí, yo, no hay duda.

Armando.—Entonces, caballero, sabed que el infinitamente gracioso placer y deseo del Rey es congratular a la Princesa, en su pabellón, allá en la parte posterior del día, que la grosera multitud llama tarde.

Holofernes.—La parte posterior del día, nobilísimo señor, es una expresión adecuada, congruente y conmensurada para decir tarde. Es una apelación bien vista, bien escogida, graciosa y enteramente apropiada, os lo aseguro, noble señor, asegúroslo.

Armando.—Y yo a mi vez os aseguro, mi señor y amigo, que el Rey, mi íntimo, es un cumplido hidalgo. Pero dejemos a un lado esto de la gran intimidad que nos une. "Nada de ceremonias entre nosotros, te lo ruego, cúbrete, te lo suplico" *(Holofernes, agradecido, se inclina y se cubre),* he aquí lo que suele decirme en medio de las más absorbentes conversaciones, de los propósitos más serios y de las cosas de mayor consecuencia—. Pero no hablemos más de esto. Preciso es también que os diga que place, con frecuencia, a Su Majestad— ¡qué le hemos de hacer!, así es—, apoyarse sobre mi pobre hombro, y con su dedo real, acariciar y distraerse con mi excrecencia pilosa: queda citado mi bigote. Pero dejemos también esto aparte, mi muy entrañable amigo. Y, ¡por el triple diantre!, que no es una fábula esto que os cuento. Ha placido a Su Majestad, así es, conferir ciertos honores especiales a Armando, soldado y viajero, que ha recorrido el mundo. Pero pasemos también. Y lo mejor de todo ello —pero secreto total. ¿eh?, carísimo amigo—, es que el Rey quisiera que ofreciese a la Princesa (¡paloma dulcísima!), algún espectáculo divertido; pantomima, mascarada, baile o fuegos artificiales... Ahora bien, habiendo sabido que el cura y vuestra encantadora persona sois insuperables en este género de erupciones, en estas súbitas explosiones de alegría, si así puedo decirlo, he venido a daros cuenta de ello, con objeto de implorar vuestro concurso.

HOLOFERNES.—Mi señor, representaréis delante de la Princesa *Los Nueve Valientes (Nataniel se junta a ellos a una seña de su amigo.)* Mosén Nataniel, trátase de un pasatiempo, de una exhibición que hay que celebrar ante la Princesa, cuando la parte posterior del día, por orden del Rey, y tras su demanda a este galantísimo, ilustre y sabio gentilhombre. Y yo digo, que no hay otro tan adecuado y conveniente como *Los Nueve Valientes.*

NATANIEL.—Pero, ¿dónde encontraréis hombres de valor y mérito suficiente como para representarle?

HOLOFERNES.—Vos mismo haréis de Josué. Yo..., y este galante gentilhombre, Judas Macabeo. Ese patán, a causa de sus piernas enormes, representará el papel del gran Pompeyo. Y el paje será Hércules.

ARMANDO.—Perdón, caballero, cometéis error. No tiene ni el volumen para representar el pulgar de Hércules. Todo él no llega a ser ni como el extremo de su maza.

HOLOFERNES.—¿Queréis dignaros escharme? Hará el papel de Hércules en su infancia. Cuanto tendrá que hacer será estrangular a la serpiente. Yo compondré un apólogo explicando la cosa.

MOTH.—¡Excelente idea! Así, si algún espectador me silba, podréis gritar: ¡Bravo, Hércules! ¡Ahora, ahora es cuando ahogas a la serpiente! He aquí la manera de volver graciosa una estupidez; claro que pocos saben hacerlo.

ARMANDO.—¿Y los demás valientes?

HOLOFERNES.—Yo mismo haré el papel de tres.

MOTH.—¡Oh valiente tres veces valeroso!

ARMANDO.—¿Os diría yo algo?

HOLOFERNES.—Escuchamos.

ARMANDO.—Caso de que esto no resultase, echaríamos mano de una pantomima. *(Le coge por el brazo y dice a los otros:)* Seguidme, os lo ruego.

HOLOFERNES.—*Via,* marchemos. Pero, excelente Dull, tú no has dicho aún en todo este tiempo ni una sola palabra.

DULL.—Es que, mi señor, tampoco he entendido ni una sola palabra de cuanto habéis dicho.

HOLOFERNES.—Entonces te emplearemos a ti también.

DULL.—Yo puedo figurar en un baile o en cosa semejante. Puedo también tocar el tambor para los valientes y hacerles bailar algo movido.

HOLOFERNES.—¡Bravo, Dull!, ¡honradísimo Dull! Pronto, vayamos a ocuparnos de nuestro espectáculo. *(Salen.)*

ESCENA II

En el parque ante el pabellón de la princesa

(*La* PRINCESA, ROSALINA, CATALINA y MARÍA, *salen del pabellón*)

LA PRINCESA.—Corazones míos, antes de marchar seremos ricas si los regalos continúan lloviendo. Yo voy a ser una dama almenada de diamantes. Y ved lo que he recibido de mi real enamorado.

ROSALINA.—Y con ello, ¿no había algo más, Señora?

LA PRINCESA.—¿Algo más? ¡Ya lo creo! Tanto amor rimado como puede contener una hoja de papel escrita por los dos lados, márgenes y todo. Más un sello con el nombre de Cupido.

ROSALINA.—Medio el mejor para dar importancia al pequeño dios, que desde hace cinco mil años era tratado como un niño.

CATALINA.—Y como niño perverso digno de ser ahorcado.

ROSALINA.—Tú y él no seréis nunca buenos amigos, puesto que ha matado a tu hermana.

COTALINA.—La volvió melancólica, triste, taciturna..., y la pobre murió. Si hubiese sido como tú, ligera, de genio alegre, cambiante y loca, hubiera podido llegar a abuela antes de morir. Que es lo que a ti te sucederá; corazón ligero, vida larga.

ROSALINA.—¿Qué sentido tenebroso, ratoncito querido, das a la palabra ligero?

CATALINA.—Quiero decir, simplemente, que, no obstante tu tinte sombrío tu humor es claro.

ROSALINA.—Necesitamos más luz para saber lo que quieres decir.

CATALINA.—¿Es que quieres que te tenga la vela? Prefiero dejar mi pensamiento en la sombra.

ROSALINA.—Cierto que cuanto haces lo haces siempre en la oscuridad.

CATALINA.—No como tú, en todo caso, que siempre se te ve obrar con diáfana ligereza.

ROSALINA.—Por supuesto, no siendo tan pesada como tú, ligera es forzoso que te parezca.

CATALINA.—No hay duda que menos pesada que yo; como que en ti no hay nada de peso.

ROSALINA.—Bueno. Cuando quiera pesar más ya me prestarás tu poco de tu sobrada tontería.

PRINCESA.—¡Bien lanzada la pelota, por una y otra parte! Torneo de agudezas bien llevado. Pero dime, Rosalina, ¿no tienes tú también un regalo? ¿Quién te lo ha enviado y qué es?

ROSALINA.—Vais a saberlo. De haber sido mi cara tan hermosa como la vuestra, no por ello hubiera sido mejor tratada. He aquí la prueba. (*Muestra su regalo.*) Y ni que decir tiene, que también he recibido versos, por los que doy las gracias a Berowne. La medida es perfecta, justa. De serlo tanto las alabanzas que en ellos me dirige, sería yo la diosa más bella de la tierra. Soy igualada en ellos a veinte mil mujeres hermosas. ¡Oh!, ¡me hace un verdadero retrato!

PRINCESA.—Pero, ¿tiene parecido?

ROSALINA.—En las palabras, sí; en las alabanzas, no.

PRINCESA.—Si te dice que eres hermosa como la tinta, nada más justo.

CATALINA.—Hermosa como esa C mayúscula impresa en negro al principio de la palabra cuaderno.

ROSALINA.—¡Bah!, no te preocupes de los colores. Pero devolviéndote la galantería, te diré que en ti nada de letras negras, mi roja dominical, mi letrita de oro. ¡Lástima que tengas la cara tan impresa por las oes enormes de los lindos granitos que la llenan!

CATALINA.—¡Que la viruela te devuelva la broma!

PRINCESA.—¡Embrujadas sean las brujas! Pero vamos a ver, ¿qué te ha enviado a ti el hermoso Dumaine?

CATALINA.—Este guante, Señora.

PRINCESA.—¿No te ha enviado el otro?

CATALINA.—Por supuesto, Señora. Y con ellos un millar de versos como pudiera escribirlos un amante fiel; interminable compilación de hipócritas falsedades y de tonto candor afectado.

MARÍA.—Yo he recibido esta carta y este collar de perlas de Longaville. En cuanto a la carta, media milla más tiene, por lo menos, de lo que debería tener.

PRINCESA.—Pienso como tú. ¿Verdad que hubieses deseado con todo tu corazón que el collar fuese más largo y la carta más corta?

MARÍA.—Sí; aunque tuviese que tener las manos juntas siempre.

PRINCESA.—¡Qué muchachas tan avisadas somos, burlándonos de este modo de nuestros enamorados!

ROSALINA.—En cuanto a ellos, ¡tontos son comprando a tan elevado precio nuestras burlas! Por supuesto, a Berowne le torturaré bien antes de partir. De estar segura que le tenía en mis redes, ¡cómo le haría que me mimase, que suplicase, que mendigase! Que esperase el momento oportuno, que contase los minutos, que se gastase en rimas inútiles rebosantes de sutilezas. ¡Cómo le pondría, en fin, al servicio de mis fantasías!, ¡cómo le haría sentirse orgulloso de inclinarse ante mis desdenes y de soportar mis burlas! Me gustaría, sí, dominarle de tal modo que no fuese en mis manos sino un juguete y yo para él ¡su destino!

PRINCESA.—Nadie son mejor cogidos, una vez cogidos, que los que se creen espirituales y sabios, cuando han sido enloquecidos. La locura que brota entre la sabiduría, tiene toda la autoridad de ésta, todos los recursos de la instrucción e incluso la gracia de lo espiritual, para embellecer con todo ello su desvarío sabio.

ROSALINA.—La sangre de la juventud arde con menos fuerza que la gravedad, cuando ésta se desencadena extravagante y se echa a retozar.

MARÍA.—La locura de los verdaderos locos es menos estrepitosa que la tontería de los sabios cuando su espíritu sobrepuja la medida. Porque entonces, este espíritu se esfuerza por todos los medios en demostrar que es capaz de las mayores necedades. (Entra Boyet.)

PRINCESA.—Aquí llega Boyet. Leo la alegría en su cara.

BOYET.—¡Me ahoga la risa! ¿Dónde está Su Gracia?

PRINCESA.—¿Qué noticias traes, Boyet?

BOYET.—¡Preparaos, Señora, preparaos! En cuanto a vosotras, hijas mías, ¡listas para el combate! Ha sido organizada una expedición contra vuestra tranquilidad. Amor se acerca disfrazado y enalbardado de argumentos. ¡Ojo con dejarse sorprender! Haced llamada a todo vuestro ingenio, teneos sobre la defensiva; o bien, volved la cara, como los cobardes, y escapad de aquí.

PRINCESA.—¡San Dionisio contra San Cupido! ¡Quiénes son los que vienen contra nosotras dispuestos a asaltarnos con sus palabras? Habla, gastador, habla.

BOYET.—Disponíame a cerrar los ojos durante media hora a la fresca sombra de un sicomoro, cuando de pronto y en el preciso momento para frustrar el descanso que proyectaba, veo venir al Rey y a sus compañeros. Deslíceme entonces sigilosamente en una espesura próxima, y oí lo que vais a escuchar, es decir, que dentro de poco llegarán aquí disfrazados. Su heraldo será un gracioso mozalbete, paje avisado, al que han hecho aprender de memoria el mensaje de que debe ser portador. Gestos, palabras, todo se lo han enseñado: "He aquí cómo hablarás", "he aquí cómo te presentarás". A veces les inquietaba el recelo de que vuestra majestuosa presencia le hiciera hacerse un taco. El Rey le decía: "Te encontrarás ante un ángel; pero no te acobardes y habla sin miedo." —"Un ángel no es malo —respondía el paje—, tendría miedo si en vez de un ángel fuese un diablo." Oyendo esto, todo fueron carcajadas y golpearle amistosamente la espalda, escuchando los elogios, al ya avispado muchacho. Uno se frotaba el codo, de esta manera, desternillándose, y jurando que jamás había oído respuesta más oportuna. Otro hacía castañear su índice contra el pulgar, exclamando: "¡Magnífico!, haremos lo que nos propongamos, ocurra lo que ocurra." El tercero, saltando como un corzo, gritaba: "¡De primera!". El cuarto, al tratar de hacer una pirueta sobre la punta de los pies, rodó por el suelo. ¡Y al suelo fueron todos, tan llenos de risa, que las lágrimas, mensajeras solemnes del dolor, acabaron por llenar sus ojos, calmando con ello su ridícula alegría!

PRINCESA.—Pero veamos, ¿es que van a venir a hacernos una visita?

BOYET.—Por supuesto, que vienen. Y disfrazados, si no me equivoco, de moscovitas o de rusos. Y su intención es charlar, galantear y bailar. Cada uno, además, hará su declaración de amor a su escogida; a la que reconocerá, decían, por los regalos que la han hecho.

PRINCESA.—¿De veras? ¡Pues vamos a poner a prueba a esos galanteadores! ¿Me oís? Es preciso que también nos enmascaremos nosotras y que ninguno de ellos, aunque se deshaga en ruegos, obtenga

la gracia de vernos la cara. Toma, Rosalina, tú llevarás esta joya, con lo que el Rey te hará la corte creyéndose tu bienamada. Tómala y dame la tuya, con objeto de que Berowne me tome a mí por Rosalina. (*A Catalina y a María.*) Y vosotras lo mismo: cambiaréis vuestros regalos para que vuestros enamorados, engañados por el trueque, hagan el amor enteramente de través también.

ROSALINA.—Sí, sí, y pongamos sus regalos bien a la vista.

CATALINA.—Pero, ¿por qué estos cambios?, ¿qué pretendéis con ello?

PRINCESA.—Mi propósito no es sino estropear el suyo. Como buscan divertirse a costa nuestra, cuanto me propongo es devolverles burla por burla. Cada uno descubrirá el secreto de su corazón a la que creerá su bienamada, y con ello, nosotras seremos quienes podremos burlarnos de ellos al volvernos a encontrar a cara descubierta.

ROSALINA.—Y si nos invitan a bailar, ¿lo haremos?

PRINCESA.—¡No!, antes morir que mover un pie. Ni les daremos las gracias, luego que nos hayan soltado sus preparados discursos. Es más, mientras hablen volvámosles la espalda.

BOYET.—Pues entonces, el orador quedará desconcertado y hasta la memoria de lo que tenga que decir perderá.

PRINCESA.—Que es precisamente lo que quiero. Segura estoy, naturalmente, que una vez perdido el hilo, imposible le será acabar. Nada más divertido que confundir una broma mediante otra broma. Sus risas de antes serán entonces nuestras y las nuestras para nosotras solas; con lo que deshecha la farsa que proyectaban, quedaremos dueñas de la plaza, mientras que ellos, burlados como se merecen, escaparán llevándose su vergüenza. *(Se oye ruido de trompetas.)*

BOYET.—¡La trompeta suena! ¡Enmascaraos! He aquí los antifaces. *(Las aamas se ponen los antifaces. Entran varios negros tocando instrumentos de música, el paje, con su discurso y los señores disfrazados de rusos y enmascarados.)*

MOTH.—"A las más resplandecientes hermosuras de la tierra, ¡salud!"

BOYET.—Hermosuras menos resplandecientes que los tafetanes de sus antifaces.

MOTH.—"¡Divino ramillete de hermosísimas damas *(las damas le vuelven la espalda)*, que volvió la espalda hacia los mortales!"

BEROWNE.—"¡Los ojos, idiota, los ojos!"

MOTH.—"Que volvió jamás los ojos hacia los mortales. Hacedmos la gracia..."

BOYET.—La gracia, sí; ¿qué más?

MOTH.—"...hacednos la gracia, celestes espíritus, de dejar de contemplar..."

MOTH.—"De dejarnos contemplar en vuestros ojos, en vuestros ojos radiantes..."

BOYET.—Como ves, no aprecian mucho el epíteto. Yo que tú, diría "despeluznantes", a ver qué pasaba.

MOTH.—Es que no me escuchan y pierdo el hilo.

BEROWNE.—¿Era esta tu seguridad? ¡Largo de aquí, bribón! *(Moth desaparece.)*

ROSALINA. *(Volviéndose.).* —¿Qué quieren estos extranjeros? Trata de conocer sus intenciones, Boyet. Es nuestra voluntad que uno de ellos nos exponga claramente lo que desean, si en todo caso hablan nuestra lengua. Pregúntales qué quieren.

BOYET.—¿Qué queréis de la princesa?

BEROWNE.—Nada, a no ser paz y una cordial entrevista.

ROSALINA.—¿Qué dicen que quieren?

BOYET.—Nada sino paz y una cordial entrevista.

ROSALINA.—Pues bien, tengan lo que desean. Tras ello diles que se vayan.

BOYEG.—Dice que ya tenéis lo que deseáis y que podéis marcharos.

EL REY.—Dilas que hemos hecho muchas leguas tan sólo por poder bailar con ellas sobre este césped.

BOYET.—Dicen que han hecho muchas leguas tan sólo para bailar con vosotras, señoras, sobre este césped.

ROSALINA.—¡No es cierto! Pregúntales cuantas pulgadas tiene una legua. De haber recorrido miles de ellas, con facilidad podrán decir la medida de una.

BOYET.—Si por venir hasta aquí habéis recorrido leguas, miles de leguas, la princesa pregunta y os ordena decir cuántas pulgadas tiene una legua.

BEROWNE.—Di a la princesa que lo que ha medido las leguas ha sido la fatiga de nuestros pasos. *(Las damas se acercan.)*

BOYET.—La princesa os escucha.

ROSALINA.—Puesto que habéis sufrido la fatiga de recorrer millares de leguas, decidnos cuántos pasos tiene cada una.

BEROWNE.—Jamás se nos ocurrió tener en cuenta nada de cuanto por vosotras, señoras, nos costó llegar hasta aquí. Nuestra deuda hacia vos en tan cuantiosa, tan infinita, que podemos siempre obrar sin contar. Dignaos mostrarnos el sol de vuestras caras, para que, cual si fuésemos salvajes, podamos adorarle.

ROSALINA.—Mi cara no es sino una luna. Es, incluso, una luna llena de celajes.

EL REY—¡Dichosos celajes que tal suerte alcanzan! Dignaos, resplandeciente luna, y lo mismo vosotras, estrellas, quitar celajes y nubes y lucir con todo esplendor ante nuestros ojos humedecidos.

ROSALINA.—¡Vana petición! Implorad algo que valga la pena, pues poco es solicitar, cual solicitáis, el reflejo de la luna en el agua.

EL REY.—Entonces, concedednos al menos unos pasos de baile. Puesto que me decís que pida, no creo pedir, pidiendo esto, nada extraño.

ROSALINA.—¿Oís, músicos? ¡Tocad! (*La música empieza a sonar mientras afinan los instrumentos.*) ¡Pero daos prisa! ¡Cómo! ¿Aún no estáis listos? ¡Se acabó entonces el baile! Ya lo veis: luna soy y como ella cambio.

EL REY.—¿Que no queréis bailar? ¿Por qué ahora este capricho?

ROSALINA.—Hace un instante la luna estaba llena; ahora ha habido cambio. (*Los músicos empiezan a tocar al fin.*)

EL REY.—No por ello dejáis de ser luna, ni yo el caballero de la luna. Y puesto que la música suena, dignaos seguirla.

ROSALINA.—Nuestros oídos lo hacen.

EL REY.—Pero son vuestras piernas las que deben hacerlo.

ROSALINA.—Puesto que sois extranjeros venidos aquí de casualidad, no nos haremos rogar. Dadnos la mano... Vamos... a no bailar.

EL REY.—¿Para qué entonces darnos la mano?

ROSALINA.—Para despedirnos como buenos amigos. (*Dirigiéndose a las damas.*) Ahora, una reverencia, queridas mías, y el paso acabado. (*Las cuatro se inclinan.*)

EL REY.—Medid con más largueza el paso; no os hagáis rogar tanto.

ROSALINA.—No podemos conceder más por el precio.

EL REY.—Tenéis sino decir en cuanto os estimáis. ¿A qué precio se compra vuestra compañía?

ROSALINA.—No caro: al de vuestra ausencia.

EL REY.—Eso no es posible.

ROSALINA.—Entonces no podemos ser compradas. Esto dicho, adiós.

Dos veces adiós: dos veces adiós a vuestra máscara y la mitad de una a vuestra persona.

EL REY.—Si os negáis a bailar, conversemos siquiera unos instantes.

ROSALINA.—¿A solas tal vez queréis decir?

EL REY.—Mucho más encantado entonces. (*Se alejan.*)

BEROWNE. (*A la princesa.*)—Señora de las blancas manos, cuanto pido de ti es un poco de dulzura.

PRINCESA.—Miel, leche y azúcar: ofrezco tres.

BEROWNE.—Puesto que os volvéis tan amable, doblemos la trilogía: hidromiel, hipocrás y malvasía. Seis, hasta en los dados sería un punto magnífico. He aquí, pues, media docena de dulzuras.

PRINCESA.—Adiós, a vos la séptima. Puesto que hasta con los dados seríais capaz de hacer trampa, no seré yo quien juegue más con vos.

BEROWNE.—¿Y una palabrita en secreto?

PRINCESA.—Bien, con tal de que no sea también dulce.

BEROWNE.—Has dado donde duele.

PRINCESA.—¿Dolor? Amargo, entonces.

BEROWNE.—Entonces de acuerdo, (*Se alejan.*)

DUMAINE (*A María.*)—¿Os dignaríais cambiar algunas palabras conmigo?

MARÍA.—Ya escucho.

DUMAINE.—Hermosa señora...

MARÍA.—¿Son estas vuestras palabras? Pues las de la hermosa señora son: Hermoso señor...

DUMAINE.—Por favor, una sola palabra, pero a solas. Luego, os diré adiós. (*Se alejan asimismo.*)

CATALINA. (*A Longaville.*)—¿Es que vuestra careta no tiene lengua?

LONGAVILLE.—Conozco la razón, señora, que os mueve a hacer esta pregunta.

CATALINA.—Pues decidla pronto, porque estoy en ascuas.

LONGAVILLE.—Que tenéis una lengua doble bajo vuestro antifaz y que querríais dar la mitad a mi pobre disfraz mudo.

CATALINA.—¡Excelente, a fe mía! Yo, en vuestro apellido doble, Longaville, veo una lengua de ternero.

LONGAVILLE.—¿De ternero, hermosa señora?

CATALINA.—Sí, una vulgar lengua de ternero.

LONGAVILLE.—Partamos entonces la palabra en dos.

CATALINA.—No, yo no quiero ser vuestra mitad; guardad el ternero enterito para vos y destetadle; tal vez pudiera, sólo por burlaros, llegar a hacerse un buey.

LONGAVILLE.—Os desgarráis vos misma con vuestra hiriente burla. ¿Es que queréis ponerme cuernos, casta señora? No hagáis tal cosa.

CATALINA.—No tenéis sino hacer morir a vuestro ternero antes de que le apunten las astas.

LONGAVILLE.—Concededme en particular una palabra antes de que muera.

CATALINA.—Berread bajito entonces, no sea que el carnicero os oiga. *(Se alejan.)*

BOYET.—La lengua de las mujeres burlonas es tan afilada como el corte invisible de una navaja de afeitar, capaz de cortar cabellos no menos invisibles. Tan ágil es su charla, que escapa a la percepción de los sentidos. Los dardos de su espíritu tienen alas más rápidas que flechas, que alas de fusil, que el viento, que el pensamiento y que las cosas más rápidas.

ROSALINA. *(Bruscamente.)*—Ni una palabra más, hijas mías. Rompamos la charla, rompamos la charla. *(Todas las damas se separan de sus caballeros y entran en su pabellón.)*

BEROWNE.—Henos aquí, ¡por el cielo!, bien zarandeados y aún mejor burlados.

EL REY.—Adiós, locas doncellas. Estrecho tenéis el espíritu. *(El Rey, sus amigos y los músicos se van. Las damas vuelven.)*

PRINCESA.—Mil veces adiós, moscovitas helados. ¿Era ésta la pléyade de espíritus tan admirados?

BOYET.—¡Magníficas antorchas! Ha bastado soplar un poco para apagarlas.

ROSALINA.—¡Oh espíritus hinchados! ¡Gordos! ¡Cebados!

PRINCESA.—¡Oh miseria de espíritu!, digo yo. ¡Oh broma real aún más mísera! ¿No os parece que esta noche van a ahorcarse? El tal insolente Berowne estaba completamente desconcertado.

ROSALINA.—¿El sólo? Todos estaban en un estado lamentable. Por una palabra amable hubiera llorado el Rey.

PRINCESA.—Berowne, falto ya de súplicas, deshacíase en juramentos.

MARÍA.—Dumaine poníase a mi servicio espada y todo. "¡Envainda!", le he dicho, y ello ha bastado para que quedase mudo.

CATALINA.—Mi señor, Longaville, me ha asegurado que le oprimía el corazón. ¿Y sabéis cómo me ha llamado?

PRINCESA.—Síncope, sin duda.

CATALINA.—¡Exactamente!

PRINCESA.—¡Bien ido!, enfermedad fatal.

ROSALINA.—De veras que se hallarían espíritus mejores bajo simples gorros de aprendices por ahí. Claro que he de decir que el Rey es mi amor más rendido.

PRINCESA.—El ardiente Berowne por su fe me ha jurado su pasión.

CATALINA.—A creer a Longaville, ha nacido para servirme.

MARÍA.—Dumaine es más mío que corteza a árbol.

BOYET.—Señora, y vosotras, lindas criaturas, escuchadme. Dentro de poco estarán aquí tal como son, pues imposible que digieran tan cruel humillación.

PRINCESA.—¿Qué van a volver?

BOYET.—Volverán, ¡no han de volver! Y aun saltando de gozo, bien que cojos a causa de los golpes recibidos. Por consiguiente, quitaos los antifaces, cambiad los regalos y descogeos como dulces rosas al soplo del verano.

PRINCESA.—¿Qué quieres decir con esto de que nos descojamos? Habla claro.

BOYET.—Damas hermosas enmascaradas son rosas en capullo; desenmascaradas y sus suaves colores a la luz del día, tórnanse ángeles despojados de sus velos, rosas ya abiertas.

PRINCESA.—¡Al diablo tanto circunloquio! ¿Qué debemos hacer si vuelven a hacernos la corte en su aspecto natural?

ROSALINA.—Excelente señora, si queréis escuchar mi consejo, burlémonos de ellos con la cara descubierta, cual lo hemos hecho con ella tapada. Quejémonos de unos locos disfrazados de moscovitas con trajes extraños que han venido; digámosles que nos preguntamos quiénes pueden ser y con qué motivo nos han ofrecido aquí, junto a nuestra tienda su tonto espectáculo, su prólogo tan mal pergeñado y sus maneras ridículas y grotescas.

BOYET.—Retiraos, señoras, que los galanes se acercan.

PRINCESA.—Corramos a nuestra tienda como ciervas que huyen a través del campo. (*Salen por un lado, mientras por el otro entran el Rey, Berowne, Longaville y Dumaine vestidos como de costumbre.*)

EL REY.—Amable caballero, Dios os guarde: ¿dónde está la Princesa?

BOYET.—Ha ido a su tienda. ¿Le place a vuestra majestad confiarme algún mensaje para ella?

EL REY.—Sí, decidla que se digne concederme una breve audiencia.

BOYET.—Nada puede serme más grato, señor. Como sé también que su alteza consentirá feliz. (*Sale.*)

BEROWNE.—Este individuo picotea el espíritu como un pichón los granos y luego desembucha cuando Dios quiere. Vendedor ambulante de ingenio, detalla su mercancía en las veladas, en las francachelas, en las reuniones, en los mercados y en las ferias. Mientras que nosotros, que vendemos al por mayor, incapaces somos, ¡Dios es testigo!, de hacernos valer con el arte que él. Es un galán experto en seducir doncellas. De haber sido Adán, él hubiera sido quien hubiese tentado a Eva. Sabe ofrecer el brazo, hablar apenas con los labios, besar su propia mano en señal de cortesía. Es el mono del protocolo, el señor delicado, el precioso que si juega al trictrac se enfada con los dados sin descomponerse. Sin contar que tiene una deliciosa voz de tenor y que como maestro de ceremonias da ciento y raya al más pintado. Las damas le llaman querido, los escalones le besan los pies cuando los pisa. Es una flor que sonríe a todo el mundo para mostrar sus dientes blancos como huesos de ballena. Hasta las conciencias que no quieren morir dejando deudas le pagan lo que le deben, llamándole Boyet el de la meliflua lengua.

EL REY.—Lástima, ¡por Cristo!, de una ampolla en esta dulce lengua que ha hecho un taco al paje de Armando. (*Sale la Princesa, precedida de Boyet, y luego las otras damas, sin antifaz y llevando sus regalos respectivos.*)

BEROWNE.—¡Vedle cómo llega! Buenas formas, ¿qué érais antes de que este hombre os diese valor y qué sois ahora?

EL REY. (*A la Princesa.*)—Hermosa señora, que el cielo haga llover sobre vos toda suerte de bendiciones y os conceda un buen día.

PRINCESA.—Buen día, y la lluvia, difícil me parece.

EL REY.—Interpretad mis palabras como es debido, os lo ruego.

PRINCESA.—Enunciad mejor vuestros deseos, os lo autorizo.

EL REY.—Hemos venido a visitaros con objeto de conduciros a nuestra corte; dignaos consentir en ello.

PRINCESA.—Estos campos me guardarán. En cuanto a vos, guardad asimismo vuestra promesa. Ni Dios ni yo gustamos de los hombres perjuros.

EL REY.—No me reprochéis lo que vos misma habéis causado. La virtud de vuestros ojos ha sido la que ha roto mis juramentos.

PRINCESA.—Invocáis en falso la virtud; de vicio es de lo que deberíais hablar. El oficio de la virtud jamás consiste en empujar a los hombres a romper su fe. Y ahora, por mi honor de doncella, que es aún tan puro como la inmaculada azucena, afirmo, aunque por hacerlo tuviese que sufrir todos los tormentos del mundo, que no consentiré en ser huésped en vuestro palacio, de tal modo me repugna hacer romper votos pronunciados de buena fe y con entera libertad.

EL REY.—Señora, habéis vivido aquí, en la soledad, sin que nadie viniese a visitaros, y esto es lo que nos avergüenza.

PRINCESA.—No, majestad, en modo alguno; os lo aseguro. Hemos tenido pasatiempos y distracciones divertidísimas. Precisamente, hace apenas un instante, cuatro rusos, por ejemplo, acaban de dejarnos.

EL REY.—¿Rusos decís, señora?

PRINCESA.—Rusos digo, majestad. Por cierto, que llenos de amable galantería. Sumamente bien vestidos y de buen ver.

ROSALINA.—Mejor decir la verdad, señora. La cosa no ha sido así, majestad... Mi señora, siguiendo la moda del día, les concede por pura cortesía alabanzas que no merecen. La verdad es que las cuatro hemos sido acometidas por cuatro personajes vestidos de rusos. Una hora han estado aquí diciendo cuanto les venía a la boca, y durante todo este tiempo ni una sola palabra agradable hemos oído de ellos. No me atrevo

a calificarles de tontos, pero sí sé que cuando tienen sed, tontos hay que querrían a todo trance beber.

BEROWNE.—A mí esta broma, amabilísima criatura, me deja la garganta seca. Paréceme que es vuestro propio espíritu el que hace de los sabios, tontos. Cuando con los ojos más penetrantes del mundo miramos de frente al inflamado ojo del cielo, el exceso de luz, precisamente, nos hace perder la luz. Así, vuestra capacidad es de tal naturaleza, que, ante tan inmenso tesoro, la sabiduría parece tontería y la riqueza, pobreza.

ROSALINA.—Lo que prueba que sois rico y sabio; pues, a mis ojos...

BEROWNE.—Yo no soy sino un tonto, un pobre tonto.

ROSALINA.—De no ser para tomar lo que me pertenece, diría que no está bien quitarme de este modo la palabra de la boca.

BEROWNE.—¡Oh, vuestro soy así como cuanto poseo!

ROSALINA.—¿Mío el tonto por entero?

BEROWNE.—No puedo daros menos.

ROSALINA.—¿Cuál era el disfraz que llevabais?

BEROWNE.—¿Dónde?, ¿cuándo?, ¿qué disfraz? ¿Por qué esta pregunta?

ROSALINA.—Aquí, hace un instante. El disfraz engañador que ocultaba la cara peor para mostrar la mejor.

EL REY.—Nos han reconocido. Se van a burlar de nosotros a más y mejor.

DUMAINE.—Confesemos y echemos la cosa a broma.

PRINCESA.—Diríase que estáis todo sofocado, Señor. ¿Por qué tiehe Vuestra Majestad este aspecto tan turbado?

ROSALINA.—¡Socorro! ¡Sostenedle, pronto, que va a desfallecer! ¿Qué os pone tan pálido? Sin duda, es cosa del mareo. ¡Claro que cuando se viene de Moscovia...!

BEROWNE.—He aquí cómo los astros vuelcan las calamidades sobre los perjuros. ¿Habrá una frente de bronce capaz de resistir más tiempo? Aquí estoy ante vos, señora. Asaeteadme con los dardos de vuestra malicia. Aplastadme con vuestro desdén. Anonadadme a fuerza de sarcasmos. Perforad mi ignorancia con vuestro cortante espíritu. Desmenuzadme con vuestros hachazos más certeros. Por nada del mundo, ¡no!, volvería a rogaros que bailaseis, ni a rendiros homenaje disfrazado de ruso. Nunca más volveré a firmar en versos escritos de antemano, ni en palabras dignas tan sólo de un escolar. Ni volveré, bajo un disfraz, a ver a mi señora, ni la celebraré más en rimas semejantes a la canción de un menestral ciego. Frases de tafetán, palabras de refinada seda, hipérboles de raído terciopelo, afectación rebuscada, retórica pedante; todas estas moscas de verano me han llenado hasta ponerme como un globo, tontamente hinchado de aire. Las repudio y hago promesa formal, por ese guante blanco —¡en qué modo es blanca la mano Dios sólo lo sabe!—, de expresar, en adelante, mis sentimientos amorosos mediante sencillos síes o noes, modestos como tela de sayal, simples como la sencilla y modesta sarga. Y como prueba y para empezar, criatura —¡y Dios me asista!—, te diré que te amo con amor fuerte y sólido, *sine* resquebrajadura ni trampa.

ROSALINA.—Nada de *sine*, os lo ruego.

BEROWNE.—Sin duda, tengo aún restos de mi antiguo delirio. Excusadme; estoy enfermo; curaré poco a poco. Ya digo que paciencia, ¡ea! Poned sobre esos tres hombres que veis ahí el cartel: "¡El Señor tenga piedad de nosotros!" Están infestados hasta el fondo del corazón. Tienen la peste, y en vuestros ojos la han cogido. Pero si estos caballeros han sido visitados por la cólera celes-

te, vosotras tampoco estáis indemnes, señoras mías, pues también veo en vosotras ciertas huellas de nuestro mal.

PRINCESA.—No, no, libres son los que nos hicieron estos regalos.

BEROWNE.—Nuestros bienes embargados están; ved de no arruinarnos.

ROSALINA.—Protesto. ¿Cómo podéis estar embargados siendo vos los que perseguís?

BEROWNE.—Concededme la paz. Con vos no quiero cuestión alguna.

ROSALINA.—No la tendréis, al menos, si de mí depende.

BEROWNE.—A vosotros el hablar, señores. Yo ya no puedo más.

EL REY.—Enseñadnos alguna excusa, hermosa Señora, digna de purgar nuestra grosera ofensa.

PRINCESA.—La mejor excusa es la confesión. ¿Estabais o no disfrazados, aquí, hace unos instantes?

EL REY.—Sí, Alteza.

PRINCESA.—¿Y sabíais lo que hacíais?

EL REY.—Sí, hermosísima Señora.

PRINCESA.—Y cuando estabais aquí, qué decíais en voz baja al oído de vuestra elegida?

EL REY.—Que la respetaría más que a toda otra cosa en el mundo.

PRINCESA.—Y cuando os intime a cumplir vuestra palabra, ¿rechazaréis mi intimación?

EL REY.—No, por mi honor.

PRINCESA.—Callad, callad, nada de honor. Ya habéis violado un juramento; de modo que poco os costará volver a ser perjuro.

EL REY.—Despreciadme si violo lo que ahora prometo.

PRINCESA.—Así lo haré seguramente; no lo olvidéis. Rosalina, ¿qué es lo que el ruso te ha murmurado al oído?

ROSALINA.—Me ha jurado, Señora, que me amaba como a las niñas de sus ojos y que era para él más que todo en el mundo. Más aún: ha añadido que o me desposaba o moriría de amor por mí.

PRINCESA.—¡Pues Dios te conceda ser muy feliz con él! Mas, ¿de veras que el noble señor está dispuesto a cumplir honrosamente su promesa.

EL REY.—¿Qué queréis decir, Señora? Por mi vida y por mi fe que yo jamás hice a esta dama tal juramento.

ROSALINA.—¡Por el Cielo!, digo yo, que me lo habéis hecho. Y como prenda del cumplimiento de lo que me prometíais, me habéis dado esto. (*Muestra una sortija.*) Pero volved a tomarla, Señor.

EL REY.—Es a la Princesa a quien se la he dado en prenda de mi fe. La he reconocido en la joya que llevaba en la manga.

PRINCESA.—Perdón, Señor, quien llevaba esta joya era ella; y el caballero Berowne —y por ello le doy las gracias—, quien está enamorado de mí. (*A Berowne.*) Conque vamos a ver, ¿es que queréis tenerme, como decíais, o queréis volver a recuperar vuestra perla?

BEROWNE.—Ni una cosa ni otra; abandono las dos. Y bien veo ahora lo que ha ocurrido. Estabais de acuerdo, señoras, conociendo de antemano nuestra broma, para hacerla abortar como se hace con las comedias de Navidad. Algún vendedor ambulante de noticias, algún bromista, un payaso cualquiera de esos tráemelleva historias, un parásito oficioso, un aguantatodo de los que, a fuerza de sonreír, por adular, tienen patas de gallo desde jóvenes, y que sabe cómo divertir a Su Alteza, sin ignorar que, a veces, puede ser bajeza lo que lleva a cabo, os ha revelado nuestro proyecto. Y una vez descubierto el plan, estas damas han cambiado los regalos y nosotros, guiados por ellos, hemos cortejado a los regalos de nuestras bienamadas. Con ello, creciendo el error de nuestro perjurio, hemos roto dos veces nuestro juramento: una, voluntariamente; la otra, por error.

Y esto es, poco más o menos, lo que ha ocurrido. (*A Boyet.*) ¿Y no seréis vos, quizá, quien habrá revelado nuestro proyecto para hacer que nos mintiésemos a nosotros mismos? ¿No seréis vos, digo, gran husmeador de los caprichos de vuestra señora? ¿Vos, que sabéis leer como nadie, en el menor movimiento de sus ojos, cuándo debéis reír? ¿Vos, siempre alerta, entre su espalda y el fuego, plato en mano, dispuesto a servirla de bufón? ¿Vos, que habéis confundido también a nuestro paje? ¡Largo, largo! De cualquier cosa sois capaz. Podéis morir cuando os plazca; vuestra mortaja será una camisa de mujer. ¿Me miráis de reojo? ¡He aquí una mirada hiriente como sable de plomo!

BOYET.—¡Con qué alegría ha dado una vez más él solito su vuelta a la pista!

BEROWNE.—Vedle aún dispuesto a romper una lanza. ¡Bah! Tengamos paz. Por mi parte, he acabado. (*Entra Costard.*) ¡Salud a ti, noble espíritu! A tiempo llegas para dar punto a una querella.

COSTARD.—A lo que vengo, señor, es porque ellos quieren saber si los tres Valientes pueden llegar ya o no.

BEROWNE.—¡Cómo!, ¿no son sino tres?

COSTARD.—No, señor, pero la cosa será de lo bueno lo mejor, pues cada uno de ellos hace por tres.

BEROWNE.—Y tres veces tres hacen nueve.

COSTARD.—Tampoco, señor —salvo error, señor—; espero bien que tampoco será así. Porque no hay que tomarnos por idiotas, señor; os lo puedo asegurar, señor. Nosotros sabemos lo que sabemos. Yo espero, señor, que tres veces tres, señor...

BEROWNE.—No hacen nueve.

COSTARD.—Salvo error, señor, nosotros sabemos las que son.

BEROWNE.—Pues yo, ¡por Júpiter!, siempre había creído que tres veces tres eran nueve.

COSTARD.—A fe mía, señor, que sería una lástima que tuvieseis que ganaros la vida contando.

BEROWNE.—Entonces, ¿cuántas son?

COSTARD.—La verdad, señor, la compañía misma, los actores, os mostrarán, señor, cuántas son. Por mi parte, como ellos dicen, yo debo "aparentar" un hombre; más aún: un pobre hombre: el gran Pompión, señor.

BEROWNE.—¿Eres entonces uno de los Valientes?

COSTARD.—Han tenido a bien juzgarme digno de hacer el gran Pompión. Por mi parte, la verdad, no conozco el grado de este Valiente, pero yo soy quien debo ser él.

BEROWNE.—Pues ve a decirles que se preparen.

COSTARD.—Haremos la cosa de un modo muy en su punto justo, señor. Pondremos en ello toda nuestra conciencia. (Sale.)

EL REY.—Nos van a llenar una vez más de vergüenza, Berowne; no les dejes acercarse.

BEROWNE.—Un poco más o un poco menos ya, Señor... Además, es de buena política ofrecer a estas damas un espectáculo inferior a los de la compañía del Rey.

EL REY.—Te digo que no quiero que vengan.

PRINCESA.—Ea, amable Señor, dejadme que os gobierne en esto. El entretenimiento que más divierte es aquel que lo consigue a pesar nuestro. Cuando se pone gran empeño en satisfacernos, y se ve expirar tal empeño a pesar del ardor de los que tratan de llevar a buen puerto su propósito, sus apuros mismos causan el más vivo regocijo. Pues ciertamente mueve a risa el ver que muchos grandes proyectos, pese a luchar mucho por llegar a ser algo, abortan en su nacimiento.

BEROWNE.—Exacta descripción de nuestro entretenimiento, Señor. (Entra Armando.)

ARMANDO.—Ungido del Señor, yo imploro de tu dulce aliento real el gesto necesario para proferir una pareja de palabras. (Habla con el Rey aparte y le da un papel.)

PRINCESA.—¿Es que este hombre sirve a Dios?

BEROWNE.—¿Por qué lo preguntáis, Señora?

PRINCESA.—Porque no habla como los demás hombres a los que Dios ha hecho.

ARMANDO.—Qué importa, mi hermoso, dulce y melifluo monarca. Aseguro a Vuestra Majestad que el maestro de escuela tiene tanta fantasía, que si quisiera, podría vender. Y como vanidad, ¡mucha! Mucha vanidad. Pero nos entregamos, como suele decirse, a la fortuna de la guerra. Os deseo, ¡oh realísima pareja!, paz espiritual. (Sale inclinándose ceremoniosamente.)

EL REY.—(Leyendo atentamente el papel que le ha dado Armando.) No hay duda que vamos a ver una linda exhibición de los Valientes... El representará a Héktor, de Troya; el rústico, a Pompeyo el Grande; el cura de la parroquia, a Alejandro; el paje de Armando, a Hércules; el pedante, a Judas Macabeo... (lee). Y si los cuatro Valientes aciertan en estos papeles, cambiarán de trajes e interpretarán los otros cinco.

BEROWNE.—Pero ya hay cinco, Señor, en esta primera parte.

EL REY.—No, hombre, te equivocas.

BEROWNE.—Como queráis: el pedante, el fanfarrón, el cura rural, el palurdo y el paje. Aunque consiguieseis el mejor golpe de dados, no habría medio en el mundo de reunir cinco puntos semejantes. Cada uno en su género es único.

EL REY.—El barco ha desplegado velas, y viento en popa llega.

(*Traen sillones para el Rey y la Princesa. Entra Costard, armado, representado a Pompeyo. Tropieza con su propia espada y cae.*)

COSTARD.—(*Desde el suelo.*) "Yo, Pompeyo soy..."

BEROWNE.—Mientes, no lo eres.

COSTARD.—(*Levantándose.*) "Yo, Pompeyo soy..."

BOYET.—Con una cabeza de leopardo en la rodilla.

BEROWNE.—¡Bien dicho, viejo burlón! Va a ser preciso que seamos amigos.

COSTARD.—"Pompeyo soy, Pompeyo llamado el Gordo..."

DUMAINE.—El Grande.

COSTARD.—Bueno, claro, señor, el Grande; el Gran Pompeyo
que muchas veces, en los campos de batalla,
hice con mi escudo, mi armadura y mi talla
sudar a mis enemigos. Hoy errando por estos lugares,
tras haber recorrido largas tierras y mares,
llego aquí, donde ya sin arrogancia armas rindo a la dulce hija de Francia. (*Tira a los pies de la Princesa espada y escudo.*) Si Vuestra Alteza quisiera decirme: "Gracias, Pompeyo", hecho estaba lo mío.

PRINCESA.—Gracias, mil, Gran Pompeyo.

COSTARD.—Claro, que casi no vale la pena, pero me parece que he estado de primera. No me he equivocado sino una vez: en lo de "gordo" en vez de "grande".

BEROWNE.—Mi sombrero contra medio penique a que Pompeyo será el mejor de los Valientes. (*Entra Nataniel, armado, representando a Alejandro.*)

NATANIEL.—Cuando yo en el mundo vivía,
el mundo todo me pertenecía.
Al Norte, al Sur, al Este y al Oeste extendíase mi potencia terrestre.
Que Alisandro soy, yo no lo dudo;
dice, evidencia y pruébalo mi escudo.

BOYET.—Pues tu nariz dice lo contrario. La tienes demasiado derecha.

BEROWNE.—¡Bien olida la negación! Eso es tener fino el olfato.

PRINCESA.—He aquí al pobre conquistador hecho un taco. Sigue, excelente Alejandro.

NATANIEL.—Cuando yo en el mundo vivía,
el mundo todo me pertenecía...

BOYET.—Cierto, exactísimo, te pertenecía, Alisandro.

BEROWNE.—¡Gran Pompeyo!

COSTARD.—Aquí, Costard, para serviros.

BEROWNE.—Llévate al conquistador, llévate a Alisandro.

COSTARD.—(*A Nataniel.*) ¡Pero, Mosén!... ¡Habéis humillado a Alisandro el conquistador! Ahora os quitarán de las telas pintadas. Vuestro león, que sostiene su hacha sentado en el taburete, será dado a Aiax; y hará el noveno Valiente. ¡Tener miedo de hablar un conquistador! ¡Corre a esconder tu vergüenza, Alisandro! (*Nataniel se retira todo confuso.*) Y, por tanto, salvo vuestra mejor opinión, es un amable tonto. Un hombre, por supuesto, el mejor del mundo. Pero, claro, ya se ha visto que se ha hecho un ovillo por menos de nada. Por lo demás, excelente vecino. Por supuesto, a los bolos no hay quien le meta mano. Ahora que como Alisandro, ya lo habéis visto, no ha estado, ¡qué lástima!, a la altura de su oficio. Pero aquí vienen otros Valientes que dirán lo que llevan dentro de modo bien distinto. (*Entra Holofernes, armado, representando a Judas Macabeo; y Moth, armado asimismo, en su papel de Hércules.*)

HOLOFERNES.—Este arrapiezo Hércules representa,
cuya maza mató al cruel Cerbero.
El tricéfalo *canis*, fiel portero del Infierno, por él halló su cuenta.
Hércules, el que aún niño, en la lactancia

ahogaba serpientes con sus manos.
Quoniam, sus hechos nunca fueron
vanos;
ahora le veis aquí en plena infancia.
(A Moth.)
¡Exit!, vete de aquí como una bala;
sin perder dignidad, ahueca el ala.
(Moth se va.)
En cuanto a mí, soy Judas y bien
veo...
DUMAINE.—¿Judas nos llega ahora
de rebote?
HOLOFERNES.—Pero atención, no Judas Iscariote;
soy Judas el nombrado Macabeo.
DUMAINE.—Si Macabeo pierdes, quedas Judas.
BEROWNE.—Judas, que traicionó mediante un beso.
No obstante, prueba, pues que dices
eso,
eres tal.
HOLOFERNES.—Que lo soy, fuera es
de dudas.
DUMAINE.—¿Y no sientes vergüenza
de tal cosa?
HOLOFERNES.—Más que vergüenza,
orgullo y embeleso.
BOYET.—¿Orgullo? ¡Anda a ahor-
carte, vil raposa,
pues, que vendiste a Cristo por un
beso!
HOLOFERNES.—¿Y si vos me ense-
ñaseis el camino
y fuérais a esperarme junto al olmo?
BEROWNE.—¡Bien respondido, oh
Judas peregrino!
Ahorcarse por besar sería el colmo.
Si alguien te inquieta, que Hércules
te ayude.
DUMAINE.—Ya ha debido de darle
ayuda Baco.
HOLOFERNES.—¿Es que creéis que
soy como Alejandro?
Error el pretender hacerme un taco.
BEROWNE.—¡Alejandro sin casco ni
armadura!
Sin rostro casi; aunque de cara dura.
HOLOFERNES.—No tendré rostro her-
moso como el vuestro,
pero rostro... Decid, si no, qué
es esto.
DUMAINE.—El fondo, ya picado, de
una jarra.

BOYET.—O el parche más ramplón
de una guitarra.
BEROWNE.—La cabeza de un muerto en un anillo.
LONGAVILLE.—Y si cara, la de una
vil moneda;
no de oro, bien que estés todo amarillo.
BOYET.—El pomo de una espada de
madera.
DUMAINE.—El adorno, en metal, de
una polvera.
BEROWNE.—El perfil de un San Jorge narigudo.
DUMAINE.—Más bien, la abolladu-
ra de un escudo.
BEROWNE.—Mejor la insignia, en
trapo y lentejuelas,
de un bufón ambulante, o sacamue-
las.
Y puedes ya marcharte sin cuidado,
pues, como ves, ya te hemos en-
carado.
HOLOFERNES.—Más bien, como vos
todos, ¡descarado!
BEROWNE.—¡Falso!, más de cien
caras te hemos dado.
HOLOFERNES.—¿Llamáis cien caras
al hacerme cara?
¡Metáfora sutil!, linda *avis rara*.
BEROWNE.—Y si eres un león, ¿no
es una gloria
hacerte cara por dejar memoria?
BOYET.—Pero como es un asno solamente,
váyase. Y si es posible, de repente.
Pero qué, ¿no te vas?, ¿qué esperas,
hombre?
DUMAINE.—La sílaba postrera de su
nombre.
BEROWNE.—¿Un "as" y lárgaste tras
hacer baza?
Pues bien, Judas, ¡gran calabaza!
HOLOFERNES.—¡Mezquino todo,
ruin, ineducado!... *(Sale.)*
BOYET.—¡Qué se desmanda! ¡Pronto, un buen bocado!
PRINCESA.—¡Macabeo, infeliz! Cuán
desdichado
se marcha bien contrito y manteado.
*(Entra Armando disfrazado de
Héktor.)*

BEROWNE.—Guarda tu cabeza, ardiente Aquiles, que aquí llega Héktor armado de punta en blanco.

DUMAINE.—Aunque las burlas hubiesen de rebotar contra mí, quiero divertirme.

EL REY.—El valeroso Héktor no era sino una cuchufleta comparado con éste.

BOYET.—Pero, ¿éste es Héktor?

EL REY.—Yo creo que jamás Héktor fue tan sólido como el que vemos.

LONGAVILLE.—Tiene las piernas demasiado gordas para ser Héktor.

DUMAINE.—Que le sobran pantorrillas, es cierto.

BOYET.—No, por donde está mejor provisto es por sobre las pantorrillas.

BEROWNE.—Este no puede ser Héktor.

DUMAINE.—A juzgar por su habilidad en hacer caras o es un dios o un pintor.

ARMANDO.—Marte el omnipotente, el de invencible espada, hizo un regalo a Héktor...

DUMAINE.—Diole una nuez moscada.

BEROWNE.—¡No!, fue un limón, mi bravo.

LONGAVILLE.—Todo lleno, por cierto, de puntitas de clavo.

DUMAINE.—Y, además, de propina, en dos trozos cortado.

ARMANDO.—¡Silencio!
Marte el omnipotente, el de invencible espada,
hizo un regalo a Héktor, de Ilión, la alegría:
tan duro con las armas, que luchando podía
bregar días enteros sin fatigarse nada.
Pues esta flor soy yo...

BEROWNE.—Esta menta bravía.

LONGAVILLE.—Esta flor admirable del rudo escaramujo.

ARMANDO.—Señor de Longaville, detened el embrujo.
de vuestra digna lengua, tan comedida un día.

LONGAVILLE.—¿Detenerla? Al contrario,
pues tras Héktor galopa.
Héktor, que, cual liebre,
sin tino se desboca.

ARMANDO.—Nada de correr Héktor,
pues muerto y enterrado,
no corre. Para siempre, creedme, ya
ha acabado.
Mis amados corderos, respetad, pues
sus huesos;
no seáis con sus restos ni burlones
ni aviesos.
Mientras alientos tuvo, combatió como un bravo;
mi papel continuo, por él, de punta
a cabo. (A la Princesa.)
Atención concededme, Alteza esplendorosa. (Berowne habla bajo con Costard.)

PRINCESA.—Seguid, seguid hablando:
os escucho dichosa.

ARMANDO.—Vuestra chinela adoro,
de tela rica y rara...

BEROWNE.—Ved: por el pie la
adora.

COSTARD.—No puede por la vara.

ARMANDO.—Aníbal no es a Héktor
en nada comparable...

COSTARD.—Tu cómplice está en ruta,
mi camarada amable.
En ruta hace dos meses,
hállase ya viniendo.

ARMANDO.—¿Qué dices, gran Pompeyo?
Te escucho y no te entiendo.

COSTARD.—Pues que obres como
honrado
troyano, ¡por mi vida!,
o la pobre muchacha
para siempre es perdida,
Que en su vientre se agita,
pues está embarazada,
un hijo que la hiciste,
lo juro... ¡por mi espada!

ARMANDO.—¿A difamarme vienes
ante un rey potentado?
¡Morirás por mi mano,
Pompeyo desalmado!

COSTARD.—¡Cuidado!, no te metas,
Héktor, en un apuro, '
que para socorrerte
no encontrarás ayuda:
por preñar a Santiaga,

que te azotan, seguro;
por matar a Pompeyo,
que te cuelgan, no hay duda.
DUMAINE.—¡Magnífico, gran Pompeyo!
BOYET.—¡Pompeyo, famosísimo!
BEROWNE.—¡Más grande que el Grande! ¡Grande, grandísimo Pompeyo!
DUMAINE.—Héktor tiembla.
BEROWNE.—En cambio, Pompeyo enfurece. ¡Adelante, Furias!, ¡adelante!, ¡excitadle aún!
DUMAINE.—Héktor va a desafiarle.
BEROWNE.—Tal es preciso que haga aunque no le quede más sangre en las venas que la necesaria para hacer almorzar a una pulga.
ARMANDO. (A Costard.)—¡Por el Polo Norte, te desafío!
COSTARD.—Yo no quiero batirme a estacazo limpio como las gentes del Norte. No, no me batiré con garrote como un cobarde. A mí me hace falta sangre. Yo quiero batirme con sable. (A la Princesa.) Permitidme que coja otra vez mis armas, os lo ruego. (Coge su espada y su escudo.)
DUMAINE.—¡Campo a los valientes furiosos!
COSTARD.—Me batiré en mangas de camisa. (Se quita el justillo.)
DUMAINE.—¡Intrépido Pompeyo!
MOTH. (A Armando.)—Señor, dejadme que os desabroche un poco. ¿No veis cómo Pompeyo se aligera para combatir? ¿Qué queréis hacer vos? ¿Vais a perder vuestra reputación?
ARMANDO.—Caballeros y soldados, excusadme; yo no quiero batirme en mangas de camisa.
DUMAINE.—No podéis negaros. Pompeyo os ha provocado.
ARMANDO.–Corazones queridos, puedo y quiero negarme a tal cosa.
BEROWNE.—¿Por qué razón?
ARMANDO.—La verdad desnuda a negarme a batirme en mangas de camisa es, que ¡no tengo camisa! Llevo lana como penitencia.
MOTH.—En efecto, la orden la recibió de Roma. Y falto de ropa,

desde entonces no ha llevado, os lo juro, sino una rodilla de Santiaguita; que, por cierto, ajusta contra su corazón a modo de recuerdo. (Entra el caballero Mercade, mensajero.)
MERCADE. (Inclinándose ante la Princesa.)—Dios os guarde, señora.
PRINCESA.—Sé bien venido, Mercade; bien que interrumpas nuestro entretenimiento.
MERCADE.—Bien lo siento, señora. Tanto más cuanto que la noticia de que soy portador no sea grata en modo alguno. El Rey, vuestro padre...
PRINCESA.—¡Ay de mí! ¿Ha muerto?
MERCADE.—Así es, señora. He aquí lo que venía a anunciaros.
BEROWNE.—Valientes, partid. La escena empieza a ensombrecer.
ARMANDO.—En lo que a mí afecta, empiezo a respirar libremente. Tras haber sabido contemplar la luz del ultraje por la rendija de la discreción, a repararle voy como buen soldado. (Salen los valientes.)
EL REY. (A la Princesa.)— ¿Cómo se siente vuestra majestad?
PRINCESA.—Boyet, preparadlo todo; esta misma tarde partiremos.
EL REY.—No, señora; quedaos, os lo suplico.
PRINCESA.—Preparadlo todo, digo. Os doy mil gracias, amables señores, por todas vuestras amabilidades, y desde lo más profundo de mi alma, tan súbitamente hundida en el dolor, os suplico, particularmente a vos, que tan rico sois en sabiduría, que excuséis e incluso olvidéis nuestras burlas. Si hemos ido más allá de los límites justos a lo largo de nuestras conversaciones, culpa es de vuestra propia cortesía. Adiós, noble señor. Corazón afligido no gusta de larga charla. Excusadme, pues, si apenas os doy las gracias por los favores que tan amablemente me habéis concedido.
EL REY.—El batir del tiempo, en los instantes supremos, empuja

todo hacia el fin de su propia carrera, y con frecuencia es precisamente en el momento mismo en
que huye, cuando decide lo que
largos debates no habían conse-
guido arbitrar. Aunque el rostro
contristado de una criatura en
pleno duelo prohiba a la son-
riente cortesía del amor pleitear
como es debido la causa sagrada
que quisiera ganar, no obstante,
puesto que poco ha el amor pre-
sentaba su demanda, no permitáis
que la nube de dolor le aparte del
fin que perseguía. Llorar a amigos perdidos es menos provechoso
y menos saludable que alegrarse
de haber encontrado nuevos amigos.

PRINCESA.—No os entiendo y esta
incomprensión redobla mi pena.

BEROWNE.—Las palabras sencillas y
honradas son las que llegan mejor
a los oídos afligidos. He aquí las
explicaciones que os harán comprender el pensamiento de su majestad. Es por amor hacia vosotras, hermosas señoras, por lo
que hemos gastado nuestro tiempo y violado nuestros juramentos.
Vuestra hermosura nos ha desfi-
gurado, haciéndonos representar
un papel enteramente opuesto a
nuestras intenciones. Si hemos podido parecer ridículos, es porque
el amor lleno está de caprichos
extravagantes, porque es veleidoso
como un niño, y como un niño,
juguetón, cambiante y frívolo. En-
gendrado por los ojos, como ellos
está lleno de imágenes, de apa-
riencias y de formas cambiantes,
por lo que pasa de una cosa a
otra cual los ojos pasean sus miradas por todos los objetos que
están a su alcance. Estos exteriores abigarrados con que el fantástico amor nos ha revestido, si
han parecido a vuestros ojos celestiales no convenir a nuestros juramentos y a nuestra seriedad,
no olvidéis que la culpa ha sido
de estos mismos ojos que ahora
nos condenan faltas que ellos nos

han sugerido. A causa de lo cual,
hermosas señoras, al ser obra
vuestra nuestro amor, las faltas
cometidas por este amor, obra
vuestra son también. Hemos sido
perjuros a nosotros mismos una
vez, con objeto de ya para siempre poder ser fieles a las que
a la vez nos han hecho perjuros e
infieles. Es decir, a vosotras, hermosísimas señoras. De modo que
este perjurio, pecado en sí mismo,
purificado por nuestra intención,
cámbiase en gracia y virtud.

PRINCESA.—Hemos recibido vuestras
cartas llenas de amor; vuestros
regalos, de amor embajadores, y
en nuestro consejo de jóvenes sol-
teras no hemos hallado en ello
sino galantería, entretenimiento
amable, cortesía, adornos y pretextos para pasar el tiempo. Por
nuestra parte, sí; no hemos podido
tomarlo de otro modo, y he aquí
por qué hemos acogido vuestro
amor tal cual nos parecía ser:
como un puro pasatiempo.

DUMAINE.—Nuestras cartas, señora,
mostraban algo enteramente distinto de una broma.

LONGAVILLE.—Y nuestras miradas
lo mismo.

EL REY.—Por consiguiente, en este
último minuto, concedednos vuestro amor.

PRINCESA.—Es un plazo de tiempo
demasiado breve, al menos tal me
parece, para concluir un asunto
que tanto había de durar. No, no,
Majestad; Vuestra Gracia ha perjurado y a causa de ello es gra-
vemente culpable. Por consiguiente, si por amor a mí (amor en el
que no creo, por supuesto) queréis hacer algo, he aquí lo que
haréis: no creyendo, como no
creo, en vuestros juramentos, os
retiraréis lo más pronto posible
a una ermita solitaria y desnuda,
lejos de todos los placeres mun-
danos. En ella permaneceréis hasta que los doce signos del zodíaco
hayan cumplido su viaje anual.
Si esta vida austera y retirada no

cambia en nada el ofrecimiento que hacéis ahora en pleno ardor de la sangre; si el frío y los ayunos, el áspero alojamiento y los vestidos modestos no consiguen ajar la desbordante flor de vuestro amor, entonces, al terminar el año, venid. Venid, sí, a reclamar en nombre de vuestros nuevos méritos esta mano virginal que en este momento está entre la vuestra, y vuestra seré. Hasta aquel momento encerraré mi tristeza en una cámara de duelo, llorando sin interrupción lágrimas amargas en recuerdo de la muerte de mi padre. Si no aceptáis lo que os propongo, que nuestras manos se desunan y nuestros corazones pierdan todo derecho el uno sobre el otro.

EL REY.—De negarme a aceptar tales condiciones y otras más duras si fuesen aún necesarias, con objeto de volver mi alma al verdadero reposo, ¡que la mano de la muerte llegue de improviso a cerrar mis ojos! En adelante, eremita, mi corazón no tendrá otra morada que tu pecho. (*Quedan hablando bajito.*)

BEROWNE. (*A Rosalina.*)—Y a mí; ¡amor mío!, ¿qué vas a decirme?

ROSALINA.—Es preciso también que os purifiquéis, pues vuestros pecados son muy graves: os habéis manchado con faltas y perjurios. Por consiguiente, si queréis obtener mi favor, preciso os será pasar un año sin descanso visitando el lecho de dolor de los enfermos.

DUMAINE. (*A Catalina.*)—Y a mí, dulce amada, ¿me daréis mujer?

CATALINA.—Una buena barba, no menos buena salud y sentimientos honrados: he aquí las tres cosas que os deseo, más triple ternura.

DUMAINE.—¿Debo daros las gracias, mi adorable mujer?

CATALINA.—No, caballero. Un año y un día quiero permanecer sin escuchar palabras amables de un galán imberbe como vos. Volved cuando el Rey vendrá a reunirse con la Princesa. Si entonces soy rica en amor, os daré un poco.

DUMAINE.—Hasta entonces seré vuestro leal y fiel servidor.

CATALINA.—No hagáis juramentos por miedo a ser aún perjuro. (*Quedan también hablando solos.*)

LONGAVILLE.—Y María, ¿qué dice?

MARÍA.—Que dentro de doce meses cambiaré mi traje de duelo contra un amigo fiel.

LONGAVILLE.—Esperaré con paciencia. Pero el plazo, ¡qué largo!

MARÍA.—Exactamente el que os conviene, pues sois aún muy joven para vuestra talla. (*Quedan hablando bajito.*)

BEROWNE. (*A Rosalina.*)—¿En qué piensa mi señora? Dueña mía, mira, en mis ojos, ventanas de mi corazón, qué humilde súplica espera tu respuesta. Impónme algún servicio para que pueda probarte mi amor.

ROSALINA.—He oído hablar con frecuencia de vos, mi señor Berowne antes de conoceros, y mil lenguas en el mundo os proclamaban hombre fecundo en burlas, pródigo en comparaciones cómicas y en pullas agresivas, con las cuales acribillabais a cuantos se ponían al alcance de vuestra chispa. Pues bien, con objeto de desarraigar esta verdadera cizaña de vuestro fértil cerebro, y con ello ganar, si ello no os disgusta, mi corazón, que tan sólo alcanzaréis a este precio, un año entero pasaréis, día tras día, visitando a los sordomudos y sin conversar sino con los que giman en el dolor. Y vuestra labor será y en ella habréis de poner todo vuestro esfuerzo, en hacer sonreír, pese a todos sus dolores, a los enfermos incurables.

BEROWNE.—¡Hacer brotar la sonrisa en la garganta de la muerte! Esto no se puede conseguir. Es imposible. Toda la alegría sería impotente para reanimar a un alma agonizante.

ROSALINA.—¿Qué estáis diciendo? Es, por el contrario, el verdadero medio de corregir a un espíritu burlón cuya fuerza proviene de la complaciente indulgencia que los necios, que tanto gustan de reír, conceden a los tontos. El éxito de un dicho agudo depende enteramente del oído de aquel que le escucha, no de la lengua que le pronuncia. Por consiguiente, si oídos enfermos, ensordecidos por el propio rumor de sus tristes lamentos, consienten en escuchar burlas, continuad sembrándolas y os aceptaré pese a tal defecto. Caso contrario, despedid a tal mal espíritu, y una vez desembarazado de tal inconveniente, me veréis infinitamente satisfecha de que os hayáis corregido.

BEROWNE.—¡Un año! Pues bien, ocurra, un año pasaré bromeando en un hospital. *(El Rey y la Princesa avanzan.)*

PRINCESA. *(Al Rey.)*—Así ha de ser, bondadoso señor. Y tras ello, me despido.

EL REY.—No, señora; queremos acompañaros hasta el momento de partir.

BEROWNE.—Nuestro amor no acaba como en las comedias antiguas. Bartolo no tiene a su Bartola. La cortesía de estas damas hubiera debido terminar en comedia nuestro entretenimiento.

EL REY.—Ea, caballeros, se trata de un año y un día, y el desenlace llegará.

BEROWNE.—Es demasiado largo para una pieza teatral. *(Entra Armando vestido como de costumbre.)*

ARMANDO.—Dulce majestad, concédeme...

EL REY.—¿No es éste nuestro Héktor?

DUMAINE.—El esforzado caballero de Troya.

ARMANDO.—Vengo a depositar un beso sobre tu dedo real antes de despedirme. Estoy atado por un voto: he jurado a Santiaguita manejar el arado durante tres años por amor a sus bellos ojos. Pero, ¡oh estimadísima majestad!, ¿os agradaría escuchar el diálogo que los dos letrados han compilado en honor del mochuelo y del cuclillo? Debía de haber sido dicho al final de nuestra presentación.

EL REY.—Bien, hazles venir inmediatamente y les escucharemos.

ARMANDO.—¡Eh!, ¡acercaos! *(Las máscaras avanzan. De un lado un grupo de personas en representación del invierno, encarnado en un personaje vestido como un mochuelo; de otro, otro grupo representando a la primavera, dirigido por un personaje disfrazado de cuclillo.) A este lado está Hiems, el Invierno; a este otro, Ver, la Primavera. Por uno habla el Búho; por el otro, el Cuclillo. Ver, empieza:*

El Cuclillo canta:

Cuando las pintadas, albas, margaritas
con las violetas suaves, pequeñitas,
más las anémonas de color de oro
y las cardaminas, ¡tan blancas!, a coro
esmaltan tornando tapices los prados
verdes, blancos, rojos, azules, dorados...
El cuclillo, loco, va de rama en rama
(burlándose, astuto, del marido que ama),
lanzando su agudo ¡cu, cu! socarrón.
Canto vivo que inquieta y escama
al casado ausente, que por dentro brama,
temiendo que el niño alado y burlón
dé a su frente cuernos en cada ocasión.

Cuando caramillos hacen los pastores;
cuando las alondras, de pardos colores,
relojes tempranos del buen labrador;
cuando las cornejas, con celo y amor,
y la tortolilla preparan su nido,

trabajando raudas con afán no vano;
cuando las muchachas trajes de verano
sacan, y al alféizar la ropa de cama.
El cuclillo, loco, va de rama en rama
(burlándose, astuto, del marido que
ama),
lanzando su agudo ¡cu, cu! socarrón.
Canto vivo que inquieta y escama
al casado ausente, que por dentro
brama,
temiendo que el niño alado y burlón
dé a su frente cuernos en cada ocasión.

El Mochuelo canta:

Cuando los carámbanos adornan ya
todo,
y los pastorcillos, yertos, ateridos,
soplan su deditos, todo entumecidos,
marchando tristones sobre el duro
lodo.
Cuando, diligente, Tom corta la leña,
la leche crepita, helada, en el cazo,
formando compactos, duros, cuaja-
rones,
y en ser larga y fría la noche se
empeña.

En ella su canto, como mal agüero
el mochuelo lanza, mientras, dentro,
al fuego,
junto al que dormita el gato, ya ciego,
moza Maritornes despuma el pu-
chero.

Cuando el duro viento todo bam-
bolea
y la tos perturba del cura el sermón.
Cuando de hambre y frío perece el
gorrión,
y la nariz roja de Mary gotea.
Cuando las asadas patatas, en plato,
tienen a distancia la pata del gato,
En la noche, el canto todo plañidero
el mochuelo lanza, mientras dentro,
al fuego,
junto al que dormita el gato, ya
ciego,
moza Maritornes despuma el pu-
chero.

ARMANDO.—Las palabras de Mercurio no pueden sino desentonar tras
los cantos de Apolo. He aquí
vuestro camino. Y he aquí el
nuestro. *(Todos salen.)*

LOS DOS HIDALGOS DE VERONA

1591-95, Seg. Feay   1594-95, Seg. Chambers.

Obra escrita para ser gustada por todos los públicos, usa de aquellos elementos romancescos y festivos tan favorecidos en aquella época. Es indudable que las relaciones amorosas entre Proteo y Julia se basaron en la leyenda de Filismena, presentada en la DIANA ENAMORADA *de Jorge de Montemayor, y que ya había sido traducida del español al inglés por Bartolomé Yong hacia 1582. La amistad fraternal entre dos hombres era tema de inspiración frecuente en la literatura de aquel tiempo. Varios críticos han pensado que muchos de sus episodios fueron sugeridos por* THE PLEASANT AND FINE CONCEITED COMEDY OF TWO ITALIAN GENTLEMEN *publicada en Londres en 1584, de autor anónimo y probablemente copiada del* FIDELE AND FORTUNIO, *que a su vez parece ser una versión de* IL FEDELE *de Luigi Pasquatigo, impreso en Venecia en 1576. Esta comedia de Shakespeare tiene bastantes afinidades con su* ROMEO Y JULIETA, COMEDIA DE LAS EQUIVOCACIONES *y algunos de los* SONETOS.

PERSONAJES DE LA COMEDIA

EL DUQUE DE MILÁN, padre de Silvia.

VALENTÍN
PROTEO } los dos hidalgos.

ANTONIO, padre de Proteo.

TURIO, ridículo rival de Valentín.

EGLAMUR, cómplice de Silvia en su fuga.

POSADERO.

BANDIDOS.

SPEED, bufón, criado de Valentín.

LANZA, bufón, criado de Proteo.

PANTINO, criado de Antonio.

JULIA, amada de Proteo.

SILVIA, amada de Valentín.

LUCÍA, dama de compañía de Julia.

CRIADOS Y MÚSICOS

La escena en Verona, Milán y cercanías de Mantua

ACTO PRIMERO

ESCENA PRIMERA

Plaza pública de Verona

(Entran VALENTÍN *y* PROTEO*)*

VALENTÍN.—Cesa en tus persuasivos discursos, mi querido Proteo. La juventud casera conserva siempre un espíritu limitado. Si no fuera que el afecto encadena tus años juveniles a las dulces miradas de tu amada, prefiriera suplicarte me concedieras tu compañía para marchar a ver las maravillas del mundo, que verte vivir soñolienta vida del hogar y consumir inútilmente tu ociosa juventud. Pero ya que amas, sigue amando, y que el éxito te acompañe tal como yo desearía para mí, en cuanto empiece a amar.

PROTEO.—¿Quieres marcharte, pues? Entonces, querido Valentín, ¡adiós!... Piensa en tu Proteo cuando por acaso encuentres algún objeto digno de nota en tus viajes; desea tenerme contigo para compartir tu felicidad cuando la encuentres; y en tus peligros, si alguna vez te cercan, encomienda tu infortunio a mis santas oraciones, pues quiero ser tu intercesor, Valentín.

VALENTÍN.—Y rogar por mí, en un devocionario de amor.

PROTEO.—En cierto libro que amo, rogaré por ti.

VALENTÍN.—O sea, en alguna frívola historia de un amor profundo, donde se lee cómo el joven Leandro atravesó a nado el Helesponto.

PROTEO.—Es ésa una historia profunda de profundo amor; pues Leandro se hundió en el amor hasta los tobillos.

VALENTÍN.—Cierto, pero tú estás hundido en el amor hasta las botas; y sin embargo, jamás pasaste a nado el Helesponto.

PROTEO.—¿Hasta las botas? Vaya, no me des más botes con esas botas.

VALENTÍN.—No es tal mi propósito, pues no te serviría de nada.

PROTEO.—¿Qué dices?

VALENTÍN.—¡Amar! ¡Comprar desprecios con lamentos! ¡Tímidas miradas con dolorosos suspiros! ¡Alcanzar breve instante de placer a cambio de veinte largas noches de desvelos y fatigas! Si por acaso triunfáis, quizá el premio no vale la pena; si fracasáis, entonces habéis ganado cruel pesar. En todos los casos, ganáis, una locura a fuerza de ingenio, o bien el ingenio es vencido por la locura.

PROTEO.—Así, con tus argumentos, me estás llamando loco.

VALENTÍN.—Así, con tus argumentos, temo que demuestres serlo.

PROTEO.—Tú te burlas del amor, y yo no soy el amor.

VALENTÍN.—El amor es tu amo, pues te domina; y aquel que se deja subyugar por un loco, según creo, no puede ser tenido por sensato.

PROTEO.—Sin embargo, dicen los autores que, tal como el gusano roedor habita en el más fresco capullo, así la pasión devoradora se encuentra en las más altas inteligencias.

VALENTÍN.—Y también dicen los autores que, así como el capullo más precoz es roído por el gusano antes de abrirse, de igual suerte el amor enloquece a la inteligencia joven y apasionada, marchitándola en flor, haciéndola perder su primaveral lozanía y todos los bellos frutos de su porvenir. Pero, ¿a qué perder el tiempo aconsejando a un esclavo de amorosos deseos? Una vez más, adiós; mi padre me espera en el puerto para presenciar mi embarco.

PROTEO.—Y hasta allí te acompañaré, Valentín.

VALENTÍN.—No, querido Proteo; despidámonos aquí. Procura que en Milán reciba tus cartas, dime tus éxitos en amor y cuanto digno de interés suceda en Verona durante la ausencia de tu amigo. Por mi parte te escribiré también.

PROTEO.—¡Así se esperen en Milán toda suerte de felicidades!

VALENTÍN.—¡Otro tanto te deseo en Verona! ¡Adiós, pues! (*Sale Valentín.*)

PROTEO.—Él va en pos del honor; yo, del amor. Deja a sus amigos para más honrarlos; yo me abandono a mí mismo y a mis amigos y todo por el amor. Tú me has metamorfoseado, Julia: me has hecho abandonar mis estudios, perder el tiempo, resistir a los sabios consejos, tener el mundo en nada; has debilitado mi inteligencia con los sueños y enfermado mi corazón con inquietudes. (*Entra Speed.*)

SPEED.—Señor Proteo, Dios os guarde... ¿Habéis visto a mi amo?

PROTEO.—Ahora mismo salió de aquí; va a embarcarse para Milán.

SPEED.—Entonces, puedo apostar veinte contra uno que ya se ha embarcado. Y yo he obrado como un carnero, al perderle.

PROTEO.—En efecto, a menudo se pierde el carnero, por poco que se ausente el pastor.

SPEED.—¿Deducís, pues, que mi amo es un pastor y yo un carnero?

PROTEO.—Claro.

SPEED.—Así, pues, mis cuernos son sus cuernos, esté yo velando o durmiendo.

PROTEO.—Necia contestación y muy digna de un carnero.

SPEED.—Eso prueba todavía que soy un carnero.

PROTEO.—Es verdad, y tu amo es el pastor.

SPEED.—No, esto puedo negarlo con un argumento.

PROTEO.—Mal me irá, si no puedo probarlo con otro.

SPEED.—El pastor busca al carnero y no el carnero al pastor; pero yo busco a mi amo, y mi amo no me busca a mí; luego, yo no soy carnero.

PROTEO.—El carnero por un poco de forraje sigue al pastor; el pastor, para comer, no sigue al carnero; tú sigues a tu amo por el salario; tu amo no te sigue; luego eres tú el carnero.

SPEED.—Otra prueba como ésa y vais a hacerme balar.

PROTEO.—Bueno, pero oye: ¿entregaste mi carta a Julia?

SPEED.—Sí, señor; yo, carnero descarriado, entregué vuestra carta a esa apacible oveja; y ella, apacible oveja, nada dio por su trabajo al carnero descarriado.

PROTEO.—Muy pequeña es la dehesa para tanto carnero.

SPEED.—Si es demasiado pequeña la dehesa más os valiera atar a la oveja.

PROTEO.—No, en eso os descarriáis; valiera más ataros a vos.

SPEED.—No, señor, a menos que me deis una libra por haber llevado vuestra carta.

PROTEO.—Os equivocáis; yo hablaba de ataros a vos.

SPEED.—¿Atarme? Harto bien atados están los cordones de vuestra bolsa.

PROTEO.—Pero, ¿qué dijo ella?

SPEED.—No dijo nada, ni tan siquiera: "Ahí tienes eso por tu trabajo."

PROTEO.—Pardiez, tenéis pronta la réplica.

SPEED.—Y con todo, no llega a alcanzar vuestra tardía bolsa.

PROTEO.—Vamos, vamos, abrid el pico de una vez: ¿qué dijo ella?

SPEED.—Abrid la bolsa y abriré el pico a la vez.

PROTEO.—Toma, pues, ahí tienes eso por tu trabajo. ¿Qué dijo ella?

SPEED.—Francamente..., señor, no creo lleguéis a conquistarla.

PROTEO.—¿Qué? ¿Tanto te dijo?

SPEED.—Señor, nada me dijo, nada conseguí de ella, ni tan siquiera un ducado por llevarle vuestra carta; mostrándose, pues, tan dura para el portador de vuestro pensamiento, me temo que se mostrará igualmente dura al daros a conocer el suyo. No le ofrezcáis, pues, otro regalo, sino piedra; pues su corazón es fuerte como el acero.

PROTEO.—Pues qué, ¿nada ha dicho?

SPEED.—Nada, ni siquiera un "toma eso por tu trabajo". Para probarme vuestra generosidad, me habéis dado seis sueldos; en pago de lo cual, en lo sucesivo, dignaos llevar vos mismo vuestras cartas. Así pues, señor, os encomendaré a los buenos recuerdos de mi amo.

PROTEO.—Vete, vete, date prisa, para librar de naufragio al buque que os lleve; el cual no puede perecer llevándote a bordo, pues estás destinado a sufrir en tierra firme una muerte más seca. Debo procurarme mensajero más apto, pues temo que Julia desdeñe mis cartas si se las entrega un cartero tan indigno. (*Se va.*)

ESCENA II

Verona. Jardín de la casa de Julia

(*Entran* JULIA *y* LUCÍA)

JULIA.—Dime, Lucía, ahora que estamos solas: ¿me aconsejarías, pues, caer enferma de amor?

LUCÍA.—Sí, señora; pues así no tropezaríais inadvertidamente.

JULIA.—Y de todos cuantos caballeros vienen diariamente a galantearme, ¿cuál es, según tu opinión, el más digno de amor?

LUCÍA.—Os lo ruego, repetidme sus nombres y os diré mi opinión según mis escasas luces.

JULIA.—¿Qué piensas del apuesto caballero Eglamur?

LUCÍA.—Pienso que es caballero de buenas palabras, elegante y bien formado; pero, si estuviera yo en vuestro lugar, nunca sería mío.

JULIA.—¿Qué me dices del rico Mercacio?

LUCÍA.—Sus riquezas son considerables; pero en cuanto a su persona, no vale gran cosa.

JULIA.—¿Qué piensas del amable Proteo?

LUCÍA.—¡Oh, Dios mío! ¡Ver cómo nos domina a veces la locura!

JULIA.—¿Qué pasa? ¿Por qué tanta emoción al oír pronunciar su nombre?

LUCÍA.—Dispensadme, buena señora; es para mí una vergüenza que yo, pobre miserable, ose juzgar de tal suerte a tan amables caballeros.

JULIA.—¿Por qué no a Proteo lo mismo que a los demás?...

LUCÍA.—Pues... creo que es el mejor entre muchos excelentes.

JULIA.—¿Tus razones?

LUCÍA.—No tengo otras razones que las razones de una mujer. Creo que es así, porque así lo creo.

JULIA.—¿Y me aconsejaríais darle mi amor?

LUCÍA.—Sí, si consideráis que no sería ello colocar indignamente vuestro amor.

JULIA.—Pero si él, entre todos, jamás me inspiró sentimiento alguno.

LUCÍA.—Y sin embargo, entre todos, creo yo, es el que mejor os ama.

JULIA.—Sus escasas palabras demuestran escaso amor.

LUCÍA.—Los fuegos concentrados son los que más abrasan.

JULIA.—No saben amar los que no saben mostrar su amor.

LUCÍA.—¡Oh!, menos aman los que a todos confían su pasión.

JULIA.—Quisiera saber lo qué piensa él.

LUCÍA (presentándole una carta).— Leed este papel, señora.

JULIA.—"A Julia." ¿De quién es esta carta?

LUCÍA.—El contenido lo demostrará.

JULIA.—Dime, dime: ¿quién te la dio?

LUCÍA.—El paje del hidalgo Valentín; y procede, según pienso, de Proteo. El paje quería entregarla a vos misma; pero, encontrándome allí, la recibí en vuestro nombre; perdonadme esa libertad, os lo ruego.

JULIA.—¡Por mi decoro, excelente casamentera estás hecha! ¿Cómo te atreves a recibir cartas amorosas?, ¿a conspirar en secreto contra mi juventud? Créeme, te lo aseguro, es éste un papel muy honorable y tú, muy digna de semejante empleo. Toma el billete, devuélvelo en seguida; o jamás vuelvas a mi presencia.

LUCÍA.—Abogar por el amor merece mejor recompensa que el odio.

JULIA.—¿Querrás marcharte?

LUCÍA.—Sí, para dejaros tiempo de reflexionar. (Se va.)

JULIA.—Y sin embargo, me hubiese gustado leer la carta. Pero sería vergonzoso llamar a Lucía y rogarla que me ayude a cometer una falta por la que acabo de reprenderla. ¡Es bien simple Lucía, sabiendo que soy doncella, no insistir hasta obligarme a que leyera la carta! Las doncellas, por timidez decimos "no", cuando estamos deseando que ese "no" se interprete por un "sí". ¡Vamos, vamos! Cuán caprichoso es el amor, que, semejante al niño de pecho, araña a su nodriza y un momento después besa humildemente las disciplinas. ¡Con qué rudeza he despedido a Lucía, cuando tan vivamente deseaba yo que se quedase! ¡Con qué malhumor fruncía el ceño, cuando interiormente la alegría me ensanchaba el corazón! Mi castigo será, llamar de nuevo a Lucía y pedir perdón por mis pasadas locuras. ¡Eh! ¡Lucía! (Vuelve a entrar Lucía.)

LUCÍA.—¿Qué manda la señora?

JULIA.—¿Es ya la hora de comer?

LUCÍA.—Quisiera que fuese ya; pues así descargaríais vuestra ira en la comida y no en vuestra doncella.

JULIA.—¿Qué es lo que has recogido con tal presteza?

LUCÍA.—Nada.

JULIA.—¿Pues por qué te bajaste?

LUCÍA.—Para coger un papel que había dejado caer.

JULIA.—¿Y ese papel no es nada?

LUCÍA.—Nada que me concierna.

JULIA.—Deja, pues, ahí ese papel, para aquel a quien le interese.

LUCÍA.—Señora, aquel a quien le interese hallará en él la verdad, si sabe interpretarlo.

JULIA.—Algún amante te habrá escrito versos.

LUCÍA.—Para que yo pueda cantarlos, señora, con una tonada cual-

, quiera; dádmela vos; vuestra señoría puede hacerlo.

JULIA.—Poco sé de esas tonterías. Puedes cantarlos con el aire de *Luz del Amor.*

LUCÍA.—Para un aire tan ligero son harto pesadas las palabras.

JULIA.—¿Harto pesadas, dices? ¿Tienen, sin duda, estribillo?

LUCÍA.—Sí, señora, y de los más melodiosos si quisierais cantarlo.

JULIA.—¿Y por qué no tú?

LUCÍA.—No llega mi voz.

JULIA.—Veamos tu canción. Bueno, pues, niña...

LUCÍA.—Continuad en ese tono y podréis cantarla. Pero a mí no me gusta ese tono.

JULIA.—¿No te gusta?

LUCÍA.—No, señora; es demasiado agudo.

JULIA.—Y tú, niña, eres muy descarada.

LUCÍA.—¡Oh! Ahora vuestro tono es demasiado bajo, y desentonáis horriblemente: os falta un tenor para llenar el canto.

JULIA.—El tenor es ahogado por tu bajo continuo.

LUCÍA.—En realidad, llevo el bajo por Proteo.

JULIA.—No quiero que semejante habladuría vuelva a molestarme. Ahí va el billete y la protesta. *(Rompe la carta.)* Vete, y deja los pedazos en el suelo; ahora te quedarías a recogerlo para incomodarme.

LUCÍA. *(aparte).*—Finge incomodarse; pero no le desagradaría que otra carta volviese a causarle igual enojo. *(Se va.)*

JULIA.—¡Ah! ¡Quisiera haberme enojado de veras con Julia! ¡Oh, manos odiosas que habéis rasgado tan dulces palabras! ¡Oh, avispas injuriosas! ¡Habéis robado esa dulce miel y con vuestros aguijones matáis luego las abejas que os la han dado!... En reparación de la ofensa, quiero besar uno tras otro todos esos fragmentos de papel. ¿Qué dice éste? "Dulcísima Julia." ¡Ah! más bien Julia cruel. Para vengar tu crueldad, arrojo tu nombre contra la dura piedra y despreciativamente piso tus desdenes. Aquí está escrito: "Proteo herido de amor." ¡Pobre nombre herido! Mi seno, como un lecho, te recogerá hasta que tus heridas curen por completo, y así quiero sellarlas con un saludable beso. Pero el nombre de Proteo fue escrito dos o tres veces... No soples, bondadoso viento, no me robes ni una palabra hasta que haya encontrado todas las letras de ese billete, excepto mi nombre; ¡llévelo un remolino a una horrible roca suspendida en los abismos y de allí lo arroje al furioso océano! ¡Oh, ahí en esta línea está escrito dos veces su nombre: "El desdichado Proteo, el apasionado Proteo a la dulce Julia." Este último nombre voy a rasgarlo; mas no, no quiero rasgarlo, ya que ha sabido unirlo de un modo tan encantador a su infortunado nombre. Voy a doblarlos, pues, juntos; ahora besaos, abrazaos, disputad, haced lo que os plazca. *(Entra otra vez Lucía.)*

LUCÍA.—Señora, ya está la comida, y vuestro padre os espera.

JULIA.—Vamos, pues.

LUCÍA.—¿Vamos a dejar ahí esos papeles para que se entere todo el mundo?

JULIA.—Si los aprecias en algo, mejor será que los recojas.

LUCÍA.—Me riñeron por dejarlos caer; sin embargo, no los dejaré en el suelo, para que no se constipen.

JULIA.—Veo que te acuerdas muy bien de cuanto les concierne.

LUCÍA.—Sí, señora; libre sois de decir lo que veis; también veo yo muchas cosas, aunque penséis que cierro los ojos.

JULIA.—Bueno, bueno, ¿nos iremos ya? *(Se van.)*

ESCENA III

Aposento en la casa de Antonio

(*Entran* ANTONIO *y* PANTINO)

ANTONIO.—Dime, Pantino; ¿qué asunto de importancia te comunicaba mi hermano cuando estabais en el claustro?

PANTINO.—Me hablaba de su sobrino Proteo, vuestro hijo.

ANTONIO.—¿Y qué te decía de él?

PANTINO.—Extrañaba que vuestra señoría le dejara pasar su juventud en su ciudad natal, mientras que otros hombres, de menos categoría que vos, mandan viajar a sus hijos en busca de riquezas: unos a la guerra, para probar allí su fortuna; otros, a descubrir islas remotas; otros, a estudiar en las universidades. Dice que para cualquiera de esas carreras es apto vuestro hijo; y me ha suplicado que os importune para que no le dejéis perder su tiempo en casa, pues sería un gran inconveniente cuando llegase a hombre no haber viajado en su mocedad.

ANTONIO.—No tendrás que importunarme mucho sobre un asunto que ha sido objeto de mis reflexiones desde hace un mes. Bien he meditado sobre el tiempo que perdía mi hijo; y sé que no podría ser hombre bien formado sin adquirir en el mundo experiencia e instrucción. La experiencia se completa con el esfuerzo y se perfecciona con el tiempo; dime, ¿dónde te parece sería mejor enviarlo?

PANTINO.—Creo que vuestra señoría no ignora que su amigo, el joven Valentín, sirve al emperador, en su corte.

ANTONIO.—Bien lo sé.

PANTINO.—Sería conveniente, creo, que lo mandase allí vuestra señoría; se ejercitaría en las justas y torneos, oiría el buen decir, alternaría con la nobleza y tendría a su alcance todas las actividades propias de su juventud y noble cuna.

ANTONIO.—Me gusta tu consejo; me aconsejaste bien y para que comprendas lo mucho en que lo tengo, voy a ponerlo en ejecución. Con la mayor diligencia voy a enviarle a la corte del emperador.

PANTINO.—Mañana, si os place saberlo, don Alfonso con otros hidalgos de distinción marchan a saludar al emperador y ofrecerle sus servicios.

ANTONIO.—Buena compañía; con ellos marchará Proteo; ¡ah!, muy a propósito viene; vamos a hablar de ello. (*Entra Proteo.*)

PROTEO.—¡Dulce amor! ¡Dulces líneas! ¡Oh vida dichosa! ¡Aquí está su carta, instrumento de su corazón; aquí me jura su amor y me da su palabra! ¡Oh, si nuestros padres aprobaran nuestro amor y sellaran nuestra dicha con su consentimiento! ¡Oh, celestial Julia!

ANTONIO.—¿Qué ocurre? ¿Qué carta estáis leyendo?

PROTEO.—Con permiso de vuestra señoría, son unas palabras de recomendación que me envía Valentín, por medio de un amigo que viene de su parte.

ANTONIO.—Dejadme esa carta; dejadme que me entere de las noticias que trae.

PROTEO.—No trae noticia alguna, señor; solamente cuán feliz es su vida, cuán apreciado por todos y cada día distinguido por el emperador; y le gustaría tenerme a su lado para compartir su prosperidad.

ANTONIO.—¿Y cómo os afecta ese deseo?

PROTEO.—Como a quien depende de la voluntad de vuestra señoría y no de las aspiraciones de un amigo.

ANTONIO.—Mi voluntad está bastante conforme con su deseo. No os preocupe pensar por qué procedo de un modo tan súbito, porque lo que mando lo mando, y se acabó. He decidido que debéis pasar algún tiempo con Valentín en la corte del emperador; la misma pensión que recibe él de sus deudos, la misma tendrás de mí. Prepárate para salir mañana; nada de excusas, pues mi orden es perentoria.

PROTEO.—Señor, no puedo prepararme tan rápidamente. Dignaos concederme uno o dos días de término.

ANTONIO.—Oye: todo cuanto puedas menester se te enviará luego; ¡nada de prórrogas! Debes partir mañana. Ven, Pantino; debes ayudarme a preparar su rápida marcha. (*Vanse Antonio y Pantino.*)

PROTEO.—¡Así resulta que huí del fuego, por miedo a abrasarme, y he caído en el mar, donde me ahogo! Temía enseñar a mi padre la carta de Julia, por miedo a que pusiera obstáculos a mi amor, y de los mismos pretextos que le he proporcionado ha sacado los medios más contrarios a mi querer. ¡Oh, cómo se parece este naciente amor a la insegura belleza de un día de abril, que ahora nos muestra un sol esplendoroso y en seguida las nubes nos lo roban todo! (*Vuelve Pantino.*)

PANTINO.—Señor Proteo, vuestro padre os llama; tiene grandes prisas; por lo tanto, os lo ruego, id allá.

PROTEO.—Nada, así es. Mi corazón consiente en ello, y no obstante, mil veces responde: "no". (*Se van.*)

ACTO II

ESCENA PRIMERA

Milán. El palacio ducal

(Entran VALENTÍN *y* SPEED*)*

SPEED.—Señor, un guante vuestro.

VALENTÍN.—Mío no, los tengo puestos.

SPEED.—Entonces, éste puede ser vuestro, pues no es más que uno.

VALENTÍN.—¡Ah! déjamelo ver. Sí, dámelo, es mío; ¡oh dulce adorno de un divino objeto! ¡Ah, Silvia, Silvia!

SPEED.—¡Doña Silvia, doña Silvia!

VALENTÍN.—¿Qué es eso, pícaro?

SPEED.—No puede oírnos, señor.

VALENTÍN.—¿Quién te mandó que la llamaras?

SPEED.—Vuestra Señoría; o bien es que me equivoqué.

VALENTÍN.—Bueno, siempre serás demasiado pronto.

SPEED.—Y sin embargo, no hace mucho me reñisteis por ser demasiado lento.

VALENTÍN.—Bueno, bueno; ¿conoces a doña Silvia?

SPEED.—¿La que Vuestra Señoría ama?

VALENTÍN.—¿Cómo sabes que la amo?

SPEED.—Pardiez, pues por estas señales: en primer lugar habéis aprendido, como el caballero Proteo, a cruzar vuestros brazos como hombre descontento; a saborear una canción de amor, como un petirrojo; a pasearos solo como uno que ha tenido la peste; a suspirar como un estudiante que perdió su A B C; a llorar como una mocita que ha visto enterrar a su abuela; a ayunar como un enfermo puesto a dieta; a velar como quien teme a los ladrones, y a hablar con voz plañidera como un pobre en la fiesta de Todos los Santos. Antes, cuando os reíais, parecía como que cantaba el gallo; al andar, semejabais un león; si ayunabais, era tan sólo después de haber comido; si estabais melancólico, era porque os faltaba el dinero; y ahora una dama os ha transformado de tal suerte que, cuando os miro, apenas os reconozco por mi amo.

VALENTÍN.—¿Todo eso se observa en mí?

SPEED.—Todo eso se observa en vos exteriormente.

VALENTÍN.—¿Cómo exteriormente?

SPEED.—Claro, exteriormente y sin vos; puesto que excepto vos, nadie sería tan tonto; y estáis tan fuera de vos por estas locuras, que estas locuras están dentro de vos, y a través de vos se las ve brillar como el líquido en un orinal; de tal modo, que todo el que os mira puede saber vuestra enfermedad, lo mismo que un médico.

VALENTÍN.—Pero dime, ¿conoces tú a mi dama Silvia?

SPEED.—¿La que tanto miráis cuando está a la mesa?

VALENTÍN.—¿Lo has notado?... Pues bien, sí, la misma.

153

SPEED.—A fe mía, señor, no la conozco.

VALENTÍN.—¿Sabes que es ella a quien miro tanto, y sin embargo, no la conoces?

SPEED.—¿No es así como no muy hermosa?

VALENTÍN.—No es tan bella como graciosa.

SPEED.—Señor, eso bien lo sé.

VALENTÍN.—¿Qué sabes tú?

SPEED.—Que no es tan hermosa como la gracia que os ha hecho.

VALENTÍN.—Quiero decir que su belleza es exquisita, pero su gracia infinita.

SPEED.—Porque la una es pintada y la otra una gracia que no se puede valorar.

VALENTÍN.—¿Cómo pintada? ¿Cómo que no se puede valorar?

SPEED.—Pardiez, señor, del tal modo se pinta por parecer hermosa, que nadie hace caso de su belleza.

VALENTÍN.—¿Por quién me tomas, pues? Yo hago caso de su belleza.

SPEED.—Vos no la habéis visto desde que cambió su aspecto.

VALENTÍN.—¿Desde cuándo es eso?

SPEED.—Desde que la amáis.

VALENTÍN.—La amo desde el primer instante en que la vi; y sin embargo, la veo siempre hermosa.

SPEED.—Si la amáis, no podéis verla.

VALENTÍN.—¿Por qué?

SPEED.—Porque el amor es ciego. ¡Oh! ¡Lástima que no tengáis mis ojos, o que los vuestros no posean la lucidez que tenían cuando reprendíais al señor Proteo por ir sin jarreteras!

VALENTÍN.—¿Qué vería entonces?

SPEED.—Vuestra locura actual y su extrema fealdad; pues él, estando enamorado, no veía para atar sus calzones; y vos, desde que lo estáis, no veis para poneros los vuestros.

VALENTÍN.—Parece, pues, mozo, que también estáis vos enamorado; porque esta mañana no veíais para limpiar mis zapatos.

SPEED.—Es verdad, señor: estaba enamorado de la cama. Os agradezco haberme zurrado por mi amor, pues eso me anima a reñiros por el vuestro.

VALENTÍN.—En resumen, que la quiero.

SPEED.—Quisiera veros casados, pues así se acabaría vuestro cariño.

VALENTÍN.—Anoche me ordenó componer unos versos para una persona a quien ama.

SPEED.—¿Y lo habéis hecho?

VALENTÍN.—Sí.

SPEED.—¿No son versos cojos?

VALENTÍN.—No, mozo; los he hecho tan bien como he sabido. ¡Cállate! Ahí llega.

SPEED (aparte).—¡Vaya comedia! ¡Valiente monigote! ¡Pues no le sirve de intérprete! (Entra Silvia.)

VALENTÍN.—Mi señora y dueña, os doy mil veces los buenos días.

SPEED (aparte).—¡Oh, dale las buenas noches! ¡Cuánto cumplido!

SILVIA.—Señor Valentín y servidor mío, dos mil veces os los deseo.

SPEED (aparte).—Él debería pagar el interés, y es ella quien lo paga.

VALENTÍN.—Cumpliendo vuestras órdenes, he escrito la carta para vuestro misterioso amigo anónimo; cosa que he efectuado de muy mala gana, y sólo por obedecer a Vuestra Señoría.

SILVIA.—Os doy gracias, amable servidor... Está muy bien escrita.

VALENTÍN.—Creedme, señora, me costó mucho trabajo el hacerlo; pues ignorando a quién se destinaba, he escrito al azar y no bien seguro de lo que decía.

SILVIA.—¿Tal vez consideraréis excesivo el trabajo que os habéis tomado?

VALENTÍN.—No, señora; si puedo seros útil, escribiré, si os dignáis mandarlo, mil veces lo que hoy; pero, sin embargo...

SILVIA.—¡Lindo período! Bueno, veo lo que seguirá; y sin embargo, no lo diré; y sin embargo, tanto se me da; y sin embargo, tomad otra vez la carta; y sin embargo, os lo agradezco, siendo mi intención no molestaros de hoy en adelante.

SPEED (aparte).—Y sin embargo, aún le molestará; y sin embargo, otro "sin embargo".

VALENTÍN.—¿Qué quiere decir Vuestra Señoría? ¿No os place mi escrito?

SILVIA.—Sí, sí; los versos son muy ingeniosos; pero ya que los escribisteis de mala gana, ahí os los devuelvo. ¡Tomadlos, tomadlos!

VALENTÍN.—Señora, son para vos.

SILVIA.—Sí, sí; los escribisteis, caballero, a petición mía; pero no los quiero; son para vos. Los hubiera querido más apasionados.

VALENTÍN.—Déme permiso Vuestra Señoría; le escribiré otros.

SILVIA.—Cuando los hayáis escrito, leedlos, por mi amor; si os agradan, bien; si no os agradan, también.

VALENTÍN.—Y si me placen, señora, ¿qué hago entonces?

SILVIA.—Pues... si os placen, quedaos con ellos en pago a vuestro trabajo. Conque, buenos días, mi servidor. (Sale.)

SPEED.—¡Oh, enigma oculto, inescrutable, invisible, como la nariz en la cara, como un gallo de veleta en el campanario! Mi amo la corteja y ella enseña a su amante a cambiarse, de discípulo suyo que era, en su maestro... ¡Oh, astucia excelida! ¿Viose jamás cosa parecida, que mi amo, actuando de escribiente, se escriba a sí mismo la carta?

VALENTÍN.—¡Eh, pícaro! ¿Qué estás ahí hablando contigo mismo?

SPEED.—Buscaba la rima; pero es para vos la razón.

VALENTÍN.—¿Qué razón?

SPEED.—La que necesitáis para servir de intérprete a doña Silvia.

SPEED.—Para con vos mismo, señor.

VALENTÍN.—¿Para con quién? ñor. Pues os hace el amor con enigmas.

VALENTÍN.—¿Qué enigmas?

SPEED.—Con cartas, mejor dicho.

VALENTÍN.—¡Pero, si no me ha escrito!

SPEED.—¿Qué necesidad tenía de hacerlo, si os ha mandado que os escribierais vos mismo? ¿No comprendéis la astucia?

VALENTÍN.—No, por cierto, créeme.

SPEED.—No puedo creeros, señor. ¿No habéis notado su emoción?

VALENTÍN.—No me ha demostrado más que su cólera.

SPEED.—Pero os dio una carta.

VALENTÍN.—La que he escrito yo para su amigo.

SPEED.—Y ella la ha entregado ya, y aquí acaba todo.

VALENTÍN.—Quisiera yo no ver otra cosa peor.

SPEED.—Os lo aseguro, señor, es como os digo; pues vos le escribisteis a menudo, y ella, sea por vergüenza, sea por no disponer de tiempo para ello, no ha podido contestar vuestras cartas; y temiendo confiar su secreto a cualquier otro intérprete, ha mandado a su amante declararse él mismo su pasión. Y así os lo digo, porque así lo vi en un libro de amor. ¿Por qué permanecéis así meditabundo, señor? Es hora de comer.

VALENTÍN.—Ya he comido.

SPEED.—Sí; pero oídme, señor. Aunque el camaleón Amor pueda alimentarse de aire, yo me alimento de otras cosas, y quisiera comer. ¡Oh, no seáis como vuestra dama: apiadaos, apiadaos de mí! (Se van.)

ESCENA II

Verona. En casa de Julia

(Entran PROTEO *y* JULIA)

PROTEO.—Tened paciencia, amable Julia.

JULIA.—Debo tenerla, pues no hay otro remedio.

PROTEO.—En cuanto pueda, volveré.

JULIA.—Si no cambiáis, volveríais antes; guarda esto por amor de tu Julia. *(Le da una sortija.)*

PROTEO.—Bueno, pues, hagamos un cambio: toma esto. *(Le da un anillo.)*

JULIA.—Y sellemos el trato con un santo beso.

PROTEO.—Aquí está mi mano como testimonio de mi leal constancia; y si algún día dejase transcurrir un momento sin suspirar, ¡oh, Julia, por tu amor!, que al instante una cruel desgracia me ator-mente en castigo a mi olvido. Mi padre me espera; no me hables, llegó la hora de la marea; no desates la marea de tu llanto, pues ésta me detendría más tiempo de lo que debo; ¡adiós, Julia! *(Vase Julia.)* ¡Cómo!, ¿se marcha sin una sola palabra? ¡Sí, así lo hace el amor verdadero! No puede hablar, pues la sinceridad posee mejores actos que palabras. *(Entra Pantino.)*

PANTINO.—Señor Proteo, os están esperando.

PROTEO.—Ve, ya voy, ya voy. ¡Desdichado de mí! ¡Esta separación enmudece a los pobres amantes! *(Se van.)*

ESCENA III

La misma ciudad. Una calle

(Entra LANZA *llevando un perro atado con una cuerda)*

LANZA.—A fe mía, una hora se pasará antes que acabe de llorar. Toda la raza de los Lanza tiene ese mismo defecto. Yo recibí mi parte de herencia, como el hijo prodigio, y me marcho acompañando al señor Proteo a la corte imperial. Creo que Crab, mi perro, es el perro de corazón más seco que vive en el mundo: mi madre llorando, mi padre gimiendo, mi hermana chillando, nuestra criada gritando, nuestra gata retorciéndose las manos; toda nuestra casa andaba en cruel perplejidad; y ese perro, de corazón de roca, no ha derramado una lágrima siquiera. Es una piedra, un verdadero pedernal, y no hay en él más compasión que en un perro. Un judío hubiera llorado al ver nuestra separación. Considerad que mi abuela, que no tiene ojos, ha llorado hasta quedar ciega... Bueno,, os explicaré cómo pasó. Suponed que este zapato es mi padre. No; este zapato izquierdo es mi padre... No, no; el zapato izquierdo es mi madre. No, no, eso tampoco puede ser... Sí, eso es, eso es; es el que tiene peor suela. Pues este zapato, que tiene un agujero, es mi madre y éste mi padre. ¡Maldición! Bueno, así es. Ahora, caballero, este palo es mi hermana; pues, ya lo veis, es blanca como un lirio y delgada como una varilla. Este sombrero es Ana, nuestra doncella; yo soy el perro. No, el perro es él mismo... y yo soy el perro. ¡Oh! el perro es yo y yo soy yo mismo; sí, eso es, eso es. Entonces me acerco yo a mi padre: "¡Padre, vuestra bendición!" Y así es que el zapato no puede decir palabra de tanto llorar; entonces beso a mi padre; y continúa llorando. Entonces voy a mi madre; ¡oh, si ahora pudiese hablar! Bueno, pues también la beso. Bueno, ya estamos; escuchad su respiración cómo va y viene con fuerza. Ahora me dirijo a mi hermana, fijaos en sus gemidos. Ahora, mientras todos lloramos, el perro éste no vierte una lágrima ni dice palabra; y en cambio, ved como riego yo el polvo con mi llanto. *(Entra Pantino.)*

PANTINO.—¡Lanza, corre, corre a bordo! Tu amo se ha embarcado ya; y tú debes alcanzarle remando. ¿Qué te pasa? ¿Por qué lloras, amigo? ¡Vete ya, animal! Perderás la marea, si tardas.

LANZA.—¿Qué me importa perder al que me marea? Pues es el más duro y cruel de cuantos vi en mi vida.

PANTINO.—¿Qué quieres decir con eso?

LANZA.—Yo hablo de éste, de Crab, mi perro.

PANTINO.—Anda, tonto, quiero decir que perderás el flujo y, perdiendo el flujo, perderás tu viaje; y perdiendo tu viaje, perderás a tu amo; y perdiendo a tu amo, perderás tu colocación; y perdiendo tu colocación... ¡Eh! ¿por qué me tapas la boca?

LANZA.—Por temor a que pierdas tu lengua.

PANTINO.—¿Dónde perdería mi lengua?

LANZA.—En el flujo de tu cuento.

PANTINO.—¡En la cuenta de tu cola!

LANZA.—¡Perder yo el flujo, y el viaje, y el amo y la colocación y la marea y el que me marea! ¡Vamos! Aun cuando estuviese seco el río, podría llenarlo con mis lágrimas; aun cuando cesara el viento por completo, podría yo impulsar el buque con mis suspiros.

PANTINO.—Vamos, vete; me han enviado a llamarte.

LANZA.—Señor, llamadme como os plazca.

PANTINO.—¿Irás o no?

LANZA.—Bueno, iré. *(Salen.)*

ESCENA IV

Milán. Aposento en el palacio ducal

(Entran SILVIA, VALENTÍN, TURIO y SPEED)

SILVIA.—¡Caballero servidor!...

VALENTÍN.—¡Señora!...

SPEED.—Mi amo, el señor Turio, os pone mala cara.

VALENTÍN.—Sí, mozo; es por amor.

SPEED.—No por amor a vos.

VALENTÍN.—Por amor a mi dama, pues.

SPEED.—Sería bueno que le zurraseis. *(Se va.)*

SILVIA *(a Valentín).*—¡Estáis triste, caballero servidor!

VALENTÍN.—En efecto, señora, lo parezco.

TURIO.—¿Luego parecéis lo que no sois?

VALENTÍN.—Quizá.

TURIO.—Así pues, disimuláis.

VALENTÍN.—También disimuláis vos.

TURIO.—¿Qué parezco yo que no sea?

VALENTÍN.—Cuerdo.

TURIO.—¿Un ejemplo de lo contrario?

VALENTÍN.—Vuestra locura.

TURIO.—¿Y en qué fundáis mi locura?

VALENTÍN.—En vuestro vestido.

TURIO.—Llevo doble capa...

VALENTÍN.—En tal caso, hay en vos doble locura.

TURIO.—¿Qué?

SILVIA.—¿Os encolerizáis, señor Turio? ¡Cambiáis de color!...

VALENTÍN.—Permitídselo, señora; es una especie de camaleón.

TURIO.—Que más prefiriera beber vuestra sangre que alimentarse de vuestro aliento.

VALENTÍN.—Lo habéis dicho ya, caballero.

TURIO.—Y terminado también, por el momento.

VALENTÍN.—Lo sabía, caballero, pues vos acabáis siempre antes de empezar.

SILVIA.—Brillante salva de palabras, caballeros, y descargada con ímpetu.

VALENTÍN.—Cierto, señora; os damos gracias por ello.

SILVIA.—¿A mí, caballero servidor?

VALENTÍ.—A vos, mi dulce dama; pues vos nos prestasteis el juego. El señor Turio toma prestado su ingenio de las miradas de Vuestra Señoría, y gasta lo que toma prestado, generosamente, en compañía vuestra.

TURIO.—Señor, si gastáis todas vuestras palabras conmigo, pondré vuestro ingenio en quiebra.

VALENTÍN.—Bien lo sé, caballero; tenéis banca de palabras, y, según creo, no poseéis otro capital con qué pagar a vuestras gentes, pues bien parece, según el estado de sus libreas, que sólo con palabras les recompensáis.

SILVIA.—Basta, señores, basta; aquí está mi padre. (*Entra el Duque.*)

EL DUQUE.—Hija. Silvia, os acosan de cerca. Señor Valentín, vuestro padre está en buena salud. ¿Qué diréis si os anuncio una carta de vuestros amigos con muy buenas noticias?

VALENTÍN.—Señor, estaré agradecido a todo mensaje que de ellos venga.

EL DUQUE.—¿Conocéis a vuestro compatriota don Antonio?

VALENTÍN.—Sí, mi buen señor; le conozco por hombre de mérito y de gran reputación, que no goza injustificadamente.

EL DUQUE.—¿No tiene un hijo?

VALENTÍN.—Sí, señor; un hijo que bien merece el honor de tener tal padre.

EL DUQUE.—¿Le conocéis?

VALENTÍN.—Le conozco como a mí mismo; pues desde nuestra infancia hemos pasado juntos nuestras horas; y aunque yo haya sido un perezoso, despreciando el don precioso del tiempo para revestir mi madurez con angelicales perfecciones, sin embargo, el señor Proteo, pues tal es su nombre, ha hecho mejor uso de sus días; es joven por la edad, pero viejo por la experiencia; su cabeza todavía no está sazonada, mas ya maduro su juicio. En una palabra, pues su mérito sobrepasa en mucho a cuantos elogios pudiera tributarle, nada le falta en cuanto a persona y talento, y reúne todas las cualidades de un perfecto caballero.

EL DUQUE.—¡Pardiez! caballero, si está él verdaderamente a la altura de tales elogios, es tan digno del amor de una emperatriz como capaz para consejero de un emperador. Pues bien, caballero: ese hidalgo ha llegado a mi corte, con recomendaciones de grandes potentados, y aquí tiene el propósito de pasar una temporada. Creo que no son esas malas noticias para vos.

VALENTÍN.—Si algún deseo hubiese formulado habría sido su presencia.

EL DUQUE.—Acogedle, pues, de acuerdo con su mérito; Silvia, contigo hablo, y con vos, señor Turio. En cuanto a Valentín, no necesita ser excitado a ello. Os lo enviaré inmediatamente. (*Se va.*)

VALENTÍN.—Este es el joven que, como dije a Vuestra Señoría, hubiera venido conmigo, de no ser que su amada retenía cautivos sus ojos en sus miradas de cristal.

SILVIA.—Parece, pues, que ella le ha libertado ahora, para dar a otro su palabra.

VALENTÍN.—No, ciertamente; creo que los retiene cautivos.

SILVIA.—Entonces él está ciego; y en tal caso, ¿cómo ha podido hallar el camino hasta vos?

VALENTÍN.—Señora, bien sabéis que el amor tiene veinte pares de ojos.

TURIO.—Pues dicen que el amor no tiene ni tan sólo un ojo.

VALENTÍN.—Para ver amantes como vos, Turio; ante objetos groseros, puede el amor cerrar los ojos.

SILVIA.—Basta, basta; ahí viene el caballero. (Entra Proteo. Vase Turio.)

VALENTÍN.—¡Bien venido, querido Proteo! Señora, os suplico que selléis su bienvenida con algún favor especial.

SILVIA.—Su mérito le garantiza nuestra bienvenida, si es aquel de quien tan a menudo habéis deseado tener nuevas.

VALENTÍN.—Señora, él es; dulce dama, permitidle compartir conmigo el servicio de Vuestra Señoría.

SILVIA.—Harto humilde sería el ama para servidor tan elevado.

PROTEO.—Nada de eso, amable dama; sino antes demasiado ruin servidor para esperar una mirada de tan digna señora.

VALENTÍN (a Proteo).—Deja todas esas protestas de humildad. Amable dama, aceptadle por servidor.

PROTEO.—Serviros será mi mayor orgullo.

SILVIA.—Nunca faltó al deber cumplido su debida recompensa. Servidor, sed bien venido al servicio de una ama indigna.

PROTEO.—La vida arrancaría a cualquiera que, sin ser vos, dijera otro tanto.

SILVIA.—¿Que dijera que seáis bien venido?

PROTEO.—No. Que dijera que sois indigna. (Vuelve a entrar Turio con un criado.)

EL CRIADO.—Señora, monseñor vuestro padre quisiera hablaros.

SILVIA.—Estoy a sus órdenes. Vamos, señor Turio, venid conmigo. Una vez más, mi nuevo servidor, os doy la bienvenida; os dejo hablar de vuestras cosas; luego que terminéis, espero volver a veros.

PROTEO.—Iremos ambos a presentar nuestros respetos a Vuestra Señoría. (Vanse Silvia y Turio.)

VALENTÍN.—Ahora, decidme, ¿cómo están los que dejasteis?

PROTEO.—Vuestros amigos siguen bien y os mandan recuerdos.

VALENTÍN.—¿Y los vuestros?

PROTEO.—Los dejé a todos en buena salud.

VALENTÍN.—¿Cómo está vuestra amada? ¿Cómo va vuestro amor?

PROTEO.—Mis relatos amorosos solían fastidiaros; sé que no os gusta hablar de amor...

VALENTÍN.—Sí, Proteo, mas todo eso cambió; hago ahora penitencia por haber despreciado el amor, cuyos imperiosos pensamientos me han castigado con amargos ayunos, con gemidos de penitencia, con lágrimas en la noche y dolorosos suspiros durante el día; pues para vengarse de mis antiguos desdenes, el amor ha desterrado el sueño de mis ojos y les ha hecho velar las aflicciones de mi corazón. ¡Oh, querido Proteo! El amor es un dueño poderoso, y me ha humillado hasta hacerme confesar que ningún dolor iguala a su castigo, ni hay gozo mayor que la dicha de servirle. Ahora no sé hablar de nada que no sea el amor; puedo almorzar, comer, cenar y dormir con sólo el nombre de amor.

PROTEO.—Basta; leo en vuestros ojos vuestra fortuna. ¿Era ella el ídolo que tanto adoráis?

VALENTÍN.—La misma; ¿no es un ángel del cielo?

PROTEO.—No; pero es una maravilla terrestre.

VALENTÍN.—Llamadle una maravilla divina.

PROTEO.—No quiero adularla.

VALENTÍN.—¡Oh, aduladme, pues el amor se complace en el elogio.

PROTEO.—Cuando yo estaba enfermo me disteis amargas píldoras y yo debo dároslas a vos ahora.

VALENTÍN.—Decid, pues, la verdad sobre ella. Si no es divina, llamadla por lo menos princesa soberana sobre todas las criaturas de la tierra.

PROTEO.—A excepción de mi adorada.

VALENTÍN.—Querido, no exceptúes a nadie, a menos que desapruebes mi amor.

PROTEO.—¿No tengo razón en preferir a mi amada?

VALENTÍN.—Y yo voy a ayudarte a preferirla; será exaltada con este insigne honor: aguantar la cola del vestido de mi soberana, por temor de que la tierra indigna llegue acaso a robar un beso de sus vestiduras y, enorgulleciéndose con tan alto favor, desdeñar nutrir a las flores del verano y haga de esta suerte eterno el invierno.

PROTEO.—Ea, Valentín, ¿qué tonterías son ésas?

VALENTÍN.—Perdóname, Proteo; cuanto pudiera decir es poco comparado con aquella cuyo mérito convierte en sombra todo mérito. Es única.

PROTEO.—Entonces déjala por lo que es.

VALENTÍN.—¡No, por el mundo entero! Ea, Proteo; es mía, y yo soy más rico con la posesión de tal joya que si poseyera veinte océanos cuyos granos de arena fuesen todos perlas, el agua néctar y las rocas de oro puro. Perdóname, pues, si no me ocupo de ti, embebecido con mi amor. Ha salido en compañía de mi rival, hombre imbécil a quien mima su padre, pues posee grandes riquezas. Es

necesario que vaya a buscarles, pues bien sabes que no hay amor sin celos.

PROTEO.—¿Pero te ama ella?

VALENTÍN.—Sí; estamos prometidos. Más todavía: hemos determinado ya el momento de nuestro enlace y la astucia que nos facilitará la fuga; debo subir a su ventana con una escala de cuerda, y todo está preparado y pronto para mi felicidad. Buen Proteo, acompáñame a mi habitación para ayudarme en este asunto con tus consejos.

PROTEO.—Ve tú delante, ya iré yo a buscarte. Debo volver al puerto, donde tengo que desembarcar algunos objetos, y luego estaré a tus órdenes.

VALENTÍN.—Daos prisa.

PROTEO.—Sí. (*Vase Valentín.*) Así como un ardor apaga otro ardor, así como un clavo saca por fuerza otro clavo, del mismo modo el recuerdo de mi primer amor se desvanece ante un nuevo objeto. ¿Son mis ojos, o las alabanzas de Valentín, sus perfecciones o mi culpable inconstancia, los motivos de mi irrazonable razonar? Bella es la dama; también lo es Julia a quien amo. Mejor diría a quien amaba, pues ahora mi amor se derritió como nieve, y, semejante a una figura de cera aproximada a las llamas, no ha conservado señal alguna de lo que era. Paréceme que se enfrió mi cariño hacia Valentín, y que no le quiero como antes solía. ¡Oh!, pero quiero demasiado, muy demasiado a su dama, y por esta razón le quiero a él tan poco. ¿Cómo llegaré a adorarla con el tiempo, si ahora ya la quiero con sólo verla? Tan sólo he visto, por decirlo así, su retrato, y eso ha deslumbrado los contemple sus perfecciones, no tendré otro remedio sino quedarme ciego. Si puedo reprimir mi culpable amor, lo haré; si no, usaré toda mi habilidad para poseerla. (*Se va.*)

ESCENA V

Milán. Una calle

(Entran por distintos lados SPEED *y* LANZA*)*

SPEED.—¡Lanza! ¡Por mi honor, bienvenido seas a Milán!

LANZA.—No perjures, amable joven, porque no soy bien venido; es mi opinión de siempre que un hombre no está perdido hasta que esté ahorcado, y que no llega bien a ningún sitio hasta que ha pagado su escote y la posadera le dice: "¡Bienvenido!"

SPEED.—Anda, locuelo; vente ahora conmigo a la taberna, donde por un escote de cinco sueldos tendrás cinco mil bienvenidas. Pero dime, bribón, ¿cómo se separó tu amo de doña Julia?

LANZA.—Pardiez, después de haberse despedido muy serios, se han separado riendo.

SPEED.—¿Pero se casará con él?

LANZA.—No.

SPEED.—¿Entonces qué? ¿Se casará él con ella?

LANZA.—Tampoco.

SPEED.—¿Han roto, pues?

LANZA.—No; están los dos tan enteritos como antes.

SPEED.—Pero, ¿cómo está la cosa?

LANZA.—Pardiez, pues así. Cuando todo va bien para él, todo va bien para ella.

SPEED.—¡Qué asno eres! No te comprendo.

LANZA.—¡Qué idiota eres! Mi bastón me aguanta.

SPEED.—¿Cómo es eso?

LANZA.—¡Caramba! Pues en él me apoyo, y me soporta.

SPEED.—Sí, claro, te soporta.

LANZA.—Pues bien; soportar y aguantar es una misma cosa.

SPEED.—Pero, dime la verdad, ¿llegarán a casarse?

LANZA.—Pregúntalo a mi perro; si dice que sí, boda tendremos; si dice que no, la tendremos también; si menea el rabo y nada dice, también habrá boda.

SPEED.—La conclusión es, pues, que se hará la boda.

LANZA.—No obtendrás de mí este secreto más que en parábolas.

SPEED.—Me satisface obtenerlo así. Pero, Lanza, ¿qué me dices de eso que mi amo está perdidamente enamorado?

LANZA.—Jamás le he conocido de otro modo.

SPEED.—¿De otro modo que cómo?

LANZA.—Que loco y perdido tal como dices tú.

SPEED.—¡Anda, tonto hipócrita! Me entiendes mal.

LANZA.—¡Imbécil! No es de ti, sino de tu amo de quien hablo.

SPEED.—Te digo que mi amo se ha convertido en ardiente enamorado.

LANZA.—Bueno, pues te digo que nada me importa, aunque quiera achicharrarse. Si te vienes conmigo a la taberna, conforme. Si no, eres un hebreo, un judío y no mereces el nombre de cristiano.

SPEED.—¿Por qué?

LANZA.—Porque no tienes suficiente caridad para acompañar a un cristiano a la taberna. ¿Quieres venir?

SPEED.—Estoy a tus órdenes. *(Se van.)*

ESCENA VI

Milán. Palacio ducal

(Entra PROTEO)

PROTEO.—Si abandono a mi Julia soy perjuro; si amo a la hermosa Silvia, soy perjuro; si traiciono a mi amigo, soy perjuro también; pero el mismo alto poder que me impuso mi primer juramento, es el propio que me lleva a esta triple traición. El amor me hizo jurar y el amor me obliga a retractarme de mi juramento. ¡Oh, amor, dulce tentador, si pecaste jamás, enséñame a mí, tu súbdito caído en tentación, a excusar mi pecado! Antes adoraba a una brillante estrella; pero ahora adoro a un sol celeste. Votos imprudentes pueden ser prudentemente retractados, y no tiene suficiente inteligencia aquel que no posea la fueza de voluntad de enseñar a la suya a dejar lo malo por lo mejor... ¡Vergüenza, vergüenza, irrespetuosa lengua! ¡Calificar de mala a aquella de quien tantas veces proclamaste la soberanía con veinte mil juramentos sinceros! No puedo cesar de amar; y sin embargo, lo hago; pero ceso de amar lo que debiera. Pierdo a Julia y a Valentín; si quiero conservarlos, debo perderme a mí mismo; si los pierdo a ellos, me compensa su pérdida encontrarme a mí mismo en lugar de Valentín, hallar a Silvia en lugar de Julia. Me quiero más a mí mismo que a mi amigo, pues el amor es el más precioso de los bienes, y Silvia (os tomo por testigos, ¡oh, cielos, que tan bella la hicisteis!) convierte a Julia en una negra etíope. Quiero olvidar que Julia existe y recordar tan sólo que ha muerto mi amor por ella, y considerar a Valentín como un enemigo, mirando en Silvia a un amigo más caro. Ahora no puedo mostrarme constante a mí mismo sin usar de alguna perfidia para con Valentín... Se propone escalar esta noche, con una escala de cuerda, la ventana de la celeste Silvia, y me toma a mí por consejero, yo que soy su rival. Voy a revelar el proyecto de fuga al padre, quien, encolerizado, desterrará a Valentín; pues, según sus intenciones, Turio debe casarse con su hija; pero, una vez alejado Valentín, hallaré la forma de desbaratar astutamente los estúpidos designios de Turio. Amor, préstame alas para realizar rápidamente mi proyecto, como me has prestado inteligencia para concebirlo.

ESCENA VII

Verona. En casa de Julia

(Entran JULIA y LUCÍA)

JULIA.—Aconséjame, Lucía; amable compañera, ayúdame. A ti, que eres el libro en que están todos mis pensamientos, te ruego, por la amistad que me profesas, que me aconsejes y me digas algún medio compatible con mi honor para ir a reunirme con mi fiel Proteo.

LUCÍA.—¡Ay, el camino es largo y fatigoso!

JULIA.—Un peregrino con sincera devoción no se cansa de recorrer con sus débiles pasos reinos enteros; con más razón puedo yo, que para volar tengo las alas del amor, y voy en busca de un ser tan caro y de tan divinas perfecciones como Proteo.

LUCÍA.—Mejor sería aguardar a que Proteo regrese.

JULIA.—¡Oh! ¿No sabes que sus miradas son el alimento de mi alma? Apiádate del hambre que me hace languidecer deseando por tanto tiempo ese alimento. Si supieras el íntimo goce del amor, mejor irías a encender fuego con nieve que tratar de apagar con palabras el amoroso ardor.

LUCÍA.—No pretendo extinguir el fuego ardiente de vuestro amor, sino tan sólo aplacar la extrema furia de ese fuego para que no abrase más allá de toda razón.

JULIA.—Cuanto más pretendas dominarle, más alto será el fuego. La corriente que se desliza con suave murmullo, bien sabes que si se la detiene se hincha con rabia; mas si se la deja seguir libremente el curso, suena dulce música con los esmaltados guijarros, besa con suave amor todos los arbustos que encuentra en su peregrinación, y así juega apacible en mil revueltas hasta precipitarse en el furioso océano. Déjame, pues, partir y no intentes detener mi curso; seré tan sufrida como el apacible riachuelo y convertiré en pasatiempo las fatigas del camino, hasta que mis últimos pasos me lleven a mi amado; y allí descansaré, como descansan después de una dura lucha las almas bienaventuradas en el Elíseo.

LUCÍA.—¿Pero en qué traje viajaréis?

JULIA.—No en traje de mujer, pues quiero evitar las importunidades de los libertinos. Bondadosa Lucía, prepárame vestidos que sienten bien a un paje de buena casa.

LUCÍA.—En tal caso, deberá Vuestra Señoría cortarse el cabello.

JULIA.—No, niña mía; lo ataré con cordones de seda, entrelazados con nudos llamados de amor sincero. Un poco de fantasía no sentaría mal a un joven, aun de más edad que la que yo represento.

LUCÍA.—¿De qué modo quiere la señora que le haga el pantalón?

JULIA.—Es como si dijeras: "¿Qué anchura quiere el caballero que se dé a sus faldas?" Del modo que te guste más, Lucía.

LUCÍA.—Deberéis, pues, ponerle unas bragas a la moda.

JULIA.—¡Quita allá, Lucía! Eso sería de mal gusto.

LUCÍA.—Señora, ahora no vale un pantalón ni un alfiler si no lleva unas bragas bastante rellenas para servir de acerico.

JULIA.—Lucía, por tu cariño, procúrame lo que juzgues más conveniente y de mejor tono. Pero dime, muchacha: ¿qué opinión formará de mí el mundo por emprender tan insólito viaje? Temo que provoque un escándalo.

LUCÍA.—Si lo pensáis, entonces quedaos en casa y no marchéis.

JULIA.—¡No, no, eso no lo haré!

LUCÍA.—Entonces no penséis en el escándalo y partid. Si cuando lleguéis gusta vuestro viaje a Proteo, poco importa a quién hayáis podido disgustar al partir. Pero me temo que no le cause mucha satisfacción.

JULIA.—Ese es, Lucía, el menor de mis temores. Miles de juramentos, un océano de sus lágrimas e infinitas pruebas de amor me garantizan buena acogida por parte de Proteo.

LUCÍA.—De todas esas cosas se sirven los hombres falsos.

JULIA.—¡Hombres viles, que las usan para viles intenciones! Pero astros más fieles presidieron el nacimiento de Proteo. Sus palabras son lazos, oráculos sus juramentos; su amor es sincero, inmaculados sus pensamientos, sus lágrimas son los verdaderos mensajeros de un corazón. Tanto dista su corazón de la impostura como el cielo de la tierra.

LUCÍA.—¡Haga Dios que tal le halléis al llegar a su lado!

JULIA.—Si me quieres, Lucía, no le hagas la ofensa de tener mala opinión de su sinceridad: merece tú mi cariño amándole a él. Ven en seguida a mi habitación para anotar cuanto pueda necesitar en mi suspirado viaje. Dejo a tu disposición cuanto poseo: mi fortuna, mis tierras, mi reputación. A cambio de ello, despáchame pronto de aquí. Ven, no me repliques; a la tarea en seguida. Me impacienta tardar tanto.

ACTO III

ESCENA PRIMERA

Milán. Antecámara del palacio ducal

(*Entran* EL DUQUE, TURIO y PROTEO)

EL DUQUE.—Señor Turio, os lo ruego, alejaos un momento; tenemos que conferenciar los dos sobre asuntos reservados. (*Vase Turio.*) Ahora decidme, Proteo, ¿qué se os ofrece?

PROTEO.—Bondadoso señor, el secreto que quiero descubriros debería ser callado de acuerdo con las leyes de la amistad; pero cuando pienso en los favores con que me habéis distinguido, indigno como soy de ellos, mi conciencia me impele a revelar lo que de otro modo no podrían arrancar de mí todas las recompensas de este mundo. Sabed, digno príncipe, que Valentín, mi amigo, se propone robaros esta noche a vuestra hija; yo mismo soy el confidente del complot. Sé que habéis resuelto casarla con Turio, a quien vuestra amable hija detesta, y no dudo que si os fuese de tal suerte robada, sería esto una gran ofensa para vuestra ancianidad. Así pues, siguiendo los dictados de mi conciencia, prefiero contrariar a mi amigo en su propósito a acumular sobre vuestra cabeza, ocultándolo, el peso de la desgracia, que sin duda os llevaría, cerniéndose sobre vos impensadamente, a una muerte prematura.

EL DUQUE.—Proteo, te doy gracias por tu honrada solicitud, en agradecimiento de la cual manda en mí mientras viva. Muchas veces sospeché entre ellos ese amor, cuando creían haber adormecido mi prudencia; y a menudo pensé en prohibir a Valentín frecuentar mi hija y mi corte; pero temiendo engañarme en mi celosa sospecha y deshonrar injustamente a un hombre, imprudencia que supe evitar hasta el presente, fingí mostrarle buena cara para con ello descubrir lo que ahora me has revelado. Y para que comprendas mis temores sobre el particular, te diré que sabiendo cuán fácil es extraviar a la juventud, he querido que mi hija habitase una torre elevada, cuya llave siempre llevo encima, de cuyo aposento no puede serme robada.

PROTEO.—Sabed, noble señor, que han ideado un medio para escalar él la ventana de su habitación y bajar a vuestra hija por una escala de cuerda, la cual el joven amante ha ido a buscar, y dentro de un instante vais a verle pasar por aquí, donde, si así lo queréis, podéis interceptarle el paso. Pero, mi buen señor, os ruego lo hagáis tan astutamente que no pueda sospechar mi revelación. Pues el amor a vos y no el odio a mi amigo me ha llevado a revelaros su intento.

EL DUQUE.—Por mi honor, jamás sospechará que me hayas revelado nada de este asunto.

165

PROTEO.—Adiós, señor. Ahí viene Valentín. *(Se va.) (Entra Valentín.)*

EL DUQUE.—Caballero Valentín, ¿adónde vas tan de prisa?

VALENTÍN.—Con permiso de Vuestra Alteza, me espera un mensajero para llevar unas cartas a mis amigos, e iba a entregárselas.

EL DUQUE.—¿Son de mucha importancia?

VALENTÍN.—Su contenido se limita a comunicar mi buena salud y la dicha que disfruto en vuestra corte.

EL DUQUE.—Entonces, pues no importa, podéis quedaros un momento conmigo; quiero hablaros de ciertos asuntos que me interesan de cerca y que debéis mantener secretos. No ignoráis que me proponía casar a mi amigo Turio con mi hija.

VALENTÍN.—Bien lo sabía, monseñor; además, el hidalgo está lleno de virtudes, de magnanimidad, de mérito y de cualidades tales como convienen al esposo de vuestra gentil hija. ¿No sabría Vuestra Alteza hacer por manera que ella le correspondiese?

EL DUQUE.—No, creedme; es caprichosa, melancólica, arisca, orgullosa, desobediente, testaruda, rebelde a su deber, sin consideración alguna de que es hija mía y sin el respeto hacia mí que a un padre se debe. Os diré, pues, que ese orgullo de mi hija, después de largas reflexiones, ha puesto fin a mi afecto. Yo, que esperaba hallar en los cuidados de su filial solicitud el consuelo de mi vejez, he decidido por fin tomar nueva esposa y entregar mi hija a quien quiera encargarse de ella. Entonces que sea su belleza su dote; nada debe esperar de mí ni de mi fortuna.

VALENTÍN.—¿En qué puedo servir a Vuestra Alteza en este asunto?

EL DUQUE.—Hay en esta ciudad una dama a quien profeso cariño; pero es reservada y arisca, y no estima en nada mi vieja elocuencia. Por lo tanto, quisiera que me orientaseis en este asunto —pues desde hace mucho tiempo he perdido la costumbre de cortejar, y además, cambiaron en gran manera las modas— y me enseñaréis cómo y en qué forma puedo llegar a mirarme en sus ojos resplandecientes como un sol.

VALENTÍN.—Ganadla con regalos, si no hace caso de las palabras; a menudo las alhajas, con su elocuente silencio, pueden, más que apasionadas palabras, conmover el corazón de una dama.

EL DUQUE.—Pero ella despreció un presente que le envié.

VALENTÍN.—Rehúsan las mujeres a menudo aquello que más les satisface. Enviadle otro; no abandonéis nunca la partida, pues los primeros desdenes sólo hacen más vivos el amor que les sigue. Si os muestra rostro severo, no es que os odie, sino tan sólo para aumentar vuestro amor. Si os regaña, no es para que la dejéis, pues, bien lo sabéis, estas locuelas no gustan de la soledad. No os consideréis despreciado, aunque os diga palabras duras, pues si os dice "marchaos" no quiere decir que os marchéis. Adulad, alabad, vanagloriad, exaltad sus atractivos; aunque sea la más morena de las mujeres, decid que tiene una cara de ángel. El hombre que teniendo lengua no sabe con ella conquistar a una mujer, no es hombre.

EL DUQUE.—Pero la dama de quien os hablo está prometida por sus deudos a un joven hidalgo de mérito, y está severamente apartada del trato de los hombres, y durante el día nadie puede acercarse a ella.

VALENTÍN.—Pues bien, en vuestro lugar, la vería de noche.

EL DUQUE.—Sí; pero las puertas están cerradas y guardadas las llaves para que ningún hombre pueda, durante la noche, llegar hasta ella.

VALENTÍN.—¿Qué os priva, pues, de entrar por la ventana?

EL DUQUE.—Su habitación es muy elevada, lejos del suelo, y construída la ventana en pendiente, de forma que no se puede intentar el escalamiento sin arriesgar la vida.

VALENTÍN.—Pues bien; una escala de cuerda hecha con arte, para arrojarla, sostenida por medio de un par de garfios, serviría para escalar la torre de una nueva Hero, si hubiera un Leandro bastante atrevido para intentar la aventura.

EL DUQUE.—Bien; dime, pues, tú que eres joven y ardiente, dónde puedo procurarme una escala de ese género.

VALENTÍN.—¿Cuándo la usaríais, señor? Os ruego me digáis eso.

EL DUQUE.—Esta misma noche: porque el amor es como un niño, que se impacienta por obtener lo que desea.

VALENTÍN.—A las siete os proporcionaré una escala de ésas.

EL DUQUE.—Bien; pero oídme: iré solo; ¿cómo podré llevar hasta allí la escala?

VALENTÍN.—Será bastante ligera, señor, para que podáis llevarla debajo de una capa de forma corriente.

EL DUQUE.—¿Una capa tan larga como la vuestra me serviría?

VALENTÍN.—Ciertamente, señor.

EL DUQUE.—Dejadme vuestra capa; me procuraré una de igual medida.

VALENTÍN.—Cualquiera os servirá, señor.

EL DUQUE.—¿Cómo me las arreglaré para ponerme capa? Os lo ruego, dejadme que me pruebe la vuestra. ¿Qué es eso? ¿Qué es esa carta? "¡A Silvia!" Y aquí lleváis un instrumento que conviene a mi proyecto. Me tomaré la libertad de romper el sobre.

"Mis pensamientos reposan al lado de Silvia, la noche entera, y son mis esclavos, mis voladores mensajeros. ¡Oh, si su amo pudiera ir y venir tan rápidamente como ellos! Se alojaría él mismo, en el amado refugio que ocupan ellos, insensibles. Los pensamientos que como heraldos te envío reposan en tu puro seno: mientras yo, soberano suyo, maldigo el favor que tan dulce favor les concede, pues a mí me falta la dicha de que gozan mis esclavos: me maldigo a mí mismo, que los mandé allí, al ver que usurpan el puerto de mis dulces deseos."

¿Qué dice además? "Silvia, esta noche te libertaré." Eso es: y ahí está la escala que debe servir para la evasión. ¡Ah!, ¡ah Faetonte (pues el hijo eres de Merope), aspiras a guiar el celeste carro y con tu audaz locura quieres abrasar el mundo! ¿Quieres elevarte hasta las estrellas porque brillan sobre ti? ¡Vete, vil intruso, presuntuoso esclavo! Lleva a las mujeres de tu ralea tus zalameras sonrisas y atribuye a mi paciencia más que a tus méritos el que puedas libremente marchar de aquí; agradéceme este favor más que todos los que, inmerecidamente, te concedí hasta ahora. Pero si te retrasas en mis Estados más tiempo del necesario para una rápida fuga, por los Cielos juro que mi cólera excederá en mucho al afecto que pude sentir por mi hija o por ti. Vete, no quiero oír sus vanas disculpas; antes bien, si tienes apego a la vida sal de aquí sin tardanza. *(Se va.)*

VALENTÍN.—¿Y por qué no la muerte, antes que el tormento en vida? Morir es separarme de mí mismo; y Silvia es yo. Desterrarme de su lado es desterrarme de mí mismo, ¡un destierro mortal! ¿Qué luz es luz si no veo a Silvia? ¿Qué gozo es gozo si Silvia no está conmigo? A menos que sueñe que está conmigo y me alimente la imagen de sus perfecciones. De noche, si no estoy cerca de Silvia, no hay armonía en el ruise-

ñor; de día, si no contemplo a
Silvia, no hay día para mí. Es
mi esencia, ceso de vivir si no
estoy nutrido, iluminado, arrulla-
do, mantenido en vida por su
dulce influencia. No huyo de la
muerte al huir de su mortal sen-
tencia. Si me quedo, me acerco
a la muerte; mas, si huyo de aquí,
me alejo de la vida. *(Entran Pro-
teo y Lanza.)*
PROTEO.—Corre, mozo, corre, corre.
Procura encontrarle.
LANZA.—¡Hola!
PROTEO.—¿Qué has visto?
LANZA.—Al que buscamos. No tie-
ne un pelo en la cabeza que no
sea de Valentín.
PROTEO.—¿Eres tú Valentín?
VALENTÍN.—No.
PROTEO.—¿Quién eres, pues? ¿Su
sombra?
VALENTÍN.—Tampoco.
PROTEO.—¿Pues qué eres?
VALENTÍN.—Nada.
LANZA.—¿Puede hablar lo que no
es nada? Señor, ¿le pego?
PROTEO.—¿A quién quieres pegar?
LANZA.—A nadie.
PROTEO.—Detente, villano.
LANZA.—Pero, señor, resulta que
pegaría a nadie: os lo ruego...
PROTEO.—Bribón, detente, te digo.
Amigo Valentín, óyeme una pala-
bra.
VALENTÍN.—Mis oídos están cerra-
dos y no pueden oír buenas noti-
cias; tan ocupados están por las
malas nuevas que escucharon.
PROTEO.—Entonces cerraré las mías
en mudo silencio, porque son ru-
das, desagradables y malas.
VALENTÍN.—¿Ha muerto Silvia?
PROTEO.—No, Valentín.
VALENTÍN.—Es cierto, no hay Va-
lentín para la divina Silvia. ¿Perjuró mi amor?
PROTEO.—No, Valentín.
VALENTÍN.—No hay Valentín si Silvia perjuró mi amor. ¿Cuáles son
tus noticias?
LANZA.—Señor, una proclama anuncia vuestro destierro.
PROTEO.—Que estás desterrado; ¡oh,

ésta es la noticia!, desterrado de
Milán, de Silvia y de mí, tu amigo.
VALENTÍN.—¡Oh! Aliméntéme ya
con esta desgracia, y ahora soy incapaz de probarla otra vez. ¿Sabe
Silvia que estoy desterrado?
PROTEO.—Sí, sí; y ha ofrecido para
revocar la sentencia — la cual
irrevocada, se mantiene en su implacable fuerza — un océano de
perlas que algunos llaman lágrimas; y las ha ofrecido a los pies
de su severo padre, y con ellas su
humillada persona, de rodillas; retorciéndose las manos, cuya blancura tanto las favorecía que las
hubieras dicho pálidas de dolor;
pero ni sus dobladas rodillas, ni sus
puras manos levantadas, ni sus dolorosos suspiros, ni sus gemidos
profundos, ni sus lágrimas cual
plateado rocío, han podido enter-
necer a su inflexible padre; Valentín, si se te echa mano, tendrás
que morir. Además, su intercesión
le encolerizó de tal forma, cuando, suplicando, pedía tu perdón,
que la ha mandado encerrar severamente amenazándola con serias
represalias.
VALENTÍN.—No digas más; a menos
que la próxima palabra que pro-
nuncies tenga sobre mi vida un fatal poder. Si es así, te lo ruego,
hazla resonar en mis oídos, como
la antífona final de mi dolor sin
cuento.
PROTEO.—Cesa de comentar lo que
evitar no puedes y busca remedio
a lo que deploras. El tiempo es padre y creador de todo bien. Si per-
maneces aquí, no podrás ver a tu
amada; además, eso abreviará tu
vida. La esperanza es el báculo
de un amante; aléjate apoyado en
él y úsalo contra los desesperados
pensamientos. Aunque tú estés ausente, tus cartas podrán llegar aquí,
me las dirigirás a mí, y yo mismo
las depositaré en el nevado seno
de tu amada. No es tiempo ahora
de discutir detalles; ven, te llevaré
hasta la puerta de la ciudad; y,
antes de dejarte, hablaremos am-
pliamente de tus asuntos amorosos.

Por tu amor a Silvia, si no por ti mismo, no te expongas al peligro y ven conmigo.

VALENTÍN.—Te lo ruego, Lanza; si ves a mi criado, dile que se apresure a reunirse conmigo en la Puerta del Norte.

PROTEO.—Ve, bribón, a buscarle... Ven, Valentín.

VALENTÍN.—¡Oh, mi querida Silvia!... ¡Infeliz Valentín! *(Vanse Valentín y Proteo.)*

LANZA.—Soy un imbécil, ya lo veis; y sin embargo, tengo bastante talento para creer que mi amo es una especie de malvado; pero esto no es nada si no es más que un malvado... Nadie sabe que esté yo enamorado, y no obstante, lo estoy; pero un tiro de caballos no podrían arrancarme este secreto; ni tampoco, a quien amo, y sin embargo, es a una mujer; pero ¿a qué mujer? Eso no lo diré ni a mí mismo; es una doncella de servicio, y, sin embargo, no es doncella, porque... se ha murmurado mucho de su conducta. Y sin embargo, es doncella, porque es la doncella del servicio de su amo y sirve por un sueldo. Tiene más buenas cualidades que un perrito de aguas, cosa extraordinaria para una simple cristiana. *(Sacando un papel.)* Aquí está el catálogo de sus méritos. «Primero, saber ir a buscar y traer.» ¡Pardiez! Un caballo trae, pero no va a buscar; luego vale más que un rocín. «*Item*. Sabe ordeñar.» ¿Veis? Bonita habilidad es ésa en una moza de limpias manos. *(Entra Speed.)*

SPEED.—¡Hola, señor Lanza! ¿Cómo va Vuestra Señoría?

LANZA.—¿Mi señor? Se embarcó.*

SPEED.—Bueno, siempre con vuestro viejo vicio: ¡siempre juegos de palabras! ¿Qué nuevas trae ese papel?

---

* Textualmente dice Speed: What news with your mastership?", y Lanza se equivoca en su respuesta: "My master's ship? Why, it is at sea."

LANZA.—Las más negras que hayas jamás oído.

SPEED.—¿Eh? ¿Cómo, negras?

LANZA.—Sí, tan negras como la tinta.

SPEED.—Deja que las lea.

LANZA.—¿No te da vergüenza, estúpido? Tú no sabes leer.

SPEED.—Mientes; sé leer.

LANZA.—Voy a probarlo. Dime eso: ¿quién te engendró?

SPEED.—¡Pardiez! El hijo de mi abuelo.

LANZA.—¡Oh haragán ignorante! Fue el hijo de tu abuela; eso prueba que no sabes leer.

SPEED.—Vaya, tonto, vaya: probemos en tu papel.

LANZA.—Toma, y San Nicolás te ayude.**

SPEED *(leyendo.).*—"*Item.*: sabe ordeñar."

LANZA.—¡Sí, sí, ya lo creo!

SPEED.—"*Item*. Sabe hacer buena cerveza."

LANZA.—Y de aquí viene el proverbio: bendita seáis, alma querida, que habéis hecho buena cerveza.

SPEED.—"*Item*. Sabe dar puntadas."

LANZA.—También sabrá dar puntapiés.

SPEED.—"*Item*. Sabe hacer media."

LANZA.—¿Qué más puede desear un hombre?

SPEED.—"*Item*. Sabe lavar y fregar."

LANZA.—Cualidad especial; porque así no tendrán que lavarla y restregarla.

SPEED.—"*Item*. Sabe hilar."

LANZA.—Bien rodará para mí la rueda de la fortuna, si sabe hilar.

SPEED.—"*Item*. Posee muchas virtudes que no tienen nombre."

LANZA.—Como si dijéramos, virtudes bastardas; que no han llegado a conocer a su padre y, por consiguiente, no tiene nombre.

SPEED.—Ahora siguen sus defectos.

LANZA.—A la zaga de sus méritos.

SPEED.—"*Item*. No se la debe besar en ayunas, a causa de su mal aliento."

** "Saint Nicholas be thy *speed*."

LANZA.—Bueno, ese defecto puede corregirse con un almuerzo; continúa.

SPEED.—"*Item*. Tiene una bonita boca."

LANZA.—Que compensa su mal aliento."

SPEED.—"*Item*. Habla durmiendo."

LANZA.—No importa, así no se dormirá hablando.

SPEED.—"*Item*. Es parca en hablar."

LANZA.—¡Oh qué imbécil fue quien puso eso entre sus defectos! Ser parca en palabras es la única virtud de una mujer. Te lo ruego; quítalo de ahí y cuéntalo como su mérito principal.

SPEED.—"*Item*. Es soberbia."

LANZA.—Borra eso también; es la herencia de Eva, y no se le puede quitar.

SPEED.—"*Item*. No tiene dientes."

LANZA.—Eso tampoco me importa, porque me gusta la corteza.

SPEED.—"*Item*. Es arisca."

LANZA.—Muy bien; lo bueno es que no tiene dientes para morder.

SPEED.—"*Item*. Gusta a menudo ensalzar la bebida."

LANZA.—Si la bebida es buena, hace bien; si no lo hiciera ella, lo haría yo. Las cosas buenas deben apreciarse.

SPEED.—"*Item*. Es demasiado pródiga."

LANZA.—De su lengua es imposible, pues está escrito que es parca en palabras; de su bolsa no podrá serlo, porque la tendré cerrada Ahora bien, de otra cosa podrá serlo sin que yo pueda impedirlo. Bien, continúa.

SPEED.—"*Item*. Tiene más cabellos que talento, más defectos que cabellos y más riqueza que defectos."

LANZA.—Párate ahí; tiene que ser mía, y lo ha sido y dejado de ser dos o tres veces en este último artículo: léemelo otra vez.

SPEED.—"*Item*. Tiene más cabellos que talento."

LANZA.—¿Más cabellos que talento? Es muy posible, y lo probaré. La tapadera de la caja de la sal oculta la sal, y, por consiguiente, es más que la sal; los cabellos que tapan el talento, son más que el talento, porque el más oculta al menos. ¿Qué sigue después?

SPEED.—"Y más defectos que cabellos."

LANZA.—Eso es monstruoso. ¡Oh! ¡Que ello no fuera verdad!

SPEED.—"Y más riqueza que defectos."

LANZA.—¡Oh! Estas palabras convierten los defectos en virtudes. Bien, será mi mujer; y si nos ponemos de acuerdo, como nada hay en ello imposible...

SPEED.—Entonces, ¿qué?

LANZA.—Entonces te diré que tu amo te espera en la Puerta del Norte.

SPEED.—¿A mí?

LANZA.—¡A ti, claro! ¿Pues quién crees ser tú? A otros mejores que tú habrá esperado en su vida.

SPEED.—¿Y tengo que ir a reunirme con él?

LANZA.—Tienes que correr para ir a encontrarle porque te has detenido tanto tiempo aquí que ya casi no te servirá de nada ir.

SPEED.—¿Y por qué no me lo dijiste antes? ¡Las viruelas devoren tus cartas de amor! *(Se va.)*

LANZA.—Van a zurrarle por haberse entretenido leyendo mi carta. ¡Esclavo mal educado, que viene a entremeterse en los secretos del prójimo! Voy a seguirle, y me divertiré viendo cómo apalean al muchacho.

ESCENA II

La misma ciudad. Aposento en el Palacio Ducal

(*Entran el* DUQUE *y* TURIO)

EL DUQUE.—Señor Turio, no dudéis de que mi hija os amará, ahora que Valentín está desterrado de su presencia.

TURIO.—Desde ese destierro ha aumentado su desdén por mí; evita mi compañía, y hace tal burla de mí, que desespero ya de obtenerla.

EL DUQUE.—Esa débil impresión del amor es como una figura esculpida en hielo, que en una hora de calor se derrite y pierde su forma. Un poco de tiempo derretirá sus helados pensamientos y el indigno Valentín será olvidado... (*Entra Proteo*.) Y bien, señor Proteo, ¿ha marchado vuestro compatriota, conforme a nuestra proclama?

PROTEO.—Ha marchado, mi buen señor.

EL DUQUE.—Mi hija ha tomado muy mal su partida.

PROTEO.—Un poco de tiempo, señor, matará su pena.

EL DUQUE.—Así lo creo; pero Turio no comparte mi opinión. Proteo, el buen concepto que poseo de ti (pues me has dado pruebas de tu mérito) me obliga a consultarte otra vez.

PROTEO.—No dejen los cielos que viva más tiempo que el tiempo en que pruebe mi fidelidad a Vuestra Alteza.

EL DUQUE.—Bien sabes con cuánta satisfacción casaría al caballero Turio con mi hija.

PROTEO.—Lo sé, señor.

EL DUQUE.—También sabes, creo, que ella se resiste a mi voluntad.

PROTEO.—Se resistía cuando estaba aquí Valentín.

EL DUQUE.—Sí, y malignamente resiste aún. ¿Qué se podría hacer para que la niña olvide el amor de Valentín y ame al señor Turio?

PROTEO.—El mejor medio es difamar a Valentín, acusándolo de impostura, de cobardía y de oscuro nacimiento; tres cosas que las mujeres aborrecen en gran manera.

EL DUQUE.—Sí, pero pensará que el rencor nos hace hablar.

PROTEO.—Sin duda, si es el enemigo de Valentín quien le acusa: por lo tanto, las acusaciones deben ser proferidas por alguien a quien ella crea su amigo.

EL DUQUE.—Entonces, debéis cuidar vos de calumniarle.

PROTEO.—Me sabría muy mal prestarme a ello, señor; mal papel es ése para un caballero, especialmente yendo contra su amigo.

EL DUQUE.—En circunstancias en que no podríais favorecerle con vuestros elogios, no pueden perjudicarle vuestras calumnias. Podéis, encargaros de ello, sobre todo cuando os lo pide un amigo.

PROTEO.—Me habéis vencido, señor. Si después de mis palabras puedo lograrlo, no continuará por mucho tiempo amándolo. Pero pensad que una vez arrancado de su corazón el amor a Valentín, no será seguro que ame al señor Turio.

TURIO.—Así, pues, al propio tiempo que arranquéis de su alma el amor a Valentín, procurad atraerlo sobre mí; lo que podréis conseguir diciendo de mí tanto bien como mal de Valentín.

EL DUQUE.—Proteo, confiamos en vos en el caso presente, porque sabemos, por confidencias de Valentín, que sois ya esclavo del amor y no de los que a menudo cambian de amada. Bajo esta confianza, or daré acceso cerca de Silvia para que podáis hablarle sin prisas; porque está abatida, triste, melancólica, y por amor a vuestro amigo se alegrará de veros. Podréis persuadirla con vuestras palabras a que odie al joven Valentín y ame a mi amigo.

PROTEO.—Todo cuanto pueda, eso haré; pero vos, señor Turio, os mostráis poco decidido. Es necesario que tendáis liga donde puedan aprisionarse sus deseos, con plañideros sonetos, cuyas rimas sean forjadas con juramentos de rendido amor.

EL DUQUE.—En verdad, grande es el poder de la poesía, hija del cielo.

PROTEO.—Decid que en el ara de su belleza sacrificáis vuestras lágrimas, vuestros suspiros, vuestro corazón: escribid hasta que se os seque la tinta, y entonces con vuestras lágrimas mojadla de nuevo, y componed algunos versos conmovedores en que le descubráis este secreto. Pues la lira de Orfeo estaba formada con fibras del corazón de los poetas, cuyo áureo son ablandaba la piedra y el acero, amansaba a los tigres y los monstruos leviatanes abandonaban los abismos para solazarse en las doradas playas. Después que le hayáis enviado vuestras lastimeras elegías, ofreced bajo las ventanas de vuestra dama un concierto nocturno; unid a las voces de los instrumentos las palabras de un canto melancólico. El profundo silencio de la noche hará más dulce vuestras quejas amorosas. Este es el único medio para poder conquistar a Silvia.

EL DUQUE.—Lecciones son ésas que prueban que estuvisteis enamorado.

TURIO.—Vuestro consejo será puesto en práctica esta misma noche. Así, pues, buen Proteo, puesto que me abandono a vuestra discreción, vamos a la ciudad en busca de buenos músicos. Tengo un soneto que me servirá para poner en ejecución vuestro buen consejo.

EL DUQUE.—¡Manos a la obra, caballeros!

PROTEO.—Permaneceremos con vuestra Alteza hasta después de la cena y luego planearemos la cuestión.

EL DUQUE.—Ocupaos en ello inmediatamente. Os excuso por hoy. (Se van.)

ACTO IV

ESCENA PRIMERA

Cercanías de Mantua. Bosque.

(Entran varios BANDIDOS*)*

BANDIDO 1º—Camaradas, alerta; veo a un viajero.

BANDIDO 2º—Aunque fueran diez; ¡no nos acobardemos, y a ellos! *(Entran Valentín y Speed.)*

BANDIDO 3º — Deteneos, señor, y arrojadnos cuanto llevéis sobre vos. De lo contrario vamos a apresaros y despojaros.

SPEED.—¡Señor, estamos perdidos! Estos son aquellos criminales que tanto temen todos los viajeros.

VALENTÍN.—Amigos míos...

BANDIDO 1º—No es eso, señor; somos enemigos.

BANDIDO 2º—Cállate; oigámosle.

BANDIDO 3º—Sí, ¡por mi barba!, le escucharemos, pues tiene cara de honrado.

VALENTÍN.—Sabed, pues, que muy pocos bienes me quedan por perder: soy un hombre combatido por la adversidad; mis riquezas consisten en estos miserables vestidos, de los cuales si me despojáis, tomáis todo lo que poseo.

BANDIDO 2º—¿Adónde vais?

VALENTÍN.—A Verona.

BANDIDO 1º—¿De dónde venís?

VALENTÍN.—De Milán.

BANDIDO 3º—¿Cuánto tiempo habéis habitado allí?

VALENTÍN.—Unos dieciséis meses; y mucho más tiempo hubiera permanecido si la aviesa fortuna no me lo hubiese privado.

BANDIDO 1º—¿Qué, acaso os han desterrado?

VALENTÍN.—Sí.

BANDIDO 3º—¿Por qué delito?

VALENTÍN.—Por lo que mucho me atormenta relatar. Maté a un hombre, de lo cual grandemente me arrepiento; y sin embargo le maté valerosamente en leal combate, sin falsa ventaja ni vil traición.

BANDIDO 1º—Pues si así fue, no debe remorderos la conciencia. Pero, ¿se os desterró por tal delito?

VALENTÍN.—Sí, y aun me tengo por dichoso con tal sentencia.

BANDIDO 1º—¿Sabéis varios idiomas?

VALENTÍN.—Sí: es una ventaja que debo a mis juveniles viajes, y sin la cual muchas veces me hubiera apurado.

BANDIDO 3º—¡Por la calva cabeza del regordete Robín Hood! Ese compañero sería un rey adecuado para nuestra banda.

BANDIDO 1º—Sí, sería nuestro rey. Una palabra, amigos.

SPEED.—Señor, haceos de los suyos. Son una banda de ladrones muy honrados.

VALENTÍN.—¡Calla, villano!

BANDIDO 2º—Contestadnos: ¿poseéis alguna riqueza?

VALENTÍN.—Nada, sino mi estrella.

BANDIDO 3º—Sabed, pues, que algunos de nosotros somos caballeros, a quienes las locuras de una desordenada juventud alejaron de la sociedad legal: yo mismo fui desterrado de Verona por haber querido raptar a una dama, rica heredera y parienta cercana del duque.

BANDIDO 2º—Y yo lo fui de Mantua, a causa de un caballero a quien, en un arrebato de cólera, clavé mi daga en el pecho.

BANDIDO 1º—Y yo por pecadillos del mismo género; pero vamos al asunto, pues os hemos contado nuestros delitos para justificar nuestra vida al margen de la ley; y viendo que sois caballero de bella presencia, y, según propia confesión, poseéis idiomas, y además estáis dotado de cualidades que mucho necesitamos en nuestra condición...

BANDIDO 2º—En realidad, por ser vos ·un desterrado, os hacemos estas proposiciones. ¿Queréis ser nuestro capitán, haceros una virtud de la necesidad, y vivir, como lo hacemos nosotros, en estas soledades?

BANDIDO 3º—¿Qué nos contestáis? ¿Queréis ser de los nuestros? Decid sí, y sed el capitán de todos: os rendiremos homenaje, nos someteremos a vuestro gobierno, y os amaremos como a nuestro caudillo y rey.

BANDIDO 1º—Pero si rehusáis nuestra oferta, moriréis.

BANDIDO 2º—No podéis vivir para jactaros de lo que os hemos ofrecido.

VALENTÍN.—Acepto vuestra oferta y quiero vivir con vosotros, con tal que no ultrajéis a las infelices mujeres ni a los viajeros pobres.

BANDIDO 3º—No, puesto que detestamos tan viles hazañas. Venid con nosotros; vamos a presentaros a nuestros camaradas y os enseñaremos los tesoros que poseemos; de los cuales, como de nosotros, podréis disponer a voluntad. *(Se van.)*

ESCENA II

Milán. Patio del Palacio Ducal, bajo las ventanas de Silvia

(Entra PROTEO)

PROTEO.—He sido ya traidor a Valentín; y ahora debo ser igualmente desleal para con Turio. Con la excusa de favorecer sus deseos, tengo ocasión de ofrecer mi propio amor. Pero Silvia es demasiado noble, demasiado leal, demasiado pura, para dejarse seducir por mis indignos presentes. Cuando protesto de mi adhesión por ella, me reprocha mi traición para con mi amigo; cuando ofrezco mis juramentos a su belleza, me echa en cara mi perjurio por ser infiel a Julia, a quien amaba. Y no obstante sus sátiras y reproches, el menor de los cuales mataría la esperanza de un amante, sin embargo, parecido a un perrito faldero, cuanto más ella desprecia mi amor, tanto más éste crece y se humilla ante ella. Por ahí viene Turio; ahora debemos acercarnos a la ventana de Silvia, y ofrecerle una serenata. *(Entran Turio y músicos.)*

TURIO.—¿Cómo es eso, señor Proteo? ¿Habéis llegado antes que nosotros?

PROTEO.—Sí, amable Turio, pues bien sabéis que el amor sabe introducirse hasta donde no quiere invitársele.

TURIO.—Muy bien; pero espero, señor, que no amáis a nadie aquí.

PROTEO.—Sí, ciertamente; pues si no lo hiciera no estaría aquí.

TURIO.—¿A quién? ¿A Silvia?

PROTEO.—A Silvia, por vuestro amor.

Turio.—Os doy las más expresivas gracias. Ahora, señores, templad los instrumentos y dadnos música en seguida. *(Entran por el fondo de la escena un posadero y Julia vestida de paje.)*

El Posadero.—¡Vamos, joven! Me parece que estáis melancólico; os lo ruego: ¿por qué?

Julia.—Pardiez, pues porque no puedo estar alegre.

El Posadero.—Venid, vamos a alegraros: os llevaré adonde oiréis música y veréis al que buscáis.

Julia.—¿Le oiré hablar?

El Posadero.—Sí, le oiréis.

Julia.—Pues su voz será música para mí. *(Suena la música.)*

El Posadero.—Escuchad, escuchad.

Julia.—¿Está él entre esas gentes?

El Posadero.—Sí; pero... ¡silencio! ¡escuchemos!

CANTO

¿Quién es Silvia, tan hermosa,
que a todos rinde su gracia?
Es pura, bella y discreta;
los cielos tal la dotaron
para admiración del mundo.

¿Es tan buena como bella?
Belleza y bondad se hermanan.
Amor a sus ojos pide
dulce ayuda a su ceguera:
y eternamente allí mora.

Cantémosla, pues, a Silvia.
De Silvia las excelencias.
Como diosa entre mortales
reina en la tierra sombría:
¡postrémonos a sus plantas!

El Posadero.—Pero ¿qué os pasa? Aun estáis más triste que antes. ¿Qué, cómo estáis? ¿No os sienta la música?

Julia.—Os engañáis; es el músico quien no me sienta bien.

El Posadero.—¿Por qué, mi lindo joven?

Julia.—Porque se porta con falsía.

El Posadero.—¿Cómo? ¿Desentonan las cuerdas de su instrumento?

Julia.—No; y sin embargo, tan falsamente obra que me daña hasta las fibras del corazón.

El Posadero.—Tenéis delicado el oído.

Julia.—Sí. ¡Ojalá fuera sordo! El corazón parece como si quisiera pararse.

El Posadero.—Veo que no os gusta la música.

Julia.—No, no me gusta, cuando desafina de tal modo.

El Posadero.—Escuchad, qué bonito cambio han hecho en la tonada.

Julia.—Sí, ese cambio es lo que me hace sufrir.

El Posadero.—¿Preferiríais, pues, que tocaran siempre lo mismo?

Julia.—Quisiera que se mantuvieran fieles a lo mismo. Ese Proteo, de quien hablamos, ¿ve a menudo a esa noble dama?

El Posadero.—Os diré lo que Lanza, su criado, me dijo: que la ama sobre toda medida.

Julia.—¿Dónde está Lanza?

El Posadero.—Ha ido a buscar a su perro que mañana, según le manda su amo, debe llevar como presente a esa dama.

Julia.—Silencio. ¡Apartémonos! La compañía se separa.

Proteo.—Señor Turio, no temáis; abogaré tan bien por vuestro amor, que deberéis inclinaros ante mi habilidad.

Turio.—¿Dónde volveremos a vernos?

Proteo.—Junto al pozo de San Gregorio.

Turio.—Adiós. *(Salen Turio y los músicos. Silvia se asoma a la ventana.)*

Proteo.—Señora, buenas noches tenga vuestra señoría.

Silvia.—Os doy gracias por vuestra serenata, señores: ¿quién es el que ha hablado?

Proteo.—Un hombre, señora, de quien, si supierais la sinceridad de su corazón, pronto conoceríais la voz.

Silvia.—El caballero Proteo, si no me engaño.

PROTEO.—El caballero Proteo, noble señora, y servidor vuestro.

SILVIA.—¿Cuál es vuestra voluntad?

PROTEO.—Que pueda acatar la vuestra.

SILVIA.—Os concedo lo que pedís: mi voluntad es ésta: que os marchéis inmediatamente a vuestra casa. Hombre astuto, perjuro, falso y desleal. ¿Tan débil me creéis, tan vanidosa, que me deje seducir por los vanos halagos de un hombre que a tantas engañó con sus juramentos? Idos, idos, y pedid perdón a vuestra prometida. En cuanto a mí (lo juro por la pálida reina de la noche), estoy tan lejos de acoger vuestros deseos, que os desprecio por vuestra malvada persecución, e inmediatamente me reprocharé el tiempo que empleo en hablaros.

PROTEO.—Confieso, oh mi dulce amada, que amé a una joven; pero ha muerto.

JULIA (aparte).—Si yo dijera eso, mentiría; pues estoy segura que no la enterraron aún.

SILVIA.—Quizá sea verdad. Pero Valentín, vuestro amigo, vive aún; y yo soy, como bien lo sabéis, su prometida: ¿y no os da vergüenza agraviarle con vuestra corte importuna?

PROTEO.—Sé también que ha muerto Valentín.

SILVIA.—¡Pues entonces he muerto yo también! Pues no lo dudéis, mi amor está sepultado en su tumba.

PROTEO.—Mi dulce amada, permitidme que yo lo desentierre.

SILVIA.—Id al sepulcro de vuestra dama y desenterrad su amor, o a lo menos, enterrad en su tumba vuestro cariño.

JULIA (aparte).—Eso no lo ha oído.

PROTEO.—Señora, si tan obstinado es vuestro corazón, concededme vuestro retrato, ese retrato que está colgado en vuestra habitación: podré hablarle, suspirar y llorar ante él; pues desde el momento en que la materia de vuestra persona sin tacha está consagrada a otro, ya no soy más que una sombra: y a vuestra sombra ofreceré mi leal cariño.

JULIA (aparte).—Si fuese materia, a no dudarlo, la engañaríais y la convertiríais en una sombra como yo.

SILVIA.—Me repugna ser vuestro ídolo, señor; pero ya que conviene a vuestra falsedad adorar sombras e incensar falsas imágenes, mandad mañana a mi casa y os lo haré entregar. Así pues, descansad.

PROTEO.—Sí, un descanso tal como el de los desgraciados que esperan la muerte. (Silvia se retira y vase Proteo.)

JULIA.—Señor, vámonos.

EL POSADERO.—Por mi alma, estaba dormido.

JULIA.—Decidme, os lo ruego: ¿dónde se hospeda Proteo?

EL POSADERO.—¡Pardiez! En mi casa... Creedme, casi es de día.

JULIA.—Aún no. Pero esta noche es la más larga que haya pasado en mi vida, y la más dolorosa. (Se van.)

ESCENA III

(Entra EGLAMUR)

EGLAMUR.—Esta es la hora en que doña Silvia me dijo la llamara para conocer sus órdenes. Me necesita para algo importante... ¡Señora, señora! (Silvia se asoma a la ventana.)

SILVIA.—¿Quién me llama?

EGLAMUR.—Vuestro servidor y amigo, que espera las órdenes de Vuestra Señoría.

SILVIA.—Señor Eglamur, mil veces buenos días.

EGLAMUR.—Digna señora, lo mismo os deseo: según el mandato de Vuestra Señoría, he venido temprano, para saber en qué deseáis os sirva.

SILVIA.—¡Oh, Eglamur! Eres un hidalgo —y no creas que te adulo, pues juro que no— valiente, discreto, de buen corazón, lleno de virtudes. No ignoras cuán tierno cariño siento por Valentín, a quien acaban de desterrar; tampoco ignoras que mi padre quiere casarme a la fuerza con el vanidoso Turio, a quien aborrezco con toda el alma. También tú amaste; a menudo te oí decir que nunca sufrió tanto tu corazón como el día en que murió tu fiel amada, sobre cuya sepultura juraste eterna castidad. Señor Eglamur, quiero ir a reunirme con Valentín en Mantua, donde me aseguran que reside: y como los caminos están llenos de peligros, deseo tu digna compañía, pues tengo confianza en tu honor y tu lealtad. No me hables del enojo de mi padre, Eglamur; piensa tan sólo en mi dolor, el dolor de una amante, y piensa que me asiste la razón al fugarme, para evitar un enlace vergonzoso, que los cielos y la fortuna cubrirían de maldiciones. Te lo ruego con toda la sinceridad de un corazón tan lleno de tristeza como el Océano de arenas, concédeme tu compañía y parte conmigo. Si no, te suplico calles mi secreto y me aventuraré sola.

EGLAMUR.—Señora, compadezco en gran manera vuestro dolor; y pues sé virtuosas vuestras intenciones, consiento en partir con vos, preocupándome tan poco de lo que pudiera sucederme, como me ocupo en favoreceros en vuestros propósitos. ¿Cuándo queréis marchar?

SILVIA.—Esta noche.

EGLAMUR.—¿Dónde me reuniré con vos?

SILVIA.—En la celda de fray Patricio, con quien deseo confesarme.

EGLAMUR.—No faltaré a Vuestra Señoría. Adiós, gentil señora.

SILVIA.—Buenos días, buen Eglamur. *(Se van.)*

ESCENA IV

El mismo sitio

(Entra LANZA *con su perro)*

LANZA.—Cuando un criado se porta con su amo como un perro, todo va mal. A este perro le crié desde cachorro, le salvé de ahogarse cuando echaron al agua a tres o cuatro de sus hermanos y hermanas. Le he instruido con tierna solicitud. Mandóme mi amo ofrecerlo como regalo a doña Silvia; pero apenas entré yo en el comedor, se fué derechito a la mesa y hurtó un muslo de capón; ¡oh!, es vergonzoso cuando un perro no sabe portarse bien en sociedad. Me gustaría, como si dijéramos, que un perro se propusiera ser de veras un perro, un perro en todas las cosas. Si no hubiese tenido más astucia que él, atribuyéndome la falta que él cometió, creo, por mi alma, que lo hubiera pagado con la horca. Tan cierto como estoy vivo, que le hubieran castigado. Vais a juzgarlo. Figuraos que, bajo la mesa del duque, se mezcla en la compañía de tres o cuatro perros bien nacidos. No había estado allí, fijaos bien, ni el tiempo de orinarse, cuando todos olieron su presencia. «¡Fuera ese perro!», dice uno. «¿Qué perro es ése? dice otro. «Echadle a latigazos», dice un tercero. «¡Que lo ahorquen!», dice el duque. Yo, que le había olido antes, reconocí que había sido mi *Crab;* y me fui al encuentro del que blandía el látigo y le dije: «Amigo, ¿os proponéis azotar a ese perro?» «Pardiez, claro que sí», me contestó. «Eso será una injusticia —repliqué—, pues la falta cometíla yo." Con lo que, sin explicación alguna, me echó de allí a latigazos. ¿Cuántos harían eso por su criado? ¡Palabra de honor! Me he visto en el cepo por haber mi perro robado pasteles, me he visto en la picota por haber él muerto unas ocas..., pues de otro modo le hubieran castigado. Ya no te acuerdas de eso. Vaya, pues yo sí recuerdo la treta que me has jugado al despedirnos de doña Silvia: ¿no te había recomendado fijarte en mí y hacer cuanto yo hiciera? ¿Cuándo me has visto a mí levantar la pierna y hacer aguas en las faldas de una dama? ¿Cuándo me has visto cometer semejante tontería? *(Entran Proteo y Julia.)*

PROTEO.—¿Es Sebastián tu nombre? Me agradas. Ahora mismo te emplearé en un recado.

JULIA.—Como queráis: haré cuanto pueda.

PROTEO.—Lo espero... *(A Lanza.)* ¿Qué haces aquí, zopenco hideputa? ¿Dónde has estado, haragán, estos dos días?

LANZA.—Pardiez, señor, fui a llevar a doña Silvia el perro que me mandasteis regalarle.

PROTEO.—¿Y qué dice ella de mi pequeña joya?

LANZA.—¡Pardiez! Ha dicho que vuestro perro no era de raza y que no valía la pena de daros las gracias.

PROTEO.—¿Pero ha aceptado el perrito?

LANZA.—No, por cierto, no lo ha aceptado. Aquí os lo devuelvo.

PROTEO.—¡Cómo! ¿Es éste el perro que le ofreciste de mi parte?

LANZA.—Sí, señor; el otro perrillo me lo han robado en la plaza los chicos del verdugo; y por eso le ofrecí mi perro que es diez veces mayor que el vuestro, y por lo tanto el regalo es de más valor.

PROTEO.—Vete y encuentra a mi perro, o no vuelvas jamás a mi presencia. ¡Vete, te digo!... ¿Te quedas para irritarme más todavía? *(Sale Lanza.)* Ruin esclavo, que siempre me compromete y avergüenza. ¡Sebastián, te he tomado a mi servicio, en parte porque me hace falta un joven como tú que pueda secundarme en mis asuntos con discreción, pues no puedo fiarme de ese rústico; pero, sobre todo, me placen tu rostro y tu porte, que, si no me engañan mis presentimientos, demuestran buena educación y tu lealtad. Has de saber, pues, que por eso te he admitido a mi servicio. Ve en seguida y toma esta sortija, ofrécela a doña Silvia: mucho me quería quien me la regaló.

JULIA.—Parece que vos no la amabais, pues no conserváis su presente. ¿Murió acaso?

PROTEO.—No, no; creo que vive aún.

JULIA.—¡Ay!

PROTEO.—¿Qué significa ese ¡ay!?

JULIA.—No puedo menos de compadecerla.

PROTEO.—¿Por qué tienes que compadecerla?

JULIA.—Porque creo que os amó tanto como amáis a vuestra Silvia: vive pensando en aquél que ha olvidado su amor, y vos, adoráis a quien no se preocupa del vuestro. Es una gran lástima que así se pierda el amor; y eso me ha hecho exclamar ese ¡ay!

PROTEO.—Bueno: dale esta sortija y con ella esta carta. Aquél es su aposento. Dile a mi amada que reclamo su celestial retrato que me

tiene prometido. Una vez cumplido tu mensaje, reúnete conmigo en mi aposento, donde me encontrarás, triste y solitario. *(Se va.)*
JULIA.—¿Habría muchas mujeres que cumplieran semejante mensaje? ¡Ay, pobre Proteo! Has elegido un zorro para guardar tus corderos. ¡Ay de mí, locuela! ¿Por qué le compadezco, si él me desprecia con todo su corazón? ¿Porque la ama a ella, me ha despreciado; y porque le amo yo, debo compadecerle? Le di esta sortija, cuando se alejó de mí, para obligarle a recordar mi afecto; y ahora voy yo, infeliz mensajera, a pedir lo que no quisiera alcanzar; a ofrecer lo que quisiera que me rehusaran y a ensalzar su amor que quisiera ver despreciado. Soy sincera amante de mi amo; pero no puedo servirle fielmente sin traicionarme a mí misma. Voy a hablar por él, pero con frialdad; pues sabe el cielo cuánto deseo ver fallidas sus esperanzas. *(Entra Silvia con acompañantes.)* Buenos días, noble señora. Os lo ruego, ayudadme para que pueda hablar con doña Silvia.
SILVIA.—Si fuese yo, ¿qué tendríais que decirle?
JULIA.—Si sois vos, os ruego que tengáis paciencia para oír el mensaje que para vos me han encargado.
SILVIA.—¿De quién viene el mensaje?
JULIA.—De mi amo, el caballero Proteo, señora.
SILVIA.—¡Ah!, os envía por un retrato.
JULIA.—Sí, señora.
SILVIA.—Úrsula, trae mi retrato. Id, dadle eso a vuestro amo; y decidle de mi parte, que cierta Julia, a quien olvidaron sus infieles pensamientos, convendría mejor a su aposento que esa vana sombra.
JULIA.—Señora, tened la bondad de leer esta carta... Perdonad, señora; os he entregado por descuido un papel por otro. Esta es la carta para Vuestra Señoría.
SILVIA.—Os lo ruego, dejadme ver ésta otra vez.
JULIA.—No puede ser; perdonadme, os lo ruego, buena señora.
SILVIA.—Tomad: no quiero leer lo que vuestro amo me escribe. Sé bien que su carta está llena de protestas de amor y de nuevos juramentos que romperá tan fácilmente como rasgo yo este papel.
JULIA.—Señora, envía esta sortija a vuestra señoría.
SILVIA.—¡Qué vergüenza para él!, pues le oí decir mil veces que su Julia se la había ofrecido al despedirse. Aunque su dedo desleal haya profanado esa sortija, no hará el mío tal ultraje a Julia.
JULIA.—Ella os lo agradece.
SILVIA.—¿Qué decís?
JULIA.—Os doy gracias, señora, por la atención que tenéis con ella... ¡Pobre dama!... ¡Mi amo la ha tratado muy injustamente!
SILVIA.—¿La conocéis?
JULIA.—Casi tanto como a mí misma. ¡Os juro que más de cien veces he llorado pensando en su desgracia!
SILVIA.—Sin duda sospecha que Proteo la ha abandonado.
JULIA.—Bien lo creo; y ésa es la causa de su pesar.
SILVIA.—¿No es hermosa?
JULIA.—Más hermosa fue, señora, de lo que actualmente es. Cuando se creía amada de mi amo, era, a mi parecer, tan bella como vos; pero desde que olvida el espejo y se quita el antifaz que ponía al abrigo del sol su tez, el aire ha hecho morir las rosas de sus mejillas y marchitado los lirios de su rostro, de tal forma que es ahora tan morena como yo.
SILVIA.—¿Es muy alta?
JULIA.—Aproximadamente como yo; porque en la última Pascua de Pentecostés, en nuestros juveniles festejos, mis amigos me convencieron para que representase un papel de mujer, y me vistieron con un traje

de doña Julia, que me sentaba tan bien, según todos dijeron, como si lo hubiesen cortado para mí; por ello sé que tiene aproximadamente mi estatura. Aquel día la hice llorar mucho; porque desempeñaba un papel conmovedor; señora, se trataba de Ariadna lamentado el perjurio de Teseo y su desleal abandono; cuyo papel desempeñé con tal realismo, que mis lágrimas hicieron llorar amargamente a mi pobre ama; ¡y muera yo si en mi interior no sufrí tanto como ella!

SILVIA.—Ella os lo agradece, amable joven. ¡Ah! ¡Pobre mujer, desolada y abandonada! También despiertan mi llanto tus palabras... Tomad, joven; ahí va mi bolso. Os doy esto por el amor de vuestra señora, porque la queréis bien. Adiós. *(Vase Silvia con su séquito.)*

JULIA.—Y ella os dará gracias por ello si alguna vez podéis reconocerla... ¡Oh, virtuosa dama, amable y bella! Espero que no prosperarán los intentos de mi amo, ya que tanta consideración demuestra para con el amor de mi señora. ¡Ay, cómo puede así el amor chancearse consigo mismo! Aquí está su retrato: veámosle. Yo creo que con semejante tocado, resultaría mi rostro tan bello como el suyo: y sin embargo, el pintor la ha favorecido un poco, a no ser que me engañe respecto a mí misma. Su cabello es castaño, el mío es de un rubio perfecto. Si tan sólo esa diferencia cautiva el amor de Proteo, me procuraré una peluca de igual color. Sus ojos son tan claros como el cristal, los míos también; sí, pero su frente es reducida y la mía despejada. ¿Qué puede él adorar en ella, que no pueda yo mostrarle en mí, si no fuese el insensato Amor un dios ciego? Ven, sombra, ven, llévate esta sombra que es tu rival.

ACTO V

ESCENA PRIMERA

Milán. Una abadía

(Entra EGLAMUR)

EGLAMUR.—Comienza el Sol a dorar el Occidente; se acerca la hora en que Silvia se reunirá conmigo en la celda de fray Patricio. No faltará, pues los amantes son puntuales, y si no lo son es porque llegan antes a la cita: tanta en su impaciencia. Aquí está. *(Entra Silvia.)* Bien venida, señora.

SILVIA.—Vos también. Vámonos, buen Eglamur, por la poterna de la muralla: temo que me sigue algún espía.

EGLAMUR.—No temáis; el bosque no dista de aquí tres leguas; si llegamos a él, podemos darnos por seguros.

ESCENA II

La misma ciudad. Aposento en el palacio ducal

(Entran TURIO, PROTEO y JULIA)

TURIO.—Señor Proteo, ¿cómo acoge Silvia mi corte?

PROTEO.—Señor, la encuentro algo más dulce que antes; sin embargo, todavía encuentra defectos a vuestra persona.

TURIO.—¿Halla acaso que tengo las piernas demasiado largas?

PROTEO.—No, sino harto delgadas.

TURIO.—Me pondré botas, para darlas más redondez.

JULIA *(aparte)*.—Sin embargo, no podrá espuela alguna llevar el amor a lo que detesta.

TURIO.—¿Qué dice de mi rostro?

PROTEO.—Dice que es un bello rostro blanco.

TURIO.—Miente la bribona, pues bien moreno lo tengo.

PROTEO.—Pero las perlas son blancas; y el viejo proverbio reza que los hombres morenos son perlas a los ojos de las mujeres bonitas.

JULIA *(aparte)*.—Es verdad; tales perlas, dejan ciegas a las mujeres; yo cerraría los ojos para no verlas.

TURIO.—¿Qué le parece mi conversación?

PROTEO.—No le gusta cuando habláis de guerra.

TURIO.—¿Pero le gusta cuando hablo de paz y de amor?

JULIA *(aparte)*.—Pero mucho mejor cuando te callas.

TURIO.—¿Qué dice de mi valentía?

PROTEO.—¡Oh señor! No le cabe sobre ello la menor duda.

JULIA (aparte).—No puede tener dudas, pues sabe lo cobarde que eres.

TURIO.—¿Qué dice de mi cuna?

PROTEO.—Que provenís de buenos antepasados.

JULIA (aparte).—Si tal; de caballeros que nacieron imbéciles.

TURIO.—¿Da importancia a mis propiedades?

PROTEO.—Oh sí, pero le duele...

JULIA (aparte).—Que las posea semejante asno.

PROTEO.—...que estén enajenadas...

JULIA.—Ahí viene el duque.

EL DUQUE.—Hola, señor Proteo; hola, Turio; ¿quién de vosotros vio recientemente a Eglamur?

TURIO.—Yo no.

PROTEO.—Ni yo.

EL DUQUE.—¿Habéis visto a mi hija?

PROTEO.—Tampoco.

EL DUQUE.—Entonces, pues, es que se ha fugado para buscar a ese villano Valentín; y Eglamur está con ella. Esta es la verdad; pues fray Lorenzo encontróles a ambos cuando iba vagando por el bosque haciendo penitencia. A Eglamur le reconoció bien y adivinó que acompañaba a Silvia; pero como ésta iba embozada, no está seguro. Por otra parte, ella se proponía ir a confesarse esta noche a la celda de fray Patricio, y no se la vio por allí. Esas casualidades confirman su fuga. Por lo tanto, os lo ruego, no os detengáis haciendo comentarios, sino montad inmediatamente a caballo y reuníos conmigo en la ladera de la montaña que mira hacia Mantua, adonde huyeron: apresuraos, dignos señores, y seguidme.

TURIO.—Vaya, qué testaruda muchacha es ésa, que huye de la felicidad que se le brinda. Voy a ir, más para vengarme de Eglamur que por amor de la indómita Silvia. (Se va.)

PROTEO.—Y yo iré, más por amor a Silvia que por odio a Eglamur que la acompaña. (Se va.)

JULIA.—Y yo iré también, más por impedir ese amor que por odio a Silvia, que por amor se ha fugado. (Se va.)

ESCENA III

Cercanías de Mantua. Un bosque

(Entran varios BANDIDOS con SILVIA)

BANDIDO 1º—Venid, venid; tranquilizaos; debemos llevaros adonde nuestro capitán.

SILVIA.—Otras mil desgracias me han enseñado a soportar ésta con paciencia.

BANDIDO 2º—Vamos, conducidla.

BANDIDO 1º—¿Dónde está el caballero que iba con ella?

BANDIDO 3º—Era listo de pies, y se nos ha escapado; pero Moisés y Valerio le persiguen... Ve con ella al extremo occidental del bosque; allí está nuestro capitán. Nosotros vamos a perseguir al fugitivo; el bosque está cercado: no puede escapársenos.

BANDIDO 1º—Venid; voy a conduciros a la cueva de nuestro capitán. Nada temáis; es hombre honrado y no abusará vilmente de una mujer.

SILVIA.—¡Oh, Valentín, por ti sufro esto! (Se van.)

ESCENA IV

Otro lugar del bosque

(*Entra* VALENTÍN)

VALENTÍN.—¡Cómo puede la costumbre arraigarse en el hombre! Esta sombría soledad, estos bosques solitarios, me son más agradables que las más populosas y amenas ciudades: aquí puedo sentarme solo, sin ser visto de nadie, y templar al son lastimero del ruiseñor mis dolorosos acentos. ¡Oh, tú, que habitas en mi pecho, no abandones tu morada por tanto tiempo solitaria: no fuera que, cayendo en ruinas, se derrumbe el castillo sin dejar recuerdo alguno de lo que fue! ¡Ayúdame con tu presencia, oh Silvia! ¡Oh, dulce ninfa, arrulla a tu desolado pastor!... ¿Cómo hay tanto grito y alboroto hoy en este bosque? Esos serán mis compañeros, que convierten su voluntad en ley y andarán persiguiendo a algún desgraciado viajero. Mucho me quieren; y sin embargo, mucho me cuesta evitar sus brutales abusos... Ocúltate, Valentín: ¿quién viene ahí? (*Entran Proteo, Silvia y Julia.*)

PROTEO.—Señora, por vos, aunque en nada apreciéis cuanto hace vuestro servidor, he expuesto mi vida y os he salvado del miserable que intentaba forzar vuestro honor; concededme tan sólo, por mi recompensa, una mirada amable. No puedo pedir y seguramente no podéis concederme menos.

VALENTÍN (*aparte*).—¡Oh, cuán parecido a un sueño es cuanto veo y oigo! ¡Amor, dadme paciencia para contenerme unos momentos todavía!

SILVIA.—¡Oh, miserable! ¡Cuán desgraciada soy!

PROTEO.—Desgraciada erais, señora, antes de que viniera yo; con mi llegada os he hecho feliz.

SILVIA.—Con tu llegada me has hecho la más desgraciada de las mujeres.

JULIA (*aparte*).—Y a mí también, cuando está junto a ti.

SILVIA.—Si me hubiese alcanzado un hambriento león hubiera preferido servirle de presa a ser rescatada por el desleal Proteo. ¡Oh, cielos, sed testigos de cuánto amo a Valentín, cuya vida me es tan querida como mi alma! Pues lo mismo, ya que más no puede ser, lo mismo detesto al desleal y perjuro Proteo. Vete, pues, no me supliques más.

PROTEO.—¿Qué peligrosa hazaña, aunque me costara la vida, no acometiera yo a cambio de una serena mirada? ¡Ah! es una maldición del amor (y sin embargo la sufro) cuando no puede una mujer corresponder a nuestra gran pasión.

SILVIA.—¡Cuando Proteo no puede corresponder a quien le ama! Acuérdate del corazón de Julia, tu primer gran amor, por cuyo amor rasgaste antaño tu fe en mil juramentos; y todos esos juramentos han degenerado en perjurio por amarme. No tienes ya fe, a no ser que tengas dos; y esto es mucho peor que no tener ninguna. Más vale no tener fe que tenerla doble, porque sobra una: ¡traidor a tu verdadero amigo!

PROTEO.—En amor, ¿quién respeta la amistad?

SILVIA.—Todos los hombres, menos Proteo.

PROTEO.—¡Pues bien! Si el amable aliento de mis suplicadoras palabras no puede inspiraros mayor dulzura, triunfaré de vos como un soldado, con la fuerza de mis brazos, y os amaré contrariamente a la naturaleza del amor, empleando la violencia.

SILVIA.—¡Cielos!

PROTEO.—Os obligaré a ceder a mi deseo.

VALENTÍN.—¡Rufián! ¡Aparta tu brutal mano, mal amigo!

PROTEO.—¡Valentín!

VALENTÍN.—Amigo vulgar, sin afecto ni fe, pues ahora son así todos: ¡traidor! Burlaste mis esperanzas: solamente mis propios ojos podían obligarme a creerlo. Ahora no me atrevo a decir que tenga un solo amigo en el mundo: tú me desmentirías. ¿De quién fiarse, cuando la propia mano derecha se muestra perjura al corazón? Proteo, me duele en el alma no poder fiarme ya de ti y antes bien estar obligado a retirarme del mundo por tu culpa. Las heridas íntimas son las más profundas. ¡Oh, tiempos de corrupción! ¡Que de todos los enemigos sea un amigo el peor!

PROTEO.—Mi vergüenza y mi crimen me confunden. Perdóname, Valentín. Si un dolor que viene del corazón es rescate suficiente de mi falta, aquí te lo ofrezco: mis sufrimientos son dignos de mis pecados.

VALENTÍN.—¡Entonces me doy por satisfecho! y te considero otra vez digno de confianza; quien no se satisfaga con el arrepentimiento, no es del cielo ni de la tierra, porque el uno y la otra perdonan; por la penitencia se amansa la ira del Eterno; y para que mi afecto se demuestre sincero, te cedo todo lo que era mío de Silvia.

JULIA.—¡Desgraciada de mí! (Se desmaya.)

PROTEO.—¿Qué le pasa a ese mozo?

VALENTÍN.—¡Ea, joven; ea, mozo! ¿Qué os pasa?... Abrid los ojos... Hablad.

JULIA.—Oh, buen señor, mi amo me encargó entregar una sortija a doña Silvia, y olvidé hacerlo.

PROTEO.—¿Dónde está esa sortija, mozo?

JULIA.—Aquí está: ésta es.

PROTEO.—¡Cómo! A ver: ¡si ésta es la sortija que di a Julia!

JULIA.—¡Oh! os ruego me dispenséis, señor; me he equivocado. Aquí está la sortija que mandasteis a Silvia.

PROTEO.—¿Pero cómo llegó a tus manos esta sortija?... Es la que al partir di a Julia.

JULIA.—Y la misma Julia me la dio, y Julia en persona es quien la ha traído hasta aquí.

PROTEO.—¡Cómo! ¿Julia?

JULIA.—Contempla a la que fue objeto de todos tus juramentos y los ha guardado profundamente en su corazón. ¡Oh, cuán a menudo los desarraigaste con tu perjurio! ¡Oh, Proteo, haga este vestido que te sonrojes! Avergüénzate de que haya vestido tan indecoroso traje, si cabe la vergüenza en una astucia amorosa: pues menos denigrante es para una mujer cambiar de traje que para un hombre cambiar de sentimientos.

PROTEO.—¡Que para un hombre cambiar de sentimientos!... Es verdad. ¡Oh, cielos! Perfecto sería el hombre si fuera constante. Este único error le llena de faltas; le hace caer en todos los pecados. La inconstancia renuncia antes de haber comenzado. ¿Qué hay en el rostro de Silvia que no pueda ver yo con más lozanía en Julia, si la contemplo con ojos constantes?

VALENTÍN.—Vamos, vamos, dadme los dos la mano; tenga yo la dicha de efectuar esa feliz conclusión. Lástima sería que tales amigos permanecieran siendo enemigos por más tiempo.

PROTEO.—¡Sed testigos, oh cielos, de que todos mis deseos se han cumplido!

JULIA.—Y los míos también. (Entran bandidos con el Duque y Turio.)

LOS BANDIDOS.—¡Una presa! ¡Una presa! ¡Una presa!

VALENTÍN.—¡Deteneos!, ¡deteneos, os digo!... Es monseñor el duque. Sea Vuestra Alteza bien venido cerca de un hombre en desgracia, de Valentín el desterrado.

EL DUQUE.—¡El caballero Valentín!

TURIO.—¡Allí está Silvia!... Y Silvia es mía.

VALENTÍN.—¡Atrás, Turio, o mueres!... No te pongas al alcance de mi cólera; no nombres a Silvia como tuya: repítelo una sola vez, y Milán no te vuelve a ver. Aquí está Silvia: te desafío a que la roces tan sólo con tu aliento.

TURIO.—Señor Valentín, nada me importa de ella. Considero muy loco a quien arriesga la vida por una mujer que no le ama. No la reclamo, y por lo tanto es tuya.

EL DUQUE.—Y tú eres doblemente cobarde y villano, después de todo lo que hiciste por conquistarla, abandonándola tan fácilmente... Por el honor de mis abuelos, aplaudo tu hombría, Valentín, y te creo digno del amor de una emperatriz. Sabe, pues, que perdono aquí todas las ofensas pasadas, olvido toda enemistad anterior, y te llamo de nuevo a mi corte; reconozco tu mérito sin par, y así lo declaro: Valentín, eres un hidalgo de noble cuna: toma a tu Silvia, pues bien la has merecido.

VALENTÍN.—Doy gracias a Vuestra Alteza; este don constituye mi felicidad. Os ruego ahora, por amor de vuestra hija, me concedáis una gracia que os pediré.

EL DUQUE.—Concedida está, cualquiera que sea, por amor a ti.

VALENTÍN.—Estos proscriptos con los que he vivido, hombres son que poseen apreciables cualidades. Perdonadles sus faltas presentes, y haced que sea revocado su destierro; digno señor mío, ahora están corregidos, civilizados, llenos de buenos sentimientos y son aptos para dignos empleos.

EL DUQUE.—Ganaste la causa: les perdono como a ti: dispón de ellos, tú que conoces sus aptitudes. Venid, marchemos: vamos a concluir nuestras querellas con triunfales fiestas, regocijos y espléndidas solemnidades.

VALENTÍN.—Y, mientras vamos andando, me atreveré a provocar la sonrisa de Vuestra Alteza. ¿Qué os parece ese joven paje, monseñor?

EL DUQUE.—Creo que un gracioso joven... ¡y se ruboriza!

VALENTÍN.—Os lo aseguro, monseñor: más gracioso es que joven mozo.

EL DUQUE.—¿Qué queréis decir con eso?

VALENTÍN.—Con vuestro permiso, os lo contaré andando y os maravillaréis de lo que ha pasado... Venid, Proteo; solamente os daré como penitencia oír cómo revelo el secreto de vuestros amores: hecho esto, el día de nuestras nupcias será el de las vuestras: tendremos una sola fiesta, una misma casa, una misma felicidad. (Se van.)

SUEÑO DE UNA NOCHE DE VERANO
1594-95

El argumento de esta obra hace pensar en que posiblemente fue compuesta para las fiestas matrimoniales de personas connotadas de la corte isabelina. Se trata de una comedia satírica. Lo más notable de ella, quizá sea la perfección con que han sido combinados o armonizados los diversos elementos que la animan. La versificación de la obra pertenece todavía al período lírico de Shakespeare. Pudo haber sido inspirada por LA VIDA DE TESEO *de Plutarco, el* KNIGT'S TALE *de Chaucer y las* METAMORFOSIS *de Ovidio.*

PERSONAJES

TESEO, duque de Atenas.
EGEO, padre de Hermia.
LISANDRO, DEMETRIO, apasionados de Hermia.
FILÓSTRATO, director de fiestas de Teseo.
QUINCIO, carpintero.
SNUG, ensamblador.
BOTTOM, tejedor.
FLAUTO, componedor de fuelles.
SNOWT, calderero.
STARVELING, sastre.
HIPÓLITA, reina de las Amazonas, prometida de Teseo.
HERMIA, hija de Egeo, enamorada de Lisandro.
ELENA, enamorada de Demetrio.
OBERÓN, rey de las hadas.
TITANIA, reina de las hadas.
PUCK O ROBIN-BUEN-CHICO, duende.
FLOR-DE-GUISANTE, TELARAÑA, POLILLA, GRANO-DE-MOSTAZA, hadas.
PÍRAMO, TISBE, MURO, LUZ DE LUNA, LEÓN, Tipos en el sainete ejecutado por los bufones.
Otras hadas del séquito de su rey y su reina.—Séquito de Teseo e Hipólita.

ESCENA.—Atenas y un bosque de sus alrededores

ACTO PRIMERO

ESCENA PRIMERA

Atenas. Cuarto en el palacio de Teseo

(Entran TESEO, HIPÓLITA, FILÓSTRATO *y acompañamiento)*

TESEO.—No está lejos, hermosa Hipólita, la hora de nuestras nupcias, y dentro ·de cuatro felices días principiará la luna nueva; pero, ¡ah! con cuanta lentitud se desvanece la anterior! Provoca mi impaciencia como una suegra o una tía que no acaba de morirse nunca y va consumiendo las rentas del heredero.

HIPÓLITA.—Pronto declinarán cuatro días en cuatro noches, y cuatro noches harán pasar rápidamente en sueños el tiempo; y entonces la luna, que parece en el cielo un arco encorvado, verá la noche de nuestras solemnidades.

TESEO.—Ve, Filóstrato, a poner en movimiento la juventud ateniense y prepararla a la diversiones: despierta el espíritu vivaz y oportuno de la alegría; y quede la tristeza relegada a los funerales. Esa pálida compañera no conviene a nuestras fiestas. *(Sale Filóstrato.)* Hipólita, gané tu corazón con mi espada, causándote sufrimientos; pero me desposaré contigo de otra manera: en la pompa, el triunfo y los placeres. *(Entran Egeo, Hermia, Lisandro y Demetrio.)*

EGEO.—Felicidades a nuestro afamado duque Teseo.

TESEO.—Gracias, buen Egeo. ¿Qué nuevas traes?

EGEO.—Lleno de pesadumbre vengo a quejarme contra mi hija Hermia. Avanzad, Demetrio. Noble señor, este hombre había consentido en casarse con ella... Avanzad, Lisandro. Pero, éste, bondadoso duque, ha seducido el corazón de mi hija. Tú, Lisandro, tú le has dado rimas, y cambiado con ella presentes amorosos: has cantado a su ventana en las noches de luna con engañosa voz versos de fingido afecto; y has fascinado las impresiones de su imaginación con brazaletes de tus cabellos, anillos, adornos, fruslerías, ramilletes, dulces y bagatelas, mensajeros que las más veces prevalecen sobre la inexperta juventud: has extraviado astutamente el corazón de mi hija, y convertido la obediencia que me debe en ruda obstinación. Así, mi benévolo duque, si aquí en presencia de vuestra Alteza no consiente en casarte con Demetrio, reclamo el antiguo privilegio de Atenas: siendo mía, puedo disponer de ella, y la destino a ser esposa de este caballero, o a morir según la ley establecida para este caso.

TESEO.—¿Qué decís, Hermia? Tomad consejo, hermosa doncella. Vuestro padre debe ser a vuestros ojos como un dios. Él es autor de vuestras bellezas, sois como una forma de cera modelada por él, y tiene el poder de conservar o de borrar la figura. Demetrio es un digno caballero.

HERMIA.—También lo es Lisandro.

TESEO.—Lo es en sí mismo: pero faltándole en esta coyuntura el apoyo de vuestro padre, hay que considerar como más digno al otro.

HERMIA.—Desearía solamente que mi padre pudiese mirar con mis ojos.

TESEO.—Más bien vuestro discernimiento debería mirar con los ojos de vuestro padre.

HERMIA.—Que vuestra Alteza me perdone. No sé qué poder me inspira audacia, ni cómo podrá convenir a mi modestia, el abogar por mis pensamientos en presencia de tan augusta persona; pero suplico a vuestra Alteza que se digne decirme cuál es el mayor castigo en este caso, si rehúso casarme con Demetrio.

TESEO.—O perder la vida, o renunciar para siempre a la sociedad de los hombres. Consultad, pues, hermosa Hermia, vuestro corazón, daos cuenta de vuestra tierna edad, examinad bien vuestra índole, para saber si en el caso de resistir a la voluntad de vuestro padre, podréis soportar la librea de una vestal, ser para siempre aprisionada en el sombrío claustro, pasar toda la vida en estéril fraternidad entonando cánticos desmayados a la fría y árida luna. Tres veces benditas aquellas que pueden dominar su sangre y sobrellevar esa casta peregrinación; pero en la dicha terrena más vale la rosa arrancada del tallo que la que marchitándose sobre la espina virgen, crece, vive y muere solitaria.

HERMIA.—Así quiero crecer, señor, y vivir y morir, antes que sacrificar mi virginidad a un yugo que mi alma rechaza y al cual no puedo someterme.

TESEO.—Tomad tiempo para reflexionar; y por la luna nueva (día en que se ha de sellar el vínculo de eterna compañía entre mi amada y yo), preparaos a morir por desobediencia a vuestro padre, o a desposaros con Demetrio, o a abrazar para siempre en el altar de Diana la vida solitaria y austera.

DEMETRIO.—Cede, dulce Hermia. Y tú, Lisandro, renuncia a tu loca pretensión ante la evidencia de mi derecho.

LISANDRO.—Demetrio, tenéis el amor de su padre. Dejadme el de Hermia. Casaos con él.

EGEO.—Desdeñoso Lisandro, en verdad que tiene mi amor y por él le doy lo que es mío. Ella es mía, y cedo a Demetrio todo mi poder sobre ella.

LISANDRO.—Señor, tan bien nacido soy como él y mi posición es igual a la suya; pero mi amor le aventaja. Mi fortuna es en todos sentidos considerada tan alta, si no más, que la de Demetrio. Y, lo que vale más que todas estas ostentaciones, soy el amado de la hermosa Hermia. ¿Por qué, pues, no habría yo de sostener mi derecho? Demetrio, lo digo en su presencia, cortejó a Elena, la hija de Nedar, y conquistó su corazón; y ella, pobre señora, ama entrañablemente, ama con idolatría a este hombre inconstante y desleal.

TESEO.—Confieso haber oído referir esto mismo, y me proponía hablar sobre ello con Demetrio; pero agobiado por innumerables negocios, perdí de vista aquel intento. Sin embargo, venid, Egeo y Demetrio: debo comunicaros algunas instrucciones. Y en cuanto a vos, bella Hermia, haced el ánimo a acomodaros a la voluntad de vuestro padre; o si no, a sufrir la ley de Atenas (que en manera alguna podemos atenuar), la cual os condena a la muerte, o al voto de vida célibe y solitaria. Ven, Hipólita mía, ¿qué regocijo idearemos, amor mío? Venid también, Egeo y Demetrio: tengo que emplearos en lo relativo a mis nupcias, y conferenciar con vosotros acerca de algo que de un modo más inmediato os concierne.

EGEO.—Por deber y por afecto os seguimos. *(Salen Teseo, Hipólita, Egeo, Demetrio y el séquito.)*

LISANDRO.—¿Y bien, amor mío? ¿Por qué palidecen tanto tus mejillas? ¿Cómo es que sus rosas se descoloran tan pronto?

HERMIA.—Parece que por falta de lluvia; si bien podría yo regarlas de sobra con la tormenta de mis ojos.

LISANDRO.—¡Ay de mí! Cuanto llegué a leer o a escuchar, ya fuese de historia o de romance, muestra que jamás el camino del verdadero amor se vio exento de borrascas. Unas veces nacen los obstáculos de la diversidad de condiciones.

HERMIA.—¡Oh manantial de contradicciones y desgracias, el amor que sujeta al príncipe a los pies de la humilde pastora!

LISANDRO.—Otras veces, está la desproporción en los años.

HERMIA.—Triste espectáculo, ver el otoño unido a la primavera.

LISANDRO.—Otras, en fin, forzaron a la elección las ciegas cábalas de amigos imprudentes.

HERMIA.—¡Oh infierno! ¡Elegir amor por los ojos de otro!

LISANDRO.—O si cabía afecto en la elección, la guerra, la enfermedad, la muerte la asediaron; haciendo que el goce fuese momentáneo como el sonido, rápido como la sombra, breve como un corto sueño, y fugaz como el relámpago que en la oscuridad de la noche ilumina cielo y tierra, y antes que el hombre tenga tiempo de decir *¡mira!*, se ha perdido ya en el seno de las tinieblas: tan pronto las cosas brillantes se abisman en las sombras de la confusión.

HERMIA.—Pues si los verdaderos amantes siempre fueron contrariados, ha de ser por decreto del destino. Armémonos, pues, de paciencia en nuestra prueba, ya que ésta no es sino una cruz habitual, tan propia del amor como los pensamientos, las ilusiones, los suspiros, los deseos y las lágrimas, triste séquito de la fantasía.

LISANDRO.—Prudente consejo. Escucha, por tanto, Hermia. Tengo una anciana tía, viuda y de calidad, muy opulenta y sin hijos, que me considera como a su hijo único. Su casa dista siete leguas de Atenas; y allí, gentil Hermia, podremos desposarnos, pues la dura ley de Atenas no puede perseguirnos hasta allí. Si me amas, abandona sigilosamente la casa de tu padre mañana por la noche, que yo te aguardaré en el bosque a una legua de la ciudad, en el punto donde te encontré una vez con Elena para observar el rito de la mañana de Mayo.

HERMIA.—Buen Lisandro mío, te juro por el más firme arco de Cupido, por el candor de las palomas de Venus, por cuanto une las almas y ampara los amores, y por aquel fuego que abrasaba a la reina de Cartago al ver la vela fugitiva del falso troyano; por todos los juramentos que los hombres han quebrantado y que ninguna mujer podría enumerar; te juro que me encontrarás mañana a tu lado en el mismo sitio que designas.

LISANDRO. — Cumple tu promesa, amor mío. Mira, aquí viene Elena. *(Entra Elena.)*

HERMIA.—Sed con Dios, bella Elena. ¿A dónde vais?

ELENA.—¿Bella me llamáis? Retirad ese nombre. Demetrio ama a vuestra hermosura. ¡Oh hermosura feliz! Vuestros ojos son estrellas, y la música de vuestra voz es más armoniosa que el canto de la alondra a los oídos del pastor cuando verdea el trigo y asoman los capullos del blanco espino. ¿Por qué, si las enfermedades son contagiosas, no hubo de serlo el favor? Entonces tomaría yo el vuestro antes de irme: mi oído adquiriría vuestra voz, mis ojos el encanto de los vuestros, mi lengua la dulce melodía de la vuestra. Si todo el mundo fuera mío... excepto Demetrio, os daría el mundo todo. ¡Oh! Enseñadme vuestro hechizo, y por cuál arte dirigís los impulsos del corazón de Demetrio!

HERMIA.—Le miro con semblante adusto, y sin embargo me ama.

ELENA.—¡Ah! si vuestro enojo pudiera enseñar a mis sonrisas semejante destreza!

HERMIA.—Le maldigo, y sin embargo me ama.

ELENA.—Si pudieran mis súplicas obtener semejante afecto!

HERMIA.—Cuanto más le aborrezco, más tenazmente me persigue.

ELENA.—¡Cuanto más le amo, más me aborrece!

HERMIA.—Su insensatez no es culpa mía, Elena.

ELENA.—No, pero lo es de vuestra belleza. Ya quisiera yo ser culpable de esa falta.

HERMIA.—Cobrad aliento, que él no volverá a verme. Lisandro y yo vamos a abandonar este lugar. Antes de conocer a Lisandro, me parecía Atenas un paraíso; ¿pues qué seducciones hay en mi amor para que haya convertido un cielo en infierno?.

LISANDRO.—Elena, os revelaremos nuestro intento. Mañana a la noche, cuando Febe contemple su argentada faz en el cristal de las aguas, convirtiendo en perlas líquidas el rocío sobre las hojas del césped (hora propicia aun a la fuga de los amantes), hemos convenido en salir furtivamente de Atenas.

HERMIA.—Y nos encontraremos en el bosque, allí donde vos y yo solíamos, reclinadas sobre lechos de rosas, confiarnos nuestros amorosos devaneos; y de allí apartaremos la vista de Atenas para buscar nuevos amigos y la sociedad de los extraños. Adiós, mi dulce compañera; rogad por

nosotros, ¡y que la buena suerte os entregue a vuestro Demetrio! Sed fiel a la promesa, Lisandro: hasta mañana a media noche hemos de privar nuestros ojos del alimento de los amantes. (Sale Hermia.)

LISANDRO.—Puedes estar segura de que lo haré, Hermia mía. Adiós, Elena, y que Demetrio os ame tanto como vos a él. (Sale Lisandro.)

ELENA.—¡Cuanto más felices pueden ser unos que otros! En toda Atenas se me tiene por tan hermosa como ella. Pero ¿de qué me sirve? Demetrio no piensa así, y no quiere saber lo que todos saben. Y así como él se extravía, fascinado por los ojos de Hermia, me ciego yo admirando las cualidades que en él veo. Pero el amor puede transformar en belleza y dignidad cosas bajas y viles; porque no ve con los ojos sino con la mente, y por eso pintan ciego a Cupido el alado. Ni tiene en su mente el amor señal alguna de discernimiento; como que las alas y la ceguera son signos de imprudente premura. Y por ello se dice que el amor es niño, siendo tan a menudo engañado en la elección. Y como en sus juegos perjuran los muchachos traviesos, así el rapaz amor es perjurado en todas partes; pues antes de ver Demetrio los ojos de Hermia me juró de rodillas que era solo mío; mas apenas sintió el calor de su presencia, deshiciéronse sus juramentos como el granizo al sol. Yo le avisaré la fuga de la bella Hermia, y mañana en la noche lo acompañaré al bosque para perseguirla; que si por este aviso me queda agradecido, recibiré en ello un alto precio; aunque si aspiro a mitigar mi pena, sólo es en poder mirarlo a la ida y a la vuelta. (Sale.)

ESCENA II

Cuarto en una quinta

(*Entran* SNUG, BOTTOM, FLAUTA, QUINCIO y STARVELING)

QUINCIO.—¿Están aquí todos vuestros compañeros?

BOTTOM.—Mejor haréis en llamarlos uno a uno, según la lista.

QUINCIO.—He aquí la nómina de los que en toda Atenas son considerados aptos para desempeñar el sainete que se ha de representar ante el duque y la duquesa en la noche de sus bodas.

BOTTOM.—Primero, buen P e d r o Quincio, decid sobre qué asunto versa la representación, leed los nombres de los actores y luego distribuid los papeles.

QUINCIO.—Ciertamente. Nuestra representación es "La muy lamentable comedia y muy cruel muerte de Píramo y Tisbe."

BOTTOM.—Hermoso trabajo, os aseguro, y en extremo alegre. Ahora, mi excelente Quincio, llamad por lista a vuestros actores. Maestros, presentaos.

QUINCIO.—Responded a medida que os llame. Nich Bottom, el tejedor.

BOTTOM.—Listo. Decid el papel que me toca, y adelante.

QUINCIO.—Vos, Nich Bottom, habéis sido designado para Píramo.

BOTTOM.—¿Qué es Píramo: un tirano, o un amante?

QUINCIO.—Un amante que por amor se mata con el más grande heroísmo.

BOTTOM.—Eso para ser bien representado necesita algunas lágrimas: si he de hacer el papel, ya veréis al auditorio llorar a moco tendido. Levantaré una borrasca, y en cierto modo conmoveré algo. Por lo demás, mi vocación es la de tirano. Podría representar a Hércules con rara perfección, o un papel en que se destrozara a un gato,

para que todo quedara hecho trizas.

"Con trémulos golpes las rocas -
　　　　　　　　　[rabiosas
"rompen los candados de toda pri-
　　　　　　　　　　[sión,
"y el carro de Febo que alumbra
　　　　　　　　　　[las nubes
"los hados revuelve, girando ve-
　　　　　　　　　　[loz."

Esto era sublime! Decid ahora los nombres de los otros actores. Este es el estilo de Hércules, el estilo de un tirano. Un amante es más plañidero.

QUINCIO.—Francisco Flauto.

FLAUTO.—Presente, Pedro Quincio.

QUINCIO.—Tisbe es el papel que os corresponde.

FLAUTO.—¿Qué es Tisbe? ¿Un caballero andante?

QUINCIO.—Es la señora a quien ha de amar Píramo.

FLAUTO.—No, a fe mía, no me hagáis representar a una mujer. Ya me está saliendo la barba.

QUINCIO.—Eso no importa. Llevaréis máscara y podréis fingir la voz tanto como queráis.

BOTTOM.—Si es cosa de esconder la cara, dedajme hacer también el papel de Tisbe. Soltaré una vocecita admirable: "¡Ah Píramo! ¡Mi adorado amante, tu idolatrada Tisbe, y querida señora!"

QUINCIO.—No, no. Debéis representar a Píramo vos, y a Tisbe Flauto.

BOTTOM.—Bien. Continuad.

QUINCIO.—Robin Starveling, sastre.

STARVELING. — Heme aquí, Pedro Quincio.

QUINCIO.—Robin Starveling, debéis representar a la madre de Tisbe. Tom Snowt, calderero.

3

Snowt.—Aquí, Pedro Quincio.
Quincio.—Vos, al padre de Píramo:
yo, al de Tisbe. Snug, el ensamblador, vos el papel de león. Y
con esto creo que queda bien or-
denada la representación.
Snug.—¿Tenéis escrito el papel del
león? Si es así, os suplico que me
le deis, pues no tengo gran facilidad para aprender de memoria.
Quincio.—Podéis hacerlo de improviso, pues no tenéis que hacer más
que rugir.
Bottom.—¡Dejadme hacer también
de león! Ya veréis si cada rugido
que yo dé no hará saltar de alegría el corazón de cualquiera. Hasta el duque ha de exclamar: "¡que
vuelva a rugir! ¡que vuelva a rugir!"
Quincio.—Pero lo haríais de un
modo tan terrible que se asusta-
rían la duquesa y las señoras, y se
pondrían a dar alaridos; y con eso
ya habría lo suficiente para que
nos colgaran a todos.
Todos.—¿A todos?
Bottom.—Os garantizo, amigos, que
si dierais algún gran susto a las
señoras, no les volvería el alma
al cuerpo mientras no estuviése-
mos colgados en la horca; pero
yo ahuecaré de tal manera la voz,
que me oiréis rugir tan dulcemen-
te como una palomita recién nacida: rugiré lo mismo que si fuese
un ruiseñor.
Quincio.—No podéis desempeñar
otro papel que el de Píramo; porque Píramo es un hombre simpá-
tico, hombre correcto como para

visto en día de verano, hombre de
todo punto amable y caballeroso.
Bottom.—Bueno; haré la prueba.
¿Qué barba os parece mejor que
me ponga para la función?
Quincio.—Por supuesto, la que se
os antoje.
Bottom.—Llenaré mi cometido con
vuestra barba color de paja, vuestra barba color de naranja, vuestra
barba color morado oscuro, o
vuestra barba color de cabeza francesa,* vuestro amarillo perfecto.
Quincio.—Algunas de vuestras cabezas francesas no tienen cabello
alguno, y así seríais un actor calvo.
Pero, maestros, he aquí vuestros
papeles; y estoy en el deber de
insinuaros, requeriros y expresaros
mi deseo, de ensayarlos mañana
por la noche. Nos reuniremos en
el bosque de palacio, una milla
distante de la ciudad, y a la luz
de la luna. Allí, podremos hacer
el ensayo; porque en la ciudad se
haría conocido nuestro plan, y nos
asediarían las gentes. Al mismo
tiempo haré una lista de los objetos necesarios que la representación requiere: ¡ojo! y no faltéis.
Bottom.—Nos reuniremos, y allí
podremos ensayar con mayor libertad y osadía. Daos algún trabajo; sed perfectos. Adiós.
Quincio.—Nos encontraremos en el
roble del duque.
Bottom.—Está dicho: cumpliremos,
ocurra lo que quiera. (Salen.)

* Con esta frase designaba el vulgo
en tiempos de Shakespeare, cierta enfermedad llamada por los médicos *corona ve-
neris*.

ACTO II

ESCENA PRIMERA

Bosque cerca de Atenas

(Entran una HADA *por una puerta y* PUCK *por otra)*

PUCK.—¿Hacia dónde vagáis ahora, señor espíritu?

HADA.—Sobre la colina, sobre el llano, entre la maleza, entre los matorrales, sobre el parque, sobre el cercado, al través del agua, al través del fuego, por todas partes voy vagando más rápida que la esfera de las lunas; y sirvo a la reina de las hadas, para llenar de rocío sus verdes dominios. Las altas vellorítas son sus discípulas. ¿Veis manchas en sus mantos de oro? esos son rubíes, regalos de hadas; en esas manchas viven sus perfumes; y tengo que ir a buscar allí algunas gotas de rocío, y colgar una perla en la oreja de cada prímula. Adiós ¡oh tú, el más pesado de los espíritus! Me voy. Ya nuestra reina y todo su séquito no tardarán en llegar.

PUCK.—El rey viene a celebrar aquí sus fiestas. Cuida tú de que la reina no se presente a su vista; pues Oberón está loco de furor porque ella, para que le sirva de paje, le ha robado un hermosísimo muchacho de un rey indio. Jamás había ella tenido un pupilo tan encantador; y Oberón celoso, habría querido que el muchacho fuese un caballero de su séquito para recorrer los bosques enmarañados. Pero ella lo retiene por fuerza al chico, lo corona de flores, y se deleita en él. Y por eso ahora nunca se encuentran Oberón y ella, en gruta, o pradera, o clara fuente, alumbrada por las estrellas, sin que se querellen de modo que asustados todos los duendes se ocultan en los cálices de las bellotas de la encina.

HADA.—O yo equivoco enteramente vuestra forma, o sois el astuto y maligno espíritu llamado Robin Buen-chico. ¿No sois aquel que asusta a las muchachas de aldea, espuma la leche, y a veces trabaja en el molino de mano echando a perder todo el contenido de la mantequera de la pobre mujer hacendosa, y en otras ocasiones hace que no espumee la cerveza? ¿No extraviáis a los que viajan de noche y os reís del daño que sufren? Hacéis el trabajo de los que os llaman buen duende y lindo Puck, y les dais buena ventura. ¿No sois ese espíritu?

PUCK.—Has hablado con acierto. Yo soy aquel alegre peregrino de la noche; yo hago chanzas que hacen sonreír a Oberón; como cuando atraigo algún caballo gordo y bien nutrido de grano, imitando el relincho de una potranca; y algunas veces me escondo en el tazón de alguna comadre, pareciendo en todo como un cangrejo asado; y cuando va a beber, choco contra su labio y hago caer la cerveza sobre su blanco delantal. Suele acontecer que la tía más prudente refiriendo un tristísimo cuento, me equivoca con su sitial de tres pies; me escurro al punto, y cae a plomo gritando y se apodera de ella un acceso de tos. Entonces toda la concurrencia apretándose los costados se ríe y es- tornuda, y jura que nunca se ha pasado allí hora más alegre. Pero, haz campo, que aquí viene Oberón.

HADA.—Y aquí mi señora. Desearía que se hubiese ido.

ESCENA II

(Entran OBERÓN *por una puerta, con su séquito; y* TITANIA *por otra con el suyo)*

OBERÓN.—En mala hora os encuentro a la luz de la luna, orgullosa Titania.

TITANIA.—¿Y bien, celoso Oberón? Duende, aléjate de aquí. He renegado de su lecho y su sociedad.

OBERÓN.—Poco a poco, jactanciosa. ¿No soy tu señor?

TITANIA.—Pues entonces debería ser yo tu señora. Pero yo sé cuándo te has deslizado fuera de la tierra de las hadas, y has pasado todo el día sentado en forma de Corino el pastor, tocando flautas de tallo de maíz, y cantando versos de amores a la enamorada Filida. ¿Por qué te encuentras aquí, habiendo venido desde la más remota llanura desierta de la India? Solamente, a fe mía, porque la altiva amazona, vuestra turbulenta señora y amante guerrera, debe desposarse con Teseo, y venís a dar alegría y prosperidad a su lecho.

OBERÓN.—¿Cómo puedes tener la insolencia de aludir así a mi valimiento con Hipólita, cuando sabes que conozco tu amor por Teseo? ¿No eres tú quien lo guió en la estrellada noche, lejos de Perigenio, a quien había reducido? ¿Y no le hiciste quebrantar su promesa a la hermosa Eglé, y a Ariadna y a Antíope?

TITANIA.—Todo esto es puro invento de los celos. Nunca, desde las noches de la canícula, nos hemos encontrado en colina o llanura, en bosque o pradera, junto al surtidor esculpido o el arroyo fugaz, o en la arenosa playa del mar, para bailar nuestras danzas en el viento silbador, sin que hayas venido a perturbar nuestra fiesta con tus disputas. Y por eso los vientos, llamándonos en vano con su música, han absorbido, como por venganza, las nieblas contagiosas del mar; y cayendo éstas sobre la tierra, han engrandecido de tal modo los más modestos ríos, que rebosaron por encima de sus márgenes. Así es que en vano jadeaba el buey bajo su yugo, y que el labrador ha prodigado su sudor. El verde maíz se ha podrido antes de que el penacho coronase su espiga; el redil permanece vacío en el campo inundado, y los cuervos se ceban en los rebaños muertos. Desierto y lleno de lodo está el sitio de las danzas con tamboriles y castañuelas; y por falta de tráfico es imposible discernir las caprichosas masas de verdura del laberinto rústico. Aquí falta a los mortales su invierno, y no hay noche alguna alegrada por un himno o una canción. La luna, que preside a las inundaciones, pálida de cólera por todo esto, inunda los aires y hace que abunden las enfermedades reumáticas; y a favor de esta perturbación vemos alteradas las estaciones. El granizo de cabeza cana cae en el fresco regazo de la encarnada rosa, y una guirnalda de perfumados botones se pone como por burla sobre la barba del viejo invierno y encima de su corona de hielo. La primavera, el verano, el fértil otoño, el sañudo invierno, cambian sus acostumbradas libreas, y el mundo, atónito con su aumento, no sabe ahora distinguir la una de la otra. Y toda esta serie de males es engendrada por nuestra disensión. Nosotros somos sus progenitores y su manantial.

OBERÓN.—Pues entonces, remédialos; que de ti sola depende. ¿Por qué se empeñaría Titania en contradecir a su Oberón? Todo lo que pido no es más que un tierno rapazuelo para que me sirva de paje.

TITANIA.—Deja tu corazón en paz: que todo el reino de las hadas no bastaría a comprarme ese niño. Su madre era una sectaria de mi orden: y por la noche, en el aire embalsamado de la India, habló conmigo muchas veces, y se sentó a mi lado en las amarillas arenas de Neptuno, señalando las veleras naves sobre las ondas. Nos reíamos al ver las velas hincharse como si hubieran concebido bajo el caprichoso viento; y ella con agraciada ondulación las imitaba (al peso de su seno que ya atesoraba a mi joven caballero) y emprendía viajes para traerme bagatelas, y volvía aún, como de larga navegación, rica de mercancías. Pero, a fuer de mortal, sucumbió al dar a luz al niño; y yo, en amorosa memoria de ella, lo crío y en memoria de ella no me separaré de él.

OBERÓN.—¿Cuánto tiempo pensáis permanecer en este bosque?

TITANIA.—Quizá hasta después del día de las bodas de Teseo. Si queréis pacientemente tomar parte en nuestra danza y ver nuestros juegos en la claridad de la luna, venid con nosotros. Si no, alejaos de mí, y yo evitaré los lugares que frecuentáis.

OBERÓN.—Dame a ese chiquillo y yo iré contigo.

TITANIA.—No, ni por todo tu reino. Vámonos, hadas: pues si me quedo más tiempo, vamos a reñir de todas veras. (Salen Titania y séquito.)

OBERÓN.—Bien, sigue tu camino; que no saldrás de esta enramada sin que yo te haya atormentado por esta ofensa. Ven aquí, mi gentil Puck. ¿Te acuerdas de cuando me senté en un promontorio y vi a una sirena sobre el dorso de un delfín entonando un aria tan dulce y melodiosa que hasta el rudo océano se apaciguó al oír su canto, y ciertas estrellas se lanzaron desatentadas de sus esferas por gozar la música de la marina doncella?

PUCK.—Me acuerdo.

OBERÓN.—En ese mismo tiempo vi (aunque no lo podías tú) volar entre la fría luna y la tierra, a Cupido llevando sus armas. Apuntó a cierta hermosa vestal entronizada hacia el oeste, y lanzó su saeta de amor con suma destreza, como para atravesar cien mil corazones; mas se extinguió el inflamado dardo de Cupido en los húmedos rayos de la casta luna, y la imperial virgen pasó sin cuidado en solitaria y tranquila meditación.* Observé, sin embargo, el sitio donde el proyectil de Cupido cayó hiriendo una pequeña flor de occidente, blanca como la leche, y que a causa de la herida de amor se ha vuelto purpúrea, y a la cual las doncellas llaman "amor desconsolado". Tráeme esa flor: ya en otra ocasión te mostré la planta. Su jugo, vertido sobre los dormidos párpados, hace que el hombre o la mujer se enamore perdidamente de la primera criatura viva que vea. Tráeme esa yerba, y cuida de volver aquí an-

---

* Alusión a la reina Isabel de Inglaterra.

tes que Leviatán pueda haber nada-
do una legua.

PUCK.—Daré una vuelta completa al
rededor de la tierra en cuarenta
minutos. *(Sale Puck.)*

OBERÓN.—Una vez en posesión de
este jugo, acecharé el momento
en que Titania esté dormida, y
verteré el líquido sobre sus ojos.
La primera cosa que mire al despertar, ya sea un león, un oso, un
lobo, un buey, un mico travieso,
o un afanoso orangután, le inspi-
rará un amor irresistible; y antes
de que yo libre sus ojos de este
encanto (como puedo hacerlo por
medio de otra yerba), la obligaré
a que me entregue su paje. Pero
¿quién viene? Soy invisible y puedo escuchar su conversación. *(Entran Demetrio y Elena detrás de
él.)*

DEMETRIO.—No te amo. Es inútil
que me persigas. ¿Dónde están
Lisandro y la hermosa Hermia?
Mataré al uno: la otra me mata
a mí. Me dijiste que se habían
refugiado ocultamente en este bosque, y heme aquí, como un loco,
porque no puedo encontrarme con
Hermia. Ea, vete de aquí y no me
sigas más.

ELENA.—Vos me atraéis, imán de
corazón empedernido; pero no es
hierro lo que atraéis, pues mi corazón es más fino que el acero.
Despojaos de ese poder, y yo no
tendré el de seguiros.

DEMETRIO.—¿Acaso os solicito? ¿Os
hablo con dulzura? ¿O antes bien,
no os digo en los términos más
claros que no os amo ni puedo
amaros?

ELENA.—Y aun por eso mismo os
amo más. Soy vuestro sabueso;
y cuanto más me golpeéis, Demetrio, más os acariciaré. Tratadme
como a vuestro sabueso; echad-
me, dadme golpes, descuidadme,
abandonadme: pero permitid tan
sólo que, a pesar de no ser digna
de vos, pueda seguiros. ¿Qué puesto más humilde puedo implorar
en vuestro afecto (y sin embargo

lo estimo muy alto) que el de ser
tratada como tratáis a vuestro
perro?

DEMETRIO.—No tientes demasiado la
aversión de mi alma; porque sólo
el verte me llena de disgusto.

ELENA.—Y a mí me llena de disgusto el no mirarte.

DEMETRIO.—Demasiado a c u s á i s
vuestra modestia abandonando la
ciudad, entregándoos en manos
de quien no os ama, sin descon-
fiar de la oportunidad de la noche
ni del mal consejo de un lugar
desierto, mientras lleváis el tesoro de la virginidad.

ELENA.—Me sirve de escudo vuestra virtud. Para mí no es noche
cuando veo vuestro rostro, y así
no me parece que estamos en la
noche. Ni falta a este bosque un
mundo de sociedad, pues para mí
vos solo sois todo el mundo. ¿Cómo decir, pues, que estoy sola,
si todo el mundo está aquí para
verme?

DEMETRIO.—Huiré de ti y me ocul-
taré en las breñas y te dejaré a
merced de las fieras.

ELENA.—La más feroz no tiene un
corazón como el vuestro. Huid
adonde queráis: se habrán trocado los papeles de la historia: Apolo huye y Dafne le da caza: la
tórtola persigue al milano: la mansa cierva se apresura a atrapar al
tigre. ¡Inútil prisa cuando es la cobardía quien persigue y el valor
el que huye!

DEMETRIO.—No quiero discusiones
contigo. Déjame ir: o si me sigues,
ten por seguro que te haré algún
mal en el bosque.

ELENA.—Sí, en el templo, en la
ciudad, en el campo, me hacéis
mal. ¡Qué vergüenza, Demetrio!
Vuestras ofensas tienen escanda-
lizado a mi sexo. Nosotras no
podemos combatir, como podrían
los hombres, por amor. No fui-
mos hechas para conquistar sino
para ser conquistadas. Te seguiré,
y haciendo de un infierno un cielo,

moriré por la mano que amo
tanto. (*Salen Demetrio y Elena.*)
OBERÓN.—Ve con Dios, ninfa. Antes de que abandone esta espesura,
tú huirás de él y él buscará tu
amor. (*Vuelve a entrar Puck.*)
¿Traes ahí la flor? Bienvenido,
peregrino.
PUCK.—Sí: hela aquí.
OBERÓN.—Te ruego que me la des.
Conozco un barranco donde crece
el tomillo silvestre y se balancea
la violeta junto a las primuláceas,
sombreado por madreselvas, fragantes rosas y lindos escaramujos.
Allí duerme Titania una parte de
la noche, arrullada en esas flores
con danzas y regocijos; y allí se
despoja la serpiente de su esmal-
tada piel, bastante ancha para ser-

vir de vestidura a una hada. Inun-
daré sus ojos con el jugo de esta
flor, y quedará llena de odiosas
fantasías. Toma tú un poco de
este jugo y busca en el bosque.
Hay una dulce niña ateniense que
ama a un desdeñoso joven. Vierte
el bálsamos en los de éste; pero
hazlo cuando sea la señora el primer objeto que haya de ver al
despertar. Conocerás al hombre
por el traje ateniense de que está
vestido. Haz todo esto con la debida precaución, a fin de que
resulte quedar él más apasionado
de ella, que ésta de aquél. Y
cuida de encontrarme antes del
primer canto del gallo.
PUCK.—Estad tranquilo, señor. Vuestro súbdito hará lo que decís. (*Salen.*)

ESCENA III

Otra parte del bosque

(*Entra* TITANIA *con su séquito*)

TITANIA.—¡Ea! bailemos y cantemos,
y en seguida, por un tercio de
minuto, alejaos: unas a matar al
gusano en los olorosos capullos
de las rosas, otras a hacer guerra
a los murciélagos por sus alas
barnizadas, para hacer las ropas
de mis pequeños duendes; y algunas a mantener alejado al búho
chillón que se azora a la vista de
nuestros espíritus y turba la noche
con sus gritos. Cantad al son para
dormirme; luego cada cual a su
faena, y dejadme reposar.

CANTO
1ª HADA:

Bilingües sierpes manchadas
y erizos, no os dejéis ver.
Orvetos y lagartijas
a la reina no toquéis.

CORO:

Los trinos del ruiseñor
arrullen su sueño en paz,
y no la turben encantos,
magias, hechizos, ni mal.

II
2ª HADA:

Las arañas tejedoras
ténganse lejos de aquí,
y el oscuro escarabajo
y el empolvado reptil.

CORO:

Los trinos del ruiseñor, etc.

1ª HADA:

Partamos. Que a nuestra dueña
una sola vele el sueño.

(*Salen las hadas. Titania duerme. Entra Oberón.*)

OBERÓN.—Lo que veas al despertar (*Exprime la flor en los párpados de Titania*) esto sea tu verdadero amor. Ama y languidece por ello; ya sea onza, gato, oso, leopardo, o cerdoso berraco, ha de aparecer a tus ojos cuando despiertes, como digno de ser amado. Y despierta cuando esté cerca algún objeto vil. (*Sale. Entran Lisandro y Hermia.*)

LISANDRO.—Amor mío, estáis a punto de desmayaros a fuerza de peregrinar en el bosque; y a decir verdad, he perdido el camino. Descansemos, Hermia, si os parece bien, y aguardemos la luz del día.

HERMIA.—Sea, Lisandro. Buscad un lecho para vos, que yo reclinaré mi cabeza sobre este banco.

LISANDRO.—El mismo hacecillo de yerbas servirá de almohada a !os dos. Un corazón, un lecho, dos pechos y una fe.

HERMIA.—No, buen Lisandro, amado mío. Por amor a mí, yaced a más distancia, no tan cerca.

LISANDRO.—¡Oh! Comprended, vida mía, el sentido inocente de mis palabras. En los coloquios de amor, el amor percibe el intento. Quiero decir que mi corazón está ligado al vuestro, de modo que ambos sólo pueden ser uno: dos pechos unidos por un mismo juramento, no son sino dos pechos y una sola fe. No me niegues, pues, un lecho a tu lado; porque descansando junto a ti, no sueño en traiciones.*

HERMIA.—Lisandro habla con ingeniosa agudeza; habría ofendido mi educación y mi orgullo, si hubiese pensado mal de Lisandro. Pero, por amor y por cortesía yaced un tanto más lejos, gentil amigo mío. En la modestia humana semejante separación es lo que corresponde a un honrado

* Hay aquí un juego de palabras intraducible

soltero y a una doncella. Así, alejaos, y buenas noches, dulce amigo. Nunca se mude tu amor hasta el fin de tu vida.

LISANDRO.—Y yo digo, amén, amén, a esa dulce plegaria. Que mi vida acabe donde concluya mi lealtad. He aquí mi lecho. Que te brinde el sueño toda su paz.

HERMIA.—Con la mitad de ese deseo, cerraría contenta los párpados. (*Duermen. Entra Puck.*)

PUCK.—He recorrido el bosque; pero no he hallado ateniense alguno en cuyos ojos pueda probar el poder del jugo de esta flor para suscitar una pasión. ¡Noche y silencio! ¿Quién hay allí? Lleva vestidos de Atenas. Éste, a lo que dijo mi señor, es aquel que menosprecia a la virgen ateniense. Y he aquí a la pobre doncella dormida profundamente sobre la tierra húmeda y sucia. ¡Pobre paloma! ¡No se atreve a acostarse junto a ese desalmado y descortés villano! Sobre tus ojos vierto todo el poder de este encanto; que cuando despiertes, el amor no te deje cerrar los ojos; y despierta tan luego como me haya ido, pues tengo que volver donde Oberón. (*Sale. Entran Demetrio y Elena, corriendo.*)

ELENA.—Detente, aunque me matas, dulce Demetrio.

DEMETRIO.—Te exijo que te alejes y no me persigas así.

ELENA.—¡Oh amado mío! ¿me abandonarías? No, no lo hagas.

DEMETRIO.—Detente, o te mato; quiero ir solo. (*Sale Demetrio.*)

ELENA.—¡Ah! Estoy sin aliento por esta caza de afecto. Cuanto más ardiente mi súplica, menos merced alcanza. Dichosa Hermia, donde quiera que se halle, porque tiene ojos bendecidos y seductores. ¿Qué es lo que les da tanto brillo? No las acerbas lágrimas; que a ser así, mis ojos, que han llorado más, estarían más brillantes que los suyos. No, no. Soy fea como un oso; porque las bestias

que me encuentran huyen ame-
drentadas. No es maravilla que
Demetrio, como de un monstruo,
huya de mi presencia. ¿Qué en-
gañoso y maligno espejo pudo
hacerme comparar con los ojos
de Hermia? Pero ¿quién hay aquí?
¡Lisandro! ¡En el suelo! ¿Está
muerto o dormido? Pero no veo
sangre, ni herida. ¡Lisandro, buen
caballero, si estáis vivo, despertad!

LISANDRO.—(*Despertando.*) ¡Y por tu
dulce amor me arrojaré al fuego!
¡Transparente Elena! La naturaleza en ti despliega su arte; pues
al través de tu pecho me deja ver
tu corazón. ¿En dónde está Demetrio? ¡Oh! ¡Y cuán bien le estaría morir al filo de mi espada!

ELENA.—No digáis eso, Lisandro,
no lo digáis. ¿Qué importa que él
ame a Hermia? ¿Qué? A despecho
de él Hermia os ama. Debéis estar
contento.

LISANDRO.—¿Contento con Hermia?
¡No! Me arrepiento de los fastidiosos instantes que he pasado
con ella. No a Hermia, a Elena
es a quien amo. ¿Quién no cambiaría un cuervo por una paloma?
La voluntad del hombre es guiada
por su razón, y la razón me dice
que sois más digna doncella que
Hermia. Nada puede madurar antes de su estación, y yo, siendo
tan joven, no he podido madurar
a la razón sino desde este momento; someto ahora mi voluntad
a mi razón, y ésta me guía hacia
vos. Leo en vuestros ojos amorosas historias como escritas en el
más rico libro del amor.

ELENA.—¡Ah! ¿Y he nacido para
sufrir tan cruel mofa? ¿Cuándo
he podido merecer que me des-
preciéis de este modo? ¿No basta,
oh joven, no basta que yo jamás

haya alcanzado, no, ni siquiera
pueda alcanzar una mirada afectuosa de Demetrio, sino que además habéis de escarnecer mi in-
suficiencia? En verdad me hacéis
agravio; a fe que me lo hacéis en
cortejarme de tan desdeñosa manera. Pero adiós. Debo confesar
que os creía dotado de más verdadera gentileza. ¡Dios mío! ¡Que
una mujer, por ser rechazada por
un hombre, tenga que ser insul-
tada por otro! (*Sale.*)

LISANDRO.—No ve a Hermia. ¡Oh,
tú, Hermia, duerme allí y jamás
vuelvas a acercarte a Lisandro!
Pues así como el exceso de golosinas trae al estómago la mayor
náusea y fatiga; o como las he-
rejías que los hombres abandonan, por nadie son tan odiadas
como por los que sufrieron su
engaño, así tú, exceso y herejía
mía, sé odiada más que todo; y
aún más por mí que por otro
alguno! ¡Y que todas mis facultades consagren su poder y su
amor a honrar a Elena, y a ser
su caballero! (*Sale.*)

HERMIA.—(*Levantándose.*) ¡Socorro,
Lisandro, socorro! ¡Haz cuanto
puedas para arrancar esta serpiente que se arrastra sobre mi
pecho! ¡Oh, por piedad! ¡Qué
pesadilla he tenido! ¡Mira, Lisandro, cómo todavía tiemblo de pavor! Soñé que una serpiente me
devoraba el corazón, y que tú,
sentado, te reías de su cruel vora-
cidad. Lisandro, ¡qué! ¡no está
aquí! Lisandro ¡oh Dios! ¿ido?
¿Ni al alcance de la voz? ¿ido? ¿sin
una palabra, sin un signo? ¡Habla,
amor de los amores! Habla, si
me escuchas. ¿No? Pues ya veo
bien que estás lejos, fuerza será
correr a ti o a la muerte. (*Sale.*)

ACTO III

ESCENA PRIMERA

Un bosque

(*Entran* QUINCIO, BOTTOM, FLAUTO, SNOWT *y* STARVELING)

BOTTOM.—Señores, ¿estamos reunidos todos?

QUINCIO.—Sí, sí; y he aquí un sitio maravillosamente apropiado a nuestro ensayo. Este pedazo cubierto de verdura será nuestro proscenio: este matorral de espino blanco, nuestro sitio tras de bastidores; y accionaremos ni más ni menos que en presencia del duque.

BOTTOM.—Pedro Quincio.

QUINCIO.—¿Qué dices, bravo Bottom?

BOTTOM.—Hay en esta comedia de "Píramo y Tisbe" cosas que nunca podrán agradar. En primer lugar, Píramo tiene que sacar su espada y matarse; cosa que las señoras no podrán soportar. ¿Qué respondéis a esto?

SNOWT.—Que realmente se morirán de miedo.

STARVELING.—Me parece que debemos omitir eso del matarse, cuando todo esté concluido.

BOTTOM.—Nada de eso. Yo he discurrido un medio de arreglarlo todo. Escribidme un prólogo que parezca decir que no podemos hacer daño con nuestras espadas, y que Píramo no está muerto realmente; y para mayor seguridad, que diga que yo, Píramo, no soy Píramo, sino Bottom el tejedor. Con esto ya no tendrán miedo.

QUINCIO.—Bien: tendremos ese prólogo, y se escribirá en versos de ocho.y seis sílabas.

BOTTOM.—No. Añadidle dos más y que se escriba en versos de ocho y ocho.

SNOWT.—¿Y las señoras no tendrán miedo del león?

STARVELING.—Mucho lo temo, a fe mía.

BOTTOM.—Maestros, debéis reflexionar en vuestra conciencia que traer —¡Dios nos asista!— un león entre las señoras, es la cosa más terrible; porque no hay entre las aves de rapiña ninguna más temible que un león vivo; y es necesario en esto andarse con mucho cuidado.

SNOWT.—Por lo mismo, se necesita otro prólogo que diga que él no es un león.

BOTTOM.—No basta. Es necesario que digáis su nombre, y que se le vea la mitad de la cara por entre la máscara de león. Y él mismo debe hablar dentro de ella diciendo esto, o cosa parecida: "Señoras, o hermosas señoras, quisiera o desearía o suplicaría que no tuvieseis susto ni tembláseis; respondo de vuestra vida con la mía. Si os figuráis que vengo aquí como un león verdadero, mi vida no valdría un ardite. No, no soy tal cosa, sino hombre como otros." Y en tal coyuntura, que

203

diga su nombre y les haga saber que es Snug el ensamblador.

QUINCIO.—Bien; se hará así. Pero hay dos cosas muy difíciles, a saber: traer la luz de la luna a una habitación; porque debéis saber que Píramo y Tisbe se encuentran a la luz de la luna.

SNUG.—Y en la noche de nuestra representación ¿hay luz de luna?

BOTTOM.—¡Un calendario, un calendario! Buscad en el almanaque a ver si hay luna.

QUINCIO.—Sí; hay luna esa noche.

BOTTOM.—Pues podéis dejar abierta la ventana de la gran cámara en donde representaremos, y la luna alumbrará por allí.

QUINCIO.—Eso es. O bien podrá venir alguno con un haz de espinos y una linterna, y decir que ha venido a desfigurar o sea presentar la persona del claro de luna. Y luego hay otra cosa: hemos de tener un muro en la cámara; porque Píramo y Tisbe, según dice la historia, hablaban por una grieta de la pared.

SNUG.—Será imposible llevar un muro. ¿Qué os parece, Bottom?

BOTTOM.—Alguien tendrá que representar el muro. Que tenga consigo un poco de yeso o de argamasa o de pedazos de piedra y ladrillo para que signifiquen pared; o que ponga los dedos así, y por entre las aberturas podrán hablar Píramo y Tisbe con toda reserva.

QUINCIO.—Si puede hacerse así, todo está bien. ¡Ea! Que cada cual se siente, y ensaye su papel. Principiad, Píramo. Cuando hayáis dicho vuestro discurso, entrad en aquel matorral; y así cada uno, según su papel. (Entra Puck por el foro.)

PUCK.—¿Qué groseros patanes andan por aquí metiendo ruido tan cerca del lecho de nuestra hermosa reina? ¡Qué! ¿Tratan de una representación? Pues seré del auditorio, y aún haré de actor si veo ocasión para ello.

QUINCIO.—Hablad, Píramo. Tisbe, avanzad.

PÍRAMO.—"Tisbe, las dulces flores de suave sabor..."

QUINCIO.—Olor, olor.

PÍRAMO.—"...de suave olor." Así es tu aliento, cara, carísima Tisbe. ¡Pero oye, una voz! Quédate aquí no más que un rato, y dentro de poco volveré. (Sale.)

PUCK.—(Aparte.) ¡Qué Píramo tan raro! (Sale.)

TISBE.—¿Debo hablar ahora?

QUINCIO.—Sí, por cierto; pues debéis entender que no sale más que a enterarse de un ruido que oyó, y tiene que volver.

TISBE.—"Brillantísimo Píramo, de tinte blanco como el lirio, y del color de la rosa carmesí en el rosal triunfal; tan retozonamente juvenil, y sin embargo tan adorable; tan digno de confianza como el más infatigable caballo. Iré a encontrarme contigo, Píramo, en la tumba de Niní."

QUINCIO.—"Tumba de Nino", ¡hombre! Pero eso no debéis decirlo todavía. Eso es lo que respondéis a Píramo. ¡Vos lo decís todo de una vez! Píramo, entra; entonces volvéis a hablar. La última frase anterior es: infatigable caballo.

(Vuelven a entrar Puck, y Bottom con una cabeza de asno.)

TISBE.—...tan digno de confianza como el más infatigable caballo."

PÍRAMO.—"Si yo fuera hermoso, Tisbe, sólo sería tuyo."

QUINCIO.—¡Oh! ¡Qué cosa tan monstruosa! ¡tan extraña! Estamos hechizados. ¡Por Dios, maestros, huid! ¡Maestros, socorro! (Salen los payasos.)

PUCK.—Yo os seguiré, yo os haré dar vueltas por todos lados al través de matorrales y malezas, de helechos y de espinos; a veces seré un caballo, otras un sabueso, un cerdo, un oso sin cabeza, y algunas veces un fuego fatuo. Y me sentiréis alternativamente relinchar y ladrar, y gruñir y quemar como caballo, perro, cerdo, oso y llama. (*Sale.*)

BOTTOM.—¿Por qué huyen? Esto no es más que una bellaquería de ellos por asustarme. (*Vuelve a entrar Snowt.*)

SNOWT.—¡Oh Bottom! ¡Qué mudanza! ¿Qué veo en ti?

BOTTOM.—¿Qué ves? Una cabeza de asno... la tuya ¿no es esto? (*Vuelve a entrar Quincio.*)

QUINCIO.—¡Dios te ampare, Bottom! ¡Dios te ampare! Estás transformado. (*Sale.*)

BOTTOM.—Ya entiendo su artimaña. Querrían convertirme en un borrico, y asustarme si pudieran. Pero, hagan lo que hicieren, no he de moverme de aquí. Me pasearé de arriba abajo y cantaré para que me oigan y sepan que no tengo miedo. (*Canta.*)

TITANIA.—(*Despertando.*) ¿Qué ángel me despierta en mi lecho de flores? Ruégote, gentil mortal, que cantes de nuevo. Tu melodía ha cautivado mi oído, así como tu forma ha encantado mi vista. Y la fuerza de tu fascinación me mueve a la primera mirada, a decirte, a jurarte, que te amo.

BOTTOM.—Paréceme, señora, que tenéis para ello muy poca razón; aunque, a decir verdad, la razón y el amor se avienen bastante mal en estos tiempos, y es lástima que algunos buenos vecinos no los reconcilien.

TITANIA.—Eres tan sensato como hermoso.

BOTTOM.—Ni lo uno, ni lo otro, señora; pero si tuviera suficiente seso para salir de este bosque, no me faltaría el suficiente para aprovecharme de ello.

TITANIA.—No desees ausentarte de este bosque, pues en él permanecerás, quieras o no. Soy un espíritu superior a lo vulgar. Todavía la primavera engalana mis posesiones; y yo te amo. Ven, pues, conmigo. Te daré hadas que te sirvan, y te traerán joyas del fondo del mar, y arrullarán con tus cantos tu sueño cuando te acuestes en un lecho de flores. Y purificaré tu materia de modo que parezcas un espíritu también. ¡Flor-de-guisante! ¡Telaraña! ¡Polilla! ¡Grano-de-mostaza!

1ª HADA.—Presente.

2ª HADA.—Y yo.

3ª HADA.—Y yo.

4ª HADA.—Y yo.

TITANIA.—Sed bondadosas y atentas con este caballero: juguetead en sus paseos y triscad a su vista. Alimentadlo con albaricoques y frambuesas, con uvas moradas, verdes higos y moras. Sustraed de las humildes abejas las bolsas de miel; y para servirle de bujías cortad las piernas cerosas y encendedlas en el fuego de los ojos del gusano de luz, cuando el amor mío se acueste y se levante. Y tomad las alas de las pintadas mariposas para defender de los rayos de la luna sus párpados soñolientos. ¡Duendes! Saludadle y presentadle vuestros respetos.

1ª HADA.—Salud ¡oh mortal!

2ª HADA.—¡Salud!

3ª HADA.—¡Salud!

4ª HADA.—¡Salud!

BOTTOM.—De corazón imploro vuestro favor. Dignaos decirme vuestro nombre.

TELARAÑA.—Telaraña.

BOTTOM. — Me placerá conoceros más íntimamente, señor Telaraña. Ya me aprovecharé de vos si llego a cortarme el dedo. ¿Y cuál es vuestro nombre, honrado hidalgo?

FLOR-DE-GUISANTE.—Flor-de-guisante.

BOTTOM.—Os ruego saludéis a la señora calabaza, vuestra madre, y al señor estuche-de-guisantes, vuestro padre. También desearía conoceros mejor. ¿Querríais decirme por bondad vuestro nombre?

GRANO-DE-MOSTAZA.—Grano de mostaza.

BOTTOM.—Mi buen señor: bien conozco vuestra paciencia. Muchos caballeros de vuestra casa han sido devorados por el cobarde y gigantesco asado de buey; y os aseguro que ya antes de ahora vuestra parentela me llenó de lágrimas los ojos. Deseo más estrecha relación con vos, señor Grano-de-mostaza.

TITANIA.—Venid y servidle. Llevadle a mi retrete. Paréceme que la luna en su manera de brillar anuncia sus lágrimas; y cuando éstas caen, cada florecilla gime llorando alguna forzada castidad. Poned silencio a la boca de mi amor, y traedlo sin ruido. (Sale.)

ESCENA II

Otra parte del bosque

(Entra OBERÓN)

OBERÓN.—Quisiera saber si ha despertado Titania; y en seguida, sobre qué objeto recayó su primera mirada, como que ha de estar loca por él. (Entra Puck.) Aquí llega mi mensajero. ¡Y bien, travieso espíritu! ¿Qué nocturna nueva prevalece ahora en este misterioso bosquecillo?

PUCK.—Mi ama está enamorada de un monstruo. Cerca de su recóndito y consagrado retrete, mientras ella pasaba la lánguida hora del sueño, una partida de ganapanes, rudos artesanos que trabajan en las tienduchas de Atenas, se hallaba reunida para ensayar una representación destinada al día de las bodas del gran Teseo. El más insustancial de esos imbéciles, que hacía el papel de Píramo, abandonó la escena y se metió en un matorral; y yo, aprovechando esta ocasión, coloqué sobre sus hombros una cabeza de asno. A la sazón, su Tisbe tenía que recibir su respuesta; y aquí de mi sainete. Apenas le vieron sus compañeros, cuando se dieron a huir en todas direcciones, como una bandada de gansos silvestres que divisa al cazador agazapado; o como chovas de patas rojizas que se levantan y caen al estampido del fusil, y vuelan desatentadas por el cielo. A nuestro impulso, cae el uno y el otro aquí y allí, y grita que lo asesinan, y clama por auxilio de Atenas. Así debilitados y extraviados sus sentidos por el temor, convertidos casi en cosas inertes, principiaron a sufrir el mal consiguiente. Desgarraban las espinas y zarzas sus vestidos: quién se hizo girones una manga, quién pierde el sombrero: en todas partes dejaban algo. Yo los guié en este desatentado terror, y dejé allí al amoroso Píramo tranfigurado; y en ese instante vino a acontecer que despertara Titania y quedara en el acto locamente enamorada de un borrico.

OBERÓN.—Mejor ha salido esto que cuanto yo podía imaginar. Pero ¿has vertido ya el jugo de la flor en los ojos del ateniense, como te lo encargué?

PUCK.—Lo atrapé dormido. Eso también está despachado. Como la mujer ateniense estaba a su lado, claro está que cuando él despierte tendrá que verla. (Entran Demetrio y Hermia.)

OBERÓN.—Mantente cerca. Este es el ateniense.

PUCK.—La mujer es la misma; pero no el hombre.

DEMETRIO.—¡Oh! ¿por qué rechazáis a quien os ama tanto?

HERMIA.—Ahora no hago más que reprender; pero podría tratarte con más severidad, pues recelo que me has dado motivo para maldecirte. Si has asesinado a Lisandro durante su sueño, llega de una vez hasta el fondo del crimen, y mátame también. No es más fiel el sol al día que Lisandro a mí. ¿Habría huido él a ocultas de su Hermia dormida? Antes creería que se puede abrir en la tierra un conducto para que la luna pase al través y vaya a perturbar la marea en los antípodas. No puede ser sino que tú le has muerto; y en verdad que un asesino debería tener tu mismo aspecto homicida y sombrío.

DEMETRIO.—Mejor diríais que tengo el del moribundo traspasado de dolor; pero vos, que sois mi asesino, aparecéis tan clara y brillante como ese astro Venus en su fúlgida esfera.

HERMIA.—¿Qué importa eso a mi Lisandro? ¿Dónde está?... ¡Ah, buen Demetrio! ¿Quieres devolvérmelo?

DEMETRIO. — Preferiría arrojar su osamenta a mis perros.

HERMIA.—¡Fuera de aquí, tigre! ¡Fuera, chacal! Me atormentas más allá del límite de toda paciencia. ¿Es decir que tú lo has asesinado? ¡Que jamás se te vuelva a contar entre los hombres! ¡Oh! Di la verdad, dila siquiera una vez por piedad. ¿Te atreves a haberlo mirado despierto, y lo matas cuando yace dormido? ¡Oh heroísmo! Un gusano, un áspid, ¿no podrían hacer lo propio? ¡Porque nunca áspid alguno pudo herir con lengua más pérfida que la tuya, serpiente!

DEMETRIO.—Gastáis vuestra cólera, víctima de un engaño. No soy culpable de la sangre de Lisandro, ni tengo indicio alguno para pensar que haya muerto.

HERMIA.—Pues entonces te suplico me digas que está bien.

DEMETRIO.—Y si pudiera hacerlo ¿qué me valdría?

HERMIA.—El privilegio de no verme jamás. Abandono tu presencia con ese voto. No vuelvas a verme, sea que haya muerto, o no. (Sale.)

DEMETRIO.—Es inútil seguirla en este arranque de cólera. Así, me quedaré aquí por breve rato y buscaré en el sueño alivio a mi dolor, porque éste se hace doblemente pesado con el insomnio. (Se acuesta.)

OBERÓN.—¿Qué has hecho? La has errado por completo, vertiendo el jugo amoroso en los ojos de algún amante verdadero; y por fuerza tu equivocación hará que se mude un amor sincero, en vez de mudar uno falso.

PUCK.—Eso quiere decir que quien impera es el destino, y que por un hombre verdadero, hay un millón que faltan a sus juramentos.

OBERÓN.—Ve por el bosque, más rápido que el viento y procura encontrar a Elena de Atenas. Triste y abatida está, pálidas las mejillas, suspirando de amor, y consumiendo la riqueza de su sangre juvenil. Valiéndote de cualquiera ilusión hazla venir. Yo encantaré los ojos de él antes de que ella haya llegado.

PUCK.—Voy, voy. Mirad cómo voy más veloz que la flecha despedida por el arco del Tártaro.

OBERÓN.—Flor de color de púrpura, herida por la saeta de Cupido, penetra en el globo de sus ojos. Cuando él aceche a su amada, que aparezca ella resplandeciente como la Venus del firmamento, y cuando despiertes, implora de ella, si está cercana, el remedio de tu amor. (Vuelve a entrar Puck.)

PUCK.—Caudillo de nuestra hermosa muchedumbre: Elena está próxima, y el joven a quien equivoqué le suplica por el premio de su amor. ¡Cómo hemos de divertirnos con sus coloquios! ¡Santo Dios, y qué locos son estos, mortales!

OBERÓN.—Apártate. El ruido que hacen despertará a Demetrio.

PUCK.—Entonces habrá dos cortejando a una, y eso sólo ya es una diversión. No hay cosa que me guste tanto como lo imprevisto. *(Entran Lisandro y Elena.)*

LISANDRO.—¿Por qué pensáis que os solicito por burla? La burla y el sarcasmo jamás vierten lágrimas, y ved que cuando os suplico, lloro. Decid si semejante manera de pedir vuestro amor no lleva en sí la prueba de toda su verdad.

ELENA.—Refináis vuestra astucia más haciendo que la verdad sirva para matar la verdad. ¡Oh combate, infernal y divino a un tiempo! Esos juramentos pertenecen a Hermia. ¿Queréis abandonarla? Pesad esos juramentos y otros, y no pesarán nada. Puestos en una balanza estará en su fiel y ambos no pesarán más que cualquier mentira.

LISANDRO.—No tuve discernimiento cuando juraba a sus plantas.

ELENA.—Ni lo tenéis, a mi juicio, en abandonarla.

LISANDRO.—Demetrio la ama y no os ama.

DEMETRIO.—*(Despertando.)* ¡Oh Elena! ¡Diosa! ¡Ninfa perfecta y divina! ¿Con qué podré comparar tus ojos, amor mío? El cristal parecería lodo. ¡Oh! ¡Qué tentadores se ostentan tus labios, como cerezas maduras para los besos! ¡Cuando muestras tu mano, parece oscura la nieve de Tauro congelada por el viento de Levante! ¡Oh, déjame besar esta princesa de la casta blancura, este sello de felicidad!

ELENA.—¡Oh despecho! ¡oh infierno! ¡Veo que estáis conjurados todos contra mí para vuestro pasatiempo! Si fuerais corteses, no me haríais este agravio. ¿No basta que me aborrezcáis, como sé que lo hacéis, sino que además habéis de unir vuestras almas para burlaros de mí? Si fuerais hombres, como lo dice vuestra apariencia, no trataríais así a una dama inofensiva; cortejando y jurando y ponderando mis cualidades, cuando sé que me odiáis de

corazón. Ambos sois rivales en amar a Hermia, y ahora lo sois en escarnecer a Elena: gran hazaña y varonil empresa, arrancar con vuestras burlas las lágrimas de una pobre doncella. Ningún hombre que tuviera la menor nobleza ofendería así a una virgen, atormentando la paciencia de su pobre alma, para procurarse una diversión.

LISANDRO.—Malo sois, Demetrio. No seáis así. Sabéis que conozco vuestro amor a Hermia; y aquí con toda voluntad, con todo corazón, os cedo mi parte en su amor. Dadme la vuestra en el de Elena, a quien amo y amaré hasta la muerte.

ELENA.—Jamás gastaron tan mal sus palabras los burlones.

DEMETRIO.—Lisandro, quédate con tu Hermia. Si alguna vez la amé, ese amor se ha ido, y no quiero nada de él. Mi corazón no estuvo con ella sino como un huésped pasajero, y ahora vuelve a su hogar, vuelve a Elena para quedarse aquí.

LISANDRO.—Elena, no es verdad.

DEMETRIO.—No desacredites tu fe que no conoces, a menos que la compres caro a costa tuya. Ve ahí a tu amada que viene: ve ahí a la que adoras. *(Entra Hermia.)*

HERMIA.—¡Oscura noche, que quitas la vista a los ojos, y aguzas el oído, dando a éste lo que quitas a aquellos! Mis ojos no pudieron encontrarte, Lisandro, pero mi oído me hizo seguir tu voz. ¡Ah! ¿por qué con tanta dureza me has dejado?

LISANDRO.—¿Y por qué se quedaría aquel a quien el amor llama a otra parte?

HERMIA.—¿Qué amor podría apartar a Lisandro de mi lado?

LISANDRO.—El amor de Lisandro, que no podía separarse de la hermosa Elena, que embellece la noche, más que el esplendor de todas las estrellas. ¿Por qué me buscas? ¿No basta el que te haya dejado para que conozcas el odio que siento por ti?

HERMIA.—Habláis lo que no pensáis. Eso no puede ser.

ELENA.—¡Ah! ¡También ella toma parte en la conspiración! Ahora veo que os habéis unido los tres para formar este desleal pasatiempo a despecho mío. ¡Oh tú, Hermia, injuriosa e ingrata doncella! ¿Has conspirado con éstos, urdiendo esta maligna burla para ofenderme? ¿Y has olvidado las cariñosas pláticas, los juramentos fraternales, las horas que hemos pasado juntas? ¿Lo has olvidado todo, la amistad de nuestra niñez, la compañía inocente de nuestra infancia? Siempre estuvimos unidas, juntas en el mismo asiento, ocupadas en la misma labor, entonando la misma canción, como si nuestras mentes, nuestras manos, nuestras voces, hubieran sido una sola. Así crecimos como un doble fruto gemelo, que parece partido en dos y sin embargo no se puede separar. Éramos dos cuerpos con un solo corazón. ¿Y venís a romper todos estos lazos antiguos, para juntaros a esos hombres y escarnecer a vuestra amiga? No: esto no es amistad, ni es digno de una doncella. Nuestro sexo, tanto como yo misma, os censurará por ello, aunque sea yo sola quien sufra el agravio.

HERMIA.—Vuestras frases apasionadas me dejan estupefacta. Yo no me burlo de vos. Antes me parece que vos os burláis de mí.

ELENA.—¿No habéis inducido a Lisandro a seguirme y a alabar mis ojos y mi cara? ¿No habéis hecho que vuestro otro apasionado, Demetrio (que aún ahora mismo me ha rechazado con el pie) me llame diosa, ninfa divina, preciosa, celestial? ¿Por qué habla así a una que aborrece? ¿Y por qué me niega Lisandro vuestro amor, tan rico en su alma, y me ofrece su afecto, si no es porque lo inducís a ello y obra con vuestro consentimiento? ¿Qué delito hay en que yo no tenga tantas gracias como vos, ni sea tan afortunada en el amor, sino una infeliz que ama sin ser amada? Deberías compadecerme por esto, no despreciarme.

HERMIA.—No comprendo lo que queréis decir.

ELENA.—Sí, perseverad: fingid tristes miradas, y haceos señas cuando vuelvo la espalda: seguid en esta amable diversión, que, bien sostenida, será materia de una crónica. Si fueseis capaces de alguna piedad o gentileza, no me tomaríais por tema de vuestra irrisión; pero adiós. Yo tengo la culpa, y pronto la remediaré con la ausencia o con la muerte.

LISANDRO.—Quedaos, gentil Elena, y oíd mi excusa. ¡Hermosa Elena, amor mío, vida mía, alma mía!

ELENA.—¡Oh! Excelente.

HERMIA.—Amigo mío, no la burléis así.

DEMETRIO.—Si no lo alcanzas rogando, yo le forzaré a ello.

LISANDRO.—No puedes compeler tú más que rogar ella, y tus amenazas no tienen más fuerza que sus débiles súplicas. Elena, yo te amo, te lo juro por mi vida, y probaré aun a costa de perderte a quien negare la verdad de mi amor, que es un hombre falso.

DEMETRIO.—Digo que te amo más que lo que él pudiera amarte.

LISANDRO.—Si tal dices, retírate y vamos a probarlo.

DEMETRIO.—Al instante. Ven.

HERMIA.—Lisandro ¿a qué conduce todo esto?

LISANDRO.—¡Fuera! ¡Etíope!

DEMETRIO.—No, no señor. Habla como si la acción fuera a seguir a la palabra; pero no se mueve. Eres un cobarde, ¡bah!

LISANDRO.—Márchate de aquí, cuitado, cosa vil, ¡afuera! O te sacudiré y te arrojaré lejos de mí como a una culebra.

HERMIA.—¿Por qué os habéis vuelto tan rudo? ¿Qué cambio es éste, amor mío?

LISANDRO.—¿Amor tuyo? Vete, vete, maldita pócima, remedio detestado. ¡Vete!

HERMIA.—¿Os estáis chanceando?

ELENA.—Sí, a fe mía, lo mismo que vos.

LISANDRO.—Demetrio, te cumpliré mi promesa.

DEMETRIO.—Me alegraría de tener alguna prenda de ello; pues no confío en tu palabra.

LISANDRO.—¡Qué! ¿tendría que darle golpes, lastimarla, maltratarla? Por más que la aborrezca no le haría tal daño.

HERMIA.—¡Pues qué! ¿Podríais hacerme un daño mayor que aborrecerme? ¡Aborrecerme! ¿Y por qué? ¡Desgraciada de mí! ¿Qué ha pasado, amor mío? ¿No soy Hermia? ¿No eres tú Lisandro? Tan hermosa soy ahora como la noche en que me amaste, como la noche en que me dejaste. No quieran los dioses que hables de veras.

LISANDRO.—¡Sí, por mi alma! y quisiera no haber vuelto a verte jamás. Así, pues, no tengas esperanza ni duda: no es una chanza: nada hay tan verdadero y cierto como el odio que siento hacia ti.

HERMIA.—¡Desgraciada de mí! ¡Oh tú, impostora, ladrona de amor! ¿Has venido de noche para robarme el corazón de ése a quien amo?

ELENA.—A fe mía, que os sientan bien estas palabras: ¿no tienes ya modestia ni rubor, y se desvaneció la menor sombra de delicadeza? ¿Quieres arrancar por ventura de mi lengua prudente airadas voces? ¡Estás haciendo una comedia, tú, muñeca!

HERMIA.—¿Por qué muñeca? ¡Ah! Ya veo la traza. Ahora caigo en que habrá comparado nuestras estaturas, decantó la suya, y con sus ventajas, ha prevalecido sobre él. ¿Y habéis crecido tanto en su afecto por ser yo tan pequeña y baja? ¿Muy baja soy, asta de bandera pintarrajeada? ¡Habla! ¿Muy baja soy? ¡Pues no lo soy tanto

que no puedan mis uñas llegar hasta tus ojos!

ELENA.—Os ruego, señores, aunque os burléis de mí, que no la dejéis hacerme daño. No es mi costumbre echar maldiciones, ni aptitud para el mal; sino que a fuer de doncella soy temerosa. No dejéis que me maltrate. Quizá os parece que por ser ella algo menor de estatura que yo, podré luchar con ella.

HERMIA.—¡La estatura! ¡Otra vez la estatura!

ELENA.—Buena Hermia, no os airéis contra mí. Yo siempre os tuve afecto y seguí en todo vuestro consejo, y nunca os hice mal alguno, a no ser que, por amor a Demetrio, le dije de vuestra fuga a este bosque. Él os siguió, y yo le seguí por amor, pero él me echó de aquí y me amenazó con darme golpes y aun con matarme. Ahora sólo deseo que me dejéis volver en paz a Atenas y no me sigáis más. Dejadme ir. Ya veis cuán simple y afectuosa soy.

HERMIA.—Pues marchaos. ¿Quién os lo estorba?

ELENA.—Un corazón desatentado que dejo tras de mí.

HERMIA.—¡Con quién! ¿Con Lisandro?

ELENA.—Con Demetrio.

LISANDRO.—No temas, Elena. No te hará ningún mal.

ELENA.—¡Oh! Cuando se enfurece es maligna y astuta. Cuando iba a la escuela era una víbora, y aunque pequeña, es de índole fiera.

HERMIA.—¿Otra vez pequeña? ¿Siempre baja y pequeña? ¿Por qué permitís que me ultraje así? Dejadme que me entienda con ella.

LISANDRO.—¡Vete, enana, avalorio, puñado de mala paja!

DEMETRIO.—Sois demasiado comedido y solícito en favor de la que desdeña vuestros servicios. Dejadla sola: no habléis de Elena, ni toméis su defensa. Si intentáis mostrar hacia ella la menor familiaridad, responderéis de ello.

LISANDRO.—Ahora no tiene imperio sobre mí. Sígueme, si te atreves, y probemos quién de los dos tiene mejor derecho para pretender a Elena.

DEMETRIO.—¿Seguirte? No, sino a tu lado. (Salen Lisandro y Demetrio.)

HERMIA.—Señora mía: toda esta querella es obra vuestra. No, no os vayáis.

ELENA.—No confío en vos, no. Ni permaneceré más tiempo en vuestra maldita compañía. Mis manos no están, como la vuestras, acostumbradas a las contiendas, y así huyo y me salvo. (Sale.)

HERMIA.—Estoy azorada y no sé qué decir. (Sale persiguiendo a Elena.)

OBERÓN.—Esto es fruto de tu negligencia. Tú incurriste en esa equivocación, o hiciste eso por bellaquería.

PUCK.—Creedme, rey de las sombras, que me equivoqué. ¿No me dijisteis que reconocería al hombre por su traje ateniense? Y para probar la inocencia de mi conducta, basta ver que he puesto el jugo de la flor en los ojos de un ateniense; aunque es verdad que me alegra y divierte el ver la confusión y enredo que de ello ha venido a resultar.

OBERÓN.—Ya ves cómo estos enamorados buscan un sitio donde combatir. Ocúltate entre las sombras de la noche, extiende la niebla sobre su estrellado velo, hasta que sea oscuro como Aqueronte y guía de tal manera a estos rivales tan lejos el uno del otro, que no se puedan encontrar. Unas veces imitando la voz de Lisandro, excitarás a Demetrio con graves insultos; y otras harás lo mismo imitando la voz de Demetrio; y así llevarás a uno y otro hasta que caigan rendidos de cansancio y se hundan en el sueño, remedo de la muerte. Exprime entonces en los ojos de Lisandro el jugo de esta yerba, que tiene la virtud de disipar toda ilusión. Cuando despierten, todo lo que ha pasado les parecerá un sueño, y volverán los amantes a Atenas unidos hasta la muerte. Mientras tú te ocupas en esta misión, yo iré en busca de mi reina y le suplicaré que me entregue al muchacho; y entonces desbarrataré el encanto de sus ojos y haré que todas las cosas le parezcan tales como son en realidad.

PUCK.—Aéreo señor mío: es necesario hacer esto aprisa, porque ya asoman las luces crepusculares que animan la aurora, y empiezan a desgarrarse los velos de la noche. Los fantasmas se apresuran en tropel a ganar su albergue en los cementerios: todos ellos son espíritus condenados que tienen su sepultura en los sitios extraviados e inundados, y temen que la luz del día alumbre su vergüenza.

OBERÓN.—Pero nosotros somos espíritus de otra clase. Mil veces he jugueteado con la amorosa aurora y visitado los bosquecillos hasta que las puertas del Oriente radiantes de luz, se han abierto sobre el océano bañando de oro sus verdes aguas salobres. No obstante, apresúrate, y deja esta faena terminada antes de rayar el día. (Sale.)

PUCK.— Arriba y abajo, arriba y abajo los he de conducir, de un lado para otro. Me temen en el campo y en la ciudad. Goblin, llévalos arriba y abajo. Aquí viene uno. (Entra Lisandro.)

LISANDRO.—¿Dónde estás, orgulloso Demetrio?

PUCK.—¡Aquí villano! con el acero desnudo y pronto.

LISANDRO.—Al instante estoy contigo.

PUCK.—Sígueme a mejor terreno. (Sale Lisandro como siguiendo la voz. Entra Demetrio.)

DEMETRIO.—¡Lisandro, habla otra vez! ¡Fugitivo! ¡Cobarde! ¿adónde has huido? ¿Has ido a esconder tu cabeza en algún matorral?

PUCK.—¡Cobarde! ¿Dices tus baladronadas a las estrellas, y cuentas a las malezas que quieres batirte, y, sin embargo, no vienes? Ven, bribón: ven, que como a un niño te he de azotar con un bejuco. El que desnude una espada para ti se deshonra.

DEMETRIO.—¿Estás ahí?

PUCK.—Sigue mi voz y llegaremos adonde se pueda probar el valor. (Salen. Vuelve a entrar Lisandro.)

LISANDRO.—Él va por delante y todavía me provoca. Cuando acudo al punto de donde me llama, ya no está allí. El villano es mucho más ligero de pies que yo, y cuanto más aprisa le seguía, más pronto se alejaba. Así he venido a dar en un sendero desigual y oscuro, y voy a descansar aquí. ¡Ven, oh grata luz del día! (Se acuesta.) Con los primeros rayos de tu pálido fulgor, descubriré a Demetrio y satisfaré mi venganza. (Se duerme. Vuelven a entrar Puck y Demetrio.)

PUCK.—¡Oh, oh, oh! ¿Por qué no vienes, cobarde?

DEMETRIO.—Ven, si te atreves; pues no haces más que huir de sitio en sitio, y no osas aguardarme a pie firme y mirarme de frente. ¿Dónde estás?

PUCK.—Ven hacia aquí: aquí estoy.

DEMETRIO.—No me dejaré burlar una vez más. Caro lo has de pagar si alguna vez alcanzo a verte a la luz del día. Ahora ve donde quieras. Ya la fatiga me fuerza a reclinarme aquí y esperar la luz del día. (Se acuesta y duerme. Entra Elena.)

ELENA.—¡Oh penosa noche! ¡Noche larga y fastidiosa! Acorta tus horas y deja brillar el consuelo en la luz del oriente, para que pueda yo volver a Atenas con el alba, separándome de la vecindad de los que aborrecen mi pobre compañía! ¡Oh sueño! ¡Tú que algunas veces cierras de pesar los ojos, haz que por unos momentos me libre yo de mi propia compañía! (Duerme.)

PUCK.—¿No más que tres todavía? Dos de cada clase hacen cuatro. Aquí viene otra, triste y colérica. Cupido es un muchacho bien travieso, cuando así hace enloquecer a las pobres mujeres. (Entra Hermia.)

HERMIA.—¡Ah! nunca he estado tan cansada ni tan triste; empapada de rocío, desgarrada por los espinos, ya no puedo arrastrarme más lejos, y mis pies se niegan a mi deseo. Aquí me quedaré hasta que llegue el día. ¡Que los cielos guarden a Lisandro si ha de haber un duelo! (Se acuesta.)

PUCK.—Gentil enamorado, duerme profundamente en el suelo, mientras aplico a tus ojos este remedio. (Vierte el jugo en los ojos de Lisandro.) Cuando despiertes te deleitarás en la vista de la que primero amaste y quedará justificado el refrán que dice "que cada cual debe tomar lo suyo", y nada saldrá al revés. El amante recobrará su pareja, y todo quedará en paz. (Sale Puck. Demetrio, Elena, etc., duermen.)

ACTO IV

ESCENA PRIMERA

La misma decoración

(Entran TITANIA *y* BOTTOM, *y hadas que les sirven. Tras de ellos*
OBERÓN *sin ser visto)*

TITANIA.—Hechizo mío, ven, siéntate sobre este florido lecho, mientras yo acaricio tus adorables mejillas, y pongo rosas perfumadas en tu suave cabeza y beso tus largas y hermosas orejas, gentil deleite mío.

BOTTOM.—¿Dónde está Flor-de-guisante?

FLOR-DE-GUISANTE.—Presente.

BOTTOM.—Ráscame la cabeza, Flor-de-guisante. ¿Dónde está el señor Telaraña?

TELARAÑA.—Presente.

BOTTOM.—Señor Telaraña, mi buen señor; tomad vuestras armas, y matad una abeja rosada en la cima de un espino: y traedme el saco de miel. Cuidad de no fatigaros mucho y sobre todo que no se rompa la bolsa. Sentiría, señor, veros bañado del viscoso líquido. ¿Dónde está el señor Grano-de-mostaza?

GRANO-DE-MOSTAZA.—Presente.

BOTTOM.—Venga esa mano, señor Grano-de-mostaza. Dejad, os ruego, toda cortesía.

GRANO-DE-MOSTAZA.—¿Qué deseáis?

BOTTOM.—Nada, buen señor, sino que ayudéis al caballero Telaraña a rascar. Necesito al barbero, señor, porque pienso que tengo la cara asombrosamente velluda, y soy un asno de tan delicada condición, que si un solo pelo me hace cosquillas, por necesidad tengo que rascarme.

TITANIA.—¿Querrías oír un poco de música, dulce amor mío?

BOTTOM.—No tengo muy mal oído para la música. Venga el triángulo y el martillo.

TITANIA.—O dime, alma mía, lo que quisieras comer.

BOTTOM.—En verdad, un celemín de heno y cebada. Comería a dos carrillos de vuestra avena seca. Paréceme que me apetece mucho una ración de heno: no hay nada comparable al buen heno, al heno fresco.

TITANIA.—Tengo una hada muy audaz, que irá a la madriguera de las ardillas, y te traeré las nueces frescas.

BOTTOM.—Preferiría un puñado o dos de habas secas. Pero os ruego que ninguno de vuestro séquito me moleste; porque principio a tener un poco de sueño.

TITANIA.—Duerme y yo te estrecharé en mis brazos. Hadas, salid y alejaos en todas direcciones. Así la enredadera, la madreselva, la dulce yedra se enlazan al áspero tronco del olmo. ¡Oh! ¡Cuánto te amo y cómo me deleito en ti! *(Duermen. Oberón se adelanta. Entra Puck.)*

OBERÓN.—Bienvenido, buen Robin. ¿Ves este lindo cuadro? Ya empiezo a compadecer su loco amor; porque no ha mucho, habiéndola encontrado tras del bosque, buscando golosinas para este odioso imbécil, la reconvine y tuve con ella un altercado; porque había rodeado con frescas y fragantes flores sus peludas sienes; y ese mismo rocío, que en el cáliz de los botones parecía redondearse en perlas de Oriente, se mostraba ahora como lágrimas con que las florecillas lloraban su afrenta. Cuando la hube reprendido a mi gusto y ella con humilde acento imploró mi paciencia, le pedí que cediera al niño huérfano, lo cual hizo inmediatamente y lo envió con una de sus hadas para que lo condujera a mi mansión. Ahora que tengo al muchacho, corregiré el odioso error de sus ojos. Quita tú de la cabeza de este estúpido ateniense el disfraz que le transforma; de manera que cuando despierte junto con los demás, puedan regresar todos a Atenas, pensando que el accidente de esta noche no ha sido más que una cruel pesadilla. Pero antes, libertaré a mi amada reina. (*Tocando con una yerba los ojos de Titania.*) Sé lo que debes ser, y ve como debes mirar. El capullo de Diana tiene este feliz poder sobre la flor de Cupido. Y ahora, Titania mía, despierta; despierta, mi dulce reina.

TITANIA.—¡Oberón mío! ¡Qué visiones he tenido en mi sueño! Pienso que estaba enamorada de un asno.

OBERÓN.—Allí yace tu amor.

TITANIA.—¿Cómo ha podido suceder esto? ¡Oh! ¡Y cómo mis ojos detestan ahora su figura!

OBERÓN.—¡Silencio, por un momento! Robin, quítale esa cabeza postiza. Titania, haz oír un poco de música, y que los sentidos de estos cinco se sumerjan en un sueño más profundo que de ordinario.

TITANIA.—¡Música! ¡Música que acaricie el sueño!

PUCK.—Cuando despiertes, vuelve a ver con tus propios ojos de necio.

OBERÓN.—Suene la música. (*Se oye música suave.*) Ven, reina mía, toma mi mano, y hagamos retemblar la tierra en que duermen éstos. Ya estamos tú y yo reconciliados de nuevo, y mañana a media noche bailaremos solemnemente en la casa del duque Teseo y con nuestras bendiciones se llenará de felices hijos. Allí serán desposadas las dos parejas de amantes, al mismo tiempo que Teseo, con general regocijo.

PUCK.—Rey de las hadas, advierte que ya despunta la mañana.

OBERÓN.—Pues entonces, reina mía, vamos en pos de la sombra; que nosotros podemos recorrer el mundo más rápidamente que la peregrina luna.

TITANIA.—Ven, señor mío, y en nuestra excursión me diréis cómo ha sucedido que yo me haya encontrado aquí dormida en el suelo con estos mortales. (*Salen, se oyen cuernos de caza. Entran Teseo, Hipólita, Egeo y séquito.*)

TESEO.—Vaya uno de vosotros en busca del guardabosque, porque ya ha terminado la ceremonia; y pues ya amanece, mi adorada debe oír la música de los lebreles. Soltad la trahílla en el valle del Oeste. Daos prisa, y buscad, como he dicho, al guardabosque. Iremos, hermosa reina mía, a la cumbre de la montaña, y nos recrearemos con el musical estruendo de los ladridos de los lebreles y de los ecos lejanos.

HIPÓLITA.—Estuve una vez con Hércules y Cadino en un bosque de Creta, donde cazaban osos con perros, y nunca he oído más alegre bullicio; porque además de los bosquecillos, el firmamento y las fuentes, cada región vecina parecía unirse a las otras en un grito musical. Nunca he oído tan armoniosa discordancia, tan halagüeño estrépito.

TESEO.—Mis sabuesos son de la raza espartana, hocicones y miopes, y de sus cabezas penden orejas que barren el rocío de la mañana; tienen las patas torcidas como toros de Tesalia. Son lentos en la persecución pero de acordadas voces. Jamás se excitó con el cuerno un grito más alegre en Creta, en Esparta o en Tesalia; y ya lo juzgaréis por vos misma. Pero ¿qué ninfas son ésas?

EGEO.—Señor. Esta es mi hija aquí dormida; y éste Lisandro; este otro es Demetrio; ésta, Elena, la Elena del viejo Nedar. Me asombra encontrarlos todos juntos.

TESEO.—Sin duda se levantaron de madrugada a observar el rito de Mayo; y oyendo nuestro intento, han venido atraídos por la solemnidad. Pero, di, Egeo; ¿no es hoy el día en que Hermia debía decidir sobre su elección?

EGEO.—Sí, mi señor.

TESEO.—Di a los monteros que los despierten con sus cuernos. (*Suenan los cuernos y exclamaciones dentro.*)

TESEO.—Buenos días, amigos. Ha pasado ya la Santa-Valentina. ¿Principian a yuntarse ahora estos pájaros del bosque?

LISANDRO.—(*Arrodillándose.*) Perdonadme, señor.

TESEO.—Te ruego que te levantes. Conozco que sois dos rivales enemigos. ¿Cómo sucede en este mundo tan extraña concordia y el odio se ha vuelto tan poco receloso que pueda dormir sin temor a la venganza?

LISANDRO.—Señor, responderé confuso, medio dormido y medio despierto; sin embargo, puedo jurar que no me es posible decir cómo vine aquí. Paréceme (pues quiero decir la verdad, y ahora pienso que es así) que vine aquí con Hermia. Nuestro propósito era partir de Atenas adonde pudiésemos vivir sin el peligro de su ley.

EGEO.—Basta, basta, mi señor. Pido que caiga sobre su cabeza todo su rigor. Se habrían fugado, Demetrio, y así se habrían burlado de nosotros; de vos en vuestra esposa, de mí en mi consentimiento de que ella lo sea vuestra.

DEMETRIO.—Señor, la hermosa Elena me avisó de la fuga de ellos a este bosque, y yo enfurecido los seguí, y Elena tuvo el capricho de seguirme también. No sé, señor, en verdad, por qué poder (es indudable que medió en ello algún poder) mi amor por Hermia se fundió como un copo de nieve, y me parece ahora como el recuerdo de un capricho ocioso acariciado en mi niñez; mientras que toda la fe, toda la virtud de mi corazón, el objeto y encanto de mis ojos es sólo Elena. A ella, señor, estaba prometido antes de haber visto a Hermia; y así como en una enfermedad, llegué a aborrecer este alimento; pero ahora, como quien recobra la salud, vuelvo a mi gusto natural; y la deseo, la amo, la espero con impaciencia, y le seré para siempre fiel.

TESEO.—La buena suerte os ha reunido, hermosos amantes. Ya oiremos después algo más sobre esto. Egeo, quiero colmar con creces vuestros deseos; porque, en breve, estas parejas serán unidas eternamente en el templo lo propio que nosotros. Y por estar ya algo avanzada la mañana, dejaremos vuestro proyecto de caza. Volvamos, pues, a Atenas. Tres parejas seremos para dar a la fiesta gran solemnidad. Venid, Hipólita. (*Salen Teseo, Egeo, Hipólita y séquito.*)

DEMETRIO.—Las cosas que nos han pasado parecen ya pequeñas y confusas, como lejanas montañas que se convierten en nubes.

HERMIA.—Diríase que veo estas cosas con ojos desviados como cuando todos los objetos parecen dobles.

ELENA.—Lo propio me sucede a mí: he encontrado a Demetrio como una joya que fuera mía y no lo fuera.

DEMETRIO.—Pienso que todavía dormimos... que soñamos. ¿Creéis que el duque estuvo aquí y nos invitó a que lo siguiéramos?

HERMIA.—Sí, y también mi padre.

ELENA.—E Hipólita.

LISANDRO.—Y nos rogó le siguiéramos al templo.

DEMETRIO.—Pues entonces estamos despiertos. Sigámoslo, y en el camino narraremos nuestros sueños. (Salen. Despierta Bottom.)

BOTTOM.—Cuando llegue mi turno, despertadme y yo responderé. Lo que sigue es: "Hermosísimo Píramo." ¡Ea! ¡Oh! ¡Pedro Quincio! ¡Flauto, el estañador! ¡Snowt, el calderero! ¡Starveling! ¡Dios de mi vida! ¡Se han escurrido de aquí y me han dejado dormido! ¡Qué visión más extraña la mía! He tenido un sueño que ni el hombre más hábil podría narrarlo. Si lo intentara sería un asno. Me pareció que yo era, me pareció que tenía..., pero un hombre sería un imbécil incurable si pudiera decir lo que me pareció que tenía. El ojo humano no ha oído nunca, ni su oído ha visto, ni su mano ha gustado, o su lengua concebido y su corazón repetido, lo que era mi sueño. He de hacer que Pedro Quincio escriba una balada sobre él y se titulará *El sueño de Bottom*, porque no tendrá asiento.* Yo la cantaré en la última parte de la representación delante del duque; y para que caiga más en gracia, he de entonarla al final de la pieza, con la muerte de Tisbe. (Sale.)

* Bottom, significa *asiento;* de aquí un juego de palabras intraducible.

ESCENA II

(Entran QUINCIO, FLAUTO, SNOWT *y* STARVELING*)*

QUINCIO.—¿Habéis enviado a casa de Bottom? ¿No ha vuelto aún?

STARVELING.—Nada se sabe de él. Sin duda se lo llevaron los espíritus.

FLAUTO.—Si no viene, adiós comedia... nada podemos hacer, ¿verdad?

QUINCIO.—Imposible. No hay en toda Atenas hombre capaz de representar a Píramo como él.

FLAUTO.—No. Indudablemente no hay en Atenas artesano de tanto talento.

QUINCIO.—Ni hombre más cumplido, por cierto: fuera de que es una malvilla para esto de tener una voz dulce.

FLAUTO.—Maravilla, no malvilla, habéis de decir. Una malvilla es una cosa cualquiera, que no vale nada. (Entra Snug.)

SNUG.—Maestros, el duque está de vuelta del templo y hay además dos o tres parejas de caballeros y señoras que se han casado también. Si nuestra representación pudiera seguir adelante, nuestra fortuna estaba hecha.

FLAUTO.—¡Oh dulce y bravo Bottom! Ha perdido así seis peniques diarios por toda su vida. Imposible que fuera menos; que me ahorquen si el duque no le hubiera dado los seis peniques diarios por haber representado a Píramo. Que me cuelguen si no los merece: seis peniques diarios por Píramo, o nada. (Entra Bottom.)

BOTTOM.—¿Dónde están esos muchachos? ¿Dónde están esos corazones?

QUINCIO.—¡Bottom! ¡Oh magnífico día! ¡Oh felicísima hora!

BOTTOM.—Maestros, he de contaros mil prodigios, pero no me preguntéis qué; si os los digo, llamadme mal ateniense. Os diré punto por punto lo que ocurrió.

QUINCIO.—Contadlo, amable Bottom.

BOTTOM.—De mí no sacaréis una palabra. Todo lo que puedo deciros es que el duque ha comido... disponed vuestros disfraces: poned buenos hilos a vuestras barbas, nuevas cintas a los zapatos, y reuníos en seguida en el palacio. Que cada cual recuerde su papel; pues, en sustancia, lo que hay es que se prefiere a todo nuestra representación. En todo caso, que Tisbe se ponga ropa limpia; y que no se recorte las uñas el que debe representar al león, porque es necesario que sobresalgan para representar las garras. Y, no comáis ajos por Dios, porque es menester que nos huela bien el aliento, con todo lo cual, seguramente exclamarán todos: ¡qué preciosa comedia! Basta de charla. ¡Idos, idos! *(Salen.)*

ACTO V

ESCENA PRIMERA

Aposento en el palacio de Teseo

(Entran TESEO, HIPÓLITA, FILÓSTRATO, *señores y séquito)*

HIPÓLITA.—¡Qué extraña cosa es, Teseo mío, lo que refieren estos amantes!

TESEO.—Más extraña que verdadera. Yo no creeré nunca en esas antiguas fábulas ni en esos juegos de hadas. Los enamorados y los locos viven tan alucinados, y con tan caprichosas fantasías, que imaginan más de lo que la fría razón puede comprender. El lunático, el enamorado y el poeta no son más que un pedazo de imaginación. El uno ve más demonios de los que pueden caber en el infierno; éste es el loco furioso. El enamorado, no menos frenético que éste, ve la belleza de Elena en una cara bronceada de Egipto. El ojo del poeta, girando en medio de su arrobamiento, pasea sus miradas del cielo a la tierra y de la tierra al cielo; y como la imaginación produce formas de cosas desconocidas, la pluma del poeta las diseña y da nombre y habitación a cosas etéreas que no son nada. Tal es el poder alucinador de la imaginación, que le basta concebir una alegría, para crear algún ser que se la trae; o en la noche, si presume algún peligro, ¡con cuánta facilidad toma un matorral por un oso!

HIPÓLITA.—Pero el ser repetida unánimemente la narración por todos y el transfigurarse así la mente de todos ellos, dan testimonio de algo más que imágenes de la fantasía, y toma más cuerpo el relato. Como quiera que sea, es extraño y admirable. *(Entran Lisandro, Demetrio, Hermia y Elena.)*

TESEO.—Aquí vienen los desposados, llenos de regocijo y buen humor. ¡Alegría, gentiles amigos! ¡Alegría y risueños días de amor acompañen vuestros corazones!

LISANDRO.—Más que a nosotros, ¡acompañen vuestros regios pasos, vuestra mesa y vuestro lecho!

TESEO.—Veamos ahora qué mascaradas, qué bailes tendremos para pasar esta eternidad de tres horas entre la de cenar y la de dormir. ¿Dónde está nuestro director de fiestas? ¿Qué pasatiempos se preparan? ¿No hay algún juego para distraer el fastidio de esta hora de tortura? Llamad a Filóstrato.

FILÓSTRATO.—Heme aquí, poderoso Teseo.

TESEO.—Di ¿cómo vamos a aligerar esta tarde? ¿Qué máscaras? ¿Qué música? ¿Cómo engañaremos al perezoso tiempo, si no con algún deleite?

FILÓSTRATO.—Aquí tengo una relación de los festejos ya dispuestos. Vuestra Alteza escogerá el que prefiera ver primero. *(Dándole un papel.)*

TESEO.—*(Leyendo.)* "La batalla de los Centauros, cantada por un eunuco en el arpa." No quiero

219

nada de eso. Ya lo he referido a mi amada en honor de mi pariente Hércules. "El motín de las bacanales ebrias destrozando en su cólera al cantor de Tracia." Ese es un tema manoseado, y ya se exhibió la última vez que volví vencedor de Tebas. "Las nueve musas llorando la muerte del saber, que ha fallecido recientemente en la mendicidad." * Esa es una especie de sátira, acerada y punzante, que no se aviene bien con una ceremonia nupcial. "Breve y fastidiosa escena del joven Píramo y su amante Tisbe; sainete muy trágico." ¿Sainete y trágico? ¿Breve y fastidioso? Esto es hielo caliente y nieve de color. ¿Cómo se podrán atar estos cabos?

FILÓSTRATO.—Señor, es una representación que apenas pasará de una docena de palabras, lo cual es lo más breve que en punto a representaciones se puede dar. Sin embargo, tiene como doce palabras ociosas; lo cual la hace fastidiosa porque en toda la representación no hay palabra adecuada ni actor idóneo. Y es trágica además, señor, porque en ella se suicida Píramo. Confieso que cuando vi el ensayo, me reí hasta que se me saltaron las lágrimas; y a fe que nunca se habrán derramado con más júbilo.

TESEO.—¿Quiénes representan esto?

FILÓSTRATO.—Gentes rudas, trabajadores de Atenas, que jamás ejercitaron la mente, y ahora han sobrecargado su rústica memoria con este trozo, en ocasión de vuestras bodas.

TESEO.—Y queremos oírlos.

FILÓSTRATO.—No, muy noble señor: no es cosa digna de vos. He oído la obra y no es nada, no vale absolutamente nada; a menos que os divierta su intento y el sobrehumano esfuerzo y la cruelísima labor que se han echado a cuestas creyendo serviros.

* Alusión a un poema de Spencer, muerto de miseria.

TESEO. — Oiré esa representación; porque nada me parece mal cuando se inspira en la ingenuidad y en el deber. Id a traerlos. Sentaos, señoras. (Sale Filóstrato.)

HIPÓLITA.—Duéleme ver fracasar a estos infelices en sus esfuerzos, y el celo sucumbir humillado.

TESEO.—¡Cómo, dulce amiga mía! No veréis tal cosa.

HIPÓLITA.—Dice que no son capaces de hacer nada aceptable en este género.

TESEO.—Pues será mayor bondad que les demos gracias por nada. Nos divertiremos con sus yerros. En cuanto emprende el buen deseo, el ánimo noble y generoso considera complacido, no el escaso mérito logrado, sino el de la intención. Adonde quiera que fui, grandes letrados me han recibido con muy estudiadas arengas, y los he visto pálidos y temblorosos atascarse en medio de las frases, ahogar en su temor sus habituales acentos, y finalmente quedar callados y no darme bienvenida alguna. Pero ese mismo silencio, amada mía, era para mí cumplido lisonjero; y tan expresiva la modestia del deber tímido, como la bulliciosa lengua de una elocuencia audaz y parlera. El amor y la muda sencillez, a mi juicio, hablan más en menos palabras. (Entra Filóstrato.)

FILÓSTRATO.—Con la venia de vuestra Alteza, el Prólogo está listo. (Sonido de trompetas.)

TESEO.—Haced que se presente. (Entra Prólogo.)

PRÓLOGO.—"Si os ofendemos será con nuestra buena voluntad. Eso debéis pensar; que no venimos a ofender sino con nuestra buena voluntad. Dar una muestra de nuestro deseo de serviros, es el verdadero principio de nuestro fin. Considerad, pues, que si viniéramos a cansaros, no vendríamos. Nuestro verdadero intento es: todo por vuestro deleite. Los actores están prontos; y por su exhibición sabréis lo que debéis saber".

TESEO.—Este mozo no hace mucho caso de la puntuación.

LISANDRO.—Ha pasado por su prólogo como un potro desbocado: no podía detenerse. Gran enseñanza, señor: no basta hablar, sino hablar con propiedad.

HIPÓLITA.—Es verdad que ha repetido su prólogo como un niño su lección: todo sonidos y ningún discernimiento.

TESEO.—Su discurso ha sido como una cadena que se enreda; no faltaba un solo anillo, pero andaban revueltos. *(Entran Píramo y Tisbe, Muro, Luz de Luna, y León, personaje mudo.)*

PRÓLOGO.—"Gentil público. Quizás os admiráis de este espectáculo; pero admiraos en buen hora, hasta que la verdad lo haga ver todo claramente. Este hombre es Píramo, si queréis saberlo; y esta bella señora es Tisbe. Este hombre con cal y cimiento, representa el muro, el vil muro que separaba a los dos amantes. Y por las grietas del muro los pobrecillos se contentaban con hablarse en voz baja; de lo cual ningún hombre se debe admirar. Este hombre con su linterna y su perro, representa la luz de la luna; porque habéis de saber que estos amantes no tuvieron a menos encontrarse a la luz de la luna junto al sepulcro de Nino, para galantearse allí. Esta pardusca bestia, que tiene por nombre león, asustó, o más bien, espantó a la fiel Tisbe, que llegó primero, y en su fuga dejó caer su manto, que el vil león manchó con su sangrienta boca. A tal punto, llega Píramo, bello y arrogante mozo, y encuentra el manto destrozado de su fiel Tisbe; con lo cual echó mano a su espada; la culpable sanguinaria espada, atravesó su hirviente y sangriento pecho; y Tisbe oculta a la sombra de los matorrales, sacó su puñal y murió. Ahora discurren largamente el león, la luz de la luna, el muro y la pareja de amantes, mientras estén aquí." *(Salen Prólogo, Tisbe, León y Luz de luna.)*

TESEO.—Dudoso estoy de si habrá de hablar el león.

DEMETRIO.—No hay que dudarlo, señor. Puede muy bien hablar un león cuando lo hacen tantos jumentos.

MURO.—"En este mismo sainete acontece que yo, de apellido Snowt, represento un muro; un muro tal como deseo que os lo imaginéis; que tiene un agujero, o sea una grieta. Por allí los amantes Píramo y Tisbe se hablan a menudo muy secretamente. Esta cal, esta piedra y este cimiento, muestran que yo soy el muro. Así es la verdad. Y estas aberturas de mi mano derecha y de mi izquierda, son las grietas por las cuales cuchichean los temerosos amantes."

TESEO.—No cabe que la cal y el cimiento hablen mejor.

DEMETRIO.—Es la más ingeniosa relación que he oído jamás, señor.

TESEO.—Píramo se acerca al muro. ¡Silencio! *(Entra Píramo.)*

PÍRAMO.—"¡Oh fiera noche! ¡Noche de color tan negro! ¡Oh noche que siempre vienes cuando ya no es de día! ¡Oh noche! ¡Oh noche! ¡Ay de mí! ¡Ay de mí! ¡Ay de mí! ¡Temo que mi Tisbe haya olvidado su promesa! Y tú ¡oh muro! que estás entre las tierras de su padre y la mía. ¡Tú, muro, oh muro, oh dulce y adorable muro, muéstrame tu agujero para poner allí mi ojo y echar una mirada! *(Muro levanta la mano abriendo los dedos.)* ¡Gracias, cortés muro! ¡Que Júpiter te proteja por tan raro servicio! ¿Pero qué veo? Veo que no está Tisbe. ¡Oh muro malvado, por entre el cual no veo la dicha, malditas sean tus piedras que así me engañan!"

TESEO.—Se me figura que el muro, si es puntilloso, debería maldecir a su vez.

PÍRAMO.—No, señor, en realidad no debería hacerlo. "Así me engañan" es el punto en que le llega el turno a Tisbe, y ella ha de entrar, y yo he de ponerme a mirar por el agujero. Ya veréis cómo va ocurriendo exactamente cuanto digo. Ella se acerca. *(Entra Tisbe.)*

TISBE.—"¡Oh muro! Con harta frecuencia has oído mis lamentos por tenerme tú separada de mi hermoso Píramo. Mis labios de cereza han besado a menudo tus piedras, tus piedras unidas con cal y cimento.

PÍRAMO.—"Veo una voz. Ahora voy a la abertura para asomarme y oír la cara de mi Tisbe. ¡Tisbe!

TISBE.—"¡Amor mío! ¡Eres mi amor, a lo que opino!

PÍRAMO.—"Opina lo que quieras. Soy la gracia de tu amor, y todavía soy fiel como *Limandro*.

TISBE.—"Y yo como Elena, hasta que los hados den conmigo en tierra.

PÍRAMO.—"No fue tan fiel *Shafalo* a *Procro*.

TISBE.—"Pues yo te soy fiel como *Shafalo* a *Procro* *

PÍRAMO.—"¡Oh, bésame por el agujero de esta maldita pared!

TISBE.—"Beso el agujero del muro, pero no tus labios.

PÍRAMO.—"¿Quieres venir a encontrarme en el sepulcro de Nino?

TISBE.—"En vida y en muerte; voy sin demora.

MURO.—"Yo, muro, he desempeñado ya mi parte; y siendo así, se marcha el muro." *(Salen Muro, Píramo y Tisbe.)*

TESEO.—Ya está ahora caída la muralla entre los dos vecinos.

DEMETRIO.—Así ocurre forzosamente, señor, cuando las paredes se atreven a oír sin decir esta boca es mía.

HIPÓLITA.—Esto es la tontería más grande que he oído jamás.

---

* *Limandro* por Leandro, *Shafalo* por Céfalo y *Procro* por Procris.

TESEO.—La mejor comedia de este género es pura ilusión, y las peores no son lo peor, si la imaginación las enmienda.

HIPÓLITA.—Entonces el mérito será de vuestra imaginación y no de la suya.

TESEO.—Si no les juzgamos peor de lo que se juzgan ellos, podrán pasar por hombres excelentes. Mirad, ya vienen dos nobles bestias: la luna y un león. *(Entran León y Luz de luna.)*

LEÓN.—"Señoras: vosotras cuyo tímido corazón amedrenta un ratoncillo, que corre por el piso, pudierais acaso temblar de pavor aquí, cuando un león salvaje ruge colérico. Por tanto debéis saber que yo, el ensamblador Snowt, no soy ni león feroz ni siquiera cachorro; porque si viniera a luchar aquí como león de veras, no daría un ardite por mi vida."

TESEO.—Bestia muy gentil, y de honrada conciencia.

LISANDRO.—Este león es, por su valor, un verdadero zorro.

TESEO.—Verdad: y un ganso en la prudencia.

DEMETRIO.—No, mi señor, porque el zorro carga con el ganso, y el valor no se acompaña de la prudencia.

TESEO.—Seguro estoy de que su ingenio no cargaría con su valor, porque el ganso no carga con el zorro. Bien. Dejémoslo a su voluntad, y oigamos a la luna.

LUNA.—"Esta linterna representa la luna y sus cuernos."

DEMETRIO.—En la cabeza debería llevarlos.

TESEO.—No está en creciente: los cuernos se le hacen invisibles cuando llega el plenilunio.

LUNA.—"Esta linterna representa la luna y sus cuernos; y yo al hombre de la luna."

TESEO.—Pues que lo metan en la linterna, porque si no, ¿cómo podrá ser el hombre de la luna? Este es el mayor error de todos.

DEMETRIO.—No se atreve a meterse, a causa de la bujía; pues, como veis, ya está en pavesas.*

HIPÓLITA.—Ya estoy cansada de esta luna. Me alegraría de que mudara.

LISANDRO.—Proseguid, luna.

LUNA.—Todo lo que tengo que decir, es que esta linterna representa la luna; yo, al hombre en la luna; que este manojo de zarzas es mi manojo de zarzas; y que este perro es mi perro.

DEMETRIO.—Pues todas esas cosas debían estar dentro de la linterna, pues están en la luna. Pero, silencio; aquí llega Tisbe. *(Entra Tisbe.)*

TISBE.—"Esta es la tumba del viejo Nino. ¿Dónde está mi amor?"

LEÓN.—"¡Oh!" *(El león ruge y Tisbe huye)*

DEMETRIO.—¡Bien rugido, león!

TESEO.—¡Bien corrido, Tisbe!

HIPÓLITA.—¡Bien alumbrado, luna! En verdad la luna brilla muy de buen grado.

TESEO.—¡Soberbio chillido de ratoncillo, león! *(León destroza el manto de Tisbe, y sale)*

DEMETRIO.—Y luego viene Píramo.

LISANDRO.—Y desaparece la luna. *(Entra Píramo.)*

PÍRAMO.—"¡Dulce luna, te doy gracias por tus rayos solares! Te doy gracias porque brillas con tanto fulgor; pues con tus torrentes de luz graciosos, dorados y chispeantes, confío saborear la más verdadera vista de Tisbe. ¡Pero, detente! ¡oh despecho! Pero observa, pobre caballero, ¿qué terrible dolor se ofrece a mis ojos? ¿veis? ¿Cómo puede ser esto? ¡Oh delicada tela! ¡Qué! tu buen manto manchado de sangre! ¡Acercaos, oh furias feroces! ¡Oh hados, venid, venid, cortad hilos y estambre, agostad, aplastad, concluid y matad!"

TESEO.—Este arrebato de pasión y la muerte de una amiga amada, casi, casi podrían poner triste a un hombre.

HIPÓLITA.—No quisiera pero compadezco a ese hombre.

PÍRAMO.—"¡Oh naturaleza! ¿Por qué hiciste leones? Pues un vil león ha ajado a mi amada, la cual es —¡no, no!— la cual era la más hermosa dama que haya amado, vivido, gustado y puesto alegre rostro. Venid, lágrimas, y enturbiad mis sentidos. Sal, espada, y hiere la tetilla de Píramo: sí, esta tetilla izquierda debajo de la que late el corazón. Así muero, así, así. Ya estoy muerto. Ya he volado. Mi alma está en el cielo. Apaga, lengua, tu luz: emprende, luna, tu vuelo. Ahora muero, muero, muero, muero." *

TESEO.—Ya no es nada: ya está muerto. Pero con el auxilio de un cirujano puede resucitar hecho un asno.

HIPÓLITA.—¿Cómo es que la luz de la luna se va antes de que Tisbe vuelva y encuentre a su amante?

TESEO.—Ya lo encontrará a la luz de las estrellas. Aquí viene, y su resolución pone fin al sainete. *(Entra Tisbe.)*

HIPÓLITA.—Se me antoja que esa desolación no ha de ser muy larga, para semejante Píramo.

DEMETRIO.—Una hebra de pelo haría inclinar la balanza entre el mérito de Píramo y el de Tisbe.

TISBE.— "¿Duermes, amor mío? ¡Qué! ¿Muerto, pichón mío? ¡Oh, Píramo, levántate y habla, habla! ¿Mudo? ¡Muerto! ¡muerto de frío! Una tumba debe cubrir esos dulces ojos. Esas cejas color de lirio, esa nariz de cereza, esas mejillas color de retama; ¡se han ido, se han ido! ¡Gemid, amantes! ¡Sus ojos eran verdes como alfalfa! ¡Oh parcas! ¡Venid a mí, venid, con manos pálidas como la leche, y teñidlas en mi sangre, ya que habéis cortado con vuestras tijeras su sedoso hilo! Lengua, no digas ni una palabra más. Ven, fiel espada; ven, hoja,

---

* Otro juego de palabras que no tiene traducción.

y queda embutida en mi pecho!
¡Y adiós amigos —así acaba Tisbe— adiós, adiós!" *(Muere.)*
TESEO.—León y Luz de luna quedan
para enterrar a los muertos.
DEMETRIO.—Y Muro también.
BOTTOM.—No. Os aseguro que el
muro que separaba a sus padres,
está derribado. ¿Deseáis ver el epílogo, o preferís que baile una pareja una danza bergamasca?
TESEO.—No hay necesidad de epílogo, pues vuestro sainete no necesita
excusas. Cuando todos los actores
están muertos, no hay a quién
echar la culpa. A fe mía que si
el autor de la pieza hubiera hecho

de Píramo y se hubiese ahorcado
con una liga de Tisbe, habría sido
una linda tragedia. Pero con todo,
lo es, y muy bien desempeñada.
Pero veamos el baile. *(Baile de
bufones.)* La campana de media
noche ha sonado las doce. Amantes, al lecho. Es casi la hora de
las hadas. Temo que dormiremos
hasta muy entrada la mañana. Y
aunque hemos velado un poco, este
desatinado sainete nos ha hecho
matar bien el pesado tiempo. Al
lecho, amables amigos míos. Durante quince días continuaremos
esta festividad, con nocturnos pasatiempos y nuevos festejos. *(Salen.)*

ESCENA II

(Entra PUCK*)*

PUCK.—Ahora ruge el león hambriento y aúlla el lobo a la luna;
mientras ronca el cansado labrador, abrumado por su ruda tarea.
Ahora arden los tizones abandonados mientras el búho con agudo
chillido, hace que el infeliz hundido en la congoja, se acuerde del
sudario. Esta es la hora de la noche
en que las tumbas se abren del
todo para dejar salir los espec-
tros que se deslizan por los sen-
deros del cementerio y de la iglesia; y nosotros, duendes y hadas;
huímos de la presencia del sol,
siguiendo las sombras como un
sueño. ¡Qué alegría la nuestra en
este instante! No habrá ni un ratón que perturbe este hogar. En-
viáronme, escoba en mano, a ba-
rrer el polvo detrás de la puerta.
*(Entran Oberón y Titania y sé-
quito.)*
OBERÓN.—Brillen alegres luces junto
a la lumbre medio apagada. Y
cada duende y hada salte tan ligero como el ave sobre los espinos. Y siguiéndome, bailen y can-
ten alegremente.

TITANIA.—Repetid primero esta canción, acompañando cada palabra
con melodioso trino. Y con gràcia
propia de hadas, mano a mano,
cantemos y bendigamos este lugar.

CANTO Y BAILE

Ahora hasta rayar el día,
habiten aquí las hadas,
y de las tres desposadas
será siempre venturosa;
cada pareja amorosa
siempre fiel será a su amor.

Ni mostrará tacha alguna
su descendencia lozana,
de todas las que importuna
la naturaleza da.
Con las gotas del rocío
consagremos esta casa,
donde a sus dueños escasa
nunca la dicha será.

Cantad y bailad ahora
hasta que raye la aurora.

(Salen.)

ROMEO Y JULIETA 1595 - 1596

Existen muchas opiniones diferentes en cuanto a la fecha en que Shakespeare escribió esta obra; pero no hay duda de que su estilo hace pensar en que fue una de las primeras, escrita probablemente en sus años jóvenes, y corregida y perfeccionada más tarde. Se han citado con frecuencia las alusiones que "hace la nodriza" a los terremotos de "once años atrás", para identificarlos con los registrados en Londres en 1580 y 1586.

La legendaria leyenda de dos amantes que se ven separados por un sino fatal y por obstáculos infranqueables, se encuentra en la literatura de siempre en diversos países. Desde la antigua Grecia nos llegan HAENON Y ANTIGONA, HERO Y LEANDRO, ABROCOMAS Y ANTHIA; y más tarde, de Francia y Alemania: FLORIS Y BLANCAFLOR, TRISTÁN E ISOLDA. El mito de Romeo y Julieta fue recreado muchas veces en gran sucesión de relatos italianos y franceses, que comenzaron con Masuccio Salernitano en 1476, siguiendo luego a través de Da Porto (1530), y más tarde por Clitia, en poesía (1553), Bandello (1554) y el francés Boaistuau (1559), de quien la última versión fue transformada en un poema inglés por Arthur Brook (1562), y años después escrita en prosa por Painter en 1567.

El drama de Shakespeare alcanza una elevación extraordinaria en la poesía de sus hermosos soliloquios que añaden un mayor acento dramático a esta tragedia. Es la lucha desesperada entre el amor y la muerte que, finalmente al abrazarse, triunfan sobre la adversidad.

PERSONAJES

ESCALA, príncipe de Verona.
PARIS, pariente del Príncipe.
MONTESCO.
CAPULETO.
Un viejo de la familia Capuleto.
ROMEO, hijo de Montesco.
MERCUTIO, amigo de Romeo.
BENVOLIO, sobrino de Montesco.
TEOBALDO, sobrino de Capuleto.
FR. LORENZO, FR. JUAN, de la Orden de San Francisco.
BALTASAR, criado de Romeo.
SANSON, GREGORIO, criados de Capuleto.
PEDRO, criado del ama de Julieta.
ABRAHAM, criado de Montesco.
Un boticario.
Tres músicos.
Dos pajes de Paris.
Un Oficial.
La señora de Montesco.
La señora de Capuleto.
JULIETA, hija de Capuleto.
El ama de Julieta.

CIUDADANOS de Verona, ALGUACILES, GUARDIAS, ENMASCARADOS, etc., CORO

La escena pasa en Verona y en Mantua

PROLOGO

Coro.—En la hermosa Verona, donde acaecieron estos amores, dos familias rivales igualmente nobles habían derramado, por sus odios mutuos, mucha inculpada sangre. Sus inocentes hijos pagaron la pena de estos rencores, que trajeron su muerte y el fin de su triste amor. Sólo dos horas va a durar en la escena este odio secular de razas. Atended al triste enredo, y supliréis con vuestra atención lo que falte a la tragedia.

ACTO PRIMERO

ESCENA PRIMERA

Una plaza de Verona

(SANSON y GREGORIO *con espadas y broqueles*)

SANSON.—A fe mía, Gregorio, que no hay por qué bajar la cabeza.

GREGORIO.—Eso sería convertirnos en bestias de carga.

SANSON.—Quería decirte que, si nos hostigan, debemos responder.

GREGORIO.—Sí: soltar la albarda.

SANSON.—Yo, si me pican, fácilmente salto.

GREGORIO.—Pero no es fácil picarte para que saltes.

SANSON.—Basta cualquier gozquejo de casa de los Montescos para hacerme saltar.

GREGORIO.—Quien salta, se va. El verdadero valor está en quedarse firme en su puesto. Eso que llamas saltar es huir.

SANSON.—Los perros de esa casa me hacen saltar primero y me paran después. Cuando topo de manos a boca con hembra o varón de casa de los Montescos, pongo pies en pared.

GREGORIO.—¡Necedad insigne! Si pones pies en pared, te caerás de espaldas.

SANSON.—Cierto, y es condición propia de los débiles. Los Montescos al medio de la calle, y sus mozas a la acera.

GREGORIO.—Esa discordia es de nuestros amos. Los criados no tenemos que intervenir en ella.

SANSON.—Lo mismo da. Seré un tirano. Acabaré primero con los hombres y luego con las mujeres.

GREGORIO.—¿Qué quieres decir?

SANSON.—Lo que tú quieras. Sabes que no soy rana.

GREGORIO.—No eres ni pescado ni carne. Saca tu espada, que aquí vienen dos criados de casa Montesco.

SANSON.—Ya está fuera la espada: entra tú en lid, y yo te defenderé

GREGORIO.—¿Por qué huyes, volviendo las espaldas?

SANSON.—Por no asustarte.

GREGORIO.—¿Tú asustarme a mí?

SANSON.—Procedamos legalmente. Déjalos empezar a ellos.

GREGORIO.—Les haré una mueca al pasar, y veremos cómo lo toman.

SANSON.—Veremos si se atreven. Yo me chuparé el dedo, y buena vergüenza será la suya si lo toleran (*Abraham y Baltasar.*)

ABRAHAM.—Hidalgo, ¿os estáis chupando el dedo porque nosotros pasamos?

SANSON.—Hidalgo, es verdad que me chupo el dedo.

ABRAHAM.—Hidalgo, ¿os chupáis el dedo porque nosotros pasamos?

SANSON (*a Gregorio*).—¿Estamos dentro de la ley, diciendo que sí?

GREGORIO (*A Sansón.*)—No por cierto.

SANSON.—Hidalgo, no me chupaba el dedo porque vosotros pasabais, pero la verdad es que me lo chupo.

GREGORIO.—¿Queréis armar cuestión, hidalgo?

ABRAHAM.—Ni por pienso, señor mío.

SANSON.—Si queréis armarla, aquí estoy a vuestras órdenes. Mi amo es tan bueno como el vuestro.

ABRAHAM.—Pero mejor, imposible.

SANSON.—Está bien, hidalgo.

GREGORIO (A Sansón.)—Dile que el nuestro es mejor, porque aquí se acerca un pariente de mi amo.

SANSON.—Es mejor el nuestro, hidalgo.

ABRAHAM.—Mentira.

SANSON.—Si sois hombre, sacad vuestro acero. Gregorio: acuérdate de tu sabia estocada. (Pelean.) (Llegan Benvolio y Teobaldo.)

BENVOLIO.—Envainad, majaderos. Estáis peleando, sin saber por qué.

TEOBALDO.—¿Por qué desnudáis los aceros? Benvolio, ¿quieres ver tu muerte?

BENVOLIO.—Los estoy poniendo en paz. Envaina tú, y no busques quimeras.

TEOBALDO.—¡Hablarme de paz, cuando tengo el acero en la mano! Más odiosa me es tal palabra que el infierno mismo, más que Montesco, más que tú. Ven, cobarde. (Reúnese gente de uno y otro bando. Trábase la riña.)

CIUDADANOS.—Venid con palos, con picas, con hachas. ¡Mueran Capuletos y Montescos! (Entran Capuleto y la señora de Capuleto.)

CAPULETO.—¿Qué voces son ésas? Dadme mi espada.

SEÑORA.—¿Qué espada? Lo que te conviene es una muleta.

CAPULETO.—Mi espada, mi espada, que Montesco viene blandiendo contra mí la suya tan vieja como la mía. (Entran Montesco y su mujer.)

MONTESCO.—¡Capuleto infame, déjame pasar, aparta!

SEÑORA.—No te dejaré dar un paso más. (Entra el príncipe con su séquito.)

PRÍNCIPE.—¡Rebeldes, enemigos de la paz, derramadores de sangre humana! ¿No queréis oír? Huma-

nas fieras que apagáis en la fuente sangrienta de vuestras venas el ardor de vuestras iras, arrojad en seguida a tierra las armas fratricidas, y escuchad mi sentencia. Tres veces, por vanas quimeras y fútiles motivos, habéis ensangrentado las calles de Verona, haciendo a sus habitantes, aun los más graves e ilustres, empuñar las enmohecidas alabardas, y cargar con el hierro sus manos envejecidas por la paz. Si volvéis a turbar el sosiego de nuestra ciudad, me responderéis con vuestras cabezas. Basta por ahora; retiraos todos. Tú, Capuleto, vendrás conmigo. Tú, Montesco, irás a buscarme dentro de poco a la Audiencia, donde te hablaré más largamente. Pena de muerte a quien permanezca aquí. (Vase.)

MONTESCO.—¿Quién ha vuelto a comenzar la antigua discordia? ¿Estabas tú cuando principió, sobrino mío?

BENVOLIO.—Los criados de tu enemigo estaban ya lidiando con los nuestros cuando llegué, y fueron inútiles mis esfuerzos para separarlos. Teobaldo se arrojó sobre mí, blandiendo el hierro que azotaba el aire despreciador de sus furores. Al ruido de las estocadas acorre gente de una parte y otra, hasta que el Príncipe separó a unos y otros.

SEÑORA DE MONTESCO.—¿Y has visto a Romeo? ¡Cuánto me alegro de que no se hallara presente!

BENVOLIO.—Sólo faltaba una hora para que el sol amaneciese por las doradas puertas del Oriente, cuando salí a pasear, solo con mis cuidados, al bosque de sicomoros que crece al poniente de la ciudad. Allí estaba tu hijo. Apenas le vi me dirigí a él, pero se internó en lo más profundo del bosque. Y como yo sé que en ciertos casos la compañía estorba, seguí mi camino y mis cavilaciones, huyendo de él con tanto gusto como él de mí.

SEÑORA DE MONTESCO.—Dicen que va allí con frecuencia a juntar su llanto con el rocío de la mañana y contar a las nubes sus querellas, y apenas el sol, alegría del mundo, descorre los sombríos pabellones del tálamo de la aurora, huye Romeo de la luz y torna a casa, se encierra sombrío en su cámara, y para esquivar la luz del día, crea artificialmente una noche. Mucho me apena su estado, y sería un dolor que su razón no llegase a dominar sus caprichos.

BENVOLIO.—¿Sospecháis la causa, tío?

MONTESCO.—No la sé ni puedo indagarla.

BENVOLIO.—¿No has podido arrancarle ninguna explicación?

MONTESCO.—Ni yo, ni nadie. No sé si pienso bien o mal, pero él es el único consejero de sí mismo. Guarda con avaricia su secreto y se consume en él, como el germen herido por el gusano antes de desarrollarse y encantar al sol con su hermosura. Cuando yo sepa la causa de su mal, procuraré poner remedio.

BENVOLIO.—Aquí está. O me engaña el cariño que le tengo, o voy a saber pronto la causa de su mal.

MONTESCO.—¡Oh, si pudieses con habilidad descubrir el secreto! Ven, esposa. *(Entra Romeo.)*

BENVOLIO.—Muy madrugador estás.

ROMEO.—¿Tan joven está el día?

BENVOLIO.—Aún no han dado las nueve.

ROMEO.—¡Tristes horas, cuán lentamente camináis! ¿No era mi padre quien salía ahora de aquí?

BENVOLIO.—Sí por cierto. Pero ¿qué dolores son los que alargan tanto las horas de Romeo?

ROMEO.—El carecer de lo que las haría cortas.

BENVOLIO.—¿Cuestión de amores?

ROMEO.—Desvíos.

BENVOLIO.—¿De amores?

ROMEO.—Mi alma padece el implacable rigor de sus desdenes.

BENVOLIO.—¿Por qué el amor que nace de tan débiles principios, impera luego con tanta tiranía?

ROMEO.—¿Por qué, si pintan ciego al amor, sabe elegir tan extrañas sendas a su albedrío? ¿Dónde vamos a comer hoy? ¡Válgame Dios! Cuéntame lo que ha pasado. Pero no, ya lo sé. Hemos encontrado el amor junto al odio; amor discorde, odio amante; rara confusión de la naturaleza, caos sin forma, materia grave a la vez que ligera, fuerte y débil, humo y plomo, fuego helado, salud que fallece, sueño que vela, esencia incógnita. No puedo acostumbrarme a tal amor. ¿Te ríes? ¡Vive Dios!...

BENVOLIO.—No, primo. No me río, antes lloro.

ROMEO.—¿De qué, alma generosa?

BENVOLIO.—De tu desesperación.

ROMEO.—Es prenda del amor. Se agrava el peso de mis penas, sabiendo que tú también las sientes. Amor es fuego aventado por el aura de un suspiro; fuego que arde y centellea en los ojos del amante. O más bien es torrente desbordado que las lágrimas acrecen. ¿Qué más podré decir de él? Diré que es locura sabia, hiel que emponzoña, dulzura embriagadora. Quédate adiós, primo.

BENVOLIO.—Quiero ir contigo. Me enojaré si me dejas así, y no te enojes.

ROMEO.—Calla, que el verdadero Romeo debe andar en otra parte.

BENVOLIO.—Dime el nombre de tu amada.

ROMEO.—¿Quieres oír gemidos?

BENVOLIO.—¡Gemidos! ¡D o n o s a idea! Dime formalmente quién es.

ROMEO. — ¿Dime formalmente?... ¡Oh, qué frase tan cruel! Decid que haga testamento al que está padeciendo horriblemente. Primo, estoy enamorado de una mujer.

BENVOLIO.—Hasta ahí ya lo comprendo.

ROMEO.—Has acertado. Estoy enamorado de una mujer hermosa.

BENVOLIO.—¿Y será fácil dar en ese blanco tan hermoso?

ROMEO.—Vanos serían mis tiros, porque ella, tan casta como Diana la cazadora, burlará todas las pueriles flechas del rapaz alado. Su recato la sirve de armadura. Huye de las palabras de amor, evita el encuentro de otros ojos, no la rinde el oro. Es rica, porque es hermosa. Pobre, porque cuando muera, sólo quedarán despojos de su perfección soberana.

BENVOLIO.—¿Está ligada a Dios por algún voto de castidad?

ROMEO.—No es ahorro el suyo, es desperdicio, porque esconde avaramente su belleza, y priva de ella al mundo. Es tan discreta y tan hermosa, que no debiera complacerse en mi tormento, pero aborrece el amor, y ese voto es la causa de mi muerte.

BENVOLIO.—Déjate de pensar en ella.

ROMEO.—Enséñame a dejar de pensar

BENVOLIO.—Haste libre. Fíjate en otras.

ROMEO.—Así brillará más y más su hermosura. Con el negro antifaz resalta más la blancura de la tez. Nunca olvida el don de la vista quien una vez la perdió. La belleza de una dama medianamente bella sólo sería un libro donde leer que era mayor la perfección de mi adorada. ¡ Adiós ¡ No sabes enseñarme a olvidar.

BENVOLIO.—Me comprometo a destruir tu opinión.

ESCENA II

Calle

(CAPULETO, PARIS y un CRIADO)

CAPULETO.—La misma orden que a mí obliga a Montesco, y a nuestra edad no debía ser difícil vivir en paz.

PARIS.—Los dos sois iguales en nobleza, y no debierais estar discordes. ¿Qué respondéis a mi petición?

CAPULETO.—Ya he respondido. Mi hija acaba de llegar al mundo. Aún no tiene más que catorce años, y no estará madura para el matrimonio, hasta que pasen lo menos dos veranos.

PARIS.—Otras hay más jóvenes y que son ya madres.

CAPULETO.—Los árboles demasiado tempranos no prosperan. Yo he confiado mis esperanzas a la tierra y ellas florecerán. De todas suertes, Paris, consulta tú su voluntad. Si ella consiente, yo consentiré también. No pienso oponerme a que elija con toda libertad entre los de su clase. Esa noche, según costumbre inmemorial, recibo en casa a mis amigos, uno de ellos vos. Deseo que piséis esta noche el modesto umbral de mi casa, donde veréis brillar humanas estrellas. Vos, como joven lozano, que no holláis como yo las pisadas del invierno frío, disfrutaréis de todo. Allí oiréis un coro de hermosas doncellas. Oídlas, vedlas, y elegid entre todas la más perfecta. Quizá después de maduro examen, os parecerá mi hija una de tantas. Tú (al criado) vete recorriendo las calles de Verona, y a todos aquellos cuyos nombres verás escritos en este papel, invítalos para esta noche en mi casa. (Vanse Capuleto y Paris.)

CRIADO.—¡Pues es fácil encontrarlos a todos! El zapatero está condenado a usar la vara, el sastre la horma, el pintor el pincel, el pescador las redes, y yo a buscar a todos aquellos cuyos nombres están escritos aquí, sin saber qué nombres son los que aquí están escritos. Denme su favor los sabios. Vamos.

(BENVOLIO y ROMEO)

BENVOLIO.—No digas eso. Un fuego apaga otro, un dolor mata otro dolor, a una pena antigua otra nueva. Un nuevo amor puede curarte del antiguo.

ROMEO.—Curarán las hojas del plátano.

BENVOLIO.—¿Y qué curarán?

ROMEO.—Las desolladuras.

BENVOLIO.—¿Estás loco?

ROMEO.—¡Loco! Estoy atado de pies y manos como los locos, encerrado en cárcel asperísima, hambriento, azotado y atormentado. (*Al criado.*) Buenos días, hombre.

CRIADO.—Buenos días. ¿Sabéis leer, hidalgo?

ROMEO.—Ciertamente que sí.

CRIADO.—¡Raro alarde! ¿Sabéis leer sin haberlo aprendido? ¿Sabréis leer lo que ahí dice?

ROMEO.—Si el concepto es claro y la letra también.

CRIADO.—¿De verdad? Dios os guarde.

ROMEO.—Espera, que probaré a leerlo. "El señor Martín, y su mujer e hijas, el conde Anselmo y .sus hermanas, la viuda de Viturbio, el señor Plasencio y sus sobrinas, Mercutio y su hermano Valentín, mi tio Capuleto con su mujer e hijas, Rosalía mi sobrina, Livia,

Valencio y su primo Teobaldo, Lucía y la hermosa Elena." ¡Lucida reunión! ¿Y dónde es la fiesta?

CRIADO.—Allí.

ROMEO.—¿Dónde?

CRIADO.—En mi casa, a cenar.

ROMEO.—¿En qué casa?

CRIADO.—En la de mi amo.

ROMEO.—Lo primero que debí preguntarte es su nombre.

CRIADO.—Os lo diré sin ambages. Se llama Capuleto y es generoso y rico. Si no sois Montesco, podéis ir a beber a la fiesta. Id, os lo ruego. (*Vase.*)

BENVOLIO.—Rosalía a quien adoras, asistirá a esta fiesta con todas las bellezas de Verona. Allí podrás verla y compararla con otra que yo te enseñaré, y el cisne te parecerá grajo.

ROMEO.—No permite tan indigna traición la santidad de mi amor. Ardan mis verdaderas lágrimas, ardan mis ojos (que antes se ahogaban) si tal herejía cometen. ¿Puede haber otra más hermosa que ella? No la ha visto desde la creación del mundo, el sol que lo ve todo.

BENVOLIO.—Tus ojos no ven más que lo que les halaga. Vas a pesar ahora en tu balanza a una mujer más bella que ésa, y verás cómo tu señora pierde de los quilates de su peso, cotejada con ella.

ROMEO.—Iré, pero no quiero ver tal cosa, sino gozarme en la contemplación de mi cielo.

ESCENA III

En casa de Capuleto

(*La señora de* CAPULETO *y el* AMA)

SEÑORA.—Ama, ¿dónde está mi hija?

AMA.—Sea en mi ayuda mi probada paciencia de doce años. Ya la llamé. Cordero, Mariposa. Válgame Dios. ¿Dónde estará esta niña? Julieta...

JULIETA.—¿Quién me llama?

AMA.—Tu madre.

JULIETA.—Señora, aquí estoy. Dime qué sucede.

SEÑORA.—Sucede que... Ama, déjanos a solas un rato... Pero no, quédate. Deseo que oigas nuestra conversación. Mi hija está en una edad decisiva.

AMA.—Ya lo creo. No me acuerdo qué edad tiene exactamente.

SEÑORA.—Todavía no ha cumplido los catorce.

AMA. — Apostaría catorce dientes (¡ay de mí, no tengo más que cuatro!) a que no son catorce. ¿Cuándo llega el día de los Ángeles?

SEÑORA.—Dentro de dos semanas.

AMA.—Sean pares o nones, ese día, en anocheciendo, cumple Julieta años. ¡Válgame Dios! La misma edad tendrían ella y mi Susana. Bien, Susana ya está con Dios, no merecía yo tanta dicha. Pues como iba diciendo, cumplirá catorce años la tarde de los Ángeles. ¡Vaya si los cumplirá! Me acuerdo bien. Hace once años, cuando el terremoto, la quitamos el pecho. Jamás confundo aquel día con ningún otro del año. Debajo del palomar, sentada al sol, unté mi pecho con acíbar. Vos y mi amo estabais en Mantua. ¡Me acuerdo tan bien! Pues como digo, la tonta de ella, apenas probó el pecho y lo halló tan amargo, ¡qué furiosa se puso contra mí! ¡Temblaba el palomar! Once años van de esto. Ya se tenía en pie, ya corría... tropezando a veces. Por cierto que el día antes se había hecho un chichón en la frente, y mi marido (¡Dios le tenga en gloria!) con qué gracia levantó a la niña, y le dijo: "Vaya, ¿te has caído de frente? No caerás así cuando te entre el juicio. ¿Verdad, Julieta?" Sí, respondió la inocente limpiándose las lágrimas. El tiempo hace verdades las burlas. Mil años que viviera, me acordaría de esto. "¿No es verdad, Julieta?" y ella lloraba y decía que sí.

SEÑORA.—Basta ya. Cállate, por favor te lo pido.

AMA.—Me callaré, señora; pero no puedo menos de reírme, acordándome que dijo sí, y creo que tenía en la frente un chichón tamaño como un huevo, y lloraba que no había consuelo para ella.

JULIETA.—Cállate ya; te lo suplico.

AMA.—Bueno, me callaré. Dios te favorezca, porque eres la niña más hermosa que he criado nunca. ¡Qué grande sería mi placer en verla casada!

JULIETA.—Aún no he pensado en tanta honra.

AMA.—¡Honra! Pues si no fuera por haberte criado yo a mis pechos, te diría que habías mamado leche de discreción y sabiduría.

SEÑORA.—Ya puedes pensar en casarte. Hay en Verona madres de familia menores que tú, y yo misma lo era cuando apenas tenía tu edad. En dos palabras, aspira a tu mano el gallardo Paris.

AMA.—¡Niña mía! ¡Vaya un pretendiente! Si parece de cera.

SEÑORA.—No tiene flor más linda la primavera de Verona.

AMA.—¡Eso una flor! Sí que es flor, ciertamente.

SEÑORA.—Quiero saber si le amarás. Esta noche ha de venir. Verás escrito en su cara todo el amor que te profesa. Fíjate en su rostro y en la armonía de sus facciones. Sus ojos servirán de comentario a lo que haya de confuso en el libro de su persona. Este libro de amor, desencuadernado todavía, merece una espléndida cubierta. La mar se ha hecho para el pez. Toda belleza gana en contener otra belleza. Los áureos broches del libro esmaltan la áurea narración. Todo lo que él tenga, será tuyo. Nada perderás en ser su mujer.

AMA.—¿Nada? Disparate será el pensarlo.

SEÑORA.—Di si podrás llegar a amar a Paris.

JULIETA.—Lo pensaré, si es que el ver predispone a amar. Pero el dar-

do de mis ojos sólo tendrá la fuerza que le preste la obediencia. (*Entra un criado.*)
CRIADO.—Los huéspedes se acercan. La cena está pronta. Os llaman. La señorita hace falta. En la cocina están diciendo mil pestes del ama. Todo está dispuesto. Os suplico que vengais en seguida.
SEÑORA.—Vámomos tras ti, Julieta. El Conde nos espera.
AMA.—Niña, piensa bien lo que haces.

ESCENA IV

Calle

(ROMEO, MERCUTIO, BENVOLIO *y máscaras con teas encendidas*)

ROMEO.—¿Pronunciaremos el discurso que traíamos compuesto, o entraremos sin preliminares?
BENVOLIO.—Nada de rodeos. Para nada nos hace falta un Amorcillo de latón con venda por pañuelo, y con arco, espanta pájaros de doncellas. Para nada repetir con el apuntador, en voz medrosa, un prólogo inútil. Mídannos por el compás que quieran, y hagamos nosotros unas cuantas mudanzas de baile.
ROMEO.—Dadme una tea. No quiero bailar. El que está a oscuras necesita luz.
MERCUTIO.—Nada de eso, Romeo; tienes que bailar.
ROMEO.—No por cierto. Vosotros llevais zapatos de baile, y yo estoy como tres en un zapato, sin poder moverme.
MERCUTIO.—Pídele sus alas al Amor, y con ellas te levantarás de la tierra.
ROMEO.—Sus flechas me han herido de tal modo, que ni siquiera sus plumas bastan para levantarme. Me ha atado de tal suerte, que no puedo pasar la raya de mis dolores. La pesadumbre me ahoga.
MERCUTIO.—No has debido cargar con tanto peso al amor, que es muy delicado.
ROMEO.—¡Delicado el amor! Antes duro y fuerte y punzante como el cardo.
MERCUTIO.—Si es duro, sé tú duro con él. Si te hiere, hiérele tú, y verás cómo se da por vencido. Dadme un antifaz para cubrir mi rostro. ¡Una máscara sobre otra máscara!
BENVOLIO.—Llamad a la puerta, y cuando estemos dentro, cada uno baile como pueda.
ROMEO.—¡Una antorcha! Yo, imitando la frase de mi abuelo, seré quien lleve la luz en esta empresa, porque el gato escaldado huye del agua.
MERCUTIO.—De noche todos los gatos son pardos, como decía muy bien el Condestable. Nosotros te Si haces esto te salvaremos de tus miras. La luz se extingue.
ROMEO.—No por cierto.
MERCUTIO.—Mientras andamos en vanas palabras, se gastan las antorchas. Entiende tú bien lo que quiero decir.
ROMEO.—¿Tienes ganas de entrar en el baile? ¿Crees que eso tiene sentido?
MERCUTIO.—¿Y lo dudas?
ROMEO.—Tuve anoche un sueño.
MERCUTIO.—Y yo otro esta noche.
ROMEO.—¿Y a qué se reduce tu sueño?
MERCUTIO.—Comprendí la diferencia que hay del sueño a la realidad.
ROMEO.—En la cama fácilmente se sueña.
MERCUTIO.—Sin duda te ha visitado la reina Mab, nodriza de las hadas. Es tan pequeña como el ágata que brilla en el anillo de un re-

gidor. Su carroza va arrastrada por caballos leves como átomos, y sus radios son patas de tarántula, las correas son de gusano de seda, los frenos de rayos de luna: huesos de grillo e hilo de araña forman el látigo; y un mosquito de oscura librea, dos veces más pequeño que el insecto que la aguja sutil extrae del dedo de ociosa dama, guía el espléndido equipaje. Una cáscara de avellana forma el coche elaborado por la ardilla, eterna carpintera de las hadas. En ese carro discurre de noche y día por cabezas enamoradas, y les hace concebir vanos deseos, y anda por las cabezas de los cortesanos, y les inspira vanas cortesías. Corre por los dedos de los abogados, y sueñan con procesos. Recorre los labios de las damas, y sueñan con besos. Anda por las narices de los pretendientes, y sueñan que han alcanzado un empleo. Azota con la punta de un rabo de puerco las orejas del cura, produciendo en ellas sabroso cosquilleo, indicio cierto de beneficio o canonjía cercana. Se adhiere al cuello del soldado, y le hace soñar que vence y triunfa de sus enemigos y los degüella con su truculento acero toledano, hasta que oyendo los sones del cercano atambor, se despierta sobresaltado, reza un padre nuestro, y vuelve a dormirse. La reina Mab es quien enreda de noche las crines de los caballos, y enmaraña el pelo de los duendes, e infecta el lecho de la cándida virgen, y despierta en ella por primera vez impuros pensamientos.

ROMEO.—Basta, Mercutio. No prosigas en esa charla impertinente.

MERCUTIO.—De sueños voy hablando, fantasmas de la imaginación dormida, que en su vuelo excede la ligereza de los aires, y es más mudable que el viento.

BENVOLIO.—Tú sí que estás arrojando vientos y humo por esa boca. Ya nos espera la cena, y no es cosa de llegar tarde.

ROMEO.—Demasiado temprano llegaréis. Témome que las estrellas están de mal talante, y que mi mala suerte va a empezarse en este banquete, hasta que llegue la negra muerte a cortar esta inútil existencia. Pero en fin, el piloto de mi nave sabrá guiarla. Adelante, amigos míos.

BENVOLIO.—A son de tambores.

ESCENA V

Sala en casa de Capuleto

(MÚSICOS y CRIADOS)

CRIADO 1º—¿Dónde anda Cacerola, que ni limpia un plato, ni nos ayuda en nada?

CRIADO 2º—¡Qué pena me da ver la cortesía en tan pocas manos, y éstas sucias!

CRIADO 1º—Fuera los bancos, fuera el aparador. No perdáis de vista la plata. Guardadme un pedazo del pastel. Decid al portero que deje entrar a Elena y a Susana la molinera. ¡Cacerola!

CRIADO 2º—Aquí estoy, compañero.

CRIADO 1º—Todos te llaman a comparecer en la sala.

CRIADO 2º—No puedo estar en dos partes al mismo tiempo. Compañeros, acabad pronto, y el que quede sano, que cargue con todo. (Entran Capuleto, su mujer, Julieta, Teobaldo, y convidados con máscaras.)

CAPULETO.—Celebro vuestra venida. Os invitan al baile los ligeros pies de estas damas. A la danza, jóvenes. ¿Quién se resiste a tan imperiosa tentación? Ni siquiera la que por melindre dice que tiene callos. Bien venidos seais. En otro tiempo también yo gustaba de enmascararme, y decir al oído de las hermosas secretos que a veces no les desagradaban. Pero el tiempo llevó consigo tales flores. Celebro vuestra venida. Comience la música. ¡Que pasen delante las muchachas! *(Comienza el baile.)* ¡Luz, más luz! ¡Fuera las mesas! Nada de fuego, que harto calor hace. ¡Cómo te agrada el baile, picarillo! Una silla a mi primo, que nosotros no estamos para danzas. ¿Cuándo hemos dejado la máscara?

EL PRIMO DE CAPULETO.—¡Dios mío! Hace más de 30 años.

CAPULETO.—No tanto, primo. Si fue cuando la boda de Lucencio. Por Pentecostés hará 25 años.

EL PRIMO DE CAPULETO.—Más tiempo hace, porque su hijo ha cumplido los treinta.

CAPULETO.—¿Cómo, si, hace dos años, aún no había llegado a la mayor edad?

ROMEO.—*(A su criado.)* ¿Dime, qué dama es la que enriquece la mano de ese galán con tal tesoro?

CRIADO.—No la conozco.

ROMEO.—El brillo de su rostro afrenta al del sol. No merece la tierra tan soberano prodigio. Parece entre las otras como paloma entre grajos. Cuando el baile acabe, me acercaré a ella, y estrecharé su mano con la mía. No fue verdadero mi antiguo amor, que nunca belleza como ésta vieron mis ojos.

TEOBALDO.—Por la voz parece Montesco. *(Al criado.)* Tráeme la espada. ¿Cómo se atreverá ese malvado a venir con máscara a perturbar nuestra fiesta? Juro por los huesos de mi linaje que sin cargo de conciencia le voy a quitar la vida.

CAPULETO.—¿Por qué tanta ira, sobrino mío?

TEOBALDO.—Sin duda es un Montesco, enemigo jurado de mi casa, que ha venido aquí para burlarse de nuestra fiesta.

CAPULETO.—¿Es Romeo?

TEOBALDO.—El infame Romeo.

CAPULETO.—No más, sobrino. Es un perfecto caballero, y todo Verona se hace lenguas de su virtud, y aunque me dieras cuantas riquezas hay en la ciudad, nunca le ofendería en mi propia casa. Así lo pienso. Si en algo me estimas, ponle alegre semblante, que esa indignación y esa mirada torva no cuadran bien en una fiesta.

TEOBALDO.—Cuadra, cuando se introduce en nuestra casa tan ruin huésped. ¡No lo consentiré!

CAPULETO.—Sí lo consentirás. Te lo mando. Yo sólo tengo autoridad aquí. ¡Pues no faltaba más! ¡Favor divino! ¡Maltratar a mis huéspedes dentro de mi propia casa! ¡Armar quimera con ellos, sólo por echárselas de valiente!

TEOBALDO.—Tío, esto es una afrenta para nuestro linaje.

CAPULETO.—Lejos, lejos de aquí. Eres un rapaz incorregible. Cara te va a costar la desobediencia. ¡Ea, basta ya! Manos quedas... Traed luces... Yo te haré estar quedo. ¡Pues esto sólo faltaba! ¡A bailar, niñas!

TEOBALDO.—Mis carnes se estremecen en la dura batalla de mi repentino furor y mi ira comprimida. Me voy, porque esta injuria que hoy paso, ha de traer amargas hieles.

ROMEO.—*(Cogiendo la mano de Julieta.)* Si con mi mano he profanado tan divino altar, perdonadme. Mi boca borrará la mancha, cual peregrino ruboroso, con un beso.

JULIETA.—El peregrino ha errado la senda aunque parece devoto. El palmero sólo ha de besar manos de santo.

ROMEO.—¿Y no tiene labios el santo lo mismo que el romero?

JULIETA.—Los labios del peregrino son para rezar.

ROMEO.—¡Oh, qué santa! Truequen pues de oficio mis manos y mis labios. Rece el labio y concededme lo que pido.

JULIETA.—El santo oye con serenidad las súplicas.

ROMEO.—Pues oídme serena mientras mis labios rezan, y los vuestros me purifican. (La besa.)

JULIETA.—En mis labios queda la marca de vuestro pecado.

ROMEO.—¿Del pecado de mis labios? Ellos se arrepentirán con otro beso. (Torna a besarla.)

JULIETA.—Besáis muy santamente.

AMA.—Tu madre te llama.

ROMEO.—¿Quién es su madre?

AMA.—La señora de esta casa, dama tan sabia cómo virtuosa. Yo crié a su hija, con quien ahora poco estabais hablando. Mucho dinero necesita quien haya de casarse con ella.

ROMEO.—¿Con que es Capuleto? ¡Hado enemigo!

BENVOLIO.—Vámonos, que se acaba la fiesta.

ROMEO.—Harta verdad es, y bien lo siento.

CAPULETO.—No os vayáis tan pronto, amigos. Aún os espera una parca cena. ¿Os vais? Tengo que daros a todos las gracias. Buenas noches, hidalgos. ¡Luces, luces, aquí! Vámonos a acostar. Ya es muy tarde, primo mío. Vámonos a dormir. (Quedan solas Julieta y el Ama.)

JULIETA.—Ama, ¿sabes quién es este mancebo?

AMA.—El mayorazgo de Fiter.

JULIETA.—¿Y aquel otro que sale?

AMA.—El joven Petrucio, si no me equivoco.

JULIETA.—¿Y el que va detrás... aquel que no quiere bailar?

AMA.—Lo ignoro.

JULIETA.—Pues trata de saberlo. Y si es casado, el sepulcro será mi lecho de bodas.

AMA.—Es Montesco, se llama Romeo, único heredero de esa infame estirpe.

JULIETA.—¡Amor nacido del odio, harto pronto te he visto, sin conocerte! ¡Harto tarde te he conocido! Quiere mi negra suerte que consagre mi amor al único hombre a quien debo aborrecer.

AMA.—¿Qué estás diciendo?

JULIETA.—Versos, que me dijo uno bailando.

AMA.—Te están llamando. Ya va. No te detengas, que ya se han ido todos los huéspedes.

EL CORO.—Ved cómo muere en el pecho de Romeo la pasión antigua, y cómo la sustituye una pasión nueva. Julieta viene a eclipsar con su lumbre a la belleza que mataba de amores a Romeo. Él, tan amado como amante, busca en una raza enemiga su ventura. Ella ve pendiente de enemigo anzuelo el cebo sabroso del amor. Ni él ni ella pueden declarar su anhelo. Pero la pasión buscará medios y ocasión de manifestarse.

ACTO II

ESCENA PRIMERA

Plaza pública, cerca del jardín de Capuleto

(ROMEO, BENVOLIO y MERCUTIO)

ROMEO.—¿Cómo me he de ir de aquí, si mi corazón queda en esas tapias, y mi cuerpo inerte viene a buscar su centro?

BENVOLIO.—¡Romeo, primo mío!

MERCUTIO.—Sin duda habrá recobrado el juicio e ídose a acostar.

BENVOLIO.—Para acá viene: le he distinguido a lo lejos saltando la tapia de una huerta. Dadle voces, Mercutio.

MERCUTIO.—Le voy a exorcizar como si fuera el diablo. ¡Romeo, amante insensato, esclavo de la pasión! Ven en forma de suspiro amoroso: respóndeme con un verso solo en que aconsonen bienes con desdenes, y donde eches un requiebro a la madre del Amor y al niño ciego, que hirió con sus dardos al rey Cofetua, y le hizo enamorarse de una pobre zagala. ¿Ves? no me contesta ni da señales de vida. Conjúrote por los radiantes ojos, y por la despejada frente, y por los róseos labios, y por el breve pie y los llenos muslos de Rosalía, que te aparezcas en tu verdadera forma.

BENVOLIO.—Se va a enfadar, si te oye.

MERCUTIO.—Verás como no: se enfadaría, si me empeñase en encerrar a un demonio en el círculo de su dama, para que ella le conjurase; pero ahora veréis cómo no se enfada con tan santa y justa invocación, como es la del nombre de su amada.

BENVOLIO.—Sígueme: se habrá escondido en esas ramas para pasar la noche. El amor, como es ciego, busca tinieblas.

MERCUTIO.—Si fuera ciego, erraría casi siempre sus tiros.* Buenas noches, Romeo. Voyme a acostar, porque la yerba está demasiada fría para dormir. ¿Vámonos ya?

BENVOLIO.—Vamos, ¿a qué empeñarnos en buscar al que no quiere ser encontrado?

---

* Suprime un juego de palabras semiobsceno, y no de fácil traducción en castellano.

ESCENA II

Jardín de Capuleto

ROMEO.—¡Qué bien se burla del dolor ajeno quien nunca sintió dolores...! (*Pónese Julieta a la ventana.*) ¿Pero qué luz es la que asoma por allí? ¿El sol que sale ya por los balcones de oriente? Sal, hermoso sol, y mata de envidia con tus rayos a la luna, que está pálida y ojeriza porque vence tu hermosura cualquier ninfa de tu

coro. Por eso se viste de amarillo color. ¡Qué necio el que se arree con sus galas marchitas! ¡Es mi vida, es mi amor el que aparece! ¿Cómo podría yo decirla que es señora de mi alma? Nada me dijo. Pero ¿qué importa? Sus ojos hablarán, y yo responderé. ¡Pero qué atrevimiento es el mío, si no me dijo nada! Los dos más hermosos luminares del cielo la suplican que les sustituya durante su ausencia. Si sus ojos resplandecieran como astros en el cielo, bastaría su luz para ahogar los restantes como el brillo del sol mata el de una antorcha. ¡Tal torrente de luz brotaría de sus ojos, que haría despertar a las aves a media noche, y entonar su canción como si hubiese venido la aurora! Ahora pone la mano en la mejilla. ¿Quién pudiera tocarla como el guante que la cubre?

JULIETA.—¡Ay de mí!

ROMEO.—¡Habló! Vuelvo a sentir su voz. ¡Angel de amores que en medio de la noche te me apareces, cual nuncio de los cielos a la atónita vista de los mortales, que deslumbrados le miran traspasar con vuelo rapidísimo las esferas, y mecerse en las alas de las nubes!

JULIETA. — ¡Romeo, Romeo! ¿Por qué eres tú Romeo? ¿Por qué no reniegas del nombre de tu padre y de tu madre? Y si no tienes valor para tanto, ámame, y no me tendré por Capuleto.

ROMEO.—¿Qué hago, seguirla oyendo o hablar?

JULIETA.—No eres tú mi enemigo. Es el nombre de Montesco, que llevas. ¿Y qué quiere decir Montesco? No es pie ni mano ni brazo, ni semblante ni pedazo alguno de la naturaleza humana. ¿Por qué no tomas otro nombre? La rosa no dejaría de ser rosa, y de esparcir su aroma, aunque se llamase de otro modo. De igual suerte, mi querido Romeo, aunque tuviese otro nombre, conservaría todas las buenas cualidades de su alma, que no le vienen por herencia. Deja tu nombre, Romeo, y en cambio de tu nombre que no es cosa alguna sustancial, toma toda mi alma.

ROMEO.—Si de tu palabra me apodero, llámame tu amante, y creeré que me he bautizado de nuevo, y que he perdido el nombre de Romeo.

JULIETA.—¿Y quién eres tú que, en medio de las sombras de la noche, vienes a sorprender mis secretos?

ROMEO.—No sé de cierto mi nombre, porque tú aborreces ese nombre, amada mía, y si yo pudiera, lo arrancaría de mi pecho.

JULIETA.—Pocas palabras son las que aún he oído de esa boca, y sin embargo te reconozco. ¿No eres Romeo? ¿No eres de la familia de los Montescos?

ROMEO.—No seré ni una cosa ni otra, ángel mío, si cualquiera de las dos te enfada.

JULIETA.—¿Cómo has llegado hasta aquí, y para qué? Las paredes de esta puerta son altas y difíciles de escalar, y aquí podrías tropezar con la muerte, siendo quien eres, si alguno de mis parientes te hallase.

ROMEO.—Las paredes salté con las alas que me dio el amor, ante quien no resisten aun los muros de roca. Ni siquiera a tus parientes temo.

JULIETA.—Si te encuentran, te matarán.

ROMEO.—Más homicidas son tus ojos, diosa mía, que las espadas de veinte parientes tuyos. Mírame sin enojos, y mi cuerpo se hará invulnerable.

JULIETA.—Yo daría un mundo porque no te descubrieran.

ROMEO.—De ellos me defiende el velo tenebroso de la noche. Más quiero morir a sus manos, amándome tú, que esquivarlos y salvarme de ellos, cuando me falte tu amor.

JULIETA.—¿Y quien te guió aquí?

ROMEO.—El amor que me dijo dónde vivías. De él me aconsejé, él guió mis ojos que yo le había entregado. Sin ser nauchero, te juro que navegaría hasta la playa más remota de los mares por conquistar joya tan preciada.

JULIETA.—Si el manto de la noche no me cubriera, el rubor de virgen subiría a mis mejillas, recordando las palabras que esta noche me has oído. En vano quisiera corregirlas o desmentirlas... ¡Resistencias vanas! ¿Me amas? Sé que me dirás que sí, y que yo lo creeré. Y sin embargo, podrías faltar a tu juramento, porque dicen que Jove se ríe de los perjuros de los amantes. Si me amas de veras, Romeo, dilo con sinceridad, y si me tienes por fácil y rendida al primer ruego, dímelo también, para que me ponga esquiva y ceñuda, y así tengas que rogarme. Mucho te quiero, Montesco, mucho, y no me tengas por liviana, antes he de ser más firme y constante que aquellas que parecen desdeñosas porque son astutas. Te confesaré que más disimulo hubiera guardado contigo, si no me hubieses oído aquellas palabras que, sin pensarlo yo, te revelaron todo el ardor de mi corazón. Perdóname, y no juzgues ligereza este rendirme tan pronto. La soledad de la noche lo ha hecho.

ROMEO.—Júrote, amada mía, por los rayos de la luna que platean la copa de estos árboles...

JULIETA.—No jures por la luna, que en su rápido movimiento cambia de aspecto cada mes. No vayas a imitar su inconstancia.

ROMEO.—¿Pues por quién juraré?

JULIETA.—No hagas ningún juramento. Si acaso, jura por ti mismo, por tu persona que es el dios que adoro y en quien he de creer.

ROMEO.—¡Ojalá que el fuego de mi amor/...!

JULIETA.—No jures. Aunque me llene de alegría el verte, no quiero esta noche oír tales promesas que parecen violentas y demasiado rápidas. Son como el rayo que se extingue, apenas aparece. Aléjate ahora: quizá cuando vuelvas haya llegado a abrirse, animado por las brisas del estío, el capullo de esta flor. Adiós, ¡y ojalá aliente tu pecho en tan dulce calma como el mío!

ROMEO.—¿Y no me das más consuelo que ése?

JULIETA.—¿Y qué otro puedo darte esta noche?

ROMEO.—Tu fe por la mía.

JULIETA.—Antes te la di que tú acertaras a pedírmela. Lo que siento es no poder dártela otra vez.

ROMEO.—¿Pues qué? ¿Otra vez quisieras quitármela?

JULIETA.—Sí, para dártela otra vez, aunque esto fuera codicia de un bien que tengo ya. Pero mi afán de dártelo todo es tan profundo y tan sin límite como los abismos de la mar. ¡Cuanto más te doy, más quisiera darte!... Pero oigo ruido dentro. ¡Adiós! no engañes mi esperanza... Ama, allá voy... Guárdame fidelidad, Montesco mío. Espera un instante, que vuelvo en seguida.

ROMEO.—¡Noche, deliciosa noche! Sólo temo que, por ser de noche, no pase todo esto de un delicioso sueño.

JULIETA.—(Asomada otra vez a la ventana.) Sólo te diré dos palabras. Si el fin de tu amor es honrado, si quieres casarte, avisa mañana al mensajero que te enviaré, de cómo y cuándo quieres celebrar la sagrada ceremonia. Yo te sacrificaré mi vida e iré en pos de ti por el mundo.

AMA.—(Llamando dentro.) ¡Julieta!

JULIETA.—Ya voy. Pero si son torcidas tus intenciones, suplícote que...

AMA.—¡Julieta!

JULIETA. — Ya corro... Suplícote que desistas de tu empeño, y me dejes a solas con mi dolor. Mañana irá el mensajero...

ROMEO.—Por la gloria...

JULIETA.—Buenas noches.

ROMEO.—No. ¿Cómo han de ser buenas sin tus rayos? El amor va en busca del amor como el estudiante huyendo de sus libros, y el amor se aleja del amor como el niño que deja sus juegos para tornar al estudio.

JULIETA.—*(Otra vez a la ventana.)* ¡Romeo! ¡Romeo! ¡Oh, si yo tuviese la voz del cazador de cetrería, para llamar de lejos a los halcones! Si yo pudiera hablar a gritos, penetraría mi voz hasta en la gruta de la ninfa Eco, y llegaría a ensordecerla repitiendo el nombre de mi Romeo.

ROMEO.—¡Cuán grato suena el acento de mi amada en la apacible noche, protectora de los amantes! Más dulce es que música en oído atento.

JULIETA.—¡Romeo!

ROMEO.—¡Alma mía!

JULIETA.—¿A qué hora irá mi criado mañana?

ROMEO.—A las nueve.

JULIETA.—No faltará. Las horas se me harán siglos hasta que ésa llegue. No sé para qué te he llamado.

ROMEO.—¡Déjame quedar aquí hasta que lo pienses!

JULIETA.—Con el contento de verte cerca me olvidaré eternamente de lo que pensaba, recordando tu dulce compañía.

ROMEO.—Para que siga tu olvido no he de irme.

JULIETA.—Ya es de día. Vete... Pero no quisiera que te alejaras más que el breve trecho que consiente alejarse al pajarillo la niña que le tiene sujeto de una cuerda de seda, y que a veces le suelta de la mano, y luego le coge ansiosa, y le vuelve a soltar...

ROMEO.—¡Ojalá fuera yo ese pajarillo!

JULIETA.—¿Y qué quisiera yo sino que lo fueras? aunque recelo que mis caricias habían de matarte. ¡Adiós, adiós! Triste es la ausencia y tan dulce la despedida, que no sé cómo arrancarme de los hierros de esta ventana.

ROMEO.—¡Que el sueño descanse en tus dulces ojos y la paz en tu alma! ¡Ojalá fuera yo el sueño, ojalá fuera yo la paz en que se duerme tu belleza! De aquí voy a la celda donde mora mi piadoso confesor, para pedirle ayuda y consejo en este trance.

ESCENA III

Celda de fray Lorenzo

(FRAY LORENZO y ROMEO)

FRAY LORENZO.—Ya la aurora se sonríe mirando huir a la oscura noche. Ya con sus rayos dora las nubes de oriente. Huye la noche con perezosos pies, tropezando y cayendo como un beodo, al ver la lumbre del sol que se despierta y monta en el carro de Titán. Antes que tienda su dorada lumbre, alegrando el día y enjugando el llanto que vertió la noche, ha de llenar este cesto de bien olientes flores y de yerbas primorosas. La tierra es a la vez cuna y sepultura de la naturaleza, y su seno educa y nutre hijos de varia condición pero ninguno tan falto de virtud que no dé aliento o remedio o solaz al hombre. Extrañas son las virtudes que derramó la pródiga mano de la naturaleza, en piedras, plantas y yerbas. No hay ser inútil sobre la tierra, por vil y despreciable que parezca. Por el contrario, el ser más noble, si se emplea con mal fin, es dañino y abominable. El bien mismo se trueca en mal y el valor en vicio, cuando no sirve a un fin virtuoso. En esta flor que nace duermen escondidos a la vez medicina y veneno: los dos nacen del mismo origen, y su olor comunica deleite y vida a los sentidos, pero si se aplica al labio, esa misma flor tan aromosa mata el sentido. Así es el alma humana; dos monarcas imperan en ella, uno la humildad, otro la pasión; cuando ésta predomina, un gusano roedor consume la planta.

ROMEO.—Buenos días, padre.

FRAY LORENZO.—Él sea en tu guarda. ¿Quién me saluda con tan dulces palabras, al apuntar el día? Levantado y a tales horas, revela sin duda intranquilidad de conciencia, hijo mío. En las pupilas del anciano viven los cuidados veladores, y donde reina la inquietud ¿cómo habitará el sosiego? Pero en lecho donde reposa la juventud ajena de todo pesar y duelo, infunde en los miembros deliciosa calma el blando sueño. Tu visita tan de mañana me indica que alguna triste ocasión te hace abandonar tan pronto el lecho. Y si no... será que has pasado la noche desvelado.

ROMEO.—¡Eso es, y descansé mejor que durmiendo!

FRAY LORENZO.—Perdónete Dios. ¿Estuviste con Rosalía?

ROMEO.—¿Con Rosalía? Ya su nombre no suena dulce en mis oídos, ni pienso en su amor.

FRAY LORENZO.—Bien haces. Luego ¿dónde estuviste?

ROMEO.—Te lo diré sin ambages. En la fiesta de nuestros enemigos los Capuletos, donde a la vez herí y fui herido. Sólo tus manos podrán sanar a uno y otro contendiente. Y con esto verás que no conservo rencor a mi adversario, puesto que intercedo por él como si fuese amigo mío.

FRAY LORENZO.—Dime con claridad el motivo de tu visita, si es que puedo ayudarte en algo.

ROMEO.—Pues te diré en dos palabras que estoy enamorado de la hija del noble Capuleto, y que ella me corresponde con igual amor. Ya está concertado todo —sólo falta que vos bendigais esta unión. Luego os diré con más espacio dónde y cómo nos conocimos y nos juramos constancia eterna. Ahora lo que importa es que nos caséis al instante.

FRAY LORENZO.—¡Por vida de mi padre San Francisco! ¡Qué pronto olvidaste a Rosalía, en quien cifrabas antes tu cariño! El amor de los jóvenes nace de los ojos y no del corazón. ¡Cuánto lloraste por Rosalía! y ahora tanto amor y tanto enojo se ha disipado como el eco. Aún no ha disipado el sol los vapores de tu llanto. Aún resuenan en mis oídos tus quejas. Aún se ven en tu rostro las huellas de antiguas lágrimas. ¿No decías que era más bella y gentil que ninguna? y ahora te has mudado. ¡Y luego acusáis de inconstantes a las mujeres! ¿Cómo buscáis firmeza en ellas, si vosotros les dais el ejemplo de olvidar?

ROMEO.—¿Pero vos no reprobabais mi amor por Rosalía?

FRAY LORENZO.—Yo no reprobaba tu amor, sino tu idolatría ciega.

ROMEO.—¿Y no me dijisteis que hiciera todo lo posible por ahogar ese amor?

FRAY LORENZO.—Pero no para que de la sepultura de ese amor brotase otro amor nuevo y más ardiente.

ROMEO.—No os enojéis conmigo, porque mi señora me quiere tanto como yo a ella y con su amor responde al mío, y la otra no.

FRAY LORENZO.—Es que Rosalía quizá adivinara la ligereza de tu amor. Ven conmigo, inconstante mancebo. Yo te ayudaré a conseguir lo que deseas para que esta boda sea lazo de amistad que extinga el rencor de vuestras familias.

ROMEO.—Vamos, pues, sin detenernos.

FRAY LORENZO.—Vamos con calma para no tropezar.

ESCENA IV

Calle

(BENVOLIO y MERCUTIO)

MERCUTIO.--¿Dónde estará Romeo? ¿Pareció anoche por su casa?

BENVOLIO.—Por casa de su padre no estuvo. Así me lo ha dicho su criado.

MERCUTIO.—¡Válgame Dios! Esa pálida muchachuela, esa Rosalía de duras entrañas acabará por tornarle loco.

BENVOLIO.—Teobaldo, el primo de Capuleto, ha escrito una carta al padre de Romeo.

MERCUTIO.—Sin duda será cartel de desafío.

BENVOLIO.—Pues Romeo es seguro que contestará.

MERCUTIO.—Todo el mundo puede responder a una carta.

BENVOLIO.—Quiero decir que Romeo sabrá tratar como se merece al dueño de la carta.

MERCUTIO.—¡Pobre Romeo! Esa rubia y pálida niña le ha atravesado el corazón a estocadas, le ha traspasado los oídos con una canción de amor, y el centro del alma con las anchas flechas del volador Cupido... ¿Y quién resistirá a Teobaldo?

BENVOLIO.—¿Quién es Teobaldo?

MERCUTIO.—Algo más que el rey de los gatos; es el mejor y más diestro esgrimidor. Maneja la espada como tú la lengua, guardando tiempo, distancia y compás. Gran cortador de ropillas. Espadachín, espadachín de profesión, y muy enterado del *inmortal passato*, del *punto reverso* y del *par*.

BENVOLIO.—¿Y qué quieres decir con eso?

MERCUTIO.—Mala landre devore a esos nuevos elegantes que han venido con gestos y cortesías a reformar nuestras antiguas costumbres. "¡Qué buena espada, qué buen mozo, qué hermosa mujer!" Decidme, abuelos míos, ¿no es mala vergüenza que estemos llenos de estos moscones extranjeros, estos *pardonnez moi*, tan ufanos con sus nuevas galas y tan despreciadores de lo antiguo? ¡Oh, necedad insigne! *(Sale Romeo.)*

BENVOLIO.—¡Aquí tienes a Romeo! ¡Aquí tienes a Romeo!

MERCUTIO.—Bien roma trae el alma. No eres carne ni pescado. ¡Oh materia digna de los versos del Petrarca! Comparada con su amor, Laura era una fregona, sino que tuvo mejor poeta que la celebrase; Dido una zagala, Cleopatra una gitana, Hero y Elena dos rameras, y Ciste, a pesar de sus negros ojos, no podría competir con la suya. *Bon jour*, Romeo. Saludo francés corresponde a vuestras calzas francesas. Anoche nos dejaste en blanco.

ROMEO.—¿Qué dices de dejar en blanco?

MERCUTIO.—Que te despediste a la francesa. ¿Lo entiendes ahora?

ROMEO.—Perdón, Mercutio. Tenía algo que hacer, y no estaba el tiempo para cortesías.

MERCUTIO.—¿De suerte que tú también las usas a veces y doblas las rodillas?

ROMEO.—Luego no soy descortés, porque eso es hacer genuflexiones.

MERCUTIO.—Dices bien.

ROMEO.—Pero aquello de que hablábamos es cortesía y no genuflexión.

MERCUTIO.—Es que yo soy la flor de la cortesía.

ROMEO.—¿Cómo no dices la flor y nata?

MERCUTIO.—Porque la nata la dejo para ti.*

ROMEO.—Cállate.

MERCUTIO.—¿Y no es mejor esto que andar en lamentaciones exóticas? Ahora te reconozco: eres Romeo, nuestro antiguo y buen amigo. Andabas hecho un necio con ese amor insensato. (*Entran Pedro y el Ama.*)

MERCUTIO.—Vela, vela.

BENVOLIO.—Y son dos: una saya y un sayal.

AMA.—¡Pedro!

PEDRO.—¿Qué?

AMA.—Tráeme el abanico.

MERCUTIO. — Dáselo, Pedro, que siempre será más agradable mirar su abanico que su cara.

AMA.—Buenas tardes, señores.

MERCUTIO.—Buenas tardes, hermosa dama.

AMA.—¿Pues hemos llegado a la tarde?

MERCUTIO.—No, pero la mano lasciva del reloj está señalando las doce.

AMA.—¡Jesús, qué hombre!

MERCUTIO.—Un hombre que Dios crió, para que luego echase él mismo a perder la obra divina.

AMA.—Bien dicho. Para que echase su obra a perder... ¿Pero me podría decir alguno de vosotros dónde está el joven Romeo?

ROMEO.—Yo te lo podré decir, y por cierto que ese joven será ya más viejo cuando le encontréis, qué cuando empezabais a buscarlo. Yo soy Romeo, a falta de otro más joven.

AMA.—¿Lo decís de veras?

MERCUTIO.—¿Conque a falta de otro

mejor, os parece joven? Discretamente lo entendéis.

AMA.—Si verdaderamente sois Romeo, tengo que deciros secretamente una palabra.

BENVOLIO.—Si querrá citarle para esta noche...

MERCUTIO.—¿Es una alcahueta, una perra?... ¡Oh, oh!...

ROMEO.—¿Qué ruido es ése?

MERCUTIO.—No es que haya encontrado yo ninguna liebre, ni es cosa de seguir la liebre, aunque como dice el cantar: "En cuaresma bien se puede comer una liebre vieja, pero tan vieja llega a podrirse, si se la guarda, que no hay quien la pueda mascar." ¿Vas a casa de tu padre, Romeo? Allá iremos a comer.

ROMEO.—Voy con vosotros.

MERCUTIO.—Adiós, hermosa vieja; hermosa, hermosa, hermosa. (*Vanse él y Benvolio.*)

AMA.—Bendito sea Dios, que ya se fue éste. ¿Me podríais decir (*a Romeo*) quién es este majadero, tan pagado de sus chistes?

ROMEO.—Ama, es un amigo mío que se escucha a sí mismo y gusta de reírse sus gracias, y que habla más en una hora que lo que escuchas tú en un mes.

AMA.—Pues si se atreve a hablar mal de mí, él me lo pagará, aunque vengan en su ayuda otros veinte de su calaña. Y si yo misma no puedo, otros sacarán la cara por mí. Pues no faltaba más. ¡El grandísimo impertinente! ¿Si creerá que yo soy una mujer de ésas?... Y tú (*a Pedro*) que estás ahí tan reposado, y dejas que cualquiera me insulte.

PEDRO.—Yo no he visto que nadie os insulte, porque si lo viera, no tardaría un minuto en sacar mi espada. Nadie me gana en valor cuando mi causa es justa, y cuando me favorece la ley.

AMA.—¡Válgame Dios! todavía me dura el enojo y las carnes me tiemblan... Una palabra sola, caballero. Como iba diciendo, mi

---

* Siguen otros juegos de palabras difíciles de poner en castellano, so pena de sustituir otros.

señorita me manda con un recado para vos. No voy a repetiros todo lo que me ha dicho. Pero si vuestro objeto es engañarla, ciertamente que será cosa indigna, porque mi señorita es una muchacha joven, y el engañarla sería muy mala obra, y no tendría perdón de Dios.

ROMEO.—Ama, puedes jurar a tu señora que...

AMA.—¡Bien, bien, así se lo diré, y ha de alegrarse mucho!...

ROMEO.—¿Y qué le vas a decir, si todavía no me has oído nada?

AMA.—Le diré que protestáis, lo cual, a fe mía, es obrar como caballero.

ROMEO.—Dile que invente algún pretexto para ir esta tarde a confesarse al convento de Fray Lorenzo, y él nos confesará y casará. Toma este regalo.

AMA.—No aceptaré ni un dinero, señor mío.

ROMEO.—Yo te lo mando.

AMA.—¿Conque esta tarde? Pues no faltará.

ROMEO.—Espérame detrás de las tapias del convento, y antes de una hora, mi criado te llevará una escala de cuerdas para poder yo subir por ella hasta la cima de mi felicidad. Adiós y séme fiel. Yo te lo premiaré todo. Mis recuerdos a Julieta.

AMA.—Bendito seáis. Una palabra más.

ROMEO.—¿Qué, ama?

AMA.—¿Es de fiar vuestro criado? ¿Nunca oísteis que a nadie fía - sus secretos el varón prudente?

ROMEO.—Mi criado es fiel como el oro.

AMA.—Bien, caballero. No hay señorita más hermosa que la mía. ¡Y si la hubierais conocido cuando pequeña!... ¡Ah! Por cierto que hay en la ciudad un tal Paris que de buena gana la abordaría. Pero ella, bendita sea su alma, más quisiera a un sapo feísimo que a él. A veces me divierto en enojarla, diciéndole que Paris es mejor mozo que vos, y ¡si vierais cómo se pone entonces! Mas pálida que la cera. Decidme ahora: ¿Romero y Romeo no tienen la misma letra inicial?

ROMEO.—Verdad es que ambos empiezan por R.

AMA.—Eso es burla. Yo sé que vuestro nombre empieza con otra letra menos áspera... ¡Si vierais qué graciosos equívocos hace con vuestro nombre y con Romero! Gusto os diera oírla.

ROMEO.—Recuerdos a Julieta.

AMA.—Sí que se los daré mil veces. ¡Pedro!

PEDRO.—¡Qué!

AMA.—Toma el abanico, y guíame.

ESCENA V

Jardín de Capuleto

(JULIETA y el AMA)

JULIETA.—Las nueve eran cuando envié al ama, y dijo que antes de media hora volvería. ¿Si no lo habrá encontrado? ¡Pero sí! ¡Qué torpe y perezosa! Sólo el pensamiento debiera ser nuncio del amor. Él corre más que los rayos del sol cuando ahuyentan las sombras de los montes. Por eso pintan al amor con alas. Ya llega el sol a la mitad de su carrera. Tres horas van pasadas desde las nueve a las doce, y él no vuelve todavía. Si ella tuviese sangre juvenil y alma, volvería con las palabras de su boca; pero la vejez es pesada como un plomo. (Salen el Ama y Pedro.) ¡Gracias a Dios que viene! Ama mía, querida ama... ¿qué noticias traes? ¿Hablaste con él? Que se vaya Pedro.

AMA.—Vete, Pedro.

JULIETA.—Y bien, ama querida. ¡Qué triste estás! ¿Acaso traes malas noticias? Dímelas, a lo menos, con rostro alegre. Y si son buenas, no las eches a perder con esa mirada torva.

AMA.—Muy fatigada estoy. ¡Qué quebrantados están mis huesos!

JULIETA.—¡Tuvieras tus huesos tú y yo mis noticias! Habla por Dios, ama mía.

AMA.—¡Señor, qué prisa! Aguarda un poco. ¿No me ves sin aliento?

JULIETA.—¿Cómo sin aliento, cuándo te sobra para decirme que no le tienes? Menos que en volverlo a decir, tardarías en darme las noticias. ¿Las traes buenas o malas?

AMA.—¡Que mala elección de marido has tenido! ¡Vaya, que el tal Romeo! Aunque tenga mejor cara que los demás, todavía es mejor su pie y su mano y su gallardía. No diré que la flor de los cortesanos, pero tengo para mí que es humilde como una oveja. ¡Bien has hecho, hija! y que Dios te ayude. ¿Has comido en casa?

JULIETA.—Calla, calla: eso ya me lo sabía yo. ¿Pero que hay de la boda? dímelo.

AMA.—¡Jesús! ¡qué cabeza la mía! Pues, y la espalda... ¡Cómo me mortifican los riñones! ¡La culpa es tuya que me haces andar por esos andurriales, abriéndome la sepultura antes de tiempo.

JULIETA.—Mucho siento tus males, pero acaba de decirme, querida ama, lo que te contestó mi amor.

AMA.—Habló como un caballero lleno de discreción y gentileza; puedes creerme. ¿Dónde está tu madre?

JULIETA.—¿Mi madre? Allá dentro. ¡Vaya una pregunta!

AMA.—¡Válgame Dios! ¿Te enojas conmigo? ¡Buen emplasto para curar mis quebraduras! Otra vez vas tú misma a esas comisiones.

JULIETA.—Pero ¡qué confusión! ¿Qué es en suma lo que te dijo Romeo?

AMA.—¿Te dejarán ir sola a confesar?

JULIETA.—Sí.

AMA.—Pues allí mismo te casarás. Vete a la celda de Fray Lorenzo. Ya se cubren de rubor tus mejillas con tan sencilla nueva. Vete al convento. Yo iré por otra parte a buscar la escalera, con que tu amante ha de escalar el nido del amor. A la celda, pues, y yo a comer.

JULIETA.—¡Y yo a mi felicidad, ama mía!

ESCENA VI

Celda de Fray Lorenzo

(FRAY LORENZO y ROMEO)

FRAY LORENZO.—¡El cielo mire con buenos ojos la ceremonia que vamos a cumplir, y no nos castigue por ella en adelante!

ROMEO.—¡Así sea, así sea! Pero por muchas penas que vengan no bastarán a destruir la impresión de este momento de ventura. Junta nuestras manos, y con tal que yo pueda llamarla mía, no temeré ni siquiera a la muerte, verdugo del amor.

FRAY LORENZO.—Nada violento es duradero: ni el placer ni la pena: ellos mismos se consumen como el fuego y la pólvora al usarse. La excesiva dulcedumbre de la miel empalaga al labio. Ama, pues, con templanza. *(Sale Julieta.)* Aquí está la dama; su pie es tan leve que no desgastará nunca la eterna roca; tan ligera que puede correr sobre las telas de araña sin romperlas.

JULIETA.—Buenas tardes, reverendo confesor.

FRAY LORENZO.—Romeo te dará las gracias en nombre de los dos.

JULIETA.—Por eso le he incluido en el saludo. Si no, pecaría él de exceso de cortesía.

ROMEO.—¡Oh, Julieta! Si tu dicha es como la mía y puedes expre-

sarla con más arte, alegra con tus palabras el aire de este aposento y deja que tu voz proclame la ventura que hoy agita el alma de los dos.

JULIETA.—El verdadero amor es más pródigo de obras que de palabras: más rico en la esencia que en la forma. Sólo el pobre cuenta su caudal. Mi tesoro es tan grande que yo no podría contar ni siquiera la mitad.

FRAY LORENZO.—Acabemos pronto. No os dejaré solos hasta que os ligue la bendición nupcial.

ACTO III

ESCENA PRIMERA

Plaza de Verona

(MERCUTIO, BENVOLIO)

BENVOLIO.—Amigo Mercutio, pienso que debíamos refrenarnos, porque hace mucho calor, y los Capuletos andan encalabrinados, y ya sabes que en verano hierve mucho la sangre.

MERCUTIO.—Tú eres uno de esos hombres que cuando entran en una taberna, ponen la espada sobre la mesa, como diciendo: "ojalá que no te necesite", y luego, a los dos tragos, la sacan, sin que nadie les provoque.

BENVOLIO.—¿Dices que yo soy de ésos?

MERCUTIO.—Y de los más temibles espadachines de Italia, tan fácil de entrar en cólera como de provocar a los demás.

BENVOLIO.—¿Por qué dices eso?

MERCUTIO.—Si hubiera otro como tú, pronto os mataríais. Capaz eres de reñir por un solo pelo de la barba. Donde nadie vería ocasión de camorra, la ves tú. Llena está de riña tu cabeza, como de yema un huevo, y eso que a porrazos te han puesto tan blanda como una yema, la cabeza. Reñiste con uno porque te vio en la calle y despertó a tu perro que estaba durmiendo al sol. Y con un sastre porque estrenó su ropa nueva antes de Pascua, y con otro porque ataba sus zapatos con cintas viejas. ¿Si vendrás tú a enseñarme moderación y prudencia?

BENVOLIO.—Si yo fuera tan camorrista como tú, ¿quién me asegu-

raría la vida ni siquiera un cuarto de hora?... Mira, aquí vienen los Capuletos.

MERCUTIO.—¿Y qué se me da a mí, vive Dios?

(Teobaldo y otros.)

TEOBALDO.—Estad cerca de mí, que tengo que decirles dos palabras. Buenas tardes, hidalgos. Quisiera hablar con uno de vosotros.

MERCUTIO.—¿Hablar solo? más valiera que la palabra viniese acompañada de algo, v. g., de un golpe.

TEOBALDO.—Hidalgo, no dejaré de darle si hay motivo.

MERCUTIO.—¿Y no podéis encontrar motivo sin que os lo den?

TEOBALDO.—Mercutio, tú estás de acuerdo con Romeo.

MERCUTIO.—¡De acuerdo! ¿Has creído que somos músicos? Pues aunque lo seamos, no dudes que en esta ocasión vamos a desafinar. Yo te haré bailar con mi arco de violín. ¡De acuerdo! ¡Válgame Dios!

BENVOLIO.—Estamos entre gentes. Buscad pronto algún sitio retirado, donde satisfaceros, o desocupad la calle, porque todos nos están mirando.

MERCUTIO.—Para eso tienen ojos. No me voy de aquí por dar gusto a nadie.

TEOBALDO.—Adiós, señor. Aquí está el doncel que buscábamos. *(Entra Romeo.)*

MERCUTIO.—Mátenme si él lleva los colores de vuestro escudo. Aunque de fijo os seguirá al campo, y por eso le llamáis doncel.

TEOBALDO.—Romeo, sólo una palabra me consiente decirte el odio que te profeso. Eres un infame.

ROMEO.—Teobaldo, tales razones tengo para quererte que me hacen perdonar hasta la bárbara grosería de ese saludo. Nunca he sido infame. No me conoces. Adiós.

TEOBALDO.—Mozuelo imberbe, no intentes cobardemente excusar los agravios que me has hecho. No te vayas, y defiéndete.

ROMEO.—Nunca te agravié. Te lo afirmo con juramento. Al contrario, hoy te amo más que nunca, y quizá sepas pronto la razón de este cariño. Vete en paz, buen Capuleto, nombre que estimo tanto como el mío.

MERCUTIO.—¡Qué extraña cobardía! Decídanlo las estocadas. Teobaldo, espadachín, ¿quieres venir conmigo?

TEOBALDO.—¿Qué me quieres?

MERCUTIO.—Rey de los gatos, sólo quiero una de tus siete vidas, y luego aporrearte a palos las otras seis. ¿Quieres tirar de las orejas a tu espada, y sacarla de la vaina? Anda presto, porque si no, la mía te calentará tus orejas antes que la saques.

TEOBALDO.—Soy contigo.

ROMEO.—Detente, amigo Mercutio.

MERCUTIO.—Adelante, hidalgo. Enseñadme ese quite. (Se baten.)

ROMEO.—Saca la espada, Benvolio. Separémoslos. ¡Qué afrenta, hidalgos! ¡Oíd, Teobaldo! ¡Oye, Mercutio! ¿No sabéis que el Príncipe ha prohibido sacar la espada en las calles de Verona? Deteneos, Teobaldo y Mercutio. (Se van Teobaldo y sus amigos.)

MERCUTIO.—Mal me han herido. ¡Mala peste a Capuletos y Montescos! Me hirieron y no los herí.

ROMEO.—¿Te han herido?

MERCUTIO.—Un arañazo, nada más, un arañazo, pero necesita cura. ¿Dónde está mi paje, para que me busque un cirujano? (Se va el paje.)

ROMEO.—No temas. Quizá sea leve la herida.

MERCUTIO.—No es tan honda como un pozo, ni tan ancha como el pórtico de una iglesia, pero basta. Si mañana preguntas por mí, verásme tan callado como un muerto. Ya estoy escabechado para el otro mundo. Mala landre devore a vuestras dos familias. ¡Vive Dios! ¡Que un perro, una rata, un ratón, un gato mate así a un hombre! Un matón, un pícaro, que pelea contra los ángulos y reglas de la esgrima. ¿Para qué te pusiste a separarnos? Por debajo de tu brazo me ha herido.

ROMEO.—Fue con buena intención.

MERCUTIO.—Llévame de aquí, Benvolio, que me voy a desmayar. ¡Mala landre devore a entrambas casas! Ya soy una gusanera. ¡Maldita sea la discordia de Capuletos y Montescos! (Vanse.)

ROMEO.—Por culpa mía sucumbe este noble caballero, tan cercano deudo del Príncipe. Estoy afrentado por Teobaldo, por Teobaldo que ha de ser mi pariente dentro de poco. Tus amores, Julieta, me han quitado el brío y ablandado el temple de mi acero.

BENVOLIO (que vuelve).—¡Ay, Romeo! Mercutio ha muerto. Aquella alma audaz, que hace poco despreciaba la tierra, se ha lanzado ya a las nubes.

ROMEO.—Y de este día sangriento nacerán otros que extremarán la copia de mis males.

BENVOLIO.—Por allí vuelve Teobaldo.

ROMEO.—Vuelve vivo y triunfante. ¡Y Mercutio muerto! Huye de mí, dulce templanza. Sólo la ira guíe mi brazo. Teobaldo, ese mote de infame que tú me diste, yo te lo devuelvo ahora, porque el alma de Mercutio está desde las nubes llamando a la tuya, y tú o yo o los dos hemos de seguirle forzosamente.

TEOBALDO.—Pues vete a acompañarle tú, necio, que con él ibas siempre.

ROMEO.—Ya lo decidirá la espada. *(Se baten, y cae herido Teobaldo.)*

BENVOLIO.—Huye, Romeo. La gente acude y Teobaldo está muerto. Si te alcanzan, vas a ser condenado a muerte. No te detengas como pasmado. Huye, huye.

ROMEO.—Soy triste juguete de la suerte.

BENVOLIO.—Huye, Romeo. *(Acude gente.)*

CIUDADANO 1º—¿Por dónde habrá huido Teobaldo, el asesino de Mercutio?

BENVOLIO.—Ahí yace muerto Teobaldo.

CIUDADANO 1º—Seguidme todos. En nombre del Príncipe lo mando. *(Entran el Príncipe con sus guardias, Montescos, Capuletos, etc.)*

EL PRÍNCIPE.—¿Dónde están los promovedores de esta reyerta?

BENVOLIO.—Ilustre Príncipe, yo puedo referiros todo lo que aconteció. Teobaldo mató al fuerte Mercutio, vuestro deudo, y Romeo mató a Teobaldo.

LA SEÑORA DE CAPULETO.—¡Teobaldo! ¡Mi sobrino, hijo de mi hermano! ¡Oh, Príncipe! un Montesco ha asesinado a mi deudo. Si sois justo, dadnos sangre por sangre. ¡Oh, sobrino mío!

PRÍNCIPE.—Dime con verdad, Benvolio. ¿Quién comenzó la pelea?

BENVOLIO.—Teobaldo, que luego murió a manos de Romeo. En vano Romeo con dulces palabras le exhortaba a la concordia, y le traía al recuerdo vuestras ordenanzas: todo esto con mucha cortesía y apacible ademán. Nada bastó a calmar los furores de Teobaldo, que ciego de ira, arremetió con el acero desnudo contra el infeliz Mercutio. Mercutio le resiste primero a hierro, y apartando de sí la suerte, quiere arrojarla del lado de Teobaldo. Este le esquiva con ligereza. Romeo se interpone, clamando: "Paz, paz, amigos." En pos de su lengua va su brazo a interponerse entre las armas matadoras, pero de súbito, por debajo de ese brazo, asesta Teobaldo una estocada que arrebata la vida al pobre Mercutio; Teobaldo huye a toda prisa, pero a poco rato vuelve, y halla a Romeo, cuya cólera estalla. Arrójanse como rayos al combate, y antes de poder atravesarme yo, cae Teobaldo y huye Romeo. Esta es la verdad lisa y llana, por vida de Benvolio.

LA SEÑORA DE CAPULETO.—No ha dicho verdad. Es pariente de los Montescos, y la afición que les tiene le ha obligado a mentir. Más de veinte espadas se desenvainaron contra mi pobre sobrino. Justicia, Príncipe. Si Romeo mató a Teobaldo, que muera Romeo.

PRÍNCIPE.—Él mató a Mercutio, según se infiere del relato. ¿Y quién pide justicia, por una sangre tan cara?

MONTESCO.—No era Teobaldo el deudor, aunque fuese amigo de Mercutio, ni debía haberse tomado la justicia por su mano, hasta que las leyes decidiesen.

PRÍNCIPE.—En castigo, yo te destierro. Vuestras almas están cegadas por el encono, y a pesar vuestro he de haceros llorar la muerte de mi deudo. Seré inaccesible a lágrimas y a ruegos. No me digáis palabra. Huya ROMEO: porque si no huye, le alcanzará la muerte. Levantad el cadáver. No sería clemencia perdonar al homicida.

ESCENA II

Jardín en casa de Capuleto

(JULIETA y el AMA)

JULIETA.—Corred, corred a la casa de Febo, alados corceles del Sol. El látigo de Faetón os lance al ocaso. Venga la dulce noche a tender sus espesas cortinas. Cierra ¡oh Sol! tus penetrantes ojos, y deja que en el silencio venga a mí mi Romeo, e invisible se lance en mis brazos. El amor es ciego y ama la noche, y a su luz misteriosa cumplen sus citas los amantes. Ven, majestuosa noche, matrona de humilde y negra túnica, y enséñame a perder en el blando juego, donde las vírgenes empeñan su castidad. Cubre con tu manto la pura sangre que arde en mis mejillas. Ven, noche; ven, Romeo, tú que eres mi día en medio de esta noche, tú que ante sus tinieblas pareces un copo de nieve sobre las negras alas del cuervo. Ven, tenebrosa noche, amiga de los amantes, y vuélveme a mi Romeo. Y cuando muera, convierte tú cada trozo de su cuerpo en una estrella relumbrante, que sirva de adorno a tu manto, para que todos se enamoren de la noche, desenamorándose del Sol. Ya he adquirido el castillo de mi amor, pero aún no le poseo. Ya estoy vendida, pero no entregada a mi señor. ¡Qué día tan largo! tan largo como víspera de domingo para el niño que ha de estrenar en él un traje nuevo. Pero aquí viene mi ama, y me traerá noticias de él. (Llega el ama con una escala de cuerdas.) Ama, ¿qué noticias traes? ¿Esa es la escala que te dijo Romeo?

AMA.—Sí, ésta es la escala.

JULIETA.—¡Ay, Dios! ¿Qué sucede? ¿Por qué tienes las manos cruzadas?

AMA.—¡Ay, señora! murió, murió. Perdidas somos. No hay remedio... Murió. Le mataron... Está muerto.

JULIETA.—¿Pero cabe en el mundo tal maldad?

AMA.—En Romeo cabe. ¿Quién pudiera pensar tal cosa de Romeo?

JULIETA.—¿Y quién eres tú, demonio, que así vienes a atormentarme? Suplicio igual sólo debe de haberle en el infierno. Dime, ¿qué pasa? ¿Se ha matado Romeo? Dime que sí, y esta palabra basta Será más homicida que mirada de basilisco. Di que sí o que no, que vive o que muere. Con una palabra puedes calmar o serenar mi pena.

AMA.—Sí: yo he visto la herida. La he visto por mis ojos. Estaba muerto: amarillo como la cera, cubierto todo de grumos de sangre cuajada. Yo me desmayé al verle.

JULIETA.—¡Estalla, corazón mío, estalla! ¡Ojos míos, yaceréis desde ahora en prisión tenebrosa, sin tornar a ver la luz del día! ¡Tierra, vuelve a la tierra! Sólo resta morir, y que un mismo túmulo cubra mis restos y los de Romeo.

AMA.—¡Oh, Teobaldo amigo mío, caballero sin igual, Teobaldo! ¿Por qué he vivido yo para verte muerto?

JULIETA.—Pero ¡qué confusión es ésta en que me pones! ¿Dices que Romeo ha muerto, y que ha muerto Teobaldo, mi dulce primo? Toquen, pues, la trompeta del juicio final. Si esos dos han muerto, ¿qué importa que vivan los demás?

AMA.—A Teobaldo mató Romeo, y éste anda desterrado.

JULIETA.—¡Válgame Dios! ¿Conque Romeo derramó la sangre de Teobaldo? ¡Alma de sierpe, oculta bajo capa de flores! ¿Qué dragón tuvo jamás tan espléndida gruta? Hermoso tirano, demonio angelical, cuervo con plumas de paloma, cordero rapaz como lobo, materia vil de forma celeste, santo maldito, honrado criminal, ¿en qué pensabas, naturaleza de los infiernos, cuando encerraste en el paraíso de ese cuerpo el alma de un condenado? ¿Por qué encuadernaste tan bellamente un libro de tan perversa lectura? ¿Cómo en tan magnífico palacio pudo habitar la traición y el dolo?

AMA.—Los hombres son todos unos. No hay en ellos verdad, ni fe, ni constancia. Malvados, pérfidos, trapaceros... ¿Dónde está mi escudero? Dame unas gotas de licor. Con tantas penas voy a envejecer antes de tiempo. ¡Qué afrenta para Romeo!

JULIETA.—¡Maldita la lengua que tal palabra osó decir! En la noble cabeza de Romeo no es posible deshonra. En su frente reina el honor como soberano monarca. ¡Qué necia yo que antes decía mal de él!

AMA.—¿Cómo puedes disculpar al que mató a tu primo?

JULIETA.—¿Y cómo he de decir mal de quien es mi esposo? Mató a mi primo, porque si no, mi primo le hubiera matado a él. ¡Atrás, lágrimas mías, tributo que erradamente ofrecí al dolor, en vez de ofrecerle al gozo! Vive mi esposo, a quien querían dar muerte, y su matador yace por tierra. ¿A qué es el llanto? Pero creo haberte oído otra palabra que me angustia mucho más que la muerte de Teobaldo. En vano me esfuerzo por olvidarla. Ella pesa sobre mi conciencia, como puede pesar en el alma de un culpable el remordimiento. Tú dijiste que Teobaldo había sido muerto y Romeo desterrado. Esta palabra *desterrado* me pesa más que la muerte de diez mil Teobaldos. ¡No bastaba con la muerte de Teobaldo, o es que las penas se deleitan con la compañía y nunca vienen solas! ¿Por qué cuando dijiste: "ha muerto Teobaldo", no añadiste: "tu padre o tu madre, o los dos"? Aun entonces no hubiera sido mayor mi pena. ¡Pero decir: *Romeo desterrado!* Esta palabra basta a causar la muerte a mi padre y a mi madre, y a Romeo y a Julieta. "¡Desterrado Romeo!" Dime, ¿podrá encontrarse término o límite a la profundidad de este abismo? ¿Dónde están mi padre y mi madre? Dímelo.

AMA.—Llorando sobre el cadáver de Teobaldo. ¿Quieres que te acompañe allá?

JULIETA.—Ellos con su llanto enjugarán las heridas. Yo entre tanto lloraré por el destierro de Romeo. Toma tú esa escalera, a quien su ausencia priva de su dulce objeto. Ella debía haber sido camino para mi lecho nupcial. Pero yo moriré virgen y casada. ¡Adiós, escala de cuerda! ¡Adiós, nodriza! Me espera el tálamo de la muerte.

AMA.—Retírate a tu aposento. Voy a buscar a Romeo sin pérdida de tiempo. Está escondido en la celda de fray Lorenzo. Esta noche vendrá a verte.

JULIETA.—Dale en nombre mío esta sortija, y dile que quiero oír su postrera despedida.

ESCENA III

Celda de Fray Lorenzo

(FRAY LORENZO y ROMEO)

FRAY LORENZO.—Ven, pobre Romeo. La desgracia se ha enamorado de ti, y el dolor se ha desposado contigo.

ROMEO.—Decidme, padre. ¿Qué es lo que manda el Príncipe? ¿Hay alguna pena nueva que yo no haya sentido?

FRAY LORENZO.—Te traigo la sentencia del Príncipe.

ROMEO.—¿Y cómo ha de ser si no es de muerte?

FRAY LORENZO.—No. Es algo menos dura. No es de muerte sino de destierro.

ROMEO.—¡De destierro! Clemencia, padre. Decid de muerte. El destierro me infunde más temor que la muerte. No me habléis de destierro.

FRAY LORENZO.—Te manda salir de Verona, pero no temas: ancho es el mundo.

ROMEO.—Fuera de Verona no hay mundo, sino purgatorio, infierno y desesperación. Desterrarme de Verona es como desterrarme de la Tierra. Lo mismo da que digáis muerte que destierro. Con una hacha de oro cortáis mi cabeza, y luego os reís del golpe mortal.

FRAY LORENZO.—¡Oh, qué negro pecado es la ingratitud! Tu crimen merecía muerte, pero la indulgencia del Príncipe trueca la muerte en destierro, y aún no se lo agradeces.

ROMEO.—Tal clemencia es crueldad. El cielo está aquí donde vive Julieta. Un perro, un ratón, un gato pueden vivir en este cielo y verla. Sólo Romeo no puede. Más prez, más gloria, más felicidad tiene una mosca o un tábano inmundo que Romeo. Ellos pueden tocar aquella blanca y maravillosa mano de Julieta, o posarse en sus benditos labios, en esos labios tan llenos de virginal modestia que juzgan pecado el tocarse. No lo hará Romeo. Le mandan volar y tiene envidia a las moscas que vuelan. ¿Por qué decís que el destierro no es la muerte? ¿No teníais algún veneno sutil, algún hierro aguzado que me diese la muerte más pronto que esa vil palabra "desterrado?" Eso es lo que en el infierno se dicen unos a otros los condenados. ¿Y tú, sacerdote, confesor mío y mi amigo mejor, eres el que vienes a matarme con esa palabra?

FRAY LORENZO.—Oye, joven loco y apasionado.

ROMEO.—¿Vais a hablarme otra vez del destierro?

FRAY LORENZO.—Yo te daré tal filosofía que te sirva de escudo y vaya aliviándote.

ROMEO.—¡Destierro! ¡Filosofía! Si no basta para crear otra Julieta, para arrancar un pueblo de su lugar, o para hacer variar de voluntad a un príncipe, no me sirve de nada, ni la quiero, ni os he de oír.

FRAY LORENZO.—¡Ah, hijo mío! Los locos no oyen.

ROMEO.—¿Y cómo han de oír, si los que están en su seso no tienen ojos?

FRAY LORENZO.—Te daré un buen consejo.

ROMEO.—No podéis hablar de lo que no sentís. Si fuerais joven, y recién casado con Julieta, y la adoraseis ciegamente como yo, y hubierais dado muerte a Teobaldo, y os desterrasen, os arrancaríais los cabellos al hablar, y os arrastraríais por el suelo como yo, midiendo vuestra sepultura. *(Llaman dentro.)*

FRAY LORENZO.—Llaman. Levántate y ocúltate, Romeo.

ROMEO.—No me levantaré. La nube de mis suspiros me ocultará de los que vengan.

FRAY LORENZO.—¿No oyes? ¿Quién va?... Levántate, Romeo, que te van a prender... Ya voy... Levántate. Pero, Dios mío, ¡qué terquedad, qué locura! Ya voy. ¿Quién llama? ¿Qué quiere decir esto?

AMA *(dentro).*—Dejadme entrar. Traigo un recado de mi ama Julieta.

FRAY LORENZO.—Bien venida seas. *(Entra el ama.)*

AMA.—Decidme, santo fraile. ¿Dónde está el esposo y señor de mi señora?

FRAY LORENZO.—Mírale ahí tendido en el suelo y apacentándose de sus lágrimas.

AMA.—Lo mismo está mi señora: enteramente igual.

FRAY LORENZO.—¡Funesto amor! ¡Suerte cruel!

AMA.—Lo mismo que él: llorar y gemir. Levantad, levantad del suelo: tened firmeza varonil. Por amor de ella, por amor de Julieta. Levantaos, y no lancéis tan desesperados ayes.

ROMEO.—Ama.

AMA.—Señor, la muerte lo acaba todo.

ROMEO.—Decías no sé qué de Julieta. ¿Qué es de ella? ¿No llama asesino a mí que manché con sangre la infancia de nuestra ventura? ¿Dónde está? ¿Qué dice?

AMA.—Nada, señor. Llorar y más llorar. Unas veces se recuesta en el lecho, otras se levanta, grita: "Teobaldo, Romeo", y vuelve a acostarse.

ROMEO.—Como si ese nombre fuera bala de arcabuz que la matase, como lo fue la infame mano de

Romeo que mató a su pariente. Decidme, padre, ¿en qué parte de mi cuerpo está mi nombre? Decídmelo, porque quiero saquear su odiosa morada. *(Saca el puñal.)*

FRAY LORENZO.—Detén esa diestra homicida. ¿Eres hombre? Tu exterior dice que sí, pero tu llanto es de mujer, y tus acciones de bestia falta de libre albedrío. Horror me causas. Juro por mi santo hábito que yo te había creído de voluntad más firme. ¡Matarte después de haber matado a Teobaldo! Y matar además a la dama que sólo vive por ti. Dime, ¿por qué maldices de tu linaje, y del cielo y de la tierra? Todo lo vas a perder en un momento, y a deshonrar tu nombre y tu familia, y tu amor y tu juicio. Tienes un gran tesoro, tesoro de avaro, y no lo empleas en realzar tu persona, tu amor y tu ingenio. Ese tu noble apetito es figura de cera, falta de aliento viril. Tu amor es perjurio y juramento vacío, y profanación de lo que juraste, y tu entendimiento, que tanto realce daba a tu amor y a tu fortuna, es el que ciega y descamina a tus demás potencias, como soldado que se inflama con la misma pólvora que tiene, y perece víctima de su propia defensa. ¡Alienta, Romeo! Acuérdate que vive Julieta, por quien hace un momento hubieras dado la vida. Este es un consuelo. Teobaldo te buscaba para matarte, y le mataste tú. He aquí otro consuelo. La ley te condenaba a muerte, y la sentencia se conmutó en destierro. Otro consuelo más. Caen sobre ti las bendiciones del cielo, y tú, como mujer liviana, recibes de mal rostro a la dicha que llama a tus puertas. Nunca favorece Dios a los ingratos. Vete a ver a tu esposa: sube por la escala, como lo dejamos convenido. Consuélala, y huye de su lado antes que amanezca. Irás a Mantua, y allí permanecerás, hasta que se pueda divulgar tu casamiento, hechas las paces entre vuestras familias y aplacada la indignación del Príncipe. Entonces volverás, mil veces más alegre que triste te vas ahora. Vete, nodriza. Mil recuerdos a tu ama. Haz que todos se recojan presto, lo cual será fácil por el disgusto de hoy. Dile que allá va Romeo.

AMA.—Toda la noche me estaría oyéndoos. ¡Qué gran cosa es el saber! Voy a animar a mi ama con vuestra venida.

ROMEO.—Sí: dile que se prepare a reñirme.

AMA.—Toma este anillo que ella me dio, y vete, que ya cierra la noche. (*Vase.*)

ROMEO.—Ya renacen mis esperanzas.

FRAY LORENZO.—Adiós. No olvides lo que te he dicho. Sal antes que amanezca, y si sales después, vete disfrazado; y a Mantua. Tendrás con frecuencia noticias mías, y sabrás todo lo que pueda interesarte. Adiós. Dame la mano. Buenas noches.

ESCENA IV

Sala en casa de Capuleto

(CAPULETO, SU MUJER, *el* AMA *y* CRIADOS)

CAPULETO.—La reciente desgracia me ha impedido hablar con mi hija. Tanto ella como yo queríamos mucho a Teobaldo. Pero la muerte es forzosa. Ya es tarde para que esta noche nos veamos, y a fe mía os juro que si no fuera por vos, ya hace una hora que me habría acostado.

PARIS.—Ni es ésta ocasión de galanterías sino de duelo. Dad mis recuerdos a vuestra hija.

CAPULETO.—Paris, os prometo solemnemente la mano de mi hija. Creo que ella me obedecerá. Puedo asegurároslo. Esposa mía, antes de acostarte, ve a contarle el amor de Paris, y dile que el miércoles próximo... Pero, ¿qué día es hoy?

PARIS.—Lunes.

CAPULETO.—¡Lunes! Pues no puede ser el miércoles. Que sea el jueves. Dile que el jueves se casará con el conde. ¿Estáis contento? No tendremos fiesta. Sólo convidaré a los amigos íntimos, porque estando tan fresca la muerte de Teobaldo, el convidar a muchos parecería indicio de poco sentimiento. ¿Os parece bien el jueves?

PARIS.—¡Ojalá fuese mañana!

CAPULETO.—Adelante, pues: que sea el jueves. Avisa a Julieta, antes de acostarte. Adiós, amigo. Alumbradme. Voy a mi alcoba. Es tan tarde, que pronto amanecerá. Buenas noches.

ESCENA V

Galería cerca del cuarto de Julieta, con una ventana que da al jardín

(ROMEO y JULIETA)

JULIETA.—¿Tan pronto te vas? Aún tarda el día. Es el canto del ruiseñor, no el de la alondra el que resuena. Todas las noches se posa a cantar en aquel granado. Es el ruiseñor, amado mío.

ROMEO.—Es la alondra que anuncia el alba; no es el ruiseñor. Mira, amada mía, cómo se van tiñendo las nubes del oriente con los colores de la aurora. Ya se apagan las antorchas de la noche. Ya se adelanta el día con rápido paso sobre las húmedas cimas de los montes. Tengo que partir, o si no, aquí me espera la muerte.

JULIETA.—No es ésa luz de la aurora. Te lo aseguro. Es un meteoro que desprende de su lumbre el Sol para guiarte en el camino de Mantua. Quédate. ¿Por qué te vas tan luego?

ROMEO.—¡Que me prendan, que me maten! Mandándolo tú, poco importa. Diré que aquella luz gris que allí veo no es la de la mañana, sino el pálido reflejo de la luna. Diré que no es el canto de la alondra el que resuena. Más quiero quedarme que partir. Ven, muerte, pues Julieta lo quiere. Amor mío, hablemos, que aún no amanece.

JULIETA.—Sí, vete, que es la alondra la que canta con voz áspera y destemplada. ¡Y dicen que son armoniosos sus sones, cuando a nosotros viene a separarnos! Dicen que cambia de ojos como el sapo. ¡Ojalá cambiara de voz! Maldita ella que me aparta de tus atractivos. Vete, que cada vez se clarea más la luz.

ROMEO.—¿Has dicho la luz? No, sino las tinieblas de nuestro destino. (Entra el ama.)

AMA.—¡Julieta!

JULIETA.—¡Ama!

AMA.—Tu madre viene. Ya amanece. Prepárate y no te descuides.

ROMEO.—¡Un beso! ¡Adiós, y me voy! (Vase por la escala.)

JULIETA.—¿Te vas? Mi señor, mi dulce dueño, dame nuevas de ti todos los días, a cada instante. Tan pesados corren los días infelices, que temo envejecer antes de tornar a ver a mi Romeo.

ROMEO.—Adiós. Te mandaré noticias mías y mi bendición por todos los medios que yo alcance.

JULIETA.—¿Crees que volveremos a vernos?

ROMEO.—Sí, y que en dulces coloquios de amor recordaremos nuestras angustias de ahora.

JULIETA.—¡Válgame Dios! ¡Qué présaga tristeza la mía! Parece que te veo difunto sobre un catafalco. Aquél es tu cuerpo, o me engañan los ojos.

ROMEO.—Pues también a ti te ven los míos pálida y ensangrentada. ¡Adiós, adiós! (Vase.)

JULIETA.—¡Oh, fortuna! te llaman mudable: a mi amante fiel poco le importan tus mudanzas. Sé mudable en buena hora, y así no le detendrás y me le restituirás luego.

SEÑORA DE CAPULETO (dentro).— Hija, ¿estás despierta?

JULIETA.—¿Quién me llama? Madre, ¿estás despierta todavía o te levantas ahora? ¿Qué novedad te trae a mí? (Entra la señora de Capuleto.)

SEÑORA DE CAPULETO.—¿Qué es esto, Julieta?

JULIETA.—Estoy mala.

SEÑORA DE CAPULETO.—¿Todavía lloras la muerte de tu primo? ¿Crees que tus lágrimas pueden devolverle la vida? Vana esperanza. Cesa en tu llanto, que aunque es signo de amor, parece locura.

JULIETA.—Dejadme llorar tan dura suerte.

SEÑORA DE CAPULETO.—Eso es llorar la pérdida y no al amigo.

JULIETA.—Llorando la pérdida, lloro también al amigo.

SEÑORA DE CAPULETO.-Más que por el muerto ¿lloras por ese infame que le ha matado?

JULIETA.—¿Qué infame, madre?

SEÑORA DE CAPULETO.—Romeo.

JULIETA *(aparte)*.—¡Cuánta distancia hay entre él y un infame! *(Alto.)* Dios le perdone como le perdono yo, aunque nadie me ha angustiado tanto como él.

SEÑORA DE CAPULETO.—Eso será porque todavía vive el asesino.

JULIETA.—Sí, y donde mi venganza no puede alcanzarle. Yo quisiera vengar a mi primo.

SEÑORA DE CAPULETO.—Ya nos vengaremos. No llores. Yo encargué a uno de Mantua, donde ese vil ha sido desterrado, que le envenenen con alguna mortífera droga. Entonces irá a hacer compañía a Teobaldo, y tú quedarás contenta y vengada.

JULIETA.—Satisfecha no estaré, mientras no vea a Romeo... muerto... Señora, si hallas alguno que se comprometa a darle el tósigo, yo misma le prepararé, y así que lo reciba Romeo, podrá dormir tranquilo. Hasta su nombre me es odioso cuando no le tengo cerca. para vengar en él la sangre de mi primo.

SEÑORA DE CAPULETO.—Busca tú el modo de preparar el tósigo, mientras yo busco a quien ha de administrárselo. Ahora oye tú una noticia agradable.

JULIETA.—¡Buena ocasión para gratas nuevas! ¿Y cuál es, señora?

SEÑORA DE CAPULETO.—Hija, tu padre es tan bueno que deseando consolarte, te prepara un día de felicidad que ni tú ni yo esperábamos.

JULIETA.—¿Y qué día es ése?

SEÑORA DE CAPULETO.—Pues es que el jueves, por la mañana temprano, el conde Paris, ese gallardo y discreto caballero, se desposará contigo en la iglesia de San Pedro.

JULIETA.—Pues te juro, por la iglesia de San Pedro, y por san Pedro purísimo, que no se desposará. ¿A qué es tanta prisa? ¿Casarme con él cuando todavía no me ha hablado de amor? Decid a mi padre, señora, que todavía no quiero casarme. Cuando lo haga, con juramento os digo que antes será mi esposo Romeo, a quien aborrezco, que Paris. ¡Vaya una noticia que me traéis!

SEÑORA DE CAPULETO.—Aquí viene tu padre. Díselo tú, y verás cómo no le agrada. *(Entran Capuleto y el ama.)*

CAPULETO.—A la puesta del sol cae el rocío, pero cuando muere el hijo de mi hermano, cae la lluvia a torrentes. ¿Aún no ha acabado el aguacero, niña? Tu débil cuerpo es nave y mar y viento. En tus ojos hay marea de lágrimas, y en ese mar navega la barca de tus ansias, y tus suspiros son el viento que la impele. Dime, esposa, ¿has cumplido ya mis órdenes?

SEÑORA DE CAPULETO.—Sí, pero no lo agradece. ¡Insensata! Con su sepulcro debía casarse.

CAPULETO.—¿Eh? ¿Qué es eso, esposa mía? ¿Qué es eso de no querer y no agradecer? ¿Pues no la enorgullece el que la hayamos encontrado para esposo un tan noble caballero?

JULIETA.—¿Enorgullecerme? No..., agradecer, sí. ¿Quién ha de estar orgullosa de lo que aborrece? Pero siempre se agradece la buena voluntad, hasta cuando nos ofrece lo que odiamos.

CAPULETO.—¡Qué retóricas son ésas! "¡Enorgullecerse!"... "Sí y no". "¡Agradecer y no agradecer!"... Nada de agradecimientos ni de orgullo, señorita. Prepárate a ir por tus pies el jueves próximo a la iglesia de San Pedro a casarte con Paris, o si no, te llevo arrastrando en un zarzo, ¡histérica, nerviosa, pálida, necia!

SEÑORA DE CAPULETO.—¿Estás en ti? Cállate.

JULIETA.—Padre mío, de rodillas os pido que me escuchéis una palabra sola.

CAPULETO. — ¡Escucharte! ¡Necia, malvada! Oye, el jueves irás a San Pedro, o no me volverás a mirar la cara. No me supliques ni me digas una palabra más. El pulso me tiembla. Esposa mía, yo siempre creí que era poca bendición de Dios el tener una hija sola, pero ahora veo que es una maldición, y que aun ésta sobra.

AMA.—¡Dios sea con ella! No la maltratéis, señor.

CAPULETO.—¿Y por qué no, entremetida vieja? Cállate, y habla con tus iguales.

AMA.—A nadie ofendo... no puede una hablar.

CAPULETO.—Calla, cigarrón, y vete a hablar con tus comadres, que aquí no metes baza.

SEÑORA DE CAPULETO.—Loco estás.

CAPULETO.—Loco, sí. De noche, de día, de mañana, de tarde, durmiendo, velando, solo y acompañado, en casa y en la calle, siempre fue mi empeño el casarla, y ahora que le encuentro un joven de gran familia, rico, gallardo, discreto, lleno de perfecciones, según dicen, contesta esta mocosa que no quiere casarse, que no puede amar, que es muy joven. Pues bien, te perdonaré, si no te casas, pero no vivirás un momento aquí. Poco falta para el jueves. Piénsalo bien. Si consientes, te casarás con mi amigo. Si no, te ahorcarás, o irás pidiendo limosna, y te morirás de hambre por esas calles, sin que ninguno de los míos te socorra. Piénsalo bien, que yo cumplo siempre mis juramentos. (Vase.)

JULIETA.—¿Y no hay justicia en el cielo que conozca todo el abismo de mis males? No me dejes, madre. Dilatad un mes, una semana el casamiento, o si no, mi lecho nupcial será el sepulcro de Teobaldo.

SEÑORA DE CAPULETO.—Nada me digas, porque no he de responderte. Decídete como quieras. (Se va.)

JULIETA.—¡Válgame Dios! Ama mía, ¿qué haré? Mi esposo está en la tierra, mi fe en el cielo. ¿Y cómo ha de volver a la tierra mi fe, si mi esposo no la envía desde el cielo? Aconséjame, consuélame. ¡Infeliz de mí! ¿Por qué el cielo ha de emplear todos sus recursos contra un ser tan débil como yo? ¿Qué me dices? ¿Ni una palabra que me consuele?

AMA.—Sólo te diré una cosa. Romeo está desterrado, y puede apostarse doble contra sencillo a que no vuelve a verte, o vuelve ocultamente, en caso de volver. Lo mejor sería, pues, a mi juicio, que te casaras con el conde, que es mucho más gentil y discreto caballero que Romeo. Ni un águila tiene tan verdes y vivaces ojos como Paris. Este segundo esposo te conviene más que el primero. Y además, al primero puedes darle por muerto. Para ti como si lo estuviera.

JULIETA.—¿Hablas con el alma?

AMA.—Con el alma, o maldita sea yo.

JULIETA.—Así sea.

AMA.—¿Por qué?

JULIETA.—Por nada. Buen consuelo me has dado. Vete, di a mi madre que he salido. Voy a confesarme con fray Lorenzo, por el enojo que he dado a mi padre.

AMA.—Obras con buen seso. (Vase.)

JULIETA.—¡Infame vieja! ¡Aborto de los infiernos! ¿Cuál es mayor pecado en ti: querer hacerme perjura, o mancillar con tu lengua al mismo a quien tantas veces pusiste por las nubes? Maldita sea yo si vuelvo a aconsejarme de ti. Sólo mi confesor me dará amparo y consuelo, o a lo menos fuerzas para morir.

ACTO IV

ESCENA PRIMERA

Celda de fray Lorenzo

(FRAY LORENZO y PARIS)

FRAY LORENZO.—¿El jueves dices? Pronto es.

PARIS.—Así lo quiere Capuleto, y yo lo deseo también.

FRAY LORENZO.—¿Y todavía no sabéis si la novia os quiere? Mala manera es ésa de hacer las cosas, a mi juicio.

PARIS.—Ella no hace más que llorar por Teobaldo y no tiene tiempo para pensar en amores, porque el amor huye de los duelos. A su padre le acongoja el que ella se angustie tanto, y por eso quiere hacer la boda cuanto antes, para atajar ese diluvio de lágrimas, que pudiera parecer mal a las gentes. Esa es la razón de que nos apresuremos.

FRAY LORENZO (aparte).—¡Ojalá no supiera yo las verdaderas causas de la tardanza! Conde Paris, he aquí la dama que viene a mi celda.

PARIS.—Bien hallada, señora y esposa mía.

JULIETA.—Lo seré cuando me case.

PARIS.—Eso será muy pronto: el jueves.

JULIETA.—Será lo que sea.

PARIS.—Claro es. ¿Venís a confesaros con el padre?

JULIETA.—Con vos me confesaría, si os respondiera.

PARIS.—No me neguéis que me amáis.

JULIETA.—No os negaré que quiero al padre.

PARIS.—Y le confesaréis que me tenéis cariño.

JULIETA.—Más valdría tal confesión a espaldas vuestras, que cara a cara.

PARIS.—Las lágrimas marchitan vuestro rostro.

JULIETA.—Poco hacen mis lágrimas: no valía mucho mi rostro, antes que ellas le ajasen.

PARIS.—Más la ofenden esas palabras que vuestro llanto.

JULIETA.—Señor, en la verdad no hay injuria, y más si se dice frente a frente.

PARIS.—Mío es ese rostro del cual decís mal.

JULIETA.—Vuestro será quizá, puesto que ya no es mío. Padre, ¿podéis oírme en confesión, o volveré al Avemaría?

FRAY LORENZO.—Pobre niña, dispuesto estoy a oírte ahora. Dejadnos solos, conde.

PARIS.—No seré yo quien ponga obstáculos a tal devoción. Julieta, adiós. El jueves muy temprano te despertaré. (Vase.)

JULIETA.—Cerrad la puerta, padre, y venid a llorar conmigo: ya no hay esperanza ni remedio.

FRAY LORENZO.—Julieta, ya sé cuál es tu angustia, y también ella me tiene sin alma. Sé que el jueves quieren casarte con el Conde.

JULIETA.—Padre, no me digáis que dicen tal cosa, si al mismo tiempo no discurrís, en vuestra sabiduría

261

y prudencia, algún modo de evitarlo. Y si vos no me consoláis, yo con un puñal sabré remediarme. Vos, en nombre del Señor, juntasteis mi mano con la de Romeo, y antes que esta mano, donde fue por vos estampado su sello, consienta en otra unión, o yo mancille su fe, matarános este hierro. Aconsejadme bien, o el hierro sentenciará el pleito que ni vuestras canas ni vuestra ciencia saben resolver. No os detengáis; respondedme o muero.

FRAY LORENZO.—Hija mía, detente. Aún veo una esperanza, pero tan remota y tan violenta, como es violenta tu situación actual. Pero ya que prefieres la muerte a la boda con Paris, pasarás por algo que se parezca a la muerte. Si te atreves a hacerlo, yo te daré el remedio.

JULIETA.—Padre, a trueque de no casarme con Paris, mandadme que me arroje de lo alto de una torre, que recorra un camino infestado por bandoleros, que habite y duerma entre sierpes y osos, o en un cementerio, entre huesos humanos, que crujan por la noche, y amarillas calaveras, o enterradme con un cadáver reciente. Todo lo haré, por terrible que sea, antes que ser infiel al juramento que hice a Romeo.

FRAY LORENZO.—Bien: vete a tu casa, fíngete alegre: di que te casarás con Paris. Mañana es miércoles: por la noche quédate sola, sin que te acompañe ni siquiera tu ama, y cuando estés acostada, bebe el licor que te doy en esta ampolleta. Un sueño frío embargará tus miembros. No pulsarás ni alentarás, ni darás señal alguna de vida. Huirá el color de tus rosados labios y mejillas, y le sucederá una palidez térrea. Tus párpados se cerrarán como puertas de la muerte que excluyen la luz del día, y tu cuerpo quedará rígido, inmóvil, frío como el mármol de un sepulcro. Así permanecerás cuarenta y dos horas justas, y entonces despertarás como de un apacible sueño. A la mañana anterior habrá venido el novio a despertarte, te habrá creído muerta, y ataviándote, según es uso, con las mejores galas, te habrán llevado en ataúd abierto al sepulcro de los Capuletos. Durante tu sueño, yo avisaré por carta a Romeo; él vendrá en seguida, y velaremos juntos hasta que despiertes. Esa misma noche Romeo volverá contigo a Mantua. Es el único modo de salvarte del peligro actual, si un vano y mujeril temor no te detiene.

JULIETA.—Dame la ampolleta, y no hablemos de temores.

FRAY LORENZO.—Tómala. Valor y fortuna. Voy a enviar a un lego con una carta a Mantua.

JULIETA.—Dios me dé valor, aunque ya le siento en mí. Adiós, padre mío.

ESCENA II

Casa de Capuleto

(CAPULETO, *su* MUJER, *el* AMA *y* CRIADOS)

CAPULETO (*a un criado*).—Convidarás a todos los que van en esta lista. Y tú buscarás veinte cocineros.

CRIADO 1º—Los buscaré tales que se chupen el dedo.

CAPULETO.—¡Rara cualidad!

CRIADO 2º—Nunca es bueno el cocinero que no sabe chuparse los dedos, ni traeré a nadie que no sepa.

CAPULETO.—Vete, que el tiempo

apremia, y nada tenemos dispuesto. ¿Fué la niña a confesarse con fray Lorenzo?

AMA.—Sí.

CAPULETO.—Me alegro: quizá él pueda rendir el ánimo de esa niña mal criada.

AMA.—Vedla, qué alegre viene del convento.

CAPULETO (a Julieta).—¿Dónde has estado, terca?

JULIETA.—En la confesión, donde me arrepentí de haberos desobedecido. Fray Lorenzo me manda que os pida perdón, postrada a vuestros pies. Así lo hago, y desde ahora prometo obedecer cuanto me mandareis.

CAPULETO.—Id en busca de Paris, y que lo prevenga todo para la comida que ha de celebrarse mañana.

JULIETA.—Vi a ese caballero en la celda de fray Lorenzo, y le concedí cuanto podía concederle mi amor, sin agravio del decoro.

CAPULETO.—¡Cuánto me alegro! Levántate: has hecho bien en todo. Quiero hablar con el Conde. (A un criado.) Dile que venga. ¡Cuánto bien hace este fraile en la ciudad!

JULIETA.—Ama, ven a mi cuarto, para que dispongamos juntas las galas de desposada.

SEÑORA DE CAPULETO.—No: eso debe hacerse el jueves: todavía hay tiempo.

CAPULETO.—No: ahora, ahora: mañana temprano a la iglesia. (Se van Julieta y el ama.)

SEÑORA DE CAPULETO.—Apenas nos queda tiempo. Es de noche.

CAPULETO.—Todo se hará, esposa mía. Ayuda a Julieta a vestirse. Yo no me acostaré, y por esta vez seré guardián de la casa. ¿Qué es eso? ¿Todos los criados han salido? Voy yo mismo en busca de Paris, para avisarle que mañana es la boda. Este cambio de voluntad me da fuerzas y mocedad nueva.

ESCENA III

Habitación de Julieta

(JULIETA y SU MADRE)

JULIETA.—Sí, ama, sí: este traje está mejor, pero yo quisiera quedarme sola esta noche, para pedir a Dios en devotas oraciones que me ilumine y guíe en estado tan lleno de peligros. (Entra la señora de Capuleto.)

SEÑORA DE CAPULETO.—Bien trabajáis. ¿Queréis que os ayude?

JULIETA.—No, madre. Ya estarán escogidas las galas que he de vestirme mañana. Ahora quisiera que me dejaseis sola, y que el ama velase en vuestra compañía, porque es poco el tiempo, y falta mucho que disponer.

SEÑORA DE CAPULETO.—Buenas noches, hija. Vete a descansar, que falta te hace. (Vase.)

JULIETA.—¡Adiós! ¡Quién sabe si volveremos a vernos! Un miedo helado corre por mis venas y casi apaga en mí el aliento vital. ¿Les diré que vuelvan? Ama... Pero ¿a qué es llamarla? Yo sola debo representar esta tragedia. Ven a mis manos, ampolla. Y si este licor no produjese su efecto, ¿tendría yo que ser esposa del Conde? No, no, jamás: tú sabrás impedirlo. Aquí, aquí le tengo guardado. (Señalando el puñal.) ¿Y si este licor fuera un veneno preparado por el fraile para matarme y eludir su responsabilidad por haberme casado con Romeo? Pero mi temor es vano. ¡Si dicen que es un santo! ¡Lejos de mí tan ruines pensamientos! ¿Y si me despierto encerrada en el ataúd, antes que vuelva Romeo? ¡Qué horror! En aquel estrecho recinto, sin luz, sin aire... me voy a ahogar antes que él llegue. Y la espantosa imagen de la muerte... y la noche... y el horror del sitio... la tumba de mis mayores... aquellos huesos amontonados por tantos siglos... el cuerpo de Teobaldo que está en putrefacción muy cerca de allí... los espíritus que, según dicen, interrumpen... de noche, el silencio de aquella soledad... ¡Ay, Dios mío! ¿no será fácil que al despertarme, respirando aquellos miasmas, oyendo aquellos lúgubres gemidos que suelen entorpecer a los mortales, aquellos gritos semejantes a las quejas de la mandrágora cuando se le arranca del suelo... no es fácil que yo pierda la razón, y empiece a jugar en mi locura con los huesos de mis antepasados, o a despojar de su velo funeral el cadáver de Teobaldo, o a machacarme el cráneo con los pedazos del esqueleto de alguno de mis ilustres mayores? Ved... Es la sombra de mi primo, que viene con el acero desnudo, buscando a su matador Romeo. ¡Detente, Teobaldo! ¡A la salud de Romeo! (Bebe.)

ESCENA IV

Casa de Capuleto

(La SEÑORA y el AMA)

SEÑORA DE CAPULETO.—Toma las llaves: tráeme más especias.
AMA.—Ahora piden clavos y dátiles.
CAPULETO.—(Que entra.) Vamos, que ya ha sonado por segunda vez el canto del gallo. Ya tocan a maitines. Son las tres. Tú, Ángela, cuida de los pasteles, y no reparéis en el gasto.
AMA.—Idos a dormir, señor impertinente. De seguro que por pasar la noche en vela, amanecéis enfermo mañana.
CAPULETO.—¡Qué bobería! Muchas noches he pasado en vela sin tanto motivo, y nunca he enfermado.
SEÑORA DE CAPULETO.—Sí: buen ratón fuiste en otros tiempos. Ahora ya velo yo, para evitar tus veladas.
CAPULETO.—¡Ahora celos! ¿Qué es lo que traes, muchacho?
CRIADO 1º—El cocinero lo pide. No sé lo que es.
CAPULETO.—Vete corriendo: busca leña seca. Pedro te dirá dónde puedes encontrarla.
CRIADO 1º—Yo la encontraré: no necesito molestar a Pedro. (Se van.)
CAPULETO.—Dice bien, a fe mía. ¡Es gracioso ese galopín! Por vida mía. Ya amanece. Pronto llegará Paris con música, según anunció. ¡Ahí está! ¡Ama, mujer mía, venid aprisa! (Suena música.) (Al ama.) Vete, despierta y viste a Julieta, mientras yo hablo con Paris. Y no te detengas mucho, que el novio llega. No te detengas.

ESCENA V

Aposento de Julieta. Ésta, en el lecho

(*El* AMA *y la* SEÑORA)

AMA.—¡Señorita, señorita! ¡Cómo duerme! ¡Señorita, novia, cordero mío! ¿No despiertas? Haces bien: duerme para ocho días, que mañana ya se encargará Paris de no dejarte dormir. ¡Válgame Dios, y cómo duerme! Pero es necesario despertarla. ¡Señorita, señorita! No falta más sino que venga el Conde y te halle en la cama. Bien te asustarías. Dime, ¿no es verdad? ¿Vestida estás, y te volviste a acostar? ¿Cómo es esto? ¡Señorita, señorita!... ¡Válgame Dios! ¡Socorro, que mi ama se ha muerto! ¿Por qué he vivido yo para ver esto? Maldita sea la hora en que nací. ¡Esencias, pronto! ¡Señor, señora, acudid!

SEÑORA DE CAPULETO.—(*Entrando.*) ¿Por qué tal alboroto?

AMA.—¡Día aciago!

SEÑORA DE CAPULETO.—¿Qué sucede?

AMA.—Ved, ved. ¡Aciago día!

SEÑORA DE CAPULETO.—¡Dios mío, Dios mío! ¡Pobre niña! ¡Vida mía! Abre los ojos, o déjame morir contigo. ¡Favor, favor! (*Entra Capuleto.*)

CAPULETO.—¿No os da vergüenza? Ya debía de haber salido Julieta. Su novio la está esperando.

AMA.—¡Si está muerta! ¡Aciago día!

SEÑORA DE CAPULETO.—¡Aciago día! ¡Muerta, muerta!

CAPULETO.—¡Dejádmela ver! ¡Oh, Dios! que espanto. ¡Helada su sangre, rígidos sus miembros! Huyó la rosa de sus labios. ¡Yace tronchada como la flor por prematura y repentina escarcha! ¡Hora infeliz!

AMA.—¡Día maldito!

SEÑORA DE CAPULETO.—¡Aciago día!

CAPULETO.—La muerte que fiera la arrebató, traba mi lengua e impide mis palabras. (*Entran Fray Lorenzo, Paris y músicos.*)

FRAY LORENZO.—¿Cuándo puede ir la novia a la iglesia?

CAPULETO.—Sí irá, pero para quedarse allí. En vísperas de boda, hijo mío, vino la muerte a llevarse a tu esposa, flor que deshojó inclemente la Parca. Mi yerno y mi heredero es el sepulcro: él se ha desposado con mi hija. Yo moriré también, y él heredará todo lo que poseo.

PARIS.—¡Yo que tanto deseaba ver este día, y ahora es tal vista la que me ofrece!

SEÑORA DE CAPULETO.—¡Infeliz, maldito, aciago día! ¡Hora la más terrible que en su dura peregrinación ha visto el tiempo! ¡Una hija sola! ¡Una hija sola, y la muerte me la lleva! ¡Mi esperanza, mi consuelo, mi ventura!...

AMA.—¡Día aciago y horroroso, el más negro que he visto nunca! ¡El más horrendo que ha visto el mundo! ¡Aciago día!

PARIS.—¡Y yo burlado, herido, descasado, atormentado! ¡Cómo te mofas de mí, cómo me conculcas a tus plantas, fiera muerte! ¡Ella, mi amor, mi vida, muerta ya!

CAPULETO.—¡Y yo despreciado, abatido, muerto! Tiempo cruel, ¿por qué viniste con pasos tan callados a turbar la alegría de nuestra fiesta? ¡Hija mía, que más que mi hija era mi alma! ¡Muerta, muerta, mi encanto, mi tesoro!

FRAY LORENZO.—Callad, que no es la queja remedio del dolor. Antes vos y el cielo poseíais a esa doncella: ahora el cielo solo la posee, y en ello gana la doncella. No pudisteis arrancar vuestra parte a la muerte. El cielo guarda para siempre la suya. ¿No queríais verla honrada y ensalzada? ¿Pues a qué vuestro llanto, cuando Dios la ensalza y encumbra más allá del firmamento? No amáis a vuestra hija tanto como la ama Dios. La mejor esposa no es la que más vive en el mundo, sino la que muere joven y recién casada. Detened vuestras lágrimas. Cubrir su cadáver de romero, y llevadla a la iglesia según costumbre, ataviada con sus mejores galas. La naturaleza nos obliga al dolor, pero la razón se ríe.

CAPULETO.—Los preparativos de una fiesta se convierten en los de un entierro: nuestras alegres músicas en solemne doblar de campanas: el festín en comida funeral: los himnos en trenos: las flores en adornos de ataúd... todo en su contrario.

FRAY LORENZO.—Retiraos, señor, y vos, señora, y vos, conde Paris. Prepárense todos a enterrar este cadáver. Sin duda el cielo está enojado con vosotros. Ved si con paciencia y mansedumbre lográis desarmar su cólera. (Vanse.)

MÚSICO 1º—Recojamos los instrumentos, y vámonos.

AMA.—Recogedlos sí, buena gente. Ya veis que el caso no es para música.

MÚSICO 1º—Más alegre podía ser. (Entra Pedro.)

PEDRO.—¡Oh, músicos, músicos! "La paz del corazón." "La paz del corazón." Tocad por vida mía "la paz del corazón".

MÚSICO 1º—¿Y por qué "la paz del corazón"?

PEDRO.—¡Oh, músicos! porque mi corazón está tañendo siempre "mi dolorido corazón". Cantad una canción alegre, para que yo me distraiga.

MÚSICO 1º—No es ésta ocasión de canciones.

PEDRO.—¿Y por qué no?

MÚSICO 1º—Claro que no.

PEDRO.—Pues entonces yo os voy a dar de veras.

MÚSICO 1º—¿Que nos darás?

PEDRO.—No dinero ciertamente, pues soy un pobre lacayo, pero os daré que sentir.

MÚSICO 1º—¡Vaya con el lacayo!

PEDRO.—Pues el cuchillo del lacayo os marcará cuatro puntos en la cara. ¿Venirme a mí con corchetes y bemoles? Yo os enseñaré la solfa.

MÚSICO 1º—Y vos la notaréis, si queréis enseñárnosla.

MÚSICO 2º—Envainad la daga, y sacad a plaza vuestro ingenio.

PEDRO.—Con mi ingenio más agudo que un puñal os traspasaré, y por ahora envaino la daga. Respondedme finalmente: "La música argentina", ¿y qué quiere decir "la música argentina"? ¿Por qué ha de ser argentina la música? ¿Qué dices a esto, Simón Bordon?

MÚSICO 1º—¡Toma! Porque el sonido de la plata es dulce.

PEDRO.—Está bien, ¿y vos, Hugo Rabel, qué decís a esto?

MÚSICO 2º—Yo digo "música argentina", porque el son de la plata hace tañer a los músicos.

PEDRO.—Tampoco está mal. ¿Y qué dices tú, Jaime Clavija?

MÚSICO 3º—Ciertamente que no sé qué decir.

PEDRO.—Os pido que me perdonéis la pregunta. Verdad es que sois el cantor. Se dice "música argentina" porque a músicos de vuestra calaña nadie los paga con oro, cuando tocan.

MÚSICO 1º—Este hombre es un pícaro.

MÚSICO 2º—Así sea su fin. Vamos allá a aguardar la comitiva fúnebre, y luego a comer.

ACTO V

ESCENA PRIMERA

Calle de Mantua

(ROMEO y BALTASAR)

ROMEO.—Si hemos de confiar en un dulce y agradable sueño, alguna gran felicidad me espera. Desde la aurora pensamientos de dicha agitan mi corazón, rey de mi pecho, y como que me dan alas para huir de la tierra. Soñé con mi esposa y que me encontraba muerto. ¡Raro fenómeno: que piense un cadáver! Pero con sus besos me hubiera trocado por un emperador. ¡Oh, cuan dulces serán las realidades del amor, cuando tanto lo son las sombras! (*Entra Baltasar.*) ¿Traes alguna nueva de Verona? ¿Te ha dado Fray Lorenzo alguna carta para mí? ¿Cómo está mi padre? ¿Y Julieta? Nada malo puede sucederme si ella está buena.

BALTASAR.—Pues ya nada malo puede sucederte, porque su cuerpo reposa en el sepulcro, y su alma está con los ángeles. Yace en el panteón de su familia. Y perdonadme que tan pronto haya venido a traeros tan mala noticia, pero vos mismo, señor, me encargasteis que os avisara de todo.

ROMEO.—¿Será verdad? ¡Cielo cruel, yo desafío tu poder! Dadme papel y plumas. Busca esta tarde caballos, y vámonos a Verona esta noche.

BALTASAR.—Señor, dejadme acompañaros, porque vuestra horrible palidez me anuncia algún mal suceso.

ROMEO.—Nada de eso. Déjame en paz y obedece. ¿No traes para mí carta de Fray Lorenzo?

BALTASAR.—Ninguna.

ROMEO.—Lo mismo da. Busca en seguida caballos, y en marcha. (*Se va Baltasar.*) Sí, Julieta, esta noche descansaremos juntos. ¿Pero cómo? ¡Ah, infierno, cuan presto vienes en ayuda de un ánimo desesperado! Ahora me acuerdo que cerca de aquí vive un boticario de torvo ceño y mala catadura, gran herbolario de yerbas medicinales. El hambre le ha convertido en esqueleto. Del techo de su lóbrega covacha tiene colgados una tortuga, un cocodrilo, y varias pieles de fornidos peces; y en cajas amontonadas, frascos vacíos y verdosos, viejas semillas, cuerdas de bramante, todo muy separado para aparentar más. Yo, al ver tal miseria, he pensado que aunque está prohibido, so pena de muerte, el despachar veneno, quizá este infeliz, si se lo pagaran, lo vendería. Bien lo pensé, y ahora voy a ejecutarlo. Cerrada tiene la botica. ¡Hola, eh! (*Sale el Boticario.*)

BOTICARIO.—¿Quién grita?

ROMEO.—Oye. Tu pobreza es manifiesta. Cuarenta ducados te daré por una dosis de veneno tan actico que, apenas circule por las venas, extinga el aliento vital tan rápidamente como una bala de cañón.

267

BOTICARIO.—Tengo esos venenos, pero las leyes de Mantua condenan a muerte al que los venda.

ROMEO.—Y en tu pobreza extrema ¿qué te importa la muerte? Bien clara se ve el hambre en tu rostro, y la tristeza y la desesperación. ¿Tiene el mundo alguna ley, para hacerte rico? Si quieres salir de pobreza, rompe la ley y recibe mi dinero.

BOTICARIO.—Mi pobreza lo recibe, no mi voluntad.

ROMEO.—Yo no pago tu voluntad, sino tu pobreza.

BOTICARIO.—Este es el ingrediente: desleídlo en agua o en un licor cualquiera, bebedlo, y caeréis muerto en seguida, aunque tengáis la fuerza de veinte hombres.

ROMEO.—Recibe tú el dinero. Él es la verdadera ponzoña, engendradora de más asesinatos que todos los venenos que no debes vender. La venta la he hecho yo, no tú. Adiós: compra pan, y cúbrete. No un veneno, sino una bebida consoladora llevo conmigo al sepulcro de Julieta.

ESCENA II

Celda de fray Lorenzo

(FRAY JUAN y FRAY LORENZO)

FRAY JUAN.—¡Hermano mío, santo varón!

FRAY LORENZO.—Sin duda es Fray Juan el que me llama. Bien venido seais de Mantua; ¿qué dice Romeo? Dadme su carta, si es que traéis alguna.

FRAY JUAN.—Busqué a un fraile descalzo de nuestra orden, para que me acompañara. Al fin le encontré, curando enfermos. La ronda, al vernos salir de una casa, temió que en ella hubiese peste. Sellaron las puertas, y no nos dejaron salir. Por eso se desbarató el viaje a Mantua.

FRAY LORENZO.—¿Y quién llevó la carta a Romeo?

FRAY JUAN.—Nadie: aquí está. No pude encontrar siquiera quien os la devolviese. Tal miedo tenían todos a la peste.

FRAY LORENZO. — ¡Qué desgracia! ¡Por vida de mi padre San Francisco! Y no era carta inútil, sino con nuevas de grande importancia. Puede ser muy funesto el retardo. Fray Juan, búscame en seguida un azadón y llévale a mi celda.

FRAY JUAN.—En seguida, hermano. (Vase.)

FRAY LORENZO.—Sólo tengo que ir al cementerio, porque dentro de tres horas ha de despertar la hermosa Julieta de su desmayo. Mucho se enojará conmigo porque no di oportunamente aviso a Romeo. Volveré a escribir a Mantua, y entre tanto la tendré en mi celda esperando a Romeo. ¡Pobre cadáver vivo encerrado en la cárcel de un muerto!

ESCENA III

Cementerio, con el panteón de los Capuletos

(PARIS y un PAJE con flores y antorchas)

PARIS.—Dame una tea. Apártate: no quiero ser visto. Ponte al pie de aquel arbusto, y estáte con el oído fijo en la tierra, para que nadie huelle el movedizo suelo del cementerio, sin notarlo yo. Apenas sientas a alguno, da un silbido. Dame las flores, y obedece.

PAJE.—Así lo haré; *(aparte)* aunque mucho temor me da el quedarme solo en este cementerio.

PARIS.—Vengo a cubrir de flores el lecho nupcial de la flor más hermosa que salió de las manos de Dios. Hermosa Julieta, que moras entre los coros de los ángeles, recibe este mi postrer recuerdo. Viva, te amé: muerta, vengo a adornar con tristes ofrendas tu sepulcro. *(El paje silba.)* Siento la señal del paje: alguien se acerca. ¿Qué pie infernal es el que se llega de noche a interrumpir mis piadosos ritos? ¡Y trae una tea encendida! ¡Noche, cúbreme con tu manto! *(Entran Romeo y Baltasar.)*

ROMEO.—Dame ese azadón y esa palanca. Toma esta carta. Apenas amanezca, procurarás que la reciba Fray Lorenzo. Dame la luz, y si en algo estimas la vida, nada te importe lo que veas u oigas, ni quieras estorbarme en nada. La principal razón que aquí me trae no es ver por última vez el rostro de mi amada, sino apoderarme del anillo nupcial que aún tiene en su dedo, y llevarle siempre como prenda de amor. Aléjate, pues. Y si la curiosidad te mueve a seguir mis pasos, júrote que he de hacerte trizas, y esparcir tus miembros desgarrados por todos los rincones de este cementerio. Más negras y feroces son mis inten-

ciones, que tigres hambrientos o mares alborotadas.

BALTASAR.—En nada pienso estorbaros, señor.

ROMEO.—Es la mejor prueba de amistad que puedes darme. Toma, y sé feliz, amigo mío.

BALTASAR.—*(Aparte.)* Pues, a pesar de todo, voy a observar lo que hace; porque su rostro y sus palabras me espantan.

ROMEO.—¡Abominable seno de la muerte, que has devorado la mejor prenda de la tierra, aún has de tener mayor alimento! *(Abre las puertas del sepulcro.)*

PARIS.—Este es Montesco, el atrevido desterrado, el asesino de Teobaldo, del primo de mi dama, que por eso murió de pena, según dicen. Sin duda ha venido aquí a profanar los cadáveres. Voy a atajarle en su diabólico intento. Cesa, infame Montesco; ¿no basta la muerte a detener tu venganza y tus furores? ¿Por qué no te rindes, malvado proscrito? Sígueme, que has de morir.

ROMEO.—Sí: a morir vengo. Noble joven, no tientes a quien viene ciego y desalentado. Huye de mí: déjame; acuérdate de los que fueron y no son. Acuérdate y tiembla, no me provoques más, joven insensato. Por Dios te lo suplico. No quieras añadir un nuevo pecado a los que abruman mi cabeza. Te quiero más que lo que tú puedes quererte. He venido a luchar conmigo mismo. Huye, si quieres salvar la vida, y agradece el consejo de un loco.

PARIS.—¡Vil desterrado, en vano son esas súplicas!

ROMEO.—¿Te empeñas en provocarme? Pues muere.... *(Pelean.)*

PAJE.—¡Ay, Dios! pelean: voy a pedir socorro. (*Vase. Cae herido Paris.*)

PARIS.—¡Ay de mí, muerto soy! Si tienes lástima de mí, ponme en el sepulcro de Julieta.

ROMEO.—Sí que lo haré. Veámosle el rostro. ¡El pariente de Mercutio, el conde Paris! Al tiempo de montar a caballo, ¿no oí, como entre sombras, decir a mi escudero, que iban a casarse Paris y Julieta? ¿Fue realidad o sueño? ¿O es que estaba yo loco y creí que me hablaban de Julieta? Tu nombre está escrito con el mío en el sangriento libro del destino. Triunfal sepulcro te espera: ¿Qué digo sepulcro? Morada de luz, pobre joven. Allí duerme Julieta, y ella basta para dar luz y hermosura al mausoleo. Yace tú a su lado: un muerto es quien te entierra. Cuando el moribundo se acerca al trance final, suele reanimarse, y a esto lo llaman el último destello. Esposa mía, amor mío, la muerte que ajó el néctar de tus labios, no ha podido vencer del todo tu hermosura. Todavía irradia en tus ojos y en tu semblante, donde aún no ha podido desplegar la muerte su odiosa bandera. Ahora quiero calmar la sombra de Teobaldo, que yace en ese sepulcro. La misma mano que cortó tu vida, va a cortar la de tu enemigo. Julieta, ¿por qué estás aún tan hermosa? ¿Será que el descarnado monstruo te ofrece sus amores y te quiere para su dama? Para impedirlo, dormiré contigo en esta sombría gruta de la noche, en compañía de esos gusanos, que son hoy tus únicas doncellas. Este será mi eterno reposo. Aquí descansará mi cuerpo, libre de la fatídica ley de los astros. Recibe tú la última mirada de mis ojos, el último abrazo de mis brazos, el último beso de mis labios, puertas de la vida, que vienen a sellar mi eterno contrato con la muerte.

Ven, áspero y vencedor piloto: mi nave, harta de combatir con las olas, quiere quebrantarse en los peñascos. Brindemos por mi dama. ¡Oh, cuán portentosos son los efectos de tu bálsamo, alquimista veraz! Así, con este beso... muero. (*Cae. Llega Fray Lorenzo.*)

FRAY LORENZO.—¡Por San Francisco y mi santo hábito! ¡Esta noche mi viejo pie viene tropezando en todos los sepulcros! ¿Quién a tales horas interrumpe el silencio de los muertos?

BALTASAR.—Un amigo vuestro, y de todas veras.

FRAY LORENZO.—Con bien seas. ¿Y para qué sirve aquella luz, ocupada en alumbrar a gusanos y calaveras? Me parece que está encendida en el monumento de los Capuletos.

BALTASAR.—Verdad es, padre mío, y allí se encuentra mi amo, a quien tanto queréis.

FRAY LORENZO.—¿De quién hablas?

BALTASAR.—De Romeo.

FRAY LORENZO.—¿Y cuánto tiempo hace que ha venido?

BALTASAR.—Una media hora.

FRAY LORENZO.—Sígueme.

BALTASAR.—¿Y cómo, padre, si mi amo cree que no estoy aquí, y me ha amenazado con la muerte, si yo le seguía?

FRAY LORENZO.—Pues quédate, e iré yo solo. ¡Dios mío! Alguna catástrofe temo.

BALTASAR.—Dormido al pie de aquel arbusto, soñé que mi señor mataba a otro en desafío.

FRAY LORENZO.—¡Romeo! Pero ¡Dios mío! ¿qué sangre es ésta en las gradas del monumento? ¿Qué espadas éstas sin dueño, y tintas todavía de sangre? (*Entra en el sepulcro.*) ¡Romeo! ¡Pálido está como la muerte! ¡Y Paris cubierto de sangre!... La doncella se mueve. (*Despierta Julieta.*)

JULIETA.—Padre, ¿dónde está mi esposo? Ya recuerdo dónde debía

yo estar y allí estoy. Pero ¿dónde
está Romeo, padre mío?
FRAY LORENZO.—Oigo ruido. Deja
tú pronto ese foco de infección,
ese lecho de fingida muerte. La
suprema voluntad de Dios ha venido a desbaratar mis planes. Sígueme. Tu esposo yace muerto a
tu lado, y Paris muerto también.
Sígueme a un devoto convento y
nada más me digas, porque la
gente se acerca. Sígueme, Julieta,
que no podemos detenernos aquí.
(Vase.)
JULIETA.—Yo aquí me quedaré. ¡Esposo mío! Mas ¿qué veo? Una
copa tiene en las manos. Con veneno ha apresurado su muerte.
¡Cruel! no me dejó ni una gota
que beber. Pero besaré tus labios que quizá contienen algún
resabio del veneno. Él me matará
y me salvará. (Le besa.) Aún siento el calor de sus labios.
ALGUACIL 1º—(Dentro.) ¿Dónde está? Guiadme.
JULIETA.—Siento pasos. Necesario es
abreviar. (Coge el puñal de Romeo.) ¡Dulce hierro, descansa en
mi corazón, mientras yo muero!
(Se hiere y cae sobre el cuerpo de
Romeo. Entran la ronda y el paje
de Paris.)
PAJE.—Aquí es donde brillaba la
luz.
ALGUACIL 1º—Recorred el cementerio. Huellas de sangre hay. Pren-
ded a todos los que encontréis.
¡Horrenda vista! Muerto Paris, y
Julieta, a quien hace dos días en-
terramos por muerta, se está de-
sangrando, caliente todavía. Llamad al Príncipe, y a los Capuletos
y a los Montescos. Sólo vemos
cadáveres, pero no podemos ati-
nar con la causa de su muerte.
(Traen algunos a Baltasar.)
ALGUACIL 2º—Este es el escudero
de Romeo, y aquí le hemos encontrado.
ALGUACIL 1º—Esperemos la llegada
del Príncipe. (Entran otros con
Fray Lorenzo.)

ALGUACIL 3º—Tembloroso y suspirando hemos hallado a este fraile
cargado con una palanca y un azadón; salía del cementerio.
ALGUACIL 1º—Sospechoso es todo
eso: detengámosle. (Llegan el Príncipe y sus guardas.)
PRÍNCIPE.—¿Qué ha ocurrido para
despertarme tan de madrugada?
(Entran Capuleto, su mujer, etc.)
CAPULETO.—¿Qué gritos son los que
suenan por esas calles?
SEÑORA CAPULETO.—Unos dicen "Julieta", otros "Romeo", otros "Paris", y todos corriendo y dando
gritos, se agolpan al cementerio.
PRÍNCIPE.—¿Qué historia horrenda y
peregrina es ésta?
ALGUACIL 1º—Príncipe, ved. Aquí
están el conde Paris y Romeo,
violentamente muertos, y Julieta,
caliente todavía y desangrándose.
PRÍNCIPE.—¿Averiguasteis la causa
de estos delitos?
ALGUACIL 1º—Sólo hemos hallado a
un fraile y al paje de Romeo, car-
gados con picos y azadones propios para levantar la losa de un
sepulcro.
CAPULETO.—¡Dios mío! Esposa mía,
¿no ves correr la sangre de nuestra hija? Ese puñal ha errado el
camino: debía haberse clavado en
el pecho del Montesco y no en el
de nuestra inocente hija.
SEÑORA CAPULETO.—¡Dios mío!
Siento el toque de las campanas
que guían mi vejez al sepulcro.
(Llegan Montesco y otros.)
PRÍNCIPE.—Mucho has amanecido,
Montesco, pero mucho antes cayó
tu primogénito.
MONTESCO.—¡Poder de lo alto! Ayer
falleció mi mujer de pena por el
destierro de mi hijo. ¿Hay reservada alguna pena más para mi
triste vejez?
PRÍNCIPE.—Tú mismo puedes verla.
MONTESCO.—¿Por qué tanta descor-
tesía, hijo mío? ¿Por qué te atre-
viste a ir al sepulcro antes que tu
padre?

PRÍNCIPE.—Contened por un momento vuestro llanto, mientras busco la fuente de estas desdichas. Luego procuraré consolaros o acompañaros hasta la muerte. Callad entre tanto: la paciencia contenga un momento al dolor. Traed acá a esos presos.

FRAY LORENZO.—Yo, el más humilde y a la vez el más respetable por mi estado sacerdotal, pero el más sospechoso por la hora y el lugar, voy a acusarme y a defenderme al mismo tiempo.

PRÍNCIPE.—Decidnos lo que sepáis.

FRAY LORENZO.—Lo diré brevemente, porque la corta vida que me queda, no consiente largas relaciones. Romeo se había desposado con Julieta. Yo los casé, y el mismo día murió Teobaldo. Esta muerte fue causa del destierro del desposado y del dolor de Julieta. Vos creísteis mitigarle, casándola con Paris. En seguida vino a mi celda, y loca y ciega me rogó que buscase una manera de impedir esta segunda boda, porque si no, iba a matarse en mi presencia. Yo le di un narcótico preparado por mí, cuyos efectos simulaban la muerte, y avisé a Romeo por una carta, que viniese esta noche (en que ella despertaría) a ayudarme a desenterrarla. Fray Juan, a quien entregué la carta, no pudo salir de Verona, por súbito accidente. Entonces me vine yo solo a la hora prevista, para sacarla del mausoleo, y llevarla a mi convento, donde esperase a su marido. Pero cuando llegué, pocos momentos antes de que ella despertara, hallé muertos a Paris y a Romeo. Despertó ella, y le rogué por Dios que me siguiese y respetara la voluntad suprema. Ella, desesperada, no me siguió, y a lo que parece, se ha dado la muerte. Hasta aquí sé. Del casamiento puede dar testimonio su ama. Y si yo delinquí en algo, dispuesto estoy a sacrificar mi vida al fallo de la ley, que sólo en pocas horas podrá adelantar mi muerte.

PRÍNCIPE.—Siempre os hemos tenido por varón santo y de virtudes. Oigamos ahora al criado de Romeo.

BALTASAR.—Yo di a mi amo noticia de la muerte de Julieta. A toda prisa salimos de Mantua, y llegamos a este cementerio. Me dio una carta para su padre, y se entró en el sepulcro desatentado y fuera de sí, amenazándome con la muerte, si en algo yo le resistía.

PRÍNCIPE.—Quiero la carta: ¿y dónde está el paje que llamó a la ronda?

PAJE.—Mi amo vino a derramar flores sobre el sepulcro de Julieta. Yo me quedé cerca de allí, según sus órdenes. Llegó un caballero y quiso entrar en el panteón. Mi amo se lo estorbó, riñeron, y yo fui corriendo a pedir auxilio.

PRÍNCIPE.—Esta carta confirma las palabras de este bendito fraile. En ella habla Romeo de su amor y de su muerte: dice que compró veneno a un boticario de Mantua, y que quiso morir, y descansar con su Julieta. ¡Capuletos, Montescos, ésta es la maldición divina que cae sobre vuestros rencores! No tolera el cielo dicha en vosotros, y yo pierdo por causa vuestra dos parientes. A todos alcanza hoy el castigo de Dios.

CAPULETO.—Montesco, dame tu mano, el dote de mi hija: más que esto no puede pedir tu hermano.

MONTESCO.—Y aún te daré más. Prometo hacer una estatua de oro de la hermosa Julieta, y tal que asombre a la ciudad.

CAPULETO.—Y a su lado haré yo otra igual para Romeo.

PRÍNCIPE.—¡Tardía amistad y reconciliación, que alumbra un sol bien triste! Seguidme: aún hay que hacer más: premiar a unos y castigar a otros. Triste historia es la de Julieto y Romeo.

INDICE

Esta obra se acabó de imprimir
El mes de febrero del 2005, en los talleres de

PENAGOS, S.A. DE C.V.
Lago Wetter No. 152 Col. Pensil
11490, México, D.F.